A·L·M

RUSSIAN

ADVANCED LEVEL

SECOND EDITION

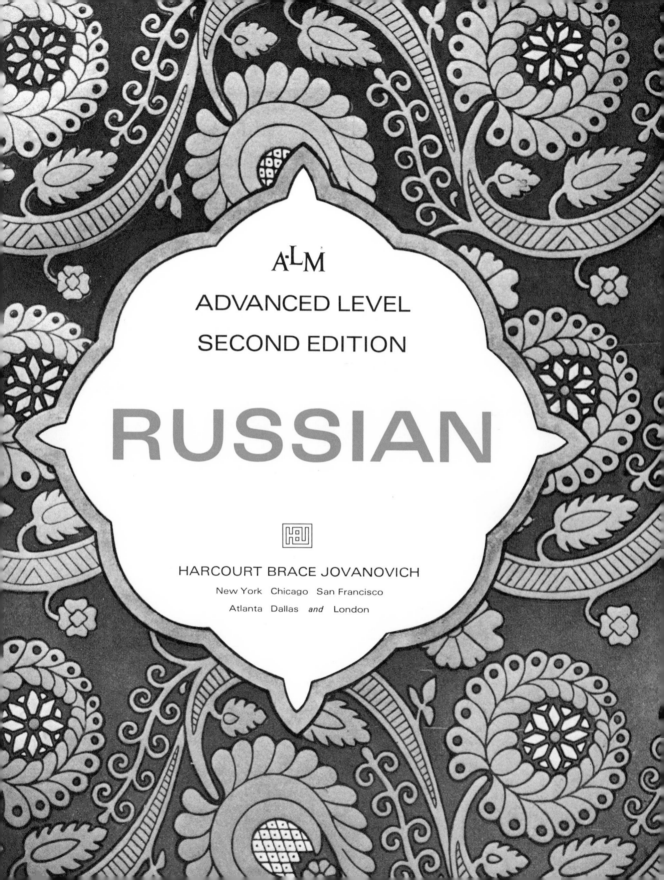

A·L·M

ADVANCED LEVEL

SECOND EDITION

RUSSIAN

HARCOURT BRACE JOVANOVICH

New York   Chicago   San Francisco

Atlanta   Dallas   *and*   London

Cover: Illustrations by Nataliya Goncharova; from the P. M. Fekula Collection, New York, Harbrace photo.

Title page: Illustration for the cover of the magazine, *The Firebird,* from the P. M. Fekula Collection, New York, Harbrace photo.

WRITING AND CONSULTING STAFF

WRITER: **Marina Liapunov**

CONSULTANT: **Richard Burgi,** *Princeton University*

TEACHER CONSULTANTS: **Georges N. Krivobok,** *Abbot Academy, Andover, Massachusetts*
Konstantin Hramov, *Yale University*

RECORDING SPECIALIST: **Pierre J. Capretz,** *Yale University*

GENERAL CONSULTANT: **Nelson Brooks,** *Yale University*

A·LM AUDIO-LINGUAL MATERIALS
LISTENING · SPEAKING · READING · WRITING

Advanced Level Program: *Second Edition*

STUDENT TEXTBOOK

TEACHER'S MANUAL

6 TWO-TRACK CASSETTES

УЧАЩИЕСЯ

UNIT 1

Последний урок. Из рассказа Юрия Нагибина.   3

Говорят выпускники.   4

Учебный год.   11

Примерный режим дня.   12

Песня: Девочки и мальчики.   13

Три разговора.   21

Из «Крокодила».   24

Поговорки.   25

GRAMMAR

Prepositions: *по* with Dative, Accusative, and Locative   8

WORD STUDY

Verbal Prefixes: *вы-, до-, раз-*   22

REFERENCE NOTES

Imperfective vs. Perfective   27

«*Что нового?*»   27

«*Мне везёт.*»   27

UNIT 2

Образование в СССР.   29

Факультеты МГУ.   30

Экзамены. Записки абитуриента.   39

Сон студента. По В. Константинову.   41

Улыбка.   44

Заявление в МГУ.   47

GRAMMAR

Cardinal Numerals: Review   34

Declension of Cardinal Numerals   35

WORD STUDY

The Root *-уч- (-ук-)*   42

REFERENCE NOTES

Special Prepositional Usages:

   при, через, Russian Equivalents of "On"   50

OPTIONAL READING FOR UNITS 1 AND 2

Книжные магазины Москвы.   52

Отрывок из письма иностранца.   55

Газеты и журналы.   56

В школе. По А. Аверченко.   59

РАСПРЕДЕЛЕНИЕ

UNIT 3

Важный шаг. По В. Аксёнову.   67

Два диалога.   71

Проводы. По В. Аксёнову.   78

С международным женским днём 8 марта!   82

Кем быть? Владимир Маяковский.   87

Вы выбираете профессию.   90

GRAMMAR

Married, To Get Married   74

Participles and Gerunds: Introduction   76

WORD STUDY

Verbal Prefixes: *от-, под-*   84

REFERENCE NOTES

Irregular Plurals   85

Ждать with Genitive and Accusative   86

«Лёгок на помине»   86

UNIT 4

Пе́ред отъе́здом. По В. Пано́вой.

    У Ни́ны.   93

    Ни́на и Ко́стя.   98

    В па́рке.   104

GRAMMAR

Present Active Participle   101

Present Gerund   101

Present Passive Participle   102

WORD STUDY

Adjectives and Participles Used as Nouns   109

REFERENCE NOTES

Diminutives of Adjectives   110

пошли́, пое́хали as Imperatives   110

сади́ться, се́сть   110

-то   110

чего́   111

жа́лко, жа́ль   111

OPTIONAL READING FOR UNITS 3 AND 4

Полёт. По В. Каве́рину.   112

ЯЗЫК И ЛЕГЕНДЫ

UNIT 5

Сло́во о слова́х: Ру́сский язы́к — оди́н из славя́нских языко́в.

    По Л. Успе́нскому.   125

Они́ похо́жи и́ли не́т?   132

По города́м Росси́и.   138

Ру́сский язы́к. По Л. Успе́нскому. 140

Поэ́ты и писа́тели о ру́сском языке́. 144

GRAMMAR

Past Gerund 135

Past Active Participle 135

WORD STUDY

Verbal Prefixes: *вз-, воз-, на-* 143

REFERENCE NOTES

вспо́мнить vs. *напо́мнить* 146

предста́вить себе́ 146

похо́жий на 146

Special Declensions 146

Adjectives and Adverbs with Prefix *пре-* 147

подража́ть + Dative 147

UNIT 6

Дли́нные слова́. По Л. Успе́нскому. 148

Са́мая удиви́тельная бу́ква ру́сского алфави́та.

По Л. Успе́нскому. 152

О Пу́шкине. 156

Отры́вки из произведе́ний А. С. Пу́шкина:

Русла́н и Людми́ла. 159

Ска́зка о рыбаке́ и ры́бке. 160

Ска́зка о царе́ Салта́не. 163

GRAMMAR

Past Passive Participle 164

Summary of Participles and Gerunds 166

WORD STUDY

Compound Words 167

REFERENCE NOTES

Commands 168

Plural Declensions 169

обраща́ть / обрати́ть внима́ние на 169

любо́й, вся́кий, како́й уго́дно 169

OPTIONAL READING FOR UNITS 5 AND 6

Отры́вки из уче́бника «Родна́я ре́чь»:

    О жи́зни славя́н.   170

    О кня́зе Оле́ге (включа́ет отры́вки из поэ́мы «Песнь о
ве́щем Оле́ге» А.С. Пу́шкина).   171

Деревя́нная Ру́сь. По И. Серге́еву.   174

ТУРИСТОМ В МОСКВЕ

UNIT 7

Моско́вский Кре́мль.   181

Лечу́ в Москву́.   182

Мы то́лько что прилете́ли.   185

Аэрофло́т.   187

Из путеводи́теля «Спу́тник тури́ста»:

    Кре́мль и Кра́сная пло́щадь.   194

    Музе́и, вы́ставки, теа́тры, цирк, кино́.   196

    Тра́нспорт.   198

    Экску́рсии по Москве́.   200

Игра́: Путеше́ствие по Москве́.   203

GRAMMAR

Verbs of Motion   188, 192

REFERENCE NOTES

идти́ / ходи́ть to attend, to call on   201

идти́ / ходи́ть (with Vehicles)   202

UNIT 8

Гости́ница «Росси́я».   205

На́до позвони́ть по телефо́ну.   209

Как найти́ доро́гу?   212

Това́рищ такси́.   214

Моско́вское метро́.   217

Полно́чный троллéйбус. Була́т Окуджа́ва.   218

В гостя́х.   220

Улы́бка.   221

Из путеводи́теля «Спу́тник тури́ста»:

     Столо́вые, рестора́ны, кафé.   224

     Меню́.   229

     Магази́ны и ры́нки.   236

У́лица трéбует внима́ния.   241

Из исто́рии.   242

Игра́: Перекрёсток.   244

GRAMMAR

Adjectives with Numerals   222

Equivalents of "Until"   233

Prepositions in Expressions of Time   233

WORD STUDY

Nouns Derived from Verbs of Motion   240

REFERENCE NOTES

дво́е, тро́е, чéтверо   245

держа́ться + Genitive   245

OPTIONAL READING FOR UNITS 7 AND 8

Трусохво́стик. Сергéй Михалко́в.   246

ЧЕМ ТЫ УВЛЕКАЕШЬСЯ?

UNIT 9

Пéрвый ра́з в теа́тре. Из воспомина́ний Шаля́пина.   275

Бори́с Годуно́в. Расска́зывает до́чь Шаля́пина.   279

Репертуа́р теа́тров.   282

«А́нна Карéнина» в балéте. Из журна́ла «Культу́ра и жи́знь».   286

В Большо́м теа́тре. 288

Лу́чший танцо́вщик Ма́рис Ли́епа. Из журна́ла «Культу́ра и
жи́знь». 290

Панора́ма культу́рной жи́зни. 296

Улыбка. 302

GRAMMAR

Indirect Discourse 284

Indirect Questions 293

ли in Indirect Questions 294

WORD STUDY

Verbs from *ста́ть* and *ста́вить* 299

пить vs. *петь* 299

свет vs. *цвет* 300

цвет vs. *цвето́к* 301

REFERENCE NOTES

The Superlative Suffix *-ейший (-айший)* 303

«*Мы с тобо́й*» 303

UNIT 10

Почему́ я люблю́ хокке́й? Интервью́ с А. Фи́рсовым. 304

Афи́ша: Спорт. 310

Чем вы увлека́етесь? 311

Ле́то: Лы́жи. 315

Футбо́льная пе́сенка. 316

Сосе́ди. По Б. Ла́скину. 319

Улыбка. 325

Наш друг — спорт. 328

GRAMMAR

Purpose Clauses with *что́бы* 313

WORD STUDY

Negative Impersonals 326

Words derived from *дава́ть / дать* 326

дать and *есть* 327

REFERENCE NOTES

Intensive Pronouns vs. Reflexive Pronouns 329

OPTIONAL READING FOR UNITS 9 AND 10

Ша́хматы.   330

Расска́зывают почто́вые ма́рки.   332

Занима́тельная матема́тика.   333

Улы́бка.   335

Ра́дио.   336

ТВ.   337

Навстре́чу весёлому ве́тру.   338

Начина́ющему рыболо́ву.   339

Грибнику́.   340

На велосипе́де. Стихотворе́ние Евге́ния Евтуше́нко.   343

Зи́мние кани́кулы.   344

Улы́бка.   348

ПО СТРАНЕ

UNIT 11

Над ка́ртой СССР. Из журна́ла «Нау́ка и жизнь».   353

Байка́л. Из журна́ла «Приро́да».   355

Зна́ете ли вы... Из журна́ла «Нау́ка и жизнь».   356

Сиби́рь. Из журна́ла «Приро́да».   362

Ста́нция Зима́. Стихотворе́ние Евге́ния Евтуше́нко.   365

Се́верное сия́ние. По С. Ме́чу.   366

Берёза. Стихотворе́ние С. Есе́нина.   370

Осень. Стихотворе́ние А. Толсто́го.   371

Пти́чка. Стихотворе́ние В. Жуко́вского.   371

Сюрпри́з. Из кни́ги «Тайна географи́ческих назва́ний»
   И. Серге́ева.   374

GRAMMAR

Comparison of Adjectives. Review   358

Comparison of Adjectives. Special Constructions:
   по-, наи-, куда́, чрезвыча́йно, весьма́   359

WORD STUDY

Verbs ending in -чь   372

REFERENCE NOTES

Adjectives in -оватый (-еватый)   377

Indefinites with -то, -нибудь, and -либо   377

The Particle кое-   377

UNIT 12

Вы́ е́дете на экску́рсию...   379

Хле́б да со́ль.   382

О хле́бе.   385

Пироги́.   389

На блины́.   391

Ру́сский ква́с.   392

Ру́сский лён.   394

Ру́сский самова́р.   397

Са́ни.   398

Де́тство. Стихотворе́ние И. З. Су́рикова.   399

Ша́т и До́н. Из кни́ги «Та́йна географи́ческих назва́ний»
И. Серге́ева.   400

Край ты́ мо́й, роди́мый край! Стихотворе́ние А. Толсто́го.   402

Пе́сня: С чего́ начина́ется ро́дина?   403

GRAMMAR

Subordinate Clauses after Verbs of Wishing and Requesting   387

WORD STUDY

Masculine Past Tense Without -л   395

REFERENCE NOTES

Clauses with бы... ни   401

Clauses with ни Only   401

OPTIONAL READING FOR UNITS 11 AND 12

На вокза́ле. По В. Амали́нскому.   404

УЧАЩИЕСЯ

UNIT 1

ПОСЛЕДНИЙ УРОК

Во́т и ко́нчился после́дний уро́к после́днего дня́ на́шей шко́льной жи́зни. Впереди́° ещё до́лгие и тру́дные экза́мены, но́ уро́ков у на́с бо́льше никогда́ не бу́дет. Бу́дут ле́кции, семина́ры, колло́квиумы — всё таки́е взро́слые слова́! — бу́дут ву́зовские[1] аудито́рии и лаборато́рии, но́ не бу́дет ни кла́ссов, ни па́рт°. Де́сять шко́льных ле́т заверши́лись° по знако́мой тре́ли° звонка́, что́ возника́ет° внизу́, в учи́тельской°, и подыма́ется° с не́которым опозда́нием к на́м, на шесто́й эта́ж, где́ располо́жены деся́тые кла́ссы.

Всё мы́, растро́ганные°, взволно́ванные, ра́достные, расте́рянные и смущённые° свои́м мгнове́нным° превраще́нием из шко́льников° во взро́слых люде́й, кото́рым да́же мо́жно жени́ться°, слоня́лись° по кла́ссам и коридо́ру, как бу́дто на́м бы́ло стра́шно вы́йти из шко́льных сте́н в ми́р, кото́рый ста́л бесконе́чным. И бы́ло тако́е чу́вство, бу́дто что́-то не договоре́но, не до́жито, не исче́рпано° за проше́дшие° де́сять ле́т, бу́дто э́тот де́нь заста́л нас враспло́х°.

— Из расска́за Юрия Наги́бина
«Же́ня Румя́нцева».

впереди́: *ahead*
па́рта: *(school) desk*
–заверши́ться: *to come to an end*
тре́ль *f*: *trill*
возника́ть–: *to arise*
учи́тельская: *учи́тельская ко́мната*
подыма́ется: *поднима́ется*
–растро́гать: *to move deeply*

–смути́ть: *to confuse*
мгнове́нный: *instantaneous*
шко́льник: *учени́к*
–жени́ться: *to get married*
слоня́ться–: *to wander aimlessly*
–исче́рпать: *to use up*
проше́дший: *past*
–заста́ть враспло́х: *to take unawares*

---

[1]The adjective **ву́зовский** pertains to **ву́з,** an abbreviation formed from the first letters of **вы́сшее уче́бное заведе́ние,** a higher educational institution.

3

УПРАЖНЕНИЯ

1. *Поговорим о том, что вы прочитали.*

   Расскажите о настроении учеников в последний день школы.

   Расскажите о последнем учебном дне у вас в школе или в университете.

   Расскажите о первом дне занятий в этом году.

2. *Что значат эти слова? Сравните их.*

   учитель — профессор   урок — лекция
   школьник — студент   класс — аудитория

3. *Повторите каждое предложение. Употребите слова в скобках.*[2] ⊗

   Сегодня завершились десять школьных лет. (кончиться)
   Звонок возник внизу в учительской. (раздаться)
   Впереди ещё были долгие и трудные экзамены. (длинный)
   Мы слонялись по классам и коридору. (ходить)
   Мы оставались в классе, как будто боялись выйти из школьных стен. (школа)

4. *застать врасплох*

   Пример: Мы не были готовы к этому дню.
            Этот день застал нас врасплох.

   Мы мало готовились к экзаменам.   Я совсем забыл о семинаре.
   Они не ждали такого вопроса.

5. *Письменное упражнение.*

   Опишите последний день лета. Отрывок «Последний урок» может послужить вам примером.

Говорят выпускники°

выпускник: *graduating student*

   — Ну, рассказывай, как прошли выпускные экзамены.
   — Ничего, кажется, выдержал°.
      или:
   — Трудно сказать. Надеюсь, что сдал°.
   — Боюсь, что по математике провалился°. Из пяти задач решил
только две.
   — Не знаю. Кажется, плохо написал сочинение.

–**выдержать экзамен:** *to pass an exam*

–**сдать экзамен:** *–выдержать экзамен*
–**провалиться:** *не –выдержать*

[2]Note that the words in parentheses are more characteristic of everyday speech.

— Я слы́шал, что у тебя́ по все́м предме́там пятёрки.

— Ты́ шу́тишь°! По исто́рии у меня́ дво́йка.

и́ли:

— Не у меня́. Я вы́тянул° на у́стном экза́мене невероя́тно тру́дный билéт.[3]

шути́ть–: *to joke*

-вы́тянуть: *to draw out*

— По все́м, кро́ме одного́. Я сде́лал гру́бую оши́бку по фи́зике.

— Не по все́м. По дву́м предме́там у меня́ четвёрки.

— Из двадцати́ ученико́в провали́лись то́лько тро́е.

— Тро́е? Я слы́шал, что вы́держали всё, кро́ме дву́х.

и́ли:

— Кто́ же они́? Неуже́ли оди́н из ни́х Ко́стя?

— Да́, Ко́стю оставля́ют на второ́й го́д.

— Бедня́га°!

и́ли:

— Ничего́ удиви́тельного. Он стра́шный лентя́й°.

— Мо́жно бы́ло ожида́ть°. Он совсе́м не занима́лся.

бедня́га: *бéдный челове́к*

лентя́й: *лени́вый челове́к*

ожида́ть–: *жда́ть–*

— Зато́ Серге́й получи́л золоту́ю меда́ль.[4]

— Ничего́ подо́бного°. Не золоту́ю, а сере́бряную.

и́ли:

— Не удивля́юсь. Он ведь отли́чник.

ничего́ подо́бного: *nothing of the sort*

— Ви́тя то́же прошёл на отли́чно.

— Молоде́ц! Он занима́лся с утра́ до ве́чера.

и́ли:

— Он де́нь и но́чь зубри́л°!

— Не ожида́л. Ему́ повезло́°!

зубри́ть–: *to cram*

ему́ повезло́: *he was lucky*

— А тепе́рь что? Ты́ поступа́ешь° в МГУ?[5]

— Не́т, я реши́л поступи́ть в те́хникум°.

и́ли:

— Ка́к, ра́зве ты́ не слы́шал? Я при́нят в медици́нский институ́т.

— Да́, в МГУ. На филологи́ческий факульте́т°.

поступа́ть–: *to enter*

те́хникум: *техни́ческая шко́ла*

факульте́т: *department*

---

[3] In the Soviet Union, in addition to a written examination, an oral examination is given in each subject. Individual topics are written on slips of paper, which are folded and placed in a container. The student must draw a slip and, after a few minutes' preparation, speak and answer questions on the topic he has drawn.

[4] **Золота́я меда́ль,** a gold medal, is awarded to all students who receive a grade of 5 in all subjects; **сере́бряная меда́ль,** a silver medal, is awarded to students receiving a grade of 4 in no more than two subjects and a grade of 5 in all others. To pass a course **на отли́чно,** with an "Excellent", means that the student received a grade of 5.

[5] **МГУ (Моско́вский госуда́рственный университе́т)** is the oldest and largest university in the Soviet Union.

УПРАЖНЕНИЯ

6. *Согласи́тесь с те́м, что́ ва́м говоря́т.*

   ты́ пра́в   пра́вда   ну да́

   Приме́р: Серёжа получи́л золоту́ю меда́ль.
             Ну да́, о́н ведь отли́чник.

   Андре́й не сда́ст экза́мена.
   Ве́ра — отли́чница.
   На у́стном экза́мене Ки́ре не повезло́.

7. *Не соглаша́йтесь с те́м, что́ ва́м говоря́т.*

   что́ ты́   ты́ ошиба́ешься   ничего́ подо́бного

   Приме́р: Людми́ла всё вре́мя занима́ется.
             Что́ ты́! Она́ стра́шная лентя́йка.

   У Ви́ктора пятёрки по все́м предме́там.
   Андре́й провали́лся по хи́мии.
   Та́не всегда́ везёт.

8. *Ва́с удивля́ет то́, что́ ва́м говоря́т.*

   я́ не зна́л   ты́ уве́рен   неуже́ли

   Приме́р: Пе́тя получи́л дво́йку по биоло́гии.
             Неуже́ли? Он занима́лся с утра́ до ве́чера.

   Ко́лю оставля́ют на второ́й го́д.
   Андре́й Петро́вич о́чень стро́гий.
   Ви́тя поступи́л на филологи́ческий факульте́т.

9. *Приду́майте не́сколько отве́тов на ка́ждый вопро́с.*

   Его́ оставля́ют на второ́й го́д. Ка́к ду́маете, почему́?
   Он получи́л золоту́ю меда́ль. Ка́к ду́маете, почему́?
   Она́ с утра́ до ве́чера зубри́т. Ка́к ду́маете, почему́?

10. *Скажи́те други́м о́бразом.*

    Он не лю́бит рабо́тать.   Он ве́сь де́нь зубри́л.
    Он не вы́держал экза́мена.   Он всё вре́мя рабо́тал.

11. *с утра́ до ве́чера* ⊗

    Приме́р: Тебе́ не надое́ло зубри́ть?
              Ты́ с утра́ до ве́чера зубри́шь!

    Тебе́ не надое́ло занима́ться?   Тебе́ не надое́ло чита́ть?
    Тебе́ не надое́ло учи́ться?   Тебе́ не надое́ло писа́ть?

12. *Упражнéние-диалóг.*

Примéры: (ты́) — Ты́ получи́л золоту́ю меда́ль! Тебé повезлó!
— Тебé всегда́ везёт!

(óн) — Óн получи́л золоту́ю меда́ль! Ему́ повезлó!
— Ему́ всегда́ везёт!

(она́ — они́ — мы́ — вы́ — Анна — Серёжа)

13. *Отвéтьте на вопрóсы.*

Гдé вы́ у́читесь?

Что́ вы́ бу́дете дéлать, когда́ закóнчите э́тот учéбный гóд?

Когда́ у ва́с бу́дут экза́мены? Каки́е? Пи́сьменные и́ли у́стные?

Вы́ неда́вно сдава́ли экза́мены? Каки́е?

Что́ вы́ дéлаете пéред экза́меном? Вы́ зубри́те? Вы́ ду́маете, что хорошó с утра́ до вéчера зубри́ть?

У ва́с в шкóле даю́т меда́ли? Ктó получа́ет меда́ли?

Вы́ когда́-нибудь провали́лись? На какóм экза́мене? Почему́?

14. *Кра́тко опиши́те ва́шу шкóльную жи́знь.*

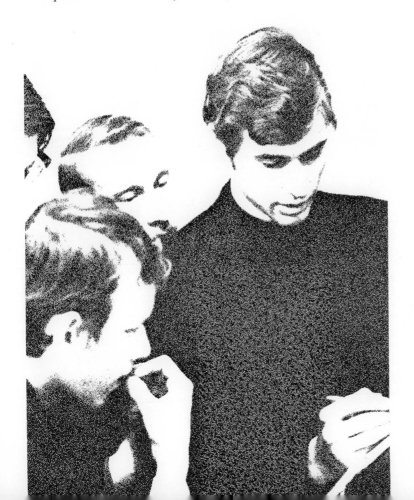

GRAMMAR

Prepositions
По with Dative, Accusative, and Locative

I

All the following sentences and phrases have appeared either in this unit or in previous units of Levels I and II. Give the English equivalent for each item and indicate the case used with the preposition **по.**

Мы́ слоня́лись по кла́ссам и по коридо́ру.
У Ви́ктора пятёрки по все́м предме́там.
Андре́й провали́лся по хи́мии.
Мо́жно позвони́ть е́й по телефо́ну?
По кра́йней ме́ре.
У на́с уро́ки по исто́рии то́лько по четверга́м.
По-мо́ему.
Она́ всегда́ одева́ется по мо́де.
Он э́то взя́л по оши́бке.
По э́той причи́не.
По э́тому вопро́су.

1. It is obvious from the preceding examples that **по** with the dative case has both concrete and abstract applications.

по у́лице	along the street
по го́роду	around the city
по его́ слова́м	according to his words
по мо́лодости	due to his youth

По often can be translated simply as *by* (**по оши́бке, по телефо́ну**) or *in* (**по матема́тике, по исто́рии**).

2. **По** with the dative is also used to indicate distribution, but only of single units, that is when *one* is either used or implied with the item distributed.

Он всегда́ на́м дава́л то́лько по одному́ рублю́.	He always gave us only one ruble apiece.
Он все́м да́л по до́ллару.	He gave each one a dollar.

If a number larger than *one* is involved, **по** requires the accusative of the numeral.

Он всегда́ на́м дава́л то́лько по два́ до́ллара.
Он все́м да́л по четы́ре до́ллара.

Note:

In time expressions **по** with the dative plural indicates a repeated occurrence. Translate and compare:

Она́ хо́дит в це́рковь по воскресе́ньям.
Она́ пойдёт в це́рковь в воскресе́нье.

Я не спа́л по ноча́м.
Я совсе́м не спа́л но́чью.

II

In Level II we have seen that **по** can also be accompanied by the accusative case.

«Беги́те!.. Како́й хо́лод!» — крича́т дру́г дру́гу, заку́танные по са́мые глаза́, москвичи́.

1. When followed by the accusative, **по** usually conveys the idea *up to, as far as.*

Он стои́т по по́яс в воде́.   He is standing in water up to his waist.
Я сы́т по го́рло.   I've had all I can eat.

2. With dates and time expressions, **по** followed by the accusative has the meaning *up to and including.*

по тре́тье ию́ля   until the third of July
по сей де́нь   until this very day

Phrases expressing the idea *from . . . to . . .* can be rendered by "**от . . . до . . .**", both of which are followed by the genitive, and also by "**с** (with the genitive) . . . **по** (with the accusative) . . . "

от января́ до ма́я
с тре́тьего а́вгуста по пятна́дцатое сентября́

"**С . . . по . . .**" is somewhat more precise and very frequently used when dates are involved. This construction, however, is not restricted to dates.

Мы́ прочли́ с тре́тьей по восьму́ю главу́.   We've read from the third to the eighth chapter.

3. With the accusative of **сторона́** and sometimes **рука́**, **по** simply indicates position.

по другу́ю сто́рону (стола́)   on the other side (of the table)
по ту́ сто́рону (у́лицы), (реки́)   on the other (the far) side (of the street), (of the river)
по ле́вую ру́ку   on the left-hand side

III

When **по** is used with the locative, it generally means *after*.

по оконча́нии университе́та	after graduation
по прие́зде	on arrival (after arriving)
по его́ возвраще́нии	after his return
по сме́рти его́ отца́	after his father's death
по истече́нии сро́ка	after the time had elapsed

УПРАЖНЕНИЯ

15. *Каки́е у тебя́ пла́ны?*

Приме́р: Ты́ пое́дешь в воскресе́нье за́ город?
Коне́чно! По воскресе́ньям я́ всегда́ е́зжу за́ город.

Ты́ пойдёшь в понеде́льник в клу́б?
Ты́ пойдёшь в сре́ду на като́к?
Ты́ пойдёшь в пя́тницу на уро́к му́зыки?
Ты́ пое́дешь в суббо́ту на да́чу?
Ты́ пойдёшь в четве́рг в библиоте́ку?
Ты́ пое́дешь во вто́рник в па́рк?
Ты́ пойдёшь в воскресе́нье в кино́?

16. *Отку́да у ва́с всё э́то?*

Приме́р: Отку́да у ва́с тетра́дки? (учи́тельница)
Учи́тельница дала́ ка́ждому из на́с по тетра́дке.

Отку́да у ва́с я́блоки? (ма́ма)
Отку́да у ва́с конфе́ты? (де́душка)
Отку́да у ва́с сли́вы? (сосе́дка)
Отку́да у ва́с до́ллары? (па́па)

17. *Из ка́ждой гру́ппы сло́в соста́вьте по предложе́нию.*

Приме́р: они́ / всё у́тро / слоня́ться / коридо́р
Они́ всё у́тро слоня́лись по коридо́ру.

мы́ / ча́сто / гуля́ть / алле́и па́рка
я́ / всё ле́то / путеше́ствовать / Аме́рика
тури́сты / до́лго / ходи́ть / го́род
ученики́ / ве́сь де́нь / слоня́ться / кла́ссы
ребя́та / всё у́тро / бе́гать / са́д
они́ / ве́сь де́нь / е́здить / го́род

ДЕНЬ УЧИТЕЛЯ

ОКТЯБРЬ
1974
Восход 6.42
Заход 17.53
Долгота дня 11.11
ВОСКРЕСЕНЬЕ

6

1975

	ЯНВАРЬ	ФЕВРАЛЬ	МАРТ	АПРЕЛЬ	МАЙ	ИЮНЬ
ПОНЕДЕЛЬНИК	6 13 20 27	3 10 17 24	3 10 17 24 31	7 14 21 28	5 12 19 26	2 9 16 23 30
ВТОРНИК	7 14 21 28	4 11 18 25	4 11 18 25	1 8 15 22 29	6 13 20 27	3 10 17 24
СРЕДА	1 8 15 22 29	5 12 19 26	5 12 19 26	2 9 16 23 30	7 14 21 28	4 11 18 25
ЧЕТВЕРГ	2 9 16 23 30	6 13 20 27	6 13 20 27	3 10 17 24	1 8 15 22 29	5 12 19 26
ПЯТНИЦА	3 10 17 24 31	7 14 21 28	7 14 21 28	4 11 18 25	2 9 16 23 30	6 13 20 27
СУББОТА	4 11 18 25	1 8 15 22	1 8 15 22 29	5 12 19 26	3 10 17 24 31	7 14 21 28
ВОСКРЕСЕНЬЕ	5 12 19 26	2 9 16 23	2 9 16 23 30	6 13 20 27	4 11 18 25	1 8 15 22 29

	ИЮЛЬ	АВГУСТ	СЕНТЯБРЬ	ОКТЯБРЬ	НОЯБРЬ	ДЕКАБРЬ
ПОНЕДЕЛЬНИК	7 14 21 28	4 11 18 25	1 8 15 22 29	6 13 20 27	3 10 17 24	1 8 15 22 29
ВТОРНИК	1 8 15 22 29	5 12 19 26	2 9 16 23 30	7 14 21 28	4 11 18 25	2 9 16 23 30
СРЕДА	2 9 16 23 30	6 13 20 27	3 10 17 24	1 8 15 22 29	5 12 19 26	3 10 17 24 31
ЧЕТВЕРГ	3 10 17 24 31	7 14 21 28	4 11 18 25	2 9 16 23 30	6 13 20 27	4 11 18 25
ПЯТНИЦА	4 11 18 25	1 8 15 22 29	5 12 19 26	3 10 17 24 31	7 14 21 28	5 12 19 26
СУББОТА	5 12 19 26	2 9 16 23 30	6 13 20 27	4 11 18 25	1 8 15 22 29	6 13 20 27
ВОСКРЕСЕНЬЕ	6 13 20 27	3 10 17 24 31	7 14 21 28	5 12 19 26	2 9 16 23 30	7 14 21 28

Учéбный гóд

В срéдней шкóле учéбный гóд состои́т из четырёх частéй:

пéрвая чéтверть	с 1-го сентября́ по 5-ое ноября́
втора́я чéтверть	с 9-го ноября́ по 30-ое декабря́
трéтья чéтверть	с 12-го января́ по 24-ое ма́рта
четвёртая чéтверть	с 1-го апрéля по 20-ое ма́я

В университéте учéбный гóд дéлится на два́ семéстра:

пéрвый семéстр	с 1-го сентября́ по 15-ое января́
второ́й семéстр	с 1-го ма́рта по 30-ое ию́ня

УПРАЖНЕНИЯ

18. *Просмотри́те табли́цу и отвéтьте на вопро́сы.*

На ско́лько частéй дéлится учéбный гóд в срéдней шкóле? В университéте?

Когда́ пéрвая чéтверть в срéдней шкóле? Когда́ пéрвый семéстр?

Когда́ втора́я чéтверть? Когда́ второ́й семéстр?

Когда́ трéтья чéтверть?

Когда́ четвёртая чéтверть?

Когда́ пéрвый семéстр начина́ется? Когда́ конча́ется?

Когда́ второ́й семéстр начина́ется? Когда́ конча́ется?

ПРИМЕРНЫЙ РЕЖИМ ДНЯ

1. Подъем 7.00
2. Утренняя гимнастика . . 7.00—7.15
3. Уборка постели, умывание
   и обтирание . . . . . 7.15—7.30
4. Завтрак . . . . 7.30—8.00
5. Занятия в школе . . . 8.30—14.30
6. Обед . . . . 15.00—15.30
7. Прогулка, развлечения . 15.30—16.30
8. Приготовление уроков . 16.30—19.00
9. Спортивная тренировка
   (понедельник, среда, пятница), кино, библиотека и
   т. п. (вторник, четверг,
   суббота) . . . . . . 19.00—20.45
10. Ужин . . . . 20.45—21.15
11. Приготовление к школе 21.30—22.00
12. Сон . . . . 22.00—7.00

ДЕВОЧКИ И МАЛЬЧИКИ

Слова И. Дика   *Музыка А. Островского*

Ровесницы, ровесники,
Девчонки и мальчишки,
Одни поём мы песенки,
Одни читаем книжки.

Припев:

Девчонки, мальчишки, —
Мальчишки, девчонки, —
Мы учимся вместе, друзья!
Всегда у нас весело в классе.
Да здравствует дружба... Ура! } 2 раза

Идут по общей лестнице,
Звонок услышав громкий,
Ровесники, ровесницы,
Мальчишки и девчонки.

Припев.

Ровесники, ровесницы,
Мальчишки и девчонки, —
Пусть будет дружбы вестником
Припев вот этот звонкий.

Припев.

СВЕДЕНИЯ ОБ УСПЕВАЕМОСТИ И ПОВЕДЕНИИ УЧЕНИКА
за 19 *73* 19 *74* учебный год

НАЗВАНИЕ ПРЕДМЕТОВ	Оценки (отметки) успеваемости по четвертям				Годовая оценка (отметка)	Оценка (отметка), полученная на испытании (экзамене)	Итоговая оценка (отметка)
	I	II	III	IV			
Русский язык	5	4	5	5	5	5	5
Литература	4	5	5	5	5	5	5
Родной язык							
Родная литература							
Арифметика							
Алгебра	4	4	4	4	4	5	4
Геометрия	4	4	4	4	4	3	4
История	5	5	5	5	5	5	5
Обществоведение	5	4	5	5	5	5	5
География	4	4	5	5	5	5	5
Физика	4	4	3	3	3	3	3
Астрономия	3	4	4	4	4	4	4
Химия							
Биология	4	5	4	3	4	4	4
Черчение	4	3	4	3	3		3
Иностранный язык (какой) *англійск.*	3	4	3	4	4	4	4
Физическое воспитание	4	4	4	4	4		4
Трудовая политехническая подготовка	5	5	5	5	5		5
Начальная военная подготовка							
Изобразительное искусство							
Пение	5	5	5	5	5		5
Поведение	5	5	5	5	5		5
Число уроков	297	231	330	231			
Из них пропущено	5	11	33	6			
Количество опозданий на уроки	—	1	2	—			
Подпись классного руководителя	*В. Попов*						
Подпись родителей		*К. Иванов.*					
ИТОГИ ГОДА: переведен в следующий класс, оставлен на второй год, исключен, выпущен и. т. д.	*Переведен*						

УПРАЖНЕНИЯ

19. *Просмотри́те страни́цу из дневника́[6] сове́тского шко́льника и отве́тьте на вопро́сы.*

Каки́е предме́ты вхо́дят в програ́мму шко́льника?

Каку́ю отме́тку э́тот шко́льник получи́л в пе́рвой че́тверти по ру́сскому языку́? По геоме́трии? По черче́нию? По астроно́мии? По обществове́дению?

Каку́ю годову́ю отме́тку он получи́л по биоло́гии? По геогра́фии?

Каку́ю отме́тку он получи́л на экза́мене по фи́зике? По исто́рии? По англи́йскому языку́?

Кака́я у него́ ито́говая отме́тка по геоме́трии? По а́лгебре?

Кака́я у него́ ито́говая отме́тка по поведе́нию?

Ско́лько уро́ков он пропусти́л?

Ско́лько ра́з он опозда́л?

Ка́к зову́т его́ кла́ссного руководи́теля?

Ка́к зову́т его́ отца́?

20. *Отве́тьте на вопро́сы.*

Каки́е предме́ты вы прохо́дите в э́том году́?

Каки́е из ни́х вы са́ми вы́брали? Каки́е вы обяза́тельно должны́ пройти́?

Каки́е предме́ты у вас сего́дня?

Како́й ваш люби́мый предме́т?

По каки́м предме́там вы получа́ете хоро́шие отме́тки?

Како́й предме́т вам ка́жется лёгким, како́й — тру́дным?

21. *Он отли́чно у́чится.* ⊗

Приме́р: Он хорошо́ зна́ет хи́мию.
            Он получи́л пятёрку по хи́мии.

Он хорошо́ зна́ет тригоно́метрию.
Он хорошо́ зна́ет геоме́трию.
Он хорошо́ зна́ет биоло́гию.
Он хорошо́ зна́ет литерату́ру.

22. *Он гото́вится к экза́менам.* ⊗

Приме́р: За́втра экза́мен по биоло́гии.
            Он у́чит биоло́гию.

Ра́зные то́чки зре́ния.

За́втра экза́мен по матема́тике.
За́втра экза́мен по фи́зике.
За́втра экза́мен по психоло́гии.

---

[6]Each Soviet student has a standard notebook in which he writes down the details of his homework assignments. It also contains a class record that his teachers mark daily.

РАСПИСАНИЕ УРОКОВ

Уроки и часы	Понедельник	Вторник	Среда	Четверг	Пятница	Суббота
1-й От 8 ч. 30 м. до 9 ч. 15 м.	Русский язык	Русский язык	Русский язык	Литература	Русский язык	Черчение
2-й От 9 ч. 25 м. до 10 ч. 10 м.	Географ.	Алгебра	Астрономия	Алгебра	Астрономия	Алгебра
3-й От 10 ч. 20 м. до 11 ч. 05 м.	Английск. язык	Литература	Англ. язык	Биология	Английск. язык	Литература
4-й От 11 ч. 20 м. до 12 ч. 05 м.	Геометр.	Биология	Геометрия	Физика	Геометрия	Физика
5-й От 12 ч. 15 м. до 13 ч. 00 м.	Черчение	История	Обществовед.	География	История	Обществовед.
6-й От 13 ч. 10 м. до 13 ч. 55 м.	Пение		Физич. воспит.		Труд	

РАСПИСАНИЕ УРОКОВ

Уроки и часы	Понедельник	Вторник	Среда	Четверг	Пятница	Суббота
1-й От . . . . ч. . . . . м. до . . . . ч. . . . . м.						
2-й От . . . . ч. . . . . м. до . . . . ч. . . . . м.						
3-й От . . . . ч. . . . . м. до . . . . ч. . . . . м.						
4-й От . . . . ч. . . . . м. до . . . . ч. . . . . м.						
5-й От . . . . ч. . . . . м. до . . . . ч. . . . . м.						
6-й От . . . . ч. . . . . м. до . . . . ч. . . . . м.						

УПРАЖНЕНИЕ

23. *Просмотри́те типи́чное расписа́ние уро́ков сове́тского ученика́ и расскажи́те о нём.*

    Приме́р: В кото́ром часу́ начина́ется (конча́ется) пе́рвый уро́к?

            Пе́рвый уро́к _____.

В кото́ром часу́ второ́й уро́к?   В кото́ром часу́ пя́тый уро́к?
В кото́ром часу́ тре́тий уро́к?   В кото́ром часу́ шесто́й уро́к?
В кото́ром часу́ четвёртый уро́к?

    Приме́р: Како́й предме́т по понеде́льникам от _____ до _____?

            По понеде́льникам от _____ до _____ исто́рия.

по вто́рникам — по среда́м — по четверга́м — по пя́тницам

    Приме́р: Хи́мия по вто́рникам?

            Не́т, по четверга́м и пя́тницам.

Фи́зика по пя́тницам?   Геогра́фия по четверга́м?
Матема́тика по понеде́льникам?   Исто́рия по среда́м?

Месяц _Сентябрь_

Дни и числа	Предметы	ЧТО ЗАДАНО	Оценка успеваемости	Подпись учителя
Понедельник 23	Русск. яз.	§8 Упр. 6 и 7	5	Е. Климова
	Географ.	Реки Сибири, стр. 25-29		
	Англ. яз.	Читать стр. 16		
	Геометр.	Упр. 6 (а, б), 7, 8		
	Черчение	Принести бумагу		
Вторник 24	Русск. яз	Задание в тетради		
	Алгебра	Задачи 5-8, стр. 58		
	Литер.	Сказки Пушкина		
	Биология	§65 учить		
	История	§10 читать		
Среда 25	Русск. яз.	§9 Упр. 10; 12		
	Астроном.	Читать о солнце, стр. 30-35		
	Англ. яз.	Ex. 19; читать стр. 17		
	Геометр.	Пункт 6, упр. 7, 8, 9	4	В. Попов
	Общ. вед.	Читать стр. 42 - 48		

Пропуск уроков ___5___ из них по болезни ___5___

Количество опозданий на уроки ___—___

Месяц _Сентябрь_

Дни и числа	Предметы	ЧТО ЗАДАНО	Оценка успеваемости	Подпись учителя
Четверг 26	Литер.	Сочинение о Пушкине		
	Алгебра	Задачи 9-11, стр. 59-60	4	Л. Город
	Биолог.	Читать стр. 123-130		
	Физика	§ 3 читать		
	Географ.	Стр. 30-36 читать		
Пятница 27	Русск. яз.	Предлоги, § 13 учить		
	Астроном.	Читать о солнце, стр. 36-40		
	Англ. яз.	Ex. 20 - писать		
	История	§ 11 - учить		
Суббота 28	Черчение	Принести карандаши		
	Алгебра	§ 3, № 5-7, стр. 48		
	Литер	Учить стихотворение		
	Физика	Задание в тетради		
	Общ. вед	Написать ответы		

Классный руководитель _В. Попов._
(подпись)

Подпись родителей _К. Иванов._

УПРАЖНЕНИЯ

24. *Расскажи́те о дома́шней рабо́те сове́тского шко́льника.*

    Что́ ему́ за́дано на понеде́льник по геогра́фии?
    Что́ за́дано э́тому ученику́ на вто́рник по литерату́ре?
    Что́ ему́ за́дано на понеде́льник по фи́зике?
    Что́ ему́ за́дано на вто́рник, на сре́ду, на четве́рг, на пя́тницу?
    По како́му предме́ту он получи́л са́мую хоро́шую отме́тку?
    По како́му предме́ту он получи́л плоху́ю отме́тку?

25. *Отве́тьте на вопро́сы.*

    Ка́к вы́ ду́маете, в СССР ученика́м задаю́т на́ дом мно́го и́ли ма́ло рабо́ты?
    А ка́к у ва́с? Ва́м задаю́т мно́го дома́шней рабо́ты?
    Ско́лько вре́мени вы́ прово́дите за уро́ками ка́ждый ве́чер?
    По каки́м предме́там ва́м задаю́т бо́льше всего́ рабо́ты?

Три разговора

Ви́ктор Петро́в в тре́тьем кла́ссе сре́дней шко́лы.

У ч и́ т е л ь . Ви́тя, ты́ опя́ть не вы́учил уро́ка. Смотри́, поста́влю двойку!

В и́ к т о р   П е т р о́ в . Ива́н Никола́евич, я́ вчера́ ве́сь ве́чер учи́л. Стихотворе́ние о́чень дли́нное.

Ви́ктор Петро́в в деся́том кла́ссе сре́дней шко́лы.

У ч и́ т е л ь . Петро́в, вы́ опя́ть не вы́учили уро́ка. Смотри́те, ско́ро экза́мен...

В и́ к т о р   П е т р о́ в . Учи́л, Никола́й Серге́евич, до по́здней но́чи. Но во́т не совсе́м понима́ю...

Ви́ктор Петро́в — студе́нт в университе́те.

П р о ф е́ с с о р . Това́рищи, сего́дня мы́ поговори́м о Пу́шкине. Петро́в, расскажи́те на́м, что́ вы́ зна́ете о «Ме́дном вса́днике»?

В и́ к т о р   П е т р о́ в . Сейча́с, Пётр Ива́нович.

УПРАЖНЕНИЯ

26. *Отвéтьте на вопрóсы.*

Кáк обращáется учитель к ученикáм в млáдших клáссах — по имени или по фамилии?
Он обращáется к ним на «ты» или на «вы»?
Кáк учитель обращáется к ученикáм в стáрших клáссах?
Кáк обращáются ученики к учителю — по фамилии или по имени и óтчеству?
Кáк обращáется профéссор к студéнтам?

27. *Измените диалóги, испóльзуя именá и фамилии.*

Николáй Иванóв — Татьяна Аксёнова   Сергéй Ильин — Екатерина Прóхорова

WORD STUDY

Verbal Prefixes

вы-   до-   раз-

Мы прошли мимо её дóма.

Кáк прошли выпускные экзáмены?

Compare the two sentences above. Note that the verbal prefix has contributed the concrete meaning *pass by* in the first instance and the more abstract idea of *pass, transpire* in the second. Most Russian verbal prefixes function in this way; that is, they can add various meanings to the verb with which they combine.

In Level II, Unit 24, pp. 301–303, the basic or concrete meanings of nine verbal prefixes were presented. Among them were **вы-** *out of* (**выйти** *to exit*) and **до-** *as far as, up to* (**дойти** *to reach, to go as far as*).

Give English equivalents of the following aspectual pairs, in which **вы-** and **до-** have their basic or concrete meanings.

выбегáть– –вы́бежать[7]	добегáть– –добежáть
выводить– –вы́вести	доводить– –довести
выдавáть– –вы́дать	доезжáть– –доéхать
выезжáть– –вы́ехать	долетáть– –долетéть
вылезáть– –вы́лезть	доносить– –донести
выносить– –вы́нести	доплывáть– –доплы́ть

The more figurative meanings of the prefix **вы-** are apparent in the following verbs.

–вы́брать   to choose (to take out from a larger group)
–вы́думать   to devise, to think up (out of one's head)
–вы́писать   to extract (to write out from some other text)

[7] The prefix **вы́-** is stressed in all perfective forms.

Note the idea of successful achievement in the verbs below.

–вы́играть   to win (to play out to the end successfully)
–вы́учить   to memorize (to learn thoroughly)
–вы́держать   to endure successfully (to hold out to the end)

In some verbs the prefix **вы-** contributes both its concrete and figurative meanings.

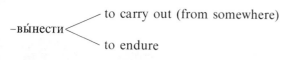

–вы́нести — to carry out (from somewhere) / to endure

The more figurative meanings of the prefix **до-** are apparent in the following verbs.

–доказа́ть   to prove (to show until something has been proved)
–дожи́ть   to live out, to live through
–договори́ть   to finish saying

Note the idea of completion when the reflexive suffix **-ся** is added.

–дожда́ться   to wait (until what is expected occurs)
–дозвони́ться   to reach (to get through to someone by ringing on the telephone)
–договори́ться   to come to terms (to speak together until final arrangements are agreed upon)

The prefix **раз-**[8] contains basically the idea of dispersal or division: *in various directions, in separate parts, in pieces.*

–разойти́сь   to disperse (to go in various directions)
–разосла́ть   to circulate (to send around)
–разда́ть   to distribute (to give to various recipients)

Note both the literal and figurative meanings of **раз-** in the following verb which means *to take apart.*

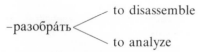

–разобра́ть — to disassemble / to analyze

The prefix **раз-** can also convey the notion of undoing or cancelling an action.

–разде́ть   to undress
–разду́мать   to change one's mind
–разлюби́ть   to stop loving, to fall out of love with
–разучи́ться   to forget how to

In addition the prefix **раз-** may indicate intensification of an action.

–раска́шляться   to have a fit of coughing
–расхохота́ться   to roar with laughter

---

[8]**Разо-** before two consonants: –разобра́ть.
  Разъ- before е and я: –разъе́хаться, –разъясни́ться.
  Рас- before an unvoiced consonant: –раскры́ть, –рассказа́ть.

КРОКОДИЛ

Ма́льчик остана́вливает маши́ну:
— Дя́дя,[9] подвези́те° до шко́лы!
— Я е́ду в другу́ю сто́рону,— говори́т шофёр.
— Тем лу́чше.

— Ита́к°,— сказа́л профе́ссор студе́нту,— вы утвержда́ете°, что э́то ва́ша оригина́льная рабо́та?
— С по́лной определённостью°.
— Бо́же мо́й, како́е сча́стье ви́деть живо́го Ди́кенса.

Преподава́тель уви́дел рекла́му° магнитофо́на°: «С по́мощью магнитофо́на вы мо́жете учи́ться во сне́».
— Поду́маешь, но́вость! — сказа́л учи́тель. — Уверя́ю ва́с, что в моём кла́ссе из тридцати́ ученико́в по кра́йней ме́ре полови́на применя́ет° э́тот ме́тод без магнитофо́на.

— *Теперь они хоть на доску смотреть стали...*

Ва́ся пришёл из шко́лы.
— Ну, похва́стай° свои́ми успе́хами, сыно́к,— сказа́л оте́ц. — Покажи́ дневни́к.
— Ты зна́ешь, па́па я да́л его́ Серёже. Он хо́чет испуга́ть° свои́х роди́телей.

Учи́тель да́л те́му для сочине́ния: «Соста́вьте° расска́з, употреби́в° все́ дни́ неде́ли».
Учени́к написа́л:
«В воскресе́нье па́па пошёл на охо́ту. Он принёс тако́го огро́много за́йца, что мы́ е́ли его́ в понеде́льник, вто́рник, сре́ду, четве́рг, пя́тницу и ещё оста́лось на суббо́ту».

-подвезти́: *to give a lift*
ита́к: *and so*
утвержда́ть-: *to maintain*

определённость *f*: *certainty*
рекла́ма: *advertisement*
магнитофо́н: *tape-recorder*

применя́ть-: *to apply*
-похва́стать: *to brag*
-испуга́ть: *to frighten*

-соста́вить: *to compose*
употреби́в: *using*

---

[9] A Russian often casually addresses an older person, even a stranger, with familiar forms like **дя́дя, тётя, ба́бушка, де́душка.**

ПОГОВОРКИ*

Уче́нье — све́т, а неуче́нье — тьма́.

Повторе́нье — ма́ть уче́нья.

Ве́к живи́ — ве́к учи́сь.

Не учи́ ры́бу пла́вать.

На оши́бках у́чатся.

Ум — хорошо́, а два́ — лу́чше.

Мно́го бу́дешь зна́ть — ско́ро соста́ришься.

* English equivalents:
Knowledge is light, ignorance darkness.
Repetition is the beginning of all learning.
Live a lifetime; learn a lifetime.
Don't try to teach a fish to swim.
You learn from your mistakes.
Two minds are better than one.
If you learn too much, you'll grow old fast.

Сменная общеобразовательная средняя школа № 8

ОБ'ЯВЛЯЕТ

ПРИЕМ

УЧАЩИХСЯ

в 5, 6, 7, 8, 9, 10 классы

и в классы ускоренного обучения (курс 5—8 классов за 2,5 года). Имеются специальные ускоренные 5—7 классы, в которых готовятся шоферы-профессионалы.

Занятия в школе утренние, вечерние и сменные.

Для поступления в школу требуется представить справку с места работы и документ об образовании.

■ ■ ■ ■

АДРЕС ШКОЛЫ: ул. Чернышевского, Колпачный пер., дом 4

ПРОЕЗД: троллейбусами 5 и 25, трамваями А, 1, 3, 15 до остановки „Покровские ворота", ближайшие станции метро: „Кировская", „Дзержинская", „Курская".

Заявления принимаются ежедневно с 11 до 14 и с 18 до 20 часов.

Справки по телефону Н 7-82-63, Н 7-82-43

Для лиц, имеющих большой перерыв в учебе, проводятся консультационные занятия в июне, июле и августе.

Начало учебного года 1 сентября

REFERENCE NOTES

1. Imperfective vs. Perfective

In addition to indicating achieved action, the perfective form of a verb may also differ in meaning from the imperfective. We have seen that the imperfective **пить**– means *to drink,* while –**вы́пить,** its perfective counterpart, means *to drink all of something.* Similarly, the imperfective **ловить**– can mean *to try to catch,* while –**пойма́ть,** its perfective partner, means *to achieve the catching of something.* This distinction in meaning between imperfective and perfective verb forms is particularly clear in the following expressions:

сдава́ть– экза́мен
and } mean *to take an examination*
держа́ть– экза́мен

–сда́ть экза́мен
and } mean *to pass an examination*
–вы́держать экза́мен

2. Idiomatic Genitive

The pronouns **что́** and **ничего́** can be followed by the masculine-neuter genitive of adjectives to form an idiomatic construction, as in the following examples:

Что́ *но́вого?*	What's new?
Ничего́ *подо́бного!*	Far from it! Nothing of the sort!
Ничего́ *удиви́тельного.*	Nothing strange about that.
Что́ ж ту́т *смешно́го?*	What's so funny?

3. Impersonal Verb with Dative

The third-person singular forms of **везти́**– –**повезти́** are used with the dative to form an impersonal expression meaning *to be lucky.* The corresponding indeterminate imperfective **вози́ть**– is never used in this sense.

На́м никогда́ не везёт.	We're never lucky.
Ей всегда́ везло́.	She was always lucky.

UNIT 2

Моско́вский университе́т

Образова́ние°
в СССР

Во всех шко́лах Сове́тского Сою́за одна́ програ́мма, и уче́бники для всех школ одни́ и те́ же. Ученики́ занима́ются шесть дней в неде́лю. В ста́рших° кла́ссах пять-шесть уро́ков в день. Ка́ждый учени́к прохо́дит° сле́дующие° предме́ты: ру́сский язы́к, литерату́ру, фи́зику, хи́мию, матема́тику, биоло́гию, астроно́мию, исто́рию, геогра́фию, а та́кже° таки́е предме́ты, как рисова́ние, пе́ние, физкульту́ру. По оконча́нии шко́лы выпускники́ сдаю́т госуда́рственные° экза́мены и получа́ют дипло́м об о́бщем образова́нии, так называ́емый аттеста́т зре́лости°. Для того́, что́бы поступи́ть в вы́сшее уче́бное заведе́ние, ещё необходи́мо° сда́ть официа́льные вступи́тельные° экза́мены.

В СССР бо́лее 800 (восьмисо́т) вы́сших уче́бных заведе́ний. Са́мое большо́е и са́мое ста́рое из них — МГУ (Моско́вский госуда́рственный университе́т). Он был откры́т 27 апре́ля 1755 го́да. В университе́те 14 факульте́тов, 240 ка́федр°. При нём нахо́дится Институ́т восто́чных° языко́в.

В МГУ обуча́ется° свы́ше° 30 (тридцати́) ты́сяч студе́нтов. Кро́ме того́, в университе́те у́чится бо́лее 4 (четырёх) ты́сяч аспира́нтов°. Студе́нты есте́ственных° факульте́тов у́чатся в зда́нии на Ле́нинских гора́х. Неда́вно там же был постро́ен ко́рпус° гуманита́рных° факульте́тов. В университе́те обуча́ются студе́нты всех национа́льностей Сове́тского Сою́за, а та́кже большо́е число́ студе́нтов из социалисти́ческих стра́н — поля́ков, че́хов, румы́н, болга́р, не́мцев, ве́нгров° и представи́телей° други́х национа́льностей.

образова́ние: *education*
ста́рший: *upper*
проходи́ть–: *to take*
сле́дующий: *following*
та́кже: *то́же*
госуда́рственный: *government, state*
аттеста́т зре́лости: *high-school diploma*
необходи́мый: *necessary*
вступи́тельный: *entrance*
ка́федра: *chair, professorship*

восто́чный: *Oriental*
обуча́ться–: *to be educated*
свы́ше: *бо́льше чем*
аспира́нт: *graduate student*
есте́ственный: *natural-science*
ко́рпус: *building; division*
гуманита́рный: *liberal-arts*
ве́нгр: *Hungarian (man)*
представи́тель *m*: *representative*

ФАКУЛЬТÉТЫ МОСКÓВСКОГО ГОСУДÁРСТВЕННОГО УНИВЕРСИТÉТА ЍМЕНИ М.В. ЛОМОНÓСОВА[1]

Факультéты естéственных наýк:

Механико-математический	Биолого-почвенный
Физический	Геологический
Химический	Географический

Факультéты гуманитáрных наýк:

Исторический	Юридический
Филологический	Журналистики
Философский	Психологии
Экономический	Институт восточных языков

[1]The official name of Moscow University honors the memory of **Михаи́л Васи́льевич Ломоно́сов (1711–1765),** an eminent Russian scientist, poet, grammarian, and educator.

УПРАЖНЕНИЯ

1. *Поговори́м о то́м, что́ вы прочита́ли.*

   Что́ вы зна́ете об образова́нии в СССР?

   Расскажи́те о програ́мме в шко́лах, о заня́тиях ученико́в, о предме́тах, кото́рые ученики́ прохо́дят в шко́ле, о то́м, ка́к поступи́ть в ву́з.

   Что́ вы зна́ете о МГУ?

   Когда́ о́н бы́л откры́т? Ско́лько в нём факульте́тов? Назови́те факульте́ты. Ско́лько в нём ка́федр? Ско́лько студе́нтов обуча́ется в университе́те? Ско́лько аспира́нтов? Где́ располо́жен университе́т? Из каки́х стра́н мо́жно встре́тить студе́нтов в университе́те?

2. *Расскажи́те о ва́ших заня́тиях.*

   Вы́ у́читесь в шко́ле и́ли в университе́те?
   Ско́лько дне́й в неде́лю вы́ занима́етесь?
   Ско́лько у ва́с предме́тов в де́нь?
   Мо́жете ли вы́ вы́брать предме́ты, кото́рые хоти́те пройти́, и́ли не́т?
   Что́ на́до сде́лать в США, что́бы поступи́ть в университе́т? Каки́е экза́мены на́до сда́ть?

3. *Расскажи́те об университе́тах в ва́шей стране́.*

   Како́й из ни́х са́мый ста́рый? Како́й са́мый большо́й?
   Каки́е университе́ты счита́ются лу́чшими? Почему́?

4. Предста́вьте себе́, что вы́ журнали́ст, кото́рый прово́дит интервью́ об образова́нии снача́ла с сове́тским, а пото́м с америка́нским уча́щимся.

5. *Вы́ согла́сны и́ли не́т? Объясни́те, почему́?*

   Приме́р: Ка́жется, Моско́вский университе́т не о́чень большо́й.
   Непра́вильно. Моско́вский университе́т — са́мый большо́й университе́т в СССР. В университе́те свы́ше 30-ти́ ты́сяч студе́нтов, 14 факульте́тов, 240 ка́федр.

   Я слы́шал, что Моско́вский университе́т о́чень ста́рый.
   Мне́ говори́ли, что в Моско́вском университе́те у́чатся то́лько ру́сские студе́нты.
   По-мо́ему, в Моско́вском университе́те то́лько четы́ре факульте́та.
   Я чита́л, что сове́тский учени́к, кото́рый зака́нчивает о́бщее образова́ние, прохо́дит мно́го предме́тов.
   Мне́ писа́ли, что в ка́ждой шко́ле Сове́тского Сою́за своя́ програ́мма.

6. *Вы́, ка́жется, реши́ли поступи́ть в ву́з?*

   На како́й факульте́т вы́ хоте́ли бы поступи́ть? (На како́м вы́ факульте́те?) Почему́? Каку́ю профе́ссию вы́ вы́брали?

   Каки́е факульте́ты в то́м университе́те, кото́рый вы́ вы́брали? Есть та́м факульте́т журнали́стики? Есть та́м факульте́т филосо́фии? Есть та́м хими́ческий факульте́т?

7. *Я слы́шал, что о́н поступи́л в ву́з. На како́м о́н факульте́те?*

   Приме́р: Он поступи́л на хими́ческий факульте́т.
   Он у́чится на хими́ческом факульте́те.

   Он поступи́л на геологи́ческий факульте́т.
   Он поступи́л на меха́нико-математи́ческий факульте́т.
   Он поступи́л на экономи́ческий факульте́т.
   Он поступи́л на юриди́ческий факульте́т.

8. *Что́ ва́с интересу́ет?*

   Приме́р: Меня́ интересу́ет биоло́гия.
   Я собира́юсь поступи́ть на био́лого-по́чвенный факульте́т.

   Меня́ интересу́ет хи́мия.   Меня́ интересу́ет журнали́стика.
   Меня́ интересу́ет фи́зика.   Меня́ интересу́ет психоло́гия.
   Меня́ интересу́ет геогра́фия. Меня́ интересу́ет филосо́фия.

9. *Оди́н и то́т же.*

   У ни́х одни́ и те́ же уче́бники.
   (програ́мма — профе́ссор — предме́ты)

В коридо́рах МГУ

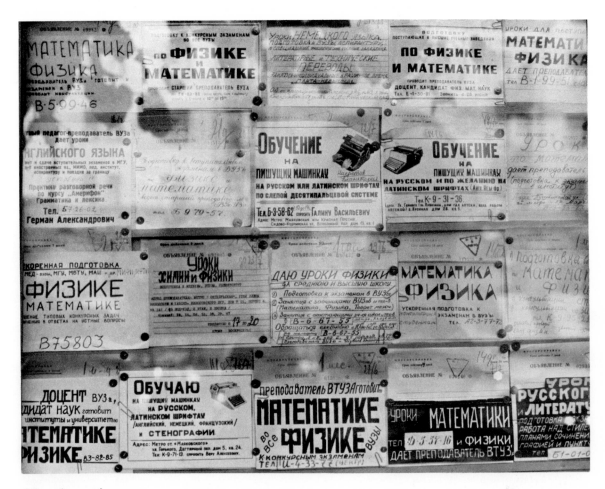

Объявле́ния уча́щимся

10. *Отку́да они́?* ⊗

болга́рин — болга́рка поля́к — по́лька чех — че́шка
ве́нгр — венге́рка румы́н — румы́нка

Приме́р: Этот студе́нт из По́льши. Он поля́к.[2]

Эта студе́нтка из По́льши. Она́ по́лька.

Этот студе́нт из Чехослова́кии. Этот студе́нт из Болга́рии.

Эта студе́нтка из Чехослова́кии. Эта студе́нтка из Болга́рии.

Этот студе́нт из Румы́нии. Этот студе́нт из Ве́нгрии.

Эта студе́нтка из Румы́нии. Эта студе́нтка из Ве́нгрии.

---

[2]Note that nouns and adjectives indicating nationality are not capitalized in Russian, although
the names of the corresponding countries are.

GRAMMAR

Cardinal Numerals
Review

The cardinal number **оди́н** always agrees in gender, number, and case with the noun that follows.

оди́н факульте́т   одна́ ка́федра   одно́ ме́сто

The cardinal numerals **два́**, **три́**, and **четы́ре** are followed by the genitive singular. **Два́** is used with masculine and neuter, **две́** with feminine nouns.

два́ факульте́та	две́ ка́федры	два́ ме́ста
три́ факульте́та	три́ ка́федры	три́ ме́ста
четы́ре факульте́та	четы́ре ка́федры	четы́ре ме́ста

Cardinal numerals from **пя́ть** on are followed by the genitive plural.

пя́ть факульте́тов	двена́дцать университе́тов
де́вять ка́федр	со́рок профессоро́в
оди́ннадцать ме́ст	сто́ учителе́й

Remember that **оди́н**, **два́**, **три́**, and **четы́ре** always function in the same way whether they appear alone or as the final component of a larger numeral.

три́дцать оди́н аспира́нт	сто́ три́ заведе́ния
пятьдеся́т два́ уче́бника	две́сти четы́ре шко́лы
девяно́сто две́ кни́ги	ты́сяча одна́ но́чь

Presentation

За́втра у на́с два́ экза́мена.
Я уже́ сда́л два́ экза́мена.
Бо́льше дву́х экза́менов в оди́н де́нь у на́с не быва́ет.
Я гото́влюсь к дву́м экза́менам.
Я о́чень волнова́лся пе́ред э́тими двумя́ экза́менами.
Он провали́лся на дву́х экза́менах.

Give the English equivalent for each of the preceding sentences.

In which sentences is the numeral followed by the genitive singular? What is the case of the numeral in those sentences in which it is followed by the genitive singular?

In which sentences does the numeral appear in the same case as the noun which follows it? Is the noun which follows the numeral in these sentences singular or plural?

1. The cardinal numerals above one are followed by the genitive only when they are in either the nominative or the inanimate accusative.

Здесь живут — два студента.

пять студентов.

Я купил — три словаря.

шесть словарей.

2. In other contexts cardinal numerals above one are used in the same case as the noun they accompany. The noun is always plural.

Мы пришли с — двумя студентами.

пятью студентами.

Declension of Cardinal Numerals

nominative	два, две	три	четыре	пять	восемь	пятнадцать	тридцать
genitive	двух	трёх	четырёх	пяти	восьми	пятнадцати	тридцати
dative	двум	трём	четырём	пяти	восьми	пятнадцати	тридцати
accusative							
inanimate	два, две	три	четыре	пять	восемь	пятнадцать	тридцать
animate	двух	трёх	четырёх				
instrumental	двумя	тремя	четырьмя	пятью	восьмью	пятнадцатью	тридцатью
locative	двух	трёх	четырёх	пяти	восьми	пятнадцати	тридцати

Note:
The genitive, dative, instrumental, and locative of **пять, шесть, семь, восемь, девять, десять, двадцать,** *and* **тридцать** *are accented on the ending.* **Одиннадцать, двенадцать, тринадцать, четырнадцать, пятнадцать, шестнадцать, семнадцать, восемнадцать,** *and* **девятнадцать** *are accented on the same syllable in all cases.*

Notes:

Один and all numbers ending in **один** are in the same case as the noun they accompany. The noun is always singular.

В лаборатории сегодня двадцать один студент.

Я приготовил экзамен для двадцати одного студента.

The animate accusative **двух, трёх,** and **четырёх** by themselves are accompanied by a noun in the accusative plural.

Я видел двух студентов.

The accusative **два, три,** and **четыре** as the final component of a larger numeral are accompanied by a noun in the genitive singular, whether animate or inanimate.

Я видел двадцать два студента.

Declension of Cardinal Numerals (*continued*)

nominative	со́рок	девяно́сто	сто́	пятьдеся́т	ты́сяча	миллио́н
genitive	сорока́	девяно́ста	ста́	пяти́десяти	ты́сячи	миллио́на
dative	сорока́	девяно́ста	ста́	пяти́десяти	ты́сяче	миллио́ну
accusative	со́рок	девяно́сто	сто́	пятьдеся́т	ты́сячу	миллио́н
instrumental	сорока́	девяно́ста	ста́	пятью́десятью	ты́сячью	миллио́ном
locative	сорока́	девяно́ста	ста́	пяти́десяти	ты́сяче	миллио́не

Шестьдеся́т, се́мьдесят, and *во́семьдесят* are declined like **пятьдеся́т.**

УПРАЖНЕНИЯ

11. *Дава́йте посчита́ем!* ⊗

Он занима́ется <u>два́</u> дня́ в неде́лю. (1, 3, 4, 5, 6, 7)
У на́с <u>три́</u> уро́ка в де́нь. (1, 2, 4, 5, 6)
У на́с <u>три́</u> ле́кции в неде́лю. (1, 2, 4, 5, 6)
Ка́ждый учени́к до́лжен пройти́ <u>семна́дцать</u> предме́тов. (2, 4, 5, 10, 11)
В университе́те <u>две́сти со́рок</u> ка́федр. (231, 322, 150)
Та́м бо́лее <u>восьми́десяти</u> акаде́миков. (56, 93, 100)

На семина́ре бы́ло не бо́льше <u>дву́х</u> аспира́нтов. (4, 5, 9)
Меда́ли вы́дали <u>дву́м</u> студе́нтам. (3, 6, 10)
Я познако́мился с <u>двумя́</u> профессора́ми. (3, 7, 8)
Разгово́р шёл о <u>дву́х</u> ученика́х. (4, 5, 10)
Туда́ при́няли <u>дву́х</u> студе́нтов. (3, 4, 5)
У на́с у́чится бо́лее <u>четырёх</u> ты́сяч аспира́нтов. (2, 6, 9)

12. *Когда́ мы́ встре́тимся?* ⊗

Приме́р: Ты́ придёшь в два́?
      Да́, к дву́м.

Ты́ придёшь в три́?   Ты́ придёшь в пя́ть?
Ты́ придёшь в четы́ре?   Ты́ придёшь в ше́сть?

Приме́р: Встре́тимся в два́? (уро́к)
      Не смогу́. У меня́ от <u>дву́х</u> до <u>трёх</u> уро́к.

Встре́тимся в три́? (экза́мен)   Встре́тимся в пя́ть? (семина́р)
Встре́тимся в четы́ре? (собра́ние)   Встре́тимся в ше́сть? (ле́кция)

Приме́р: Приходи́ в два́.
      Ну́... та́к... ме́жду <u>двумя́</u> и <u>тремя́</u>. Хорошо́?

Приходи́ в три́.   Приходи́ в во́семь.
Приходи́ в четы́ре.   Приходи́ в де́сять.

13. *Что́ ва́м на за́втра за́дали?*

    Приме́р: На за́втра на́м за́дали два́ стихотворе́ния.
    Я пока́ вы́учил то́лько одно́.

    На за́втра на́м за́дали два́ пи́сьменных упражне́ния.
    На за́втра на́м за́дали две́ зада́чи.
    На за́втра на́м за́дали два́ сочине́ния.

14. *На ка́ждую гру́ппу сло́в напиши́те по предложе́нию.*

    Приме́р: из / 5 / зада́ча / о́н / реши́ть / то́лько / 2
    Из пяти́ зада́ч о́н реши́л то́лько две́.

    из / 2 / сочине́ние / о́н / написа́ть / то́лько / 1
    из / 3 / стихотворе́ние / о́н / вы́учить / то́лько / 2
    из / 5 / расска́з / о́н / прочита́ть / то́лько / 4

    Приме́р: из / 20 / учени́к / провали́ться / то́лько / 3
    Из двадцати́ ученико́в провали́лись то́лько три́.

    из / 12 / студе́нт / прийти́ / то́лько / 8
    из / 6 / учени́ца / отве́тить / то́лько / 2
    из / 7 / студе́нтка / прие́хать / то́лько / 1

В газе́тах то́же объявля́ют

ЭКЗАМЕНЫ

Запи́ски абитурие́нта°

29 ию́ля

Че́рез два́ дня́ — сочине́ние. Волну́юсь, коне́чно, но́ держу́сь°. Гла́вное — уве́ренность.

30 ию́ля

Бы́л на консульта́ции°. Познако́мился с одни́м высо́ким. Хо́дит печа́льный°. «Мне́,— говори́т,— да́же наде́яться не́чего. Зде́сь что́ це́нится?° Ста́ж°! А на спорти́вный разря́д° никто́ и не посмо́трит! Тебе́-то что́°...»

По доро́ге домо́й встре́тил То́лика. Идёт печа́льный. «Мне́,— говори́т,— да́же наде́яться не́чего. Зде́сь что́ це́нится? Спорти́вный разря́д! А на ста́ж никто́ и не обрати́т внима́ния!° Тебе́-то что́...» А мне́ действи́тельно ничего́. У меня́ ни ста́жа, ни разря́да. Стара́юсь держа́ться.

31 ию́ля

Звони́л Юрка. «Ты́ что́,— говори́т,— жи́зни не зна́ешь? У меня́ то́чные све́дения°— на э́тот факульте́т одни́х девчо́нок° возьму́т. Экспериме́нт».

Ве́чером встре́тил Ната́шу. «Да́,— говори́т,— хорошо́ ва́м, мальчи́шкам°. Всё зна́ют, что на э́том факульте́те у ва́с преиму́щество»°.

Пыта́юсь° держа́ться.

1 а́вгуста

Написа́л сочине́ние. О Ле́рмонтове. Встре́тил высо́кого. Уверя́ет, что сочине́ние на э́ту те́му да́же проверя́ть не бу́дут: «В сто́рону и дво́йку!° Я то́чно зна́ю».

Ещё держу́сь.

2 а́вгуста

Получи́л 5. Встре́тил То́лика. «Ну́,— говори́т,— бра́т, не повезло́ тебе́! Хо́дят слу́хи°, что все́х пятёрочников° прова́лят на исто́рии!»

Тру́дно, но́ держу́сь.

20 а́вгуста

Давно́ не писа́л. Отли́чное настрое́ние!

В институ́т поступи́л.

Звони́л Юрка: «Ты́ что́ — младе́нец?° Не зна́ешь, что с пе́рвого ку́рса° полови́ну студе́нтов отсе́ют° по́сле се́ссии?° У меня́ све́дения то́чные!»

Стара́юсь держа́ться.

абитурие́нт: *high-school graduate*

держа́ться–: *to bear up*

консульта́ция: *tutorial session*
печа́льный: *sad*
це́ниться–: *to be important*
ста́ж: *job-experience*
разря́д: *rating*
тебе́-то что: *but what difference is that to you . . .*
–обрати́ть внима́ние: *to pay attention*

све́дения pl: *information*
девчо́нка: *де́вочка, де́вушка*

мальчи́шка: *ма́льчик*
преиму́щество: *advantage*
пыта́ться–: *стара́ться–*

«В сто́рону и дво́йку!»: *"Brush it aside and give it a 2!"*

хо́дят слу́хи: *there are rumors*
пятёрочник: *учени́к, у кото́рого пятёрки*

младе́нец: *baby*
с пе́рвого ку́рса: *from the freshman class*
–отсе́ять: *to eliminate*
се́ссия: *examination period*

УПРАЖНЕНИЯ

15. *Расскажи́те о то́м, что́ вы́ прочита́ли.*

16. *Повтори́те ка́ждую фра́зу, но с неуве́ренностью.*

Приме́р: Он сда́л экза́мен на отли́чно.
Хо́дят слу́хи, что о́н сда́л экза́мен на отли́чно.
и́ли:
Ду́маю, что о́н сда́л экза́мен на отли́чно.
Говоря́т, что о́н сда́л экза́мен на отли́чно.
Он, ка́жется, сда́л экза́мен на отли́чно.
Меня́ уверя́ют, что о́н сда́л экза́мен на отли́чно.

Та́м це́нится то́лько ста́ж.
Никто́ не смо́трит на спорти́вный разря́д.
На э́тот факульте́т одни́х девчо́нок возьму́т.
На э́том факульте́те у мальчи́шек преиму́щество.
Сочине́ние на э́ту те́му да́же проверя́ть не бу́дут.
Все́х пятёрочников бу́дут ре́зать на исто́рии.
Полови́ну студе́нтов отсе́ют по́сле се́ссии.

17. *Замени́те подчёркнутые слова́ сино́нимами.*

Он хо́дит печа́льный. На э́то никто́ и не посмо́трит.
Пыта́юсь держа́ться. На э́тот факульте́т одни́х девчо́нок возьму́т.
Настрое́ние отли́чное. Их бу́дут ре́зать на исто́рии.

18. *Упражне́ние-диало́г.*

Приме́р: (мальчи́шки) — Хорошо́ ва́м, мальчи́шкам.
— У мальчи́шек преиму́щество.
(девчо́нки) — Хорошо́ ва́м, девчо́нкам.
— У девчо́нок преиму́щество.

(выпускники́ — абитурие́нты — студе́нты — шко́льники — рабо́чие)

19. *Дава́йте поговори́м.*

Вы́ ждёте отве́та о то́м, при́няты ли вы́ в ву́з и́ли не́т. Прия́тели передаю́т ва́м слу́хи о то́м, кого́ при́мут, а кого́ не при́мут.

20. *За́пись в дневни́к.*

Вы́ пи́шете в дневни́к об у́стном экза́мене, кото́рый у ва́с бы́л у́тром, и о то́м, что́ говоря́т об э́том экза́мене други́е ученики́.

21. *Письмо́.*

Напиши́те письмо́ прия́телю о то́м, что́ вы́ слы́шали насчёт поступле́ния в университе́т.

СОН СТУДЕНТА

На крова́ти спи́т студе́нт.
Сту́к° в две́рь. Вхо́дит профе́ссор.

сту́к: *knock*

Профе́ссор (*ро́бко°*). Разреши́те° войти́?

Студе́нт (*зева́ет°*). Заходи́те, профе́ссор.

Профе́ссор (*вхо́дит*). Здра́вствуйте, Пётр Никола́евич!

ро́бкий: *timid*
-разреши́ть: *to permit*
зева́ть-: *to yawn*

Студе́нт. Здра́вствуйте. Приса́живайтесь°.

Профе́ссор. Не мо́жете ли вы́ сейча́с сда́ть экза́мен?

приса́живаться-: *to take a seat*

Студе́нт. Это бу́дет зави́сеть° от ва́с.

зави́сеть-: *to depend*

Профе́ссор. Спаси́бо. Бери́те, пожа́луйста, биле́т. Бери́те, бери́те, я не смотрю́... Како́й у ва́с но́мер?

Студе́нт. Три́дцать второ́й. (*Па́уза.*) Зна́ете что, профе́ссор, ва́м придётся зайти́ в сле́дующий ра́з.

Профе́ссор (*чу́ть не° пла́чет*). Ну́, това́рищ студе́нт, ну́ я ва́с прошу́...

чу́ть не: *almost*

Студе́нт. Не́т!

Профе́ссор. Но́ я ва́с о́чень прошу́...

Студе́нт. Я сказа́л — зайдёте в сле́дующий ра́з.

Профе́ссор. А когда́ у ва́с всё-таки° мо́жно бу́дет приня́ть экза́мен?

всё-таки: *all the same*

Студе́нт. Пойма́ете ка́к-нибудь°. Обы́чно я быва́ю на факульте́те, по четверга́м.

ка́к-нибудь: *some time or other*

Профе́ссор. Большо́е спаси́бо... Извини́те за беспоко́йство°. (*Ухо́дит.*)

беспоко́йство: *trouble*

Сту́к в две́рь. Студе́нт просыпа́ется.
Вхо́дит убо́рщица°.

убо́рщица: *cleaning-woman*

Убо́рщица. Встава́й, Пе́тя! Мне́ убира́ть на́до... Опя́ть спи́шь! И когда́ ты́ то́лько занима́ешься!

Студе́нт. Ой, обожди́°, тётя Ню́ша. Тако́й со́н присни́лся° — не ина́че как° э́тот экза́мен провалю́!

-обожда́ть: *to wait a minute*
-присни́ться: *to dream*
не ина́че как: *it must mean that*

— По В. Константи́нову, Б. Ра́церу

УПРАЖНЕНИЯ

22. *Прочита́йте «Со́н студе́нта» по роля́м.*

23. *Дава́йте поговори́м.*

Предста́вьте себе́, что вы́ — Пе́тя и расска́зываете ва́ш со́н тёте Ню́ше.

Предста́вьте себе́, что Пе́тя, действи́тельно, сда́л у́стный экза́мен. Сде́лайте ну́жные измене́ния в диало́ге «Со́н студе́нта».

24. *Ответьте на вопросы.* ⊗

> *Пример:* Ты́ не пойдёшь на докла́д? (вы́)
> <u>Это бу́дет зави́сеть от ва́с.</u>

Ты́ посту́пишь к ни́м на рабо́ту? (они́)
Ты́ согласи́шься на э́то? (ты́)
Ты́ туда́ пое́дешь? (пого́да)
Ты́ ра́но вернёшься домо́й? (рабо́та)

Дворец культуры „Ленинские горы МГУ"

ПРИГЛАШЕНИЕ

28 сентября 1972 г.

WORD STUDY

The Root -*уч*- (-*ук*-)

In Russian, a considerable number of words may be formed from a single root. A knowledge of the basic meanings of roots, as well as of the prefixes and suffixes with which they combine, will make it easier to recognize new words. It will also make clearer the exact meanings of words already familiar.

In this unit, for instance, you have seen many words derived from the variants of the root **-уч-(-ук-)**, contained in the words **учи́тель** and **нау́ка.** This root is found in many words having to do with learning, studying, and teaching.

учи́ть to teach ⟶ учи́тель teacher ⟶ учи́тельский teacher's
приучи́ть to train ⟶ уче́ние training

A number of derivations are listed below.

учи́ть– –вы́учить ⎫
учи́ть– –научи́ть ⎭ to teach

Этот учи́тель у́чит на́с ру́сскому языку́.
Кто́ тебя́ вы́учил е́здить на велосипе́де?
Хо́чешь, я́ тебя́ научу́ игра́ть в ша́хматы?

учи́ть– –вы́учить to study, to learn (to work on a given assignment for a brief period)

Я тепе́рь учу́ три́дцать шесто́й уро́к.
Ты́ уже́ вы́учил стихотворе́ние?

изуча́ть– –изучи́ть to study (thoroughly or for a long time)

Он изуча́ет бактериоло́гию. Он хо́чет ста́ть бактерио́логом.
Он прекра́сно изучи́л электроте́хнику.

учи́ться– –вы́учиться ⎫
учи́ться– –научи́ться ⎭ to learn

Мы́ у́чимся ру́сскому языку́.
Не беспоко́йся, ты́ бы́стро вы́учишься реша́ть э́ти зада́чи.
Он ника́к не мо́жет научи́ться пла́вать.

обуча́ть– –обучи́ть   to teach, to train
Кто́ обучи́л тебя́ э́той игре́?

приуча́ть– –приучи́ть   to train, to discipline
Ка́к приучи́ть дете́й к поря́дку?

разу́чиваться– –разучи́ться   to forget what one has learned
Я та́к давно́ не говори́ла по-францу́зски, что совсе́м разучи́лась говори́ть.

переу́чивать– –переучи́ть   to teach over again
Он все́х хо́чет переучи́ть по-сво́ему.

нау́ка   science
Есте́ственные нау́ки меня́ всегда́ интересова́ли.

нау́чный   scientific
По-мо́ему, э́то нау́чный те́рмин — я́ его́ не зна́ю.

недоу́чка   a poorly educated or ill-informed person
Никогда́ не сказа́л бы, слу́шая его́, что о́н недоу́чка.

обуче́ние   education
Ка́к идёт обуче́ние дете́й в ва́шей шко́ле?

учёба   studies

уче́бник   textbook

уче́бный   educational, school
Он поступи́л в вы́сшее уче́бное заведе́ние.

учени́к }
учени́ца }   pupil

учёный   scholar, scientist
Па́влов — знамени́тый учёный.

учи́лище   educational institution
Бра́т то́лько что ко́нчил вое́нное учи́лище.

учи́тель }
учи́тельница }   teacher

учи́тельская   faculty room

ТИХО! ИДУТ ЭКЗАМЕНЫ!

А. СЕМЕНОВ

АВИАЦИОННЫЙ ИНСТИТУТ

— У товарища отличная характеристика: имеет опыт летной работы.

ФАКУЛЬТЕТ ДОШКОЛЬНОГО ВОСПИТАНИЯ

АВТОДОРОЖНЫЙ ИНСТИТУТ

ЦИРКОВОЕ УЧИЛИЩЕ

— Ну что ж, неплохо, неплохо... Ну, а обратно в людей вы нас можете превратить?

ИНСТИТУТ РЫБНОГО ХОЗЯЙСТВА

— Тяните билет!

ПЕДАГОГИЧЕСКИЙ ИНСТИТУТ

— Итак, вы пришли в класс. Ну-ка, наведите порядок!

ИНСТИТУТ ФИЗКУЛЬТУРЫ

В МГУ обучаются студенты всех национальностей Советского Союза

УПРАЖНЕНИЯ

25. *Выберите подходящий глагол для каждой фразы.*

Это стихотворение очень длинное. Я его весь вечер ———, но так и не ———.

Я тебя быстро ——— играть в карты.

Иван Петрович — наш учитель. Он ——— нас геометрии.

Я не знал, что ты теперь ——— французскому языку.

Я ——— английский язык и теперь перевожу книгу с русского на английский.

Мы ——— этот город.

Наташа поступила в вуз. Она ——— физику.

Я так давно не говорил по-польски, что совсем ——— говорить.

Родители с детства ——— его к работе.

Они всё выучили неправильно, и мне пришлось их долго ———.

26. *Выберите подходящее слово для каждой фразы.*

Имя русского ——— Менделеева известно во всём мире.

Я рад, что скоро конец ——— года.

Наш ——— русского языка называется АЛМ.

Ученики разъехались, и в ——— стало совсем тихо.

Работая на севере, он сделал важное ——— открытие.

Какие ——— изучают в этом университете?

Заявле́ние в МГУ

*Приложение № 2
к Правилам приема*

Форма заявления

Ректору _____
(наименование высшего учебного заведения)

от гр. _____
(фамилия, имя, отчество)

проживающего(ей) _____
(указать адрес по постоянной прописке)

окончившего _____
(указать год окончания, наименование учебного заведения)

_____
(имеется золотая (серебряная) медаль об окончании школы или диплом с отличием
об окончании среднего специального учебного заведения)

З А Я В Л Е Н И Е

Прошу допустить меня к вступительным экзаменам для поступления на дневное, вечернее, заочное обучение (подчеркнуть) факуль-

тета _____
(наименование факультета)

по специальности _____
(наименование специальности)

В общежитии нуждаюсь, не нуждаюсь (подчеркнуть).

О себе сообщаю следующие сведения:

Пол _____

Год и место рождения _____

Национальность _____

(continued on page 48)

Член КПСС,[3] кандидат в члены КПСС, член ВЛКСМ[4] (подчеркнуть).

Выполняемая работа и общий трудовой стаж к моменту поступления в данное высшее учебное заведение _____
(наименование

_____
и местонахождение предприятия (организации), занимаемая должность)

_____

Фамилия, имя и отчество родителей, их местожительство, кем и где они работают (наименование и местонахождение предприятия (организации), занимаемая должность).

Отец _____

Мать _____

« » _____ 19   г.   Подпись
(дата заполнения заявления)

[3] КПСС, *Коммунисти́ческая Па́ртия Сове́тского Сою́за,* is the Communist Party of the Soviet Union.

[4] ВЛКСМ, *Всесою́зный Ле́нинский Коммунисти́ческий Сою́з Молодёжи,* the All-Union Lenin Communist Union of Youth, is the official name for the Komsomol (*Коммунисти́ческий Сою́з Молодёжи*).

В лаборато́рии университе́та

Application to Moscow University

Supplement No. 2 to
Rules for Admission

Application Form

To the Rector of _____
(designation of the institution of higher learning)

Mr.
from Ms. _____
(surname, first-name, patronymic)

residing at _____
(indicate address according to permanent passport registration)

who has completed _____
(indicate year of graduation, designation of educational institution)

_____
(has been awarded a gold (silver) medal at graduation or a diploma with distinction on completion
of an intermediate specialized educational institution)

APPLICATION

I request that I be admitted to the entrance examinations for enrollment
in daytime, evening or correspondence instruction (underline) in the fac-

ulty of _____
(designation of the faculty)

in the special field of _____
(designation of the special field)

I require, do not require, living accomodations (underline).

I report the following information about myself:

Sex _____

Year and Place of Birth _____

Nationality _____

(*continued on page 50*)

Member of the CPSU, candidate for membership in the CPSU, member of the Komsomol (underline).

Work performed and general labor experience up to the time of enrollment in the institution of higher learning given above _____
(designation

_____
and location of employment (the organization), position held)

_____

Surname, first-name and patronymic of parents, their place of residence, where and in what capacity they work (designation and location of employment (the organization), position held).

Father _____

Mother _____

" " _____ 19 ____ .   Signature
(date of filling out application)

УПРАЖНЕНИЕ

27. *Пи́сьменное упражне́ние*

Предста́вьте себе́, что вы́ подаёте заявле́ние в МГУ. Отве́тьте пи́сьменно на ка́ждый из вопро́сов в заявле́нии и пото́м прочита́йте ва́ши отве́ты в кла́ссе.

REFERENCE NOTES

Special Prepositional Usages

1. при

The following sentences appeared in Level II. Give the English equivalent for each.

Чита́ю при све́те кероси́новой ла́мпы.
Его́ на́чали стро́ить при Ива́не Гро́зном.
Еди́нственная в ми́ре шко́ла циркова́го иску́сства нахо́дится при Моско́вском ци́рке.

The preposition **при** is always used with the locative case. It has the basic meaning *under the circumstances of, in connection with.* However, as we can see from the following examples, it is used in many different situations and translated in various ways.

При встрече я вам всё расскажу.	I'll tell you all when we meet.
У меня нет денег при себе.	I don't have any money on me.
При его родителях...	In front of his parents . . .
Это надо сделать при нём.	This must be done when he's present.
При переводе на русский язык...	When translated into Russian . . .
При виде...	At the sight of . . .
При желании...	If you wish . . .

При can also be used as an equivalent of *in spite of.*

При всём желании я всё-таки не смогу при-ехать.	No matter how much I want to (despite all my desire), I still will be unable to come.

2. через

Через is always used with the accusative. When used in time expressions, it does not mean *throughout* but *after* (an interval of).

Через два дня — экзамен.	There's going to be an exam in two days.

3. Russian Equivalents of *on*

a. *On* or *at* after *knock* is rendered by **в** with the accusative.

Стук в дверь.	A knock on the door.
Кто-то стучит в дверь.	Someone is knocking at the door.

b. *On* after *to depend* is rendered by **от** plus the genitive.

Всё зависит от погоды.	It all depends on the weather.

c. **На** with the accusative of **тема** (*topic, theme*) means *on the subject of.*

Сочинение на эту тему.	A composition on that topic.
Опера на современную тему.	An opera on a contemporary subject.

МЕЖДУНАРОДНЫЙ ГОД КНИГИ

По инициати́ве СССР ЮНЕСКО° провозгласи́ла° 1972-ой год Междунаро́дным го́дом кни́ги. Основна́я° иде́я — познако́мить люде́й во всех стра́нах с це́нностью книг. То́лько в 1971-ом году́ в Сове́тском Сою́зе вы́шло 86.000 разли́чных книг на 108-ми языка́х, в сре́днем° ка́ждое изда́ние име́ет° тира́ж° бо́лее 60.000 экземпля́ров°.

КНИЖНЫЕ МАГАЗИНЫ МОСКВЫ

В Москве́ 180 кни́жных магази́нов. Дом кни́ги в це́нтре столи́цы ежедне́вно посеща́ют 35.000 потенциа́льных покупа́телей. К их услу́гам° квалифици́рованный персона́л — 800 челове́к — и три миллио́на книг. В До́ме кни́ги в день покупа́ют 30.000 томо́в°.

Зайдём в Дом кни́ги. Кто же его́ посети́тели°? Почему́ они́ покупа́ют кни́ги? Что чита́ют?

СЕРГЕЙ ВОРОНИН

ДВЕ ЖИЗНИ

Евге́ний Киселёв, учени́к 9-го кла́сса моско́вской шко́лы, 16 лет.

Я вы́рос° среди́ книг. Кни́ги в на́шей семье́ собира́ют давно́. У нас есть не́которые о́чень ре́дкие° экземпля́ры, наприме́р, одно́ из ра́нних изда́ний «Войны́ и ми́ра» Льва́ Толсто́го.

Я на́чал покупа́ть кни́ги, когда́ мне бы́ло 10 лет. У меня́ дово́льно больша́я подбо́рка англи́йских и америка́нских писа́телей, как на ру́сском, так и на англи́йском языка́х. На́чал я с Ага́ты Кри́сти. Её кни́ги легко́ чита́ть, и сюже́ты — захва́тывающие. Сейча́с пыта́юсь чита́ть в оригина́ле Ре́я Бре́дбери и Робе́рта Пэн Уо́ррена. Покупа́ю та́кже кни́ги по совреме́нной° жи́вописи°. В неде́лю покупа́ю, по кра́йней ме́ре, одну́ кни́гу.

ЮНЕСКО: *United Nations Educational, Scientific and Cultural Organization*
-провозгласи́ть: *to proclaim*
основно́й: *principal*
в сре́днем: *on the average*

име́ть–: *to have*
тира́ж: *printing*
экземпля́р: *copy*
услу́га: *service*
том: *volume*

посети́тель *m: visitor*
-вы́расти: *to grow up*
ре́дкий: *rare*
совреме́нный: *modern*
жи́вопись *f: painting*

Людми́ла Са́венкова, студе́нтка тре́тьего ку́рса Моско́вского энергети́ческого институ́та, 20 лет.

Захожу́ в кни́жный магази́н не́сколько раз в неде́лю. Люблю́ чита́ть, осо́бенно совреме́нную про́зу и стихи́°. Мой люби́мый писа́тель — Алекса́ндр Купри́н. Он прекра́сный психо́лог и о́чень хорошо́ пи́шет. Мой оте́ц мно́го чита́ет. До́ма у нас больша́я библиоте́ка, кни́ги для отца́ — вся его́ жизнь.

Сего́дня в магази́не я смотре́ла пласти́нки. Я зако́нчила музыка́льную шко́лу по кла́ссу фортепья́но и немно́го пою́. Купи́ла после́днее изда́ние стари́нных ру́сских рома́нсов. Ужа́сно их люблю́.

Са́ша Вишняко́в, учени́к 5-го кла́сса, 12 лет, роди́лся в Москве́.

Уже́ два го́да собира́ю ма́рки. У

меня́ их це́лый альбо́м. Хожу́ в магази́н раз в неде́лю. Та́кже люблю́ чита́ть. В основно́м приключе́нческую° литерату́ру. Люблю́ стихи́, осо́бенно Пу́шкина. Когда́ я был ма́леньким, ма́ма подари́ла мне «Конька́-Горбунка́» Ершо́ва. Я и тепе́рь по́мню це́лые страни́цы наизу́сть°. Бо́льше всех из америка́нских писа́телей люблю́ Ма́рка Тве́на, осо́бенно его́ «Приключе́ния То́ма Со́йера».

Ира Шеста́к, 6 лет, родила́сь в Москве́.

Мы с па́пой сего́дня идём в теа́тр, но он ещё обеща́л купи́ть мне но́вую кни́жку. Посмотри́те, кака́я краси́вая! У меня́ мно́го книг, це́лая по́лка. А у ма́мы с па́пой — це́лый кни́жный шкаф°. Я люблю́ чита́ть, то́лько не могу́ бы́стро. Лу́чше, когда́ ма́ма и́ли па́па мне чита́ют. Когда́ я вы́расту, куплю́ мно́го книг.

Типогра́фии Сове́тского Сою́за выпуска́ют ка́ждую мину́ту 3.000 книг. В 1965–1970 года́х сове́тские чита́тели купи́ли шесть миллиа́рдов книг и брошю́р. Приба́вьте к э́той ци́фре° огро́мное коли́чество° книг, заку́пленных шко́лами и библиоте́ками.

Кни́ги выхо́дят на 89-ти языка́х наро́дов СССР.

стихи́ pl: poetry	**наизу́сть:** by heart
приключе́нческий: adventure	**кни́жный шкаф:** bookcase

ци́фра: figure	**коли́чество:** number

УПРАЖНЕНИЯ

1. *Расскажи́те о то́м, что́ вы́ прочита́ли.*

   Расскажи́те о то́м, что́ вы́ узна́ли о Евге́нии Киселёве, Людми́ле Са́венковой, Са́ше Вишняко́ве и Ире Шеста́к. Каки́е кни́ги и́м нра́вятся? Что́ они́ чита́ют?

2. *Расскажи́те о кни́гах в СССР. Что́ тако́е «До́м кни́ги»?*

3. *Проведи́те интервью́.*

   Вы́ хоти́те узна́ть о то́м, что́ чита́ют ва́ши однокла́ссники. Расспроси́те и́х об э́том в фо́рме интервью́.

4. *Сочине́ние.*

   Напиши́те о то́м, что́ вы́ чита́ете. Каки́е кни́ги ва́с осо́бенно интересу́ют? Каки́е журна́лы? Где́ вы́ и́х покупа́ете? Каки́е в ва́шем го́роде кни́жные магази́ны? Каки́е библиоте́ки?

Что́бы взя́ть кни́гу из библиоте́ки, ну́жно предста́вить биле́т и запо́лнить чита́тельское тре́бование.

ЧИТАТЕЛЬСКОЕ ТРЕБОВАНИЕ

Писать разборчиво

Фамилия . . . .

Факультет . . Курс . . . Чит. № . . . . .

Автор . . . .

Заглавие . . . .

Автор , ...

Заглавие . . . .

Автор . . . .

Заглавие . . . .

. . . .

Автор . . . .

Заглавие . . . .

. . . .

Автор . . . .

Заглавие . . . .

Дата   19   г. *Подпись читателя*

Форма 3-я . . . .

Тип. МГУ (ф.) 1558—1 500 000

Отры́вок из письма́ иностра́нца

Я поки́нул гости́ницу и пошёл к авто́бусной остано́вке. Бы́ло о́чень ра́но. Я прое́хал не́сколько кварта́лов в авто́бусе, пото́м спусти́лся в метро́. Вот что́ меня́ бо́льше всего́ порази́ло:

Мно́гие, о́чень мно́гие в ваго́нах чита́ли. И не газе́ты, нет. Утренних газе́т в э́тот ча́с ещё не́ было. Кни́ги, друзья́ мой, кни́ги. А каки́е загла́вия? «Бра́тья Карама́зовы», «Произведе́ния Шекспи́ра», «Но́вое в электродина́мике». Когда́ вы́ идёте по алле́е па́рка, ва́с поража́ет коли́чество люде́й, кото́рые сидя́т на скаме́йках и чита́ют. Чита́ют взро́слые, де́ти, старики́... Чита́ют в метро́, в авто́бусах и да́же сто́я в очередя́х.

Ра́ньше, когда́ я ду́мал о Сове́тском Сою́зе, я представля́л себе́ его́ как страну́ Спу́тника. По́сле э́той пое́здки Сове́тский Сою́з ста́л для меня́ страно́й кни́ги.

«Изве́стия»

В поход за мудростью.

Рисунок Ильи Когина

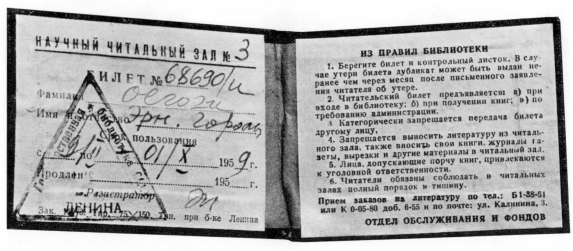

НАУЧНЫЙ ЧИТАЛЬНЫЙ ЗАЛ № 3

БИЛЕТ № 68690/и

Фамилия *Оегоги*

Имя и отчество *Грн. Горель*

пользования

до 01/X 195 9 г.

Продлен 2 195 г.

Регистратор

Зак. ЛЕНИНА пр. 75×150. Тип. при б-ке Ленина

ИЗ ПРАВИЛ БИБЛИОТЕКИ

1. Берегите билет и контрольный листок. В случае утери билета дубликат может быть выдан не ранее чем через месяц после письменного заявления читателя об утере.

2. Читательский билет предъявляется: а) при входе в библиотеку; б) при получении книг; в) по требованию администрации.

3. Категорически запрещается передача билета другому лицу.

4. Запрещается выносить литературу из читального зала, также вносить свои книги, журналы газеты, вырезки и другие материалы в читальный зал.

5. Лица, допускающие порчу книг, привлекаются к уголовной ответственности.

6. Читатели обязаны соблюдать в читальных залах полный порядок и тишину.

Прием заказов на литературу по тел.: Б1-38-51 или К 0-05-80 доб. 6-55 и по почте: ул. Калинина, 3.

ОТДЕЛ ОБСЛУЖИВАНИЯ И ФОНДОВ

ГАЗЕТЫ

ЖУРНАЛЫ

В ШКОЛЕ

Нельзя́ сказа́ть, что́бы э́то бы́ли два́ вражду́ющих° ла́геря. Не́т — э́то бы́ли про́сто два́ разли́чных ла́геря. Два́ непонима́ющих дру́г дру́га ла́геря.

Оди́н ла́герь состоя́л° из высо́кой, бле́дной учи́тельницы, друго́й бы́л число́м побо́льше. Он состоя́л из двадцати́ стри́женных° и́ли укра́шенных коси́чками° голо́вок; все́ го́ловы наклони́лись над па́ртами, все́ языки́ бы́ли прику́шены, а у Рюхина Андре́я от внима́ния да́же откры́лся ро́т.

Скри́п карандаше́й и за́пах черни́л — во́т чем наполня́лась больша́я тёмная ко́мната.

А за откры́тым окно́м кача́ются ака́ции, а кака́я-то пти́чка кричи́т в зе́лени, а с реки́ слы́шно кри́ки купа́ющихся ма́льчиков: в ста́рших кла́ссах уже́ начали́сь кани́кулы; а лучи́° со́лнца, таки́е тёплые, льются с голубо́го не́ба. Хорошо́ бы вы́бежать из ко́мнаты — побежа́ть по у́лице пря́мо к реке́.

Но нельзя́. Ну́жно учи́ться.

Вдру́г, среди́ о́бщей рабо́ты, Кру́гликову Капито́ну прихо́дит в го́лову ва́жный вопро́с:

«А заче́м учи́ться? Действи́тельно ли э́то ну́жно?»

Кру́гликов Капито́н челове́к сме́лый и лю́бит поговори́ть.

— А заче́м мы́ у́чимся?— спра́шивает он учи́тельницу.

Глаза́ его́ стано́вятся совсе́м кру́глыми° отча́сти от любопы́тства, отча́сти от стра́ха, что он реши́лся зада́ть тако́й вопро́с.

— Стра́нный ты́ челове́к,— улыба́ется учи́тельница.— Ка́к заче́м? Что́бы у́мным и образо́ванным° бы́ть.

— А е́сли не учи́ться?

— Тогда́ и культу́ры не бу́дет.

— Это како́й ещё культу́ры?

— Ну́... та́к тебе́ тру́дно сказа́ть. Я лу́чше всего́ объясню́° на приме́ре. Если бы кто́-нибудь из ва́с бы́л в Нью-Йо́рке...

— Я была́,— раздаётся то́нкий голосо́к у са́мой стены́.

Все́ удивлённо огля́дываются и смо́трят на путеше́ственницу. Что́ тако́е? Отку́да?

Наве́рное, в шко́лах е́сть бесёнок°, кото́рый бе́гает ме́жду° па́ртами

вражду́ющий: *warring*	**кру́глый:** *round*
состоя́ть–: *to consist*	**образо́ванный:** *(well-)educated*
стри́женный: *closely cropped*	**–объясни́ть:** *to explain*
коси́чка: *braid*	**бесёнок:** *little demon*
лу́ч: *ray*	**ме́жду:** *among, between*

и приду́мывает вся́кие шу́тки... Наве́рное, э́то о́н дёрнул° Ната́лью Пешко́ву за коси́чку и шепну́л: «Скажи́, что была́, скажи́!»

Она́ и сказа́ла.

— Сты́дно° вра́ть, Ната́лья Пешко́ва. Ну́, когда́ ты была́ в Нью-Йо́рке?

Ната́лья ра́да бы сквозь зе́млю провали́ться°: действи́тельно, заче́м э́то она́ сказа́ла, что была́ в Нью-Йо́рке? Заче́м? Но сло́во, что воробе́й°: вы́летит — не пойма́ешь. А во́т тепе́рь ве́сь кла́сс над не́й смеётся.

— Так во́т,— продолжа́ет учи́тельница,— е́сли бы кто́-нибудь из ва́с бы́л в Нью-Йо́рке, о́н бы уви́дел огро́мные многоэта́жные дома́, метро́, электри́чество, ли́фты, и всё э́то — благодаря́ культу́ре. Благодаря́ тому́, что пришли́ образо́ванные лю́ди. А зна́ете, ско́лько ле́т э́тому го́роду? Сто́ пятьдеся́т — не бо́льше!

— А что́ бы́ло ра́ньше та́м?— спроси́л Рю́хин Андре́й.

— Ра́ньше? Ра́ньше бы́л ле́с. В лесу́ ра́зные ди́кие зве́ри, панте́ры, медве́ди, за ле́сом ди́кие поля́, по кото́рым броди́ли инде́йцы, кото́рые бы́ли страшне́е вся́ких звере́й — убива́ли дру́г дру́га, и бе́лых и снима́ли с ни́х ска́льп. Во́т вы́ тепе́рь и сравни́те, что лу́чше: ди́кие поля́ и леса́ с инде́йцами, без домо́в и электри́чества, и́ли широ́кие у́лицы, трамва́и, электри́чество и никаки́х ди́ких инде́йцев?!

Учи́тельница бы́стро произнесла́ э́тот моноло́г и победоно́сно° посмотре́ла на всю́ свою́ кома́нду.

— Во́т ви́дите... Тепе́рь реши́те са́ми, что лу́чше: культу́ра и́ли же така́я жи́знь? Ну́, во́т ты́, Кру́гликов Капито́н... Скажи́ ты́: когда́, зна́чит, лу́чше бы́ло жи́ть — тогда́ и́ли тепе́рь?

— Тогда́ лу́чше.

— Что́?! Да ты́ поду́май: ра́ньше бы́ло пло́хо, всю́ду зве́ри, инде́йцы, а тепе́рь дома́, авто́бусы, электри́чество... Ну́? Когда́ же лу́чше — тогда́ и́ли тепе́рь?

— Тогда́.

— Ах ты́, Го́споди!.. Ну́, во́т ты́, Полтора́цкий — скажи́ ты́: когда́ бы́ло лу́чше — ра́ньше и́ли тепе́рь?

Полтора́цкий недове́рчиво° посмотре́л на учи́тельницу (а вдру́г за э́то плоху́ю отме́тку поста́вит), но уве́ренно сказа́л:

— Ра́ньше лу́чше бы́ло.

— О, Бо́г мо́й!! Слизняко́в Гаврии́л!

— Лу́чше бы́ло ра́ньше.

— Да что́ вы́? Вы́, наве́рное, меня́ не понима́ете! Ту́т ва́м и дома́, и электри́чество...

— А на что́ дома́?— цини́чно спроси́л Фитюко́в.

— Ка́к на что́? А где́ же спа́ть?

— А у костра́. Ложи́сь под одея́ло и спи́ ско́лько хо́чешь.

-дёрнуть: *to tug*
сты́дно: *it is shameful*
сквозь зе́млю провали́ться: *to vanish into thin air*

воробе́й: *sparrow*
победоно́сный: *triumphant*
недове́рчивый: *distrustful*

И о́н посмотре́л на учи́тельницу не ме́нее победоно́сно, чем до э́того смотре́ла она́.

— Но ведь электри́чества не́т, темно́, стра́шно...

Семён Заволда́ев снисходи́тельно° посмотре́л на взволно́ванную учи́тельницу...

— Темно́? А костёр ва́м на что́? Дро́в мно́го... А днём и та́к светло́.

— А ди́кие зве́ри?

— Часово́го° с ружьём ну́жно поста́вить, тогда́ и не стра́шно...

— А инде́йцы? Убью́т часово́го и на ва́с...

— С инде́йцами мо́жно подружи́ться°.

— Делава́рское пле́мя е́сть, — сказа́л кто́-то в после́днем ряду́. — Они́ бе́лых лю́бят.

Стри́женные го́ловы наклони́лись дру́г к дру́гу и зашуме́ли, ка́к воробьи́ на ве́тках°.

— А в го́роде ва́шем ма́льчик неда́вно под трамва́й попа́л! Во́т ва́м и го́род.

— Да про́сто в го́роде ску́чно, — сказа́л Слизняко́в Гаврии́л.

— Глу́пые вы́ ма́льчики — про́сто ва́м не приходи́лось быва́ть в лесу́ одни́м, среди́ ди́ких звере́й.

— А я́ была́, — сказа́ла Ната́лья Пешко́ва, кото́рую не оставля́л шко́льный бесёнок.

— Врёт она́, — раздали́сь ревни́вые голоса́. — Что́ ты́ всё врёшь да

снисходи́тельный: *patronizing*   –подружи́ться: *to make friends*
часово́й: *sentry*   ве́тка: *branch*

врёшь? Ну, éсли ты была — почему тебя звéри не съéли? Ну, говори?

— Станут они таких дур° есть,— пробормотáл° Крýгликов Капитóн.

— Крýгликов!

— А чтó она... Вы же сáми говорили, что врать нельзя. Врёт всё врéмя... Ну, когдá онá там былá? С кéм?

Ребята захохотáли°.

— Успокóйся, Крýгликов... Однáко, послýшайте: вы всё ещё меня не пóняли. Ну как же мóжно говорить, что рáньше бы́ло лýчше, когдá тепéрь éсть и хлеб, и мáсло, и сáхар, и печéнье, а рáньше э́того ничегó нé было.

— Печéнье!!

Удáр° был óчень силен, но Крýгликов Капитóн бы́стро от негó опрáвился.

— А фрýкты рáзные: апельси́ны°, банáны — вы не считáете? И покупáть не нýжно — ешь скóлько хóчешь. Хлéбное дéрево тóже éсть — сáми же говори́ли... сáхарный тростни́к°. Убéй себé бизóна, поджáрь° мя́со и всё!

— Рéки там тóже éсть,— сказáл мáленький рыболóв.— Возьми́ булáвку°, да лови́ скóлько хóчешь.

Учи́тельница бéгала от одногó к другóму, кричáла, волновáлась, опи́сывала всё хорóшее в городскóй жи́зни, но дéти с нéй совсéм не соглашáлись. Оба лáгеря совсéм не понимáли дрýг дрýга.

— Прóсто вы всё плохи́е мáльчики,— пробормотáла, наконéц, учи́тельница.— Прóсто вам нрáвятся ди́кие и́гры, рýжья — вóт и всё. Вóт мы спрóсим дéвочек... Клáвдия Кошкинá — чтó ты нáм скáжешь? Когдá лýчше бы́ло — тогдá и́ли тепéрь?

Отвéт был удáром грóма при я́сном нéбе.

— Тогдá,— сказáла покры́тая веснýшками° Кошкинá.

— Ну, почемý?.. Ну, скажи́ ты мнé — почемý?.. Почемý?..

— Цветы́ таки́е краси́вые бы́ли... я люблю́...

И повернýлась к Крýгликову — специали́сту по ди́кой жи́зни:

— Прáвда, бы́ли?

— Скóлько хóчешь бы́ло цветóв,— отвéтил специали́ст,— огрóмные бы́ли — тропи́ческие. Пáхнут тебé — бери́, скóлько хóчешь.

— А в гóроде не найдёшь ты цветóв. Парши́венькая° рóза рýбль стóит.

Совсéм уничтóженная учи́тельница заговори́ла с другóй дéвочкой.

— Ну, вóт пýсть нáм Кáтя Иванéнко скáжет... Кáтя! Когдá бы́ло лýчше?

— Тогдá.

— Почемý?

— Бизо́нчики бы́ли,— не́жно сказа́ла ма́ленькая де́вочка.

— Каки́е бизо́нчики?.. Да́ ты́ и́х когда́-нибудь ви́дела?

— Скажи́, ви́дела!— шепну́ла, слу́шаясь бесёнка, Пешко́ва.

— Я́ и́х не ви́дела,— призна́лась° Ка́тя Иване́нко,— а то́лько они́, наве́рное, хоро́шенькие...

Она́ закры́ла глаза́ и сказа́ла:

— Бизо́нчики таки́е... хоро́шенькие. Я бы его́ на́ руки взяла́ и поцело́ва́ла...

Кру́гликов — специали́ст по ди́кой жи́зни — дипломати́чески промолча́л, когда́ услы́шал о тако́м стра́нном намере́нии° сентимента́льной Иване́нко, а учи́тельница стро́го посмотре́ла на ученико́в и сказа́ла реши́тельным го́лосом:

— Ну́, хорошо́ же! Если вы́ таки́е, не бу́ду бо́льше с ва́ми разгова́ривать. Конча́йте зада́чи, а кто́ не ко́нчит, пу́сть ту́т сиди́т хо́ть до ве́чера.

И сно́ва° наступи́ла тишина́.

И всё реши́ли зада́чу, кро́ме бе́дной Катери́ны Иване́нко: бизо́н всё вре́мя стоя́л ме́жду её глаза́ми и тетра́дкой...

Сиде́ла ма́ленькая до су́мерек°.

— *По А. Аве́рченко*

-**призна́ться**: *to confess*
наме́рение: *intention*

сно́ва: *once more*
су́мерки *pl*: *dusk*

УПРАЖНЕНИЯ

5. *Отве́тьте на вопро́сы.*

Из кого́ состоя́ли ла́гери в кла́ссе?

Что́ бы́ло за откры́тым окно́м?

Что́ хоте́л узна́ть Кру́гликов Капито́н?

Почему́ Ната́лья Пешко́ва сказа́ла, что она́ была́ в Нью-Йо́рке?

Что́ учи́тельница рассказа́ла ученика́м о Нью-Йо́рке?

Что́ учи́тельница рассказа́ла ученика́м об Аме́рике?

Почему́ ученика́м каза́лось, что́ ра́ньше бы́ло лу́чше?

Почему́ учени́цам каза́лось, что́ ра́ньше бы́ло лу́чше?

Почему́ Катери́на Иване́нко сиде́ла в кла́ссе до су́мерек?

6. *Сочине́ние.*

Опиши́те пози́цию учи́тельницы и пози́цию ребя́т в расска́зе «Разгово́р в шко́ле». Что́ вы́ ду́маете о ка́ждой пози́ции?

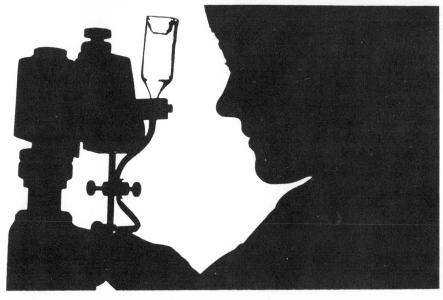

РАСПРЕДЕЛЕНИЕ

UNIT 3

ВАЖНЫЙ ШАГ°

ВАСИЛИЙ АКСЁНОВ

Э́тот де́нь по́мнят всю́ жи́знь. Э́то де́нь ма́ссовых прогу́лов, побе́гов с ле́кций, хо́хота, слёз°... Распределя́ются° в пе́рвый де́нь деся́тки°, а боле́льщиков со́тни°. Роди́тели, жёны, неве́сты° и женихи́°, знако́мые и про́сто любопы́тствующие с мла́дших ку́рсов.

Макси́мов, Ка́рпов и Зеле́нин сидя́т на дива́не в коридо́ре второ́го этажа́. Макси́мов и Ка́рпов жду́т свое́й о́череди, а Зеле́нин ждёт и́х. Са́м о́н распределя́ется за́втра. За стекля́нной две́рью патофизиологи́ческой лаборато́рии видны́ споко́йные фигу́ры в бе́лых хала́тах°. Лю́дям за две́рью э́тот де́нь не ка́жется необы́чным. Для ни́х э́то про́сто четве́рг, 29 ма́рта. Впро́чем°, не для все́х.

— Вла́дька, серьёзно, что́ де́лать?— спра́шивает Макси́мов.

Ка́рпов сего́дня мра́чен°.

— Я́ не подпишу́!— говори́т о́н.— Пойми́, Ма́кс, ка́к же я́ уе́ду куда́-то к чертя́м°, когда́ она́ оста́нется зде́сь.

— Она́?— Макси́мов удивлённо смо́трит на дру́га°.— Неуже́ли ты́ да́же сейча́с...— Он отвора́чивается°.

И шѐпчет°:—Легка́ на поми́не°.

По коридо́ру идёт высо́кая де́вушка. Улыба́ется, сия́ет. Открыва́ет дверь лаборато́рии — и вдру́г, уви́дев друзе́й, остана́вливается.

Ме́дленно подхо́дит к дива́ну.

— Приве́т, мальчи́шки,— говори́т она́ с серде́чностью°.

— Хелло́,— бурчи́т° Макси́мов.

— До́брый де́нь, Ве́рочка!— приве́тствует Зеле́нин.

ша́г: *step*
слеза́: *tear*
распределя́ться–: *to be given an assignment*
деся́тка: (*a group of*) *ten*
со́тня: (*a group of a*) *hundred*
неве́ста: *fiancée, bride*
жени́х: *fiancé, bridegroom*
хала́т: *laboratory smock*
впро́чем: *however*

мра́чный: *gloomy*
куда́-то к чертя́м: *The devil knows where.*
дру́г: *friend*
отвора́чиваться–: *to turn aside*
шепта́ть–: *to whisper*
лёгок на поми́не: *We were just speaking of . . . , "Speak of the devil . . ."*
серде́чность f: *sincere warmth*
бурча́ть–: *to mutter*

Вéра смóтрит на высокомéрного° Влáдьку, на незавúсимого° Алексéя (Зелéнина онá почтú не замечáет).

— Вáм не интерéсно, кáк я распределúлась?

Максúмов насмéшливо° щýрится°.

— А мы́ знáем.

Подхóдят Эдик Амбарцумя́н и поэ́т Игорь Пирогóвский.

— Ребя́та, послýшайте,— говорúт Пирогóвский.— Решúли мы́ с Эдькой сосéдями стáть. Я — в Оймякóн, а óн — в Оротукáн. Шашлыч-кóм из медвежáтины° обещáл угостúть°. И вóт нá тебе — распределя́ют меня́ в аспирантýру на терапúю. Вóт тебé и медвежáтина!..

— Я, пожáлуй°, тóже в Якýтию попрошýсь,— говорúт Максúмов,— тáм хóть льгóты° и чýмы° рáзные, аэросáни.

— Аэросáни, аэросáни,— подхвáтывает° Кáрпов.— Прáвильно, Мáкс, уéдем отсю́да.

К дивáну подхóдит пожилóй° человéк в пальтó и в шля́пе.

— Нý, орлы́°, а вы́ кудá собирáетесь?

— В Рúо-де-Жанéйро,— шýтит Кáрпов.

Незнакóмец спокóйно говорúт:

— Чтó ж тýт смешнóго? Мóжно и в Рúо-де-Жанéйро. Мнé нужны́ врачú. Объяснúть°? Я начáльник° медуправлéния° Балтúйского морскóго парохóдства. Набирáем врачéй на судá°. Услóвиями° бýдете довóльны. Двойнóй оклáд°. Стóл бесплáтный°. Для ознакомлéния порабóтаете в портý, а потóм в пýть.

高 высокомéрный: *arrogant*
незавúсимый: *independent*

насмéшливый: *mocking*
щýриться–: *to squint*

медвежáтина: *bear meat*
–угостúть: *to treat*

пожáлуй: *very likely*

льгóта: *advantage*
чýм: *hut of northern tribe*
подхвáтывать–: *to join in*

пожилóй: *elderly*
орёл: *eagle*

–объяснúть: *to explain*
начáльник: *head*
медуправлéние:
health-supervision
сýдно: *ship*
услóвие: *condition*
двойнóй оклáд: *double pay*
бесплáтный: *free of charge*

— Куда́?— спра́шивает Макси́мов.

— Ре́йсы° са́мые ра́зные — И́ндия, Аргенти́на, е́сть и бли́же — Ло́ндон, Антве́рпен, Га́вр. Ну́?

ре́йс: *itinerary*

— Согла́сен!— одновреме́нно говоря́т Макси́мов и Ка́рпов. Остальны́е° заду́мываются°.

остально́й: *the rest*
заду́мываться–: *to become lost in thought*

— По́лная деквалифика́ция,— говори́т Зелени́н,— э́то же по́лная деквалифика́ция, ребя́та!

— Ошиба́етесь,— говори́т челове́к.— На су́дне на́до бы́ть зна́ющим и реши́тельным врачо́м. Мо́жно и нау́чной рабо́той занима́ться.

— Кварти́ру даёте?— спра́шивает Пётр Столбо́в.

— На пе́рвых пора́х общежи́тие°. Но в бу́дущем и кварти́ра...

общежи́тие: *dormitory*

— Я́сно. Я согла́сен.

Незнако́мец открыва́ет записну́ю кни́жку.

— Ва́ши фами́лии, орлы́? Ита́к, Макси́мов, Ка́рпов, Столбо́в и... Ну́жен ещё оди́н.

— Зеле́нина запиши́те!— кричи́т Макси́мов.

Челове́к ухо́дит. Студе́нты молча́т. Зеле́нин молчи́т и ку́рит. Столбо́в молчи́т, ду́мает. Макси́мов и Ка́рпов молча́т и смо́трят пе́ред собо́й. Всё!

УПРАЖНЕНИЯ

1. *Расскажи́те о то́м, что вы́ прочита́ли.*

Расскажи́те о дне́ распределе́ния. Како́й э́то де́нь?

Расскажи́те о молоды́х лю́дях, кото́рые сидя́т в коридо́ре. Кто́ они́? Чего́ жду́т? О чём говоря́т? Что́ их волну́ет?

Кто́ они́ — лю́ди за две́рью? Почему́ им э́тот де́нь не ка́жется необы́чным?

Опиши́те де́вушку, кото́рая появля́ется в коридо́ре. Како́му студе́нту она́ нра́вится? Ка́к ребя́та с ней здоро́ваются?

Расскажи́те о распределе́нии Э́дика и Игоря.

Куда́ хо́чет попроси́ться Макси́мов? Что́ его́ та́м привлека́ет?

Расскажи́те о незнако́мце, кото́рый подхо́дит к молоды́м лю́дям. Ка́к о́н вы́глядит? Кто́ о́н тако́й? Что́ о́н предлага́ет?

Что́ незнако́мец говори́т о рабо́те на су́дне?

Ка́к ребя́та реаги́руют на предложе́ние незнако́мца? Кто́ из ни́х запи́сывается на рабо́ту на су́дне?

Что́ де́лают молоды́е лю́ди по́сле того́, как незнако́мец ухо́дит?

2. *Дава́йте поговори́м.*

Прочита́йте пе́рвый пара́граф из расска́за «Ва́жный ша́г». Пото́м перескажи́те его́ та́к, как бу́дто вы́ расска́зываете о своём после́днем дне́ в шко́ле.

Прочита́йте разгово́р молоды́х люде́й о Яку́тии. Пото́м перескажи́те его́ та́к, как бу́дто Э́дик наде́ялся, что его́ пошлю́т не в Яку́тию, а в Кры́м.

Предста́вьте себе́, что вы́ ждёте распределе́ния. Поговори́те с друзья́ми о то́м, куда́ вы́ хоте́ли бы пое́хать и почему́?

Предста́вьте себе́, что ва́с распредели́ли рабо́тать на су́дне. Вы́ спра́шиваете капита́на об усло́виях.

3. *Вы́берите подходя́щее сло́во и зако́нчите ка́ждую фра́зу.*

насме́шливый   ре́зкий   незави́симый   беспла́тный   ми́лый

Я́ же ва́м говори́л, что она́ стра́шно _____ и никогда́ не спра́шивает сове́та.
Како́й у неё _____ го́лос. Попроси́те её та́к гро́мко не говори́ть!
И́х до́чь о́чень хоро́шая и _____ де́вочка.
Она́ _____ посмотре́ла на ребя́т. Она́ всегда́ шути́ла над ни́ми.
Ва́м не нужны́ бу́дут де́ньги. В общежи́тии у на́с сто́л _____.

4. *Замени́те подчёркнутое сло́во.*

О́н о́чень дово́лен усло́виями.
(сто́л — окла́д — кварти́ра — ко́мната — общежи́тие)

Де́вушка посмотре́ла на ребя́т с серде́чностью.
(нетерпе́ние — ра́дость — трево́га — стра́х)

5. *Соста́вьте фра́зы.*

Приме́р: де́нь / необы́чный
Этот де́нь и́м показа́лся необы́чным.

кни́га / интере́сный
рабо́та / тру́дный
анекдо́т / остроу́мный

6. *Мы́ как ра́з о ни́х говори́ли!* ⊗

Приме́р: А во́т и Ве́рочка! Легка́ на поми́не.

А во́т и Макси́мов!
А во́т и ребя́та!
А во́т и такси́!
А во́т и письмо́!
А во́т и телегра́мма!
А во́т и почтальо́н!

7. *Вы́ не знако́мы.*

неве́ста   жени́х   дя́дя   тётя   двою́родный бра́т   двою́родная сестра́
Приме́р: Кто́ э́то? Его́ жена́?
Не́т, э́то его́ неве́ста.

Кто́ э́то? Её му́ж?
Кто́ э́то? Их оте́ц?
Кто́ э́то? Их ма́ть?
Кто́ э́то? Её бра́т?
Кто́ э́то? Его́ сестра́?

8. *Продо́лжите ка́ждую фра́зу, употребля́я ни́же да́нные слова́.*

удивле́ние   стра́х   ра́дость   волне́ние

Приме́р: Не удивля́йтесь! Почему́ вы́ смо́трите с таки́м удивле́нием?

Не бо́йтесь!
Не ра́дуйтесь!
Не волну́йтесь!

пла́кать   хохота́ть   смея́ться   улыба́ться   шепта́ть

Приме́р: На глаза́х у ни́х бы́ли слёзы. Они́ пла́кали.

На ли́цах у ни́х бы́ли улы́бки.
Та́м бы́л слы́шен сме́х.
За стено́й бы́л слы́шен хо́хот.
В саду́ бы́л слы́шен шёпот.

Два́ диало́га

I

— Он жена́т?
— Жена́т.
— На ко́м?
— На америка́нке.
— Да́? Когда́ же о́н жени́лся?
— Два́ ме́сяца тому́ наза́д. А че́рез ме́сяц же́нится его́ бра́т.
— На ко́м? То́же на америка́нке?
— Не́т, его́ бра́т же́нится на ру́сской.

II

— Она́ за́мужем?
— За́мужем.
— За ке́м?
— За америка́нцем.
— Да́? Когда́ же она́ вы́шла за́муж?
— Два́ ме́сяца тому́ наза́д. А че́рез ме́сяц выхо́дит за́муж её сестра́.
— То́же за америка́нца?
— Не́т, её сестра́ выхо́дит за́муж за ру́сского.

GRAMMAR

"Married"   "To Get Married"

In Russian the expressions *married* and *to get married* derive from the words **жена́,** *wife,* and **му́ж,** *husband.* They must therefore be rendered according to the sex they refer to.

married:
> for a man   жена́т
> for a woman   за́мужем

married to:
> for a man   жена́т на + locative
> for a woman   за́мужем за + instrumental

Note:
Жена́т has singular and plural forms. **За́мужем** is indeclinable.

to get married:
> for a man   жени́ться– –жени́ться (perfective and imperfective)
> for a woman   выходи́ть– за́муж –вы́йти за́муж

to get married to:
> for a man   жени́ться на + locative
> for a woman   выходи́ть– ⎫
>   ⎬ за́муж за + accusative
>   –вы́йти   ⎭

Note:
–**Жени́ться** (and colloquially –**пожени́ться**) in the perfective plural can mean *to marry* in referring to a man and a woman together.

> Степа́н и Мари́я же́нятся в сентябре́.
> Они́ совсе́м неда́вно пожени́лись.

УПРАЖНЕНИЯ

9. *Упражне́ние-диало́г.*

> *Приме́р:* (ру́сская) — Он жена́т?
> — Не́т, но ско́ро же́нится.
> — На ко́м?
> — На ру́сской.

(америка́нка — францу́женка — одна́ студе́нтка — на́ша хоро́шая знако́мая)

> *Приме́р:* (ру́сская) — Он жени́лся на ру́сской?
> — Да́, о́н жена́т на ру́сской.

(болга́рка — не́мка — медсестра́ — молода́я учи́тельница)

Приме́р: (ру́сский) — Она́ за́мужем?

     — Не́т, но ско́ро вы́йдет за́муж.

     — За кого́?

     — За ру́сского.

(америка́нец — францу́з — оди́н студе́нт — на́ш хоро́ший знако́мый)

Приме́р: (ру́сский) — Она́ вы́шла за́муж за ру́сского?

     — Да́, она́ за́мужем за ру́сским.

(не́мец — поля́к — о́чень симпати́чный челове́к — молодо́й учёный)

10. *Измени́те вопро́сы та́к, что́бы они́ относи́лись к же́нщине.*

 Приме́р: Вы́ жена́ты?

    Вы́ за́мужем?

 На ко́м вы́ жена́ты?

 Вы́ собира́етесь жени́ться?

 Вы́ ско́ро же́нитесь?

 На ко́м вы́ же́нитесь?

11. *Отве́тьте на вопро́сы.*

 Вы́ жена́ты?

 Вы́ за́мужем?

 Ка́к зову́т ва́шу жену́?

 Ка́к зову́т ва́шего му́жа?

 Ва́ш бра́т жена́т? На ко́м?

 Ва́ша сестра́ за́мужем? За ке́м?

 Вы́ собира́етесь вы́йти за́муж? За кого́?

 Вы́ собира́етесь жени́ться? На ко́м?

 Ка́к зову́т ва́шу неве́сту?

 Ка́к зову́т ва́шего жениха́?

GRAMMAR

Participles and Gerunds

Although participles and gerunds (except for the past passive participle) occur infrequently in spoken Russian, they are an essential feature of the written language. The participle is a verbal adjective. The gerund, in Russian, is a verbal adverb. Compare these two sets of examples.

«Спя́щая краса́вица»	"The Sleeping Beauty"
ру́сская краса́вица	the Russian beauty
Он всё де́лает не спеша́.	He does everything in a leisurely way.
Он всё де́лает бы́стро.	He does everything quickly.

The participle **спя́щая** comes from the verb **спа́ть.** It modifies the noun **краса́вица** and agrees with it in gender, number, and case. The gerund **спеша́** comes from the verb **спеши́ть.** It modifies the verb **де́лает** and has only one form.

In Russian there are four participles and two gerunds. However, not all verbs form participles and gerunds, and some verbs do not form all six types.

The four participles are the present active and passive and the past active and passive[1]. The two gerunds are the present and the past.

The present participles and gerund are formed only from imperfective verbs. The past participles and gerund are most frequently formed from perfective verbs.

Since they are verbs, participles and gerunds can take an object and can be modified by adverbs.

учени́к, поднима́ющий ру́ку	the student raising his hand
открове́нно говоря́	frankly speaking

Participles and gerunds are used to take the place of subordinate clauses. Participles replace relative clauses, and gerunds replace adverbial clauses.

Ученики́, хорошо́ зна́ющие ру́сский язы́к, полу́чат по экземпля́ру «Евге́ния Оне́гина».	The students who know Russian well will each receive a copy of *Eugene Onegin.*
Хорошо́ зна́я ру́сский язы́к, он бы́стро перевёл письмо́.	Since he knows Russian well, he quickly translated the letter.
Он не зна́ет кни́ги, ко́ротко и я́сно объясня́ющей ру́сское прича́стие.	He does not know of a book which explains Russian participles concisely and clearly.

[1]The two passive participles are the only passive forms in Russian. Reflexive verbs and inversions are frequently used when the English equivalent would be a passive construction: *The house is being built.* До́м стро́ится. *Russian is spoken here.* Зде́сь говоря́т по-ру́сски. Of all the participial and gerundive forms the past passive participle is the only one encountered frequently in the spoken language.

Он всегда́ пу́тается, объясня́я дееприча́стие.	When he explains the gerund, he always gets confused.
Мы́ е́хали по доро́ге, веду́щей в Москву́.	We were driving along the road which leads to Moscow.
«Изве́стия» провели́ интервью́ с америка́нскими студе́нтами, проводя́щими ле́то в Со́чи.	*Izvestia* interviewed the American students who were spending the summer in Sochi.
Возвраща́ясь домо́й, они́ встре́тили Ма́рью Петро́вну.	As they were coming home, they met Marya Petrovna.

Compare each of the preceding sentences with the accompanying English translation. Identify all participles and gerunds and explain the function of each.

Объявле́ние из газе́ты «Вече́рняя Москва́»

БЮРО ПО ТРУДОУСТРОЙСТВУ И ИНФОРМАЦИИ НАСЕЛЕНИЯ

ПРИГЛАШАЕТ НА РАБОТУ

В НАУЧНО-ИССЛЕДОВАТЕЛЬСКУЮ МЕДИКО-ПСИХОЛОГИЧЕСКУЮ ЛАБОРАТОРИЮ:

врачей-электрофизиологов; врачей-психиатров, имеющих опыт работы в наркологии; фармацевта (для работы на газовом хроматографе); лаборантов-психологов, владеющих методами исследования личности; медицинских сестер и фельдшеров, имеющих опыт работы в наркологии.

ЗА СПРАВКАМИ И НАПРАВЛЕНИЕМ НА РАБОТУ ОБРАЩАТЬСЯ К ИНСПЕКТОРАМ БЮРО В РАЙОНАХ:

Ворошиловском — Новохорошевское шоссе, 17.
Киевском — ул. Арбат, 31.
Краснопресненском — 2-я Брестская ул., 43.
Ленинградском — Новопесчаная ул., 8, корп. 2.
Свердловском — Рахмановский пер., 2.
Фрунзенском — 2-я Тверская-Ямская ул., 15, комн. 22.
Прием населения — с 9 до 18 часов. Выходные дни — суббота и воскресенье.

ПРОВОДЫ°

пр**о**воды: *send-off*

ВАСИЛИЙ АКСЁНОВ

Папа и ма́ма Зеле́нины стоя́ли во́зле° своего́ сы́на. О́чень ве́жливые и не́сколько чо́порные°, они́ бы́ли не к ме́сту здесь, на речно́й при́стани°, в шу́мной толпе́.

— По́мни, сын...— сказа́л па́па.

— Да́-да...

— Са́шенька, сра́зу же сообщи́, как устро́ишься. Э́то нам всё-таки о́чень ва́жно,— с апло́мбом, маскиру́ющим° её волне́ние, сказа́ла ма́ма.

Чуть да́льше стоя́ли друзья́. Молча́ли, гру́стные.

Инна появи́лась уже́ на па́лубе° парохо́да.

Зеле́нин с бессозна́тельным° интере́сом смотре́л, как идёт в толпе́ стро́йная° де́вушка в си́нем сви́тере. Вдруг в глаза́х у неё появи́лась

во́зле: *next to*
чо́порный: *prim*
при́стань *f*: *dock*

маскирова́ть–: *to disguise*

па́луба: *deck*
бессозна́тельный: *unconscious*
стро́йный: *well-built*

ра́дость. Она́ побежа́ла к Са́ше и останови́лась при ви́де роди́телей. Вла́дька и Алексе́й поспеши́ли к не́й.

— Сейча́с Са́ша подойдёт,— сказа́л Вла́дька,— то́лько вы́слушает после́дние наставле́ния°.

наставле́ние: *admonition*

Ребя́та неве́село рассмея́лись. Инна почу́вствовала, что они́ при́няли её в свою́ компа́нию. Ей нра́вились э́ти ребя́та, и она́ отли́чно понима́ла их ю́мор и грусть.

— Как ви́дите, ребя́та,— сказа́л, подойдя́°, Зеле́нин,— я ра́ньше вас всех ухожу́ в пла́вание.

подойдя́: *when he had joined them*

— Мы к тебе́ прие́дем ката́ться на лы́жах,— сказа́л Ка́рпов.— Говоря́т, та́м прекра́сные места́ для ката́ния на лы́жах.

— Ой, ве́рно!— обра́довалась Инна.— Дава́йте пое́дем туда́ на кани́кулы!

— У нас уже́ не бу́дет кани́кул,— сказа́л Макси́мов,— а в э́то вре́мя мы бу́дем в штурмовы́х усло́виях писа́ть диссерта́ции.

— Инна, я позвоню́ ва́м в Москву́,— сказа́л Зеле́нин.

Разда́лся пе́рвый гудо́к° парохо́да.

Дебаркаде́р° пока́чивался°, и оста́вшимся° каза́лось, что они́ сейча́с то́же тро́нутся° в пу́ть.

гудо́к: *whistle*
дебаркаде́р: *landing platform*
пока́чиваться–: *to rock*
оста́вшиеся: *those who stayed behind*
–тро́нуться: *set out*

— Са́шенька, пита́йся° рациона́льно!— крича́ла ма́ма.— Умоля́ю° тебя́, пита́йся рациона́льно!

пита́ться–: *to eat*
умоля́ть–: *to beg*

Она́ разрыда́лась°. Па́па, смущённый, тро́нул её за плечо́:

–разрыда́ться: *to burst into sobs*

— По́мнишь, как ска́зано: ма́льчик пла́вает, ма́ма — ждёт.

Инна смотре́ла во все́ глаза́, а ребя́та пе́ли институ́тский ги́мн. Они́ бы́ли уве́рены, что Зеле́нин сейчас поёт то́ же са́мое.

Зеле́нин пе́л и ду́мал: «Она́ всё-таки пришла́ на при́стань. Проща́йте, ребя́та, проща́йте! Каки́е вы́ хоро́шие, ребя́та. Да, ма́мочка, я бу́ду пита́ться рациона́льно. Да, па́па, да...»

Парохо́д постоя́л немно́го на середи́не реки́, а пото́м бы́стро ушёл на восто́к, в су́мерки°.

су́мерки: *twilight*

За спино́й у Инны смущённо ка́шлянули°.

–ка́шлянуть: *to clear one's throat*

— Прости́те,— сказа́л па́па Зеле́нин,— мы́ бы хоте́ли познако́миться с ва́ми.

УПРАЖНЕНИЯ

12. *Расскажи́те о то́м, что́ вы́ прочита́ли.*

Опиши́те роди́телей Зеле́нина. Что́ они́ сове́товали сы́ну? О чём волнова́лись?

Опиши́те де́вушку, кото́рая появи́лась на па́лубе.

О чём говори́ли молоды́е лю́ди пе́ред отъе́здом Зеле́нина?

Что́ де́лали роди́тели Зеле́нина?

Что́ пе́ли ребя́та?

Что́ пе́л Зеле́нин? Что́ о́н ду́мал?

13. *Упражнёние-диалóг.* ⊗

Вы говорите с приятелем, который уезжáет в дерéвню.

Примéр: (катáться на лыжах)

— Мы приéдем к тебé катáться на лыжах.

— Говорят, там прекрáсные местá для катáния на лыжах.

(катáться на конькáх — плáвать — гулять — собирáть грибы)

Пáпа и мáма Зелéнины совéтуют сыну.

Примéр: (питáться рационáльно)

— Питáйся рационáльно.

— Умоляю тебя питáться рационáльно.

(одевáться тепло — отдыхáть — писáть — звонить чáсто)

Вы́ познако́мились с ро́дственниками ва́шего хоро́шего дру́га. Вы́ о ни́х расска́зываете.

Приме́р: (оте́ц / чо́порный)

<u>Его́ оте́ц показа́лся мне́ чо́порным.</u>

(ма́ть / гру́стный — сестра́ / ве́жливый — неве́ста / остроу́мный — бра́т / реши́тельный — мла́дший бра́т / незави́симый)

14. *Дава́йте поговори́м.*

Па́па и ма́ма Зеле́нины разгова́ривают с Инной. Они́ хотя́т познако́миться с не́й.

Па́па: Прости́те, мы́ бы хоте́ли познако́миться с ва́ми.

Инна: Здра́вствуйте! Меня́ зову́т Инна. А вы́ Са́шины роди́тели?

15. *О чём спра́шивают Макси́мова. Разыгра́йте диало́г.*

— _____ ?

— Алексе́й Макси́мов.

— _____ ?

— Тру́дно сказа́ть. Мы́ ча́сто переезжа́ем с ме́ста на ме́сто.

— _____ ?

— Роди́лся в Но́вгороде.

— _____ ?

— Он инжене́р.

— _____ ?

— Она́ учи́тельница.

— _____ ?

— В шко́ле учи́лся хорошо́.

— _____ ?

— Биоло́гия.

— _____ ?

— Футбо́л.

— _____ ?

— До́ктором я́ реши́л ста́ть давно́.

— _____ ?

— В Яку́тии? Я́ всегда́ мечта́л, что бу́ду жи́ть в Яку́тии.

16. *Напиши́те письмо́ дру́гу.*

Вы́ то́лько что прие́хали в командиро́вку. Напиши́те письмо́ дру́гу. Расскажи́те о то́м, ка́к ва́с провожа́ли, ка́к вы́ е́хали, о ме́сте, на кото́ром вы́ бу́дете рабо́тать, об усло́виях рабо́ты и т.д.

С Международным женским днем 8 марта!

Инженер — Алевтина Лукошина

Президент Якутии

Лётчик — Марина Попович

*Мáстер —
Людмúла Абагýрова*

*Рабóтница —
Алла Ивáнова*

WORD STUDY

Verbal Prefixes

от-   под-

The verbal prefixes **от-** and **под-** were among the nine prefixes presented in Unit 24, Level II, pp. 301–303.

1. от-

The basic meaning of **от-**[2] was given as *away from* (*a short distance*).

Он отошёл в сто́рону.

Он не отбежа́л ещё и пяти́ шаго́в, как вдруг останови́лся.

However, in some words the idea of *away from* (*a long distance*) is implied. Thus, **отбыва́ть– –отбы́ть** is synonymous with **уезжа́ть– –уе́хать.**

Other concepts which **от-** contains are:

a. *detachment, separation*

–отдели́ть   to separate, to detach
–оторва́ть   to tear off
–отучи́ть   to break (someone of a habit)

b. *completion*

–отстро́ить   to finish building
–отцвести́   to finish blooming

c. *back* (equivalent to the English prefix *re-*)

–отда́ть   to give back, to return
–отплати́ть   to pay back, to repay

2. под-

The basic meaning of **под-**[3] was given as *toward* in the sense of *approaching*.

Она́ ме́дленно подошла́ к окну́.

---

[2] **ото-** before two consonants (**–отосла́ть**) and in all forms from **идти́ (отойти́, отойдёт, отошёл).**

[3] **подо-** before two consonants (**–подожда́ть**) and in all forms from **идти́ (подойти́, подойдём, подошёл).**

Other notions which **под-** conveys are:

a. *under* (equivalent to the preposition **под** and the English prefix *sub-*)

–подложи́ть   to put underneath
–подписа́ть   to sign, to subscribe
–поддержа́ть   to support

b. *motion upward* (*propelled from beneath*)

–подбро́сить   to throw up (in the air)
–подня́ть   to raise, to lift

c. *stealthy or underhanded behaviour*

–подслу́шать   to eavesdrop
–подсмотре́ть   to spy on
–подкупи́ть   to bribe

d. *addition, supplement*

–подли́ть   to add liquid, to pour more on
–подрабо́тать   to supplement one's income, to earn extra money

REFERENCE NOTES

1. Irregular Plurals

a. The following masculine and neuter nouns have a plural ending in unstressed **-ья.**

бра́т	бра́тья	де́рево	дере́вья
ли́ст	ли́стья	крыло́	кры́лья
сту́л	сту́лья	перо́	пе́рья

The plural declension is as follows:

Nominative	сту́лья	Accusative	сту́лья
Genitive	сту́льев	Instrumental	сту́льями
Dative	сту́льям	Locative	сту́льях

Since **бра́тья** is animate, its accusative is the same as the genitive: **бра́тьев.** The following masculine nouns have a plural in stressed **-ья́.**

му́ж	мужья́	дру́г	друзья́
кня́зь	князья́	сы́н	сыновья́

The plural declension is as follows:

Nominative	друзья́	Accusative	друзе́й
Genitive	друзе́й	Instrumental	друзья́ми
Dative	друзья́м	Locative	друзья́х

Note that the soft sign **ь** is present in all forms except the genitive and accusative of the four nouns ending in stressed **-ья.**

b. **Сосе́д** and **чёрт** have hard endings in the singular (**сосе́д, сосе́да, сосе́ду,** etc.; **чёрт, чёрта, чёрту,** etc.) and soft endings in the plural (**сосе́ди, сосе́дей, сосе́дям,** etc.; **че́рти, черте́й, чертя́м,** etc.).

c. **Су́дно, су́дна,** etc., *vessel, ship,* has the irregular plural **суда́, судо́в, суда́м,** etc. Do not confuse this word with either of the following:

су́д, суда́   court, trial
судья́, судьи́   (*masc.*) judge

2. Жда́ть–

The object of **жда́ть–,** *to wait,* may be in either the genitive or the accusative.

Макси́мов и Ка́рпов ждут свое́й о́череди.
Мы́ ждём ва́шу сестру́.

3. Лёгок на поми́не

The Russian equivalent for *we were just speaking of him, her, them, etc.* and *speak of the devil* is formed from the short forms of **лёгкий (лёгок, легка́, легки́)** and the adverbial phrase **на поми́не.** The adjective agrees in gender and number with the person whose unexpected appearance is referred to.

Ма́ша, Гри́ша! Легки́ на поми́не. Мы́ как ра́з о ва́с говори́ли.

КЕМ БЫТЬ

У меня растут года,
будет и семнадцать.
Где работать мне тогда,
чем заниматься?

Нужные работники —
столяры и плотники!

Столяру хорошо,
а инженеру —
            лучше,
я бы строить дом пошёл —
пусть меня научат.
Я
   сначала
            начерчу
дом
      такой,
            какой хочу.
Самое главное,
чтоб было нарисовано
здание
         славное,
живое словно.
Это будет
            перёд,
называется фасад.
Это
      каждый разберёт —

*Владимир
Маяко́вский*

это ванна,
     это сад.
План готов,
     и вокруг
сто работ
     на тыщу рук.

Инженеру хорошо,
а доктору —
     лучше,
я б детей лечить пошёл —
пусть меня научат.
Я приеду к Пете,
я приеду к Поле.
— Здравствуйте, дети!
Кто у вас болен?

Докторам хорошо,
а рабочим —
     лучше,
я б в рабочие пошёл —
пусть меня научат.
Вставай!
    Иди!
      Гудок зовёт —
и мы приходим на завод.
Народа — уйма целая,
тысяча двести.
Чего один не сделает —
сделаем вместе.

На заводе хорошо,
а в трамвае —
     лучше,
я б кондуктором пошёл —
пусть меня научат.

Кондукторам
                 езда везде —
с большою сумкой кожаной
ему всегда,
                 ему весь день
в трамваях ездить можно.

Кондуктору хорошо,
а лётчику —
                 лучше,
я бы в лётчики пошёл —
пусть меня научат.
Наливаю в бак бензин,
завожу пропеллер.
„В небеса, мотор, вези,
чтобы птицы пели“.
Бояться не надо
ни дождя,
                 ни града.
Облетаю тучку,
тучку-летучку.
Белой чайкой паря,
полетел за моря.
Без разговору
облетаю гору.
„Вези, мотор,
                 чтоб нас довёз
до звёзд
               и до луны,
хотя луна
               и масса звёзд
совсем отдалены“.

Книгу переворошив,
намотай себе на ус —
все работы хороши,
выбирай
                 на вкус!

Рабо́чие на стро́йке

Учёный-рабо́тник

ВЫ
ВЫБИРАЕТЕ
ПРОФЕССИЮ

Заведующий колхозом

Известный советский моделист

UNIT 4

Пе́ред отъе́здом

ВЕРА ПАНОВА

У Ни́ны

Лу́ч° прожéктора брóдит по за́лу, и́щет... Высокó под кры́шей какóго-то ленингра́дского дóма óн вы́светил° прóстенькую кóмнату. В кóмнате дéвушка Ни́нка. Она́ собира́ется в пу́ть. Укла́дывает° в рюкза́к послéдние мéлочи° — мы́льницу°, кни́гу. Чемода́н ужé улóжен и стя́нут° ремнём°.

Ла́мпа гори́т нея́рко. Бéлая нóчь смóтрит в окнó.

Ни́нка кóнчила сбóры, прилегла́° на оттома́нку. И засну́ла. Засну́ла та́к крéпко°, что её не мóжет разбуди́ть° телефóн, котóрый звони́т за двéрью.

Ктó-то стучи́т в двéрь:

— Ни́нка!

Спи́т Ни́нка.

Стуча́т и зову́т грóмче:

— Ни́нка!

Стуча́т изо всéх си́л:

— Ни́нка!!! К телефóну!!!

Ни́нка просну́лась. Вскочи́ла°, вы́бежала за двéрь, где на стенé телефóн.

Ни́нка. Я слу́шаю.— А ктó э́то?— Ктó?— Ой! Да не мóжет бы́ть! Жа́нночка! Здра́вствуй, Жа́нночка! Наконéц-то появи́лась! Жива́-здорóва? А мы́ ду́маем-ду́маем,— где ты́, почему́ исчéзла°, никому́ да́же не сказа́ла... Ой, ну на́до же, чтóб° и́менно сегóдня ты́ позвони́ла! Я как ра́з уезжа́ю.— У́тром.— Да вóт нóчь пройдёт, и уéду.— Нéт, не в дóм óтдыха, нéт, не по тури́стской путёвке°, нéт, не в óтпуск...— Ой, да́же не зна́ю, Жа́нночка, на скóлько. Надóлго! Мóжет бы́ть — навсегда́, неизвéстно. (*Напева́ет°.*) «Проща́й, дорога́я, верну́сь ли, не зна́ю...»—

лу́ч: *ray*	крéпкий: *си́льный*
–вы́светить: *to light up*	–разбуди́ть: *to awaken*
укла́дывать–: *to pack*	–вскочи́ть: *to jump up*
мéлочь *f*: *trifle*	–исчéзнуть: *to disappear*
мы́льница: *soap dish*	чтóб: *чтóбы*
–стяну́ть: *to tighten*	путёвка: *official travel arrangements*
ремéнь *m*: *strap*	напева́ть–: *to hum*
–прилéчь: *to lie down for a short while*	

Никака́я° не шу́тка, пра́вда.— Далеко́, в го́род Ру́дный[1].— Ру́д-ный. Не слы́шала? А его́ ещё стро́ят, э́тот го́род.— Ка́к тебе́ объясни́ть? Это почти́ на грани́це Каза́хской ССР[2] и Заура́лья[3]. Да́, Жа́нночка, таки́е дела́. По́езд отхо́дит (*смо́трит на часы́*) че́рез де́сять часо́в. К полови́не восьмо́го собира́емся на Моско́вском вокза́ле. Це́лым эшело́ном е́дем, все́ комсомо́льцы[4]. Организа́ции бу́дут провожа́ть, с му́зыкой, торже́-ственно... Но ты́ расскажи́ о себе́.

никако́й: *not any*

Из бу́дки телефо́на-автома́та отвеча́ет Жа́нна,
сти́льно оде́тая де́вушка, серьёзная, без ю́мора.

Жа́нна. Обо мне́ по телефо́ну не расска́жешь.
Ни́нка. Приходи́ ко мне́! Ты́ далеко́?

[1] **Ру́дный,** one of many new cities in Soviet Asia, is a center of iron and steel production. **Ру́дный** is an adjective from **руда́,** which means *ore*.
[2] **Каза́хская ССР** (also **Казахста́н**), one of the fifteen Soviet Socialist Republics, lies in Central Asia.
[3] **Заура́лье,** a region in Western Siberia, is found just east of the Ural Mountains, as its name suggests. It is a large producer of iron and steel.
[4] **Комсомо́лец (комсомо́лка):** a member of the Communist Party's youth organization, Komsomol. **Комсомо́л = Коммунисти́ческий сою́з молодёжи.**

Жа́нна. Поря́дочно°.

Ни́нка. Всё равно́° приходи́. Сейча́с же! Сади́сь на что́-нибудь и приезжа́й.

Жа́нна. Не могу́, Ни́ночка.

Ни́нка. Я одна́, бра́та до́ма нет, споко́йно поговори́м с тобо́й...

Жа́нна. Ни́нка, зна́ешь что? Пойдём на ба́л.

Ни́нка. Куда́?

Жа́нна. На ба́л, в па́рк. Ты что, на афи́ши° не смо́тришь? Сего́дня про́воды бе́лых ноче́й.

Ни́нка. Ах, ве́рно, про́воды бе́лых ноче́й.

Жа́нна. Пошли́!

Ни́нка. Ну что ты, Жа́нночка!

Жа́нна. Почему́?

Ни́нка. Я же у́тром уезжа́ю.

Жа́нна. До утра́ ещё далеко́.

Ни́нка. Пла́тья упако́ваны°...

Жа́нна. Что, тру́дно распакова́ть?

Ни́нка. Смя́лись° в чемода́не...

Жа́нна. Тру́дно прогла́дить°?

Ни́нка. Да ну́ тебя, Жа́нна. Я уста́ла. Не хо́чется мне. Неуже́ли та́к ва́жно, чтобы я́ пошла́?

Жа́нна. Ва́жно.

Ни́нка. Пришла́ бы ко мне́, поговори́ли бы... Ты кого́-то хо́чешь уви́деть в па́рке?

Жа́нна. Всё при встре́че расскажу́.

Ни́нка. Жа́нка, ты ужа́сная.

Жа́нна. Я бу́ду жда́ть тебя́ на остано́вке двена́дцатого но́мера.

Ни́нка. Ужас°, ужас. Ты пойми́, я всё-всё в Ленингра́де поко́нчила. Це́лый спи́сок° бы́л ра́зных дел — всё до одного́ поко́нчила. Сижу́ на чемода́нах.

Жа́нна. Смешно́. Как бу́дто я́ тебя́ на каку́ю-нибудь° ску́ку тащу́°. Замеча́тельный ба́л. Поду́маешь, весе́лье — де́сять часо́в сиде́ть на чемо-да́нах. В Ру́дном есть бе́лые но́чи?

Ни́нка. Я не зна́ю...

Жа́нна. Наве́рно, нет.

Ни́нка. Возмо́жно,— нет.

Жа́нна. Во́т ви́дишь.

Ни́нка. Ну́, что́-нибудь друго́е та́м есть, чего́ нет у на́с.

Жа́нна. Но не бе́лые но́чи и не про́воды бе́лых ноче́й. Слу́шай, мне пришло́ в го́лову — е́сли у тебя́, мо́жет бы́ть, нет подходя́щего пла́тья, я́ с удово́льствием°...

Ни́нка. У меня́ есть о́чень да́же подходя́щее пла́тье, я́ к Пе́рвому ма́я сши́ла°, ты не ви́дела... Ла́дно, уговори́ла°. Ла́дно, сейча́с одева́юсь и е́ду.

Жа́нна. Молодчи́на°. После́дняя остано́вка двена́дцатого.

поря́дочно: *quite, quite a bit*
всё равно́: *it doesn't matter*

афи́ша: *poster, sign*

–упакова́ть: *to pack*

–смя́ть: *to wrinkle*
–прогла́дить: *to iron*

у́жас: *horror(s)*
спи́сок: *list*

како́й-нибудь: *some sort of*
тащи́ть–: *to drag*

удово́льствие: *pleasure*

–сши́ть: *to sew, to make*
–уговори́ть: *to persuade*
молодчи́на *m, f*: *молоде́ц*

Она́ выхо́дит из телефо́нной бу́дки. Молодёжь то́лпами спеши́т к мосту́, веду́щему с Кресто́вского о́строва в Центра́льный па́рк культу́ры и о́тдыха. Му́зыка доно́сится° из па́рка. Фонари́ не горя́т, всё на́лито све́том бе́лой но́чи. У моста́ пожило́й челове́к продаёт возду́шные шары́.

доноси́ться—: *to reach*

Продаве́ц шаро́в. Покупа́йте, ребя́та, покупа́йте! Купи́те, де́вочки, по ша́рику, бу́дете ещё симпати́чней!

УПРАЖНЕНИЯ

1. *Расскажи́те о том, что вы прочита́ли.*

   Где́ Ни́на?
   Почему́ Ни́на просыпа́ется?
   О чём она́ говори́т по телефо́ну с Жа́нной? Что ей расска́зывает о свое́й жи́зни?
   Ка́к вы́глядит Жа́нна?
   Куда́ Жа́нна приглаша́ет Ни́нку?
   Почему́ ей прихо́дится угова́ривать Ни́нку?
   Что происхо́дит в па́рке?

2. *Дава́йте поговори́м.*

   Где́ бы вы́ хоте́ли рабо́тать: в го́роде и́ли где́-то в глуши́? Почему́?

   Каки́е профе́ссии бо́льше нужны́ в большо́м го́роде?

   Како́й рабо́той мо́жно занима́ться в глуши́?

   Хоте́ли бы вы́ приня́ть уча́стие в строи́тельстве но́вого го́рода? Ка́к? Почему́?

3. *Упражне́ние-диало́г.*

   Приме́р: (го́род / Заура́лье)
   — Где́ э́тот го́род?
   — Ка́к вам объясни́ть: э́то почти́ на грани́це Заура́лья.

   (комбина́т / Каза́хская ССР — заво́д / Туркме́нская ССР — ме́сто / Армя́нская ССР — о́зеро / Латви́йская ССР — до́м о́тдыха / Украи́нская ССР)

4. *Поговори́те по телефо́ну с дру́гом. Испо́льзуйте да́нные ни́же выраже́ния.*

ско́лько ле́т, ско́лько зи́м	во́т э́то сюрпри́з	неуже́ли
во́т ра́дость	мы́ тебя́	вспомина́ем

   Ва́м звони́т дру́г. Он провёл два́ после́дних го́да в командиро́вке.
   Ва́м звони́т подру́га, с кото́рой вы́ ра́ньше вме́сте учи́лись.
   Ва́м звони́т прия́тель, кото́рый провёл два́ ме́сяца за грани́цей.

5. *Вы гости́те у друзе́й. Вы привезли́ с собо́й то́лько са́мое необходи́мое.*

   Приме́р: Пошли́ на ба́л! (подходя́щее пла́тье)
   У меня́ не́т с собо́й подходя́щего пла́тья.

   Пошли́ в рестора́н! (бе́лая руба́шка и га́лстук)
   Пошли́ на пля́ж! (купа́льник)
   Пошли́ ката́ться на лы́жах! (лы́жный костю́м)

6. *Вы о́чень за́няты и потому́ отка́зываетесь от все́х предложе́ний.*

   Приме́р: (ба́л) — Посмотри́ на афи́шу. За́втра ба́л! Пойдём, а?
   — Не могу́. У меня́ не́т вре́мени для ба́ла.

   (конце́рт — ма́тч — спорти́вный пра́здник — ве́чер)

7. *Вы собира́етесь в пу́ть. Чемода́ны уже́ уло́жены.*

   Приме́р: (пла́тья) — Пла́тья упако́ваны.
   — Что́, тру́дно распакова́ть?
   — Смя́лись в чемода́не.
   — Тру́дно ли прогла́дить?

   (костю́м — ю́бка — блу́зка — брю́ки — пальто́)

8. *Прочита́йте диало́г по роля́м.*

   Ж а́ н н а. Ни́нка, зна́ешь что? Пойдём на ба́л.
   Н и́ н к а. Куда́?
   Ж а́ н н а. На ба́л в па́рк.
   Н и́ н к а. Ну что ты, Жа́нночка!
   Ж а́ н н а. Почему́?
   Н и́ н к а. Я у́тром уезжа́ю.
   Ж а́ н н а. До утра́ ещё далеко́.
   Н и́ н к а. Пла́тья упако́ваны.
   Ж а́ н н а. Что́, тру́дно распакова́ть?
   Н и́ н к а. Смя́лись в чемода́не.
   Ж а́ н н а. Тру́дно прогла́дить?
   Н и́ н к а. Да ну́ тебя́, Жа́нна. Я уста́ла. Неуже́ли та́к ва́жно, чтобы я́ пошла́?
   Ж а́ н н а. Ва́жно. Я бу́ду жда́ть тебя́ на остано́вке двена́дцатого но́мера.

9. *Постара́йтесь уговори́ть дру́га пойти́ сего́дня ве́чером в кино́.*

10. *Постара́йтесь уговори́ть прия́теля (и́ли подру́гу) прие́хать к ва́м в о́тпуск. Расскажи́те о ме́сте, где́ вы живёте; об интере́сных места́х, кото́рые вы смо́жете вме́сте осмотре́ть. Сде́лайте э́то снача́ла у́стно, а пото́м в пи́сьменной фо́рме.*

ПЕРЕД ОТЪЕЗДОМ (*продолжéние*)

Ни́на и Ко́стя

У себя́ в ко́мнате Ни́нка переоде́лась для ба́ла. Сто́ит раскры́тый чемода́н. На глади́льной доске́° утю́г°.

глади́льная доска́: *ironing board*
утю́г: *iron*

Ни́нка (*смо́трится в зе́ркало, весёлая, сна́ ужé ни в одно́м глазу́*). Ничего́ себé?° Ничего́ себé!

ничего́ себé: *not bad*

Уже́ гото́ва уйти́, но вхо́дит Ко́стя, её бра́т. Он на́ два го́да ста́рше Ни́нки. В его́ фигу́ре, в манéре держа́ться° — увéренность. Он нагру́жен° поку́пками.

держа́ться-: *to conduct oneself*
-нагрузи́ть: *to load*

Ко́стя (*ста́вит аво́ську° на сту́л*). Разгружа́й°! Это на доро́гу.
Ни́нка. Ко́сточка, да ты́ что?
Ко́стя. Ту́т уже́ что́-то потекло́°. На́до уложи́ть полу́чше. Да́й каку́ю-нибудь ба́ночку°. Ничего́ стра́шного, это мёд°.
Ни́нка (*помога́ет ему́*). С ума́ сойти́!
Ко́стя. Мно́го, ду́маешь?
Ни́нка. Я за всю жи́знь сто́лько° не съе́м.

аво́ська: *shopping bag*
разгружа́ть-: *to unload*
-потéчь: *to drip*
ба́ночка: *jar*
мёд: *honey*
сто́лько: *so much*

Ко́стя. Ребя́та помо́гут. Е́хать до́лго. Во́т ещё колбаса́. А э́то е́шь сейча́с. (*Достаёт коро́бочку°.*)

коро́бочка: *box*

Ни́нка. Эклёр!.. Ой, Ко́сточка, вспо́мнил, что́ я обожа́ю° бо́льше всего́ на све́те°!

обожа́ть–: *to adore*
све́т: *world*

Ко́стя. Е́шь!

Ни́нка (*ест*). Све́жий како́й! Я тебе́ свари́ла бо́рщ, це́лую ка-стрю́лю°, у Катери́ны Ива́новны в холоди́льнике. Всё-таки хо́ть пе́рвые дни́ — придёшь домо́й, пое́шь. Катери́на Ива́новна бу́дет пуска́ть тебя́ в сво́й холоди́льник, я договори́лась.

кастрю́ля: *pot*

Ко́стя. Да́, пе́ред заво́дом вы́ставили портре́ты[5]. Те́х, кто́ е́дет.

Ни́нка. И мо́й?!

Ко́стя. Тво́й лу́чше все́х. Ты́ — ка́к жива́я. А ты́ чего́ наряди́лась°, идёшь куда́?

–наряди́ться: *to dress up*

Ни́нка. На ба́л. Про́воды бе́лых ноче́й.

Ко́стя. А сто́ит на́ ночь гля́дя°, пе́ред са́мым отъе́здом — на ба́л?

на́ ночь гля́дя: *по́здно ве́чером*

Ни́нка. Балы́, Ко́сточка, всегда́ быва́ют на́ ночь гля́дя, днём не быва́ют. А портре́ты вы́ставлены на проспе́кте и́ли в скве́ре?

Ко́стя. Ну да́, ещё на проспе́кте захоте́ла. В скве́ре, о́коло клу́мбы° с э́тими больши́ми цвета́ми, ка́к их?

клу́мба: *flower bed*

Ни́нка. Пио́ны.

Ко́стя. С ке́м ты́ идёшь?

Ни́нка. С Жа́нной. По́мнишь Жа́нну, вме́сте рабо́тали? Я клю́ч беру́, так что ты́ ложи́сь, спи́ себе́.

Ко́стя. И тебе́ бы вы́спаться° пе́ред доро́гой.

Ни́нка. Я в доро́ге вы́сплюсь. Заберу́сь° на ве́рхнюю по́лку° и ка́-ак вы́сплюсь! А просну́сь,— поду́май,— у́ж кто́ его́ зна́ет где́! Совсе́м други́е места́ за окно́м. Парово́з° гуди́т, ребя́та пе́сни пою́т...

–вы́спаться: *to get enough sleep*
–забра́ться: *to get into*
по́лка: *berth*
парово́з: *locomotive*

[5] Soviet workers distinguished by unusual competence or high achievement may be honored officially by having their photographs on group display in a public place, often near the factory or collective farm where they work.

УПРАЖНЕНИЯ

11. *Расскажи́те о то́м, что́ вы прочита́ли.*

    Что́ сде́лала Ни́нка по́сле разгово́ра с Жа́нной?
    Кто́ вхо́дит к не́й в ко́мнату?
    Бра́т Ни́нки моло́же и́ли ста́рше её?
    Что́ мо́жно сказа́ть о его́ мане́ре держа́ться?
    Что́ Ко́стя принёс в аво́ське?
    Каки́е пиро́жные Ни́нка лю́бит?
    Что́ Ни́нка оста́вила для Ко́сти в холоди́льнике у Катери́ны Ива́новны?
    Что́ Ко́стя расска́зывает о портре́тах, кото́рые вы́ставлены пе́ред заво́дом?
    Почему́ Ко́стя не сове́тует Ни́нке идти́ на ба́л?
    Почему́ Ни́нка не стара́ется вы́спаться пе́ред доро́гой?

12. *Вы́ увиде́ли что́-то вку́сное.* ☺

    Приме́р: Что́ э́то в ба́ночке? Мёд? <u>Я обожа́ю мёд!</u>

    Что́ э́то в ба́ночке? Варе́нье?
    Что́ э́то в кувши́не? Мали́на?
    Что́ э́то в корзи́не? Клубни́ка?
    Что́ э́то в холоди́льнике? Моро́женое?
    Что́ э́то в кастрю́ле? Бо́рщ?
    Что́ э́то в аво́ське? Колбаса́?

13. *Вы́ пришли́ в бу́лочную.* ☺

    Приме́р: Экле́р! <u>Све́жий како́й!</u>

    Бу́лочки!
    Хле́б!
    Пирожки́!
    Пече́нье!

14. *Зако́нчите отры́вок, испо́льзуя да́нные ни́же ситуа́ции.*

    Я в доро́ге вы́сплюсь. Заберу́сь на ве́рхнюю по́лку и ка́-ак вы́сплюсь! А просну́сь,— поду́май,— у́ж кто́ его́ зна́ет где! За окно́м...
    Вы́ проснётесь на Да́льнем Се́вере.
    Вы́ проснётесь в Крыму́.
    Вы́ проснётесь в большо́м го́роде.
    Вы́ проснётесь где́-то в дере́вне.

15. *Напиши́те предложе́ние с ка́ждым из да́нных ни́же сло́в.*

    коро́бочка   ба́ночка   буты́лка   таре́лка   ча́шка   аво́ська   бо́рщ
    мёд   конфе́ты   ква́с   ча́й   проду́кты

GRAMMAR

Present Active Participle

The present active participle is formed by dropping the final **-т** of the third person plural of the present tense and adding the adjectival suffix **-щий, -щая, -щее,** etc.

они́ пью-т they drink	⟶	пью́щий drinking
они́ иду́-т they go	⟶	иду́щий going
они́ говоря́-т they speak	⟶	говоря́щий speaking
они́ пи́шу-т they write	⟶	пи́шущий writing
они́ улыба́ю-т-ся they smile	⟶	улыба́ющийся smiling
они́ крича́-т they shout	⟶	крича́щий shouting

Notes:
1. Present active participles are formed *only* from imperfective verbs.

2. The stress is normally that of the third person plural. (See Level I, Unit 6, pp. 84–85.)

они́ беру́т	⟶	беру́щий
они́ летя́т	⟶	летя́щий
они́ спеша́т	⟶	спеша́щий
они́ лю́бят	⟶	лю́бящий
они́ слы́шат	⟶	слы́шащий
они́ чита́ют	⟶	чита́ющий

3. Participles derived from reflexive verbs add the reflexive suffix **-ся** to all forms, whether they end in a vowel or a consonant.

начина́ющийся	боя́щийся
начина́ющемуся	боя́щаяся
начина́ющимся	боя́щиеся
начина́ющимися	боя́щихся

Present Gerund

The present gerund is formed by adding **-я (-а** after **ж, ч, ш, щ)** to the present stem.

о́н чита́-ет	⟶	чита́я
о́н говор-и́т	⟶	говоря́
о́н объясня́-ет	⟶	объясня́я
о́н спеш-и́т	⟶	спеша́
о́н возвраща́-ет-ся	⟶	возвраща́ясь

Notes:
1. Present gerunds are formed only from imperfective verbs.

2. The stress is normally that of the first person singular. (See Level I, Unit 6, pp. 84–85.)

я летаю, он летает   ⟶   летая

я лечу, он летит   ⟶   летя

я советую, он советует   ⟶   советуя

я прошу, он просит   ⟶   прося

я прихожу, он приходит   ⟶   приходя

я люблю, он любит   ⟶   любя

Present participles and gerunds describe an action taking place at the same time as the action of the main verb, whether past, present, or future. Translate all of the following:

Возвращаясь домой, он часто заходит к нам.

Возвращаясь домой, он часто заходил к нам.

Возвращаясь домой, он будет часто заходить к нам.

Возвращаясь домой, он зайдёт к нам.

Возвращаясь домой, он зашёл к нам.

Present Passive Participle

The present passive participle can be formed by adding the adjectival endings to the first person plural of the present tense.

мы делаем we do	делаемый being done
мы объясняем we explain	объясняемый being explained
мы говорим we speak	говоримый being spoken

Notes:

1. Present passive participles are formed only from imperfective verbs.

2. The stress is that of the first person singular.

я люблю   мы любим   любимый

3. Verbs in **-авать** form present passive participles in **-аваемый,** etc.

продавать   мы продаём   продаваемый

Compare with **продающий** and **продавая.**

Translate and explain all of the preceding forms.

Present passive participles, like present gerunds and present active participles, describe an action which takes place at the same time as the action of the main verb.

Ожидаемая телеграмма не пришла.	The telegram which was expected did not arrive.
Ожидаемая телеграмма не придёт.	The telegram which is (will be) expected will not come.
Ожидаемая телеграмма не приходит.	The telegram which is expected does not seem to be forthcoming.

УПРАЖНЕНИЯ

16. *Перепешите фразы, заменяя причастия и деепричастия простой формой.*

Говорящая с ней девушка была стильно одета.
К ним подошёл человек, продающий шары.
Они смотрели на летящий над ними самолёт.
Думая об этой поездке, она всегда улыбалась.
Уходя из дому, они забыли закрыть дверь.
Она думала об этом, сидя на чемоданах.

17. *Переведите фразы.*

Это были наши знакомые и просто любопытствующие с младших курсов.
Есть желающие?
Надо быть знающим и решительным врачом.
Максимов кричит и показывает кулак молчащему Сашке.
Мама это сказала с апломбом, маскирующим её смятение.
Мы кричали провожающим «До свидания».
Всех провожаем мы, уезжающие дальше всех.
Молодёжь толпами спешит к мосту, ведущему в Центральный парк.

На берегу́ Невы́

ПЕРЕД ОТЪЕЗДОМ (*продолже́ние*)

В па́рке

    Му́зыка. По алле́ям° па́рка гуля́ет молодёжь. Появля́ются и ухо́дят танцу́ющие па́ры.

    В ларьке́° же́нщина продаёт цветы́. Прохо́дит продаве́ц шаро́в.

    Три́ молоды́х челове́ка — Ви́ктор, Вале́рик и Ге́рман — купи́ли себе́ по ша́ру и, пои́грывая° и́ми, сидя́т на скаме́йке°.

Рэ́м (*подхо́дит*). Здра́вствуйте, ребя́та.

Ге́рман. Здра́вствуй, Рэ́м.

Рэ́м (*подса́живается°*). Я, возмо́жно, ско́ро пое́ду за грани́цу. У на́с предви́дится° це́лая се́рия нау́чных командиро́вок, и так ка́к° я в на́шем институ́те не из после́дних...

Ви́ктор. Рэ́м, где́ тво́й ша́р?

Рэ́м. Хоте́лось бы в Англию. Та́м по на́шей ча́сти° интере́снейшее°...

Ви́ктор. Рэ́м, купи́ ша́р.

Рэ́м. Это что́, обяза́тельно?

Ви́ктор. Если хо́чешь с на́ми сиде́ть,— обяза́тельно.

Ге́рман. Ви́дишь, мне́ то́же веле́ли купи́ть.

Ви́ктор. Тебе́ что́, рубля́ жа́лко?°

Рэ́м. Го́споди°, Ви́тя, пожа́луйста, е́сли э́то ну́жно...

Ви́ктор. Жи́знь, друзья́, на́до украша́ть.

Вале́рик. Да́, друзья́, чём Бо́г посла́л°.

       Рэ́м покупа́ет ша́р и возвраща́ется.

Рэ́м. А ты́ где́ сейча́с, Вале́рик?

Вале́рик. То́ есть°, ка́к — где́? Здесь.

аллéя: *tree-lined lane*

ларёк: *booth*

пои́грывать–: *to play*
скаме́йка: *bench*

подса́живаться–: *to sit down next to*
предви́деть–: *to foresee*
так ка́к: *since*

по на́шей ча́сти: *in our field*
интере́снейший: *са́мый интере́сный*

Тебе́ что, рубля́ жа́лко? *Are you afraid to part with a ruble?*
Го́споди! *Oh, Lord!*
чём Бо́г посла́л: *with whatever comes one's way*

то́ есть (т.е.): *that is (i.e.)*

Рэ́м. В отпуску́ и́ли в командиро́вке?

Вале́рик. Почему́? Я живу́ в Ленингра́де постоя́нно°.

Рэ́м. Я слы́шал — ты́ уе́хал по распределе́нию на Сахали́н.

Вале́рик. Я бы́л на Сахали́не.

Рэ́м. А тепе́рь?

Вале́рик. Во́т, в Ленингра́де.

Рэ́м. Я в смы́сле° рабо́ты.

Вале́рик. Ви́димо, бу́ду рабо́тать в реда́кции°.

Рэ́м. Ты́ отделе́ние журнали́стики око́нчил?

Вале́рик. Журнали́стики.

Рэ́м. Интере́сная профе́ссия.

Вале́рик. Не осо́бенно. Что́, со́бственно°, интере́сного? Гоня́ть за° материа́лом? В университе́те я́ не ду́мал, что э́то та́к однообра́зно°. Не успе́л заме́тить, кака́я всё э́то серя́тина°.

Рэ́м. Рабо́та е́сть рабо́та, я́ тебе́ скажу́. Однообра́зие е́сть везде́. Три́ста рабо́чих дне́й в году́: ка́к они́ мо́гут капита́льно дру́г от дру́га отлича́ться°, возьми́ — реда́кцию, и́ли лаборато́рию, и́ли заво́д. У на́с то́ же са́мое. Мне́, наоборо́т°, нра́вится, что, когда́ я́ у́тром иду́ в лаборато́рию, я́ твёрдо зна́ю, что я́ та́м найду́ и где́ что́ сто́ит. Я взы́скиваю° с лабора́нтов°, е́сли что́-нибудь ока́жется не на ме́сте. Уверя́ю тебя́ в то́м, что ты́ называ́ешь серя́тиной, е́сть своя́ пре́лесть°.

Ге́рман. Я люблю́ усто́йчивость° веще́й. В про́шлом году́ на́ш до́м присоедини́ли° к теплецентра́ли. Ка́к я́ огорчи́лся°! Я понима́ю, что та́к деше́вле, удо́бнее, чи́ще, всё, что хоти́те. Но я́ привы́к, чтобы дрова́ горе́ли в пе́чке.

постоя́нно: *permanently*

смы́сл: *sense*
реда́кция: *editorial office*

со́бственно: *as a matter of fact*
гоня́ть– за: *to chase after*
однообра́зный: *monotonous*
серя́тина: *dullness*

отлича́ться–: *to differ*
наоборо́т: *on the contrary*
взы́скивать–: *to demand an explanation*
лабора́нт: *laboratory assistant*
пре́лесть *f:* *charm*
усто́йчивость *f:* *durability*
–присоедини́ть: *to connect*
–огорчи́ться: *to get upset*

Шары́ в Центра́льном па́рке культу́ры и о́тдыха

Рэ́м. Это бы́ло ми́ло. Но экономи́чески невы́годно°.

Ге́рман. Но э́то бы́ло ми́ло, ты́ согла́сен?

Ви́ктор. Кака́я мо́жет быть милота́, когда́ в ми́ре водоро́дная° бо́мба и та́к да́лее.

Ге́рман. Не́т, Ви́ктор. Всё равно́ мо́жет быть милота́. Во́т я́ сюда́ пришёл — почему́ я́ пришёл? Потому́ что э́то ми́ло, про́воды бе́лых ноче́й. Ми́лая тради́ция. Да здра́вствуют° ми́лые челове́ческие тради́ции, плю́ющие° на водоро́дную бо́мбу.

Рэ́м. Да́, е́сли бы та́к про́сто бы́ло на всё наплева́ть...

Вале́рик. А не потанцева́ть ли на́м? А? Не потанцева́ть ли, говорю́? (Вхо́дят Ни́нка и Жа́нна.) — Во́н, ка́жется, ничего́° де́вочки. Пошли́, а? Ви́ктор, пошли́.

невы́годный: *unprofitable*

водоро́дный: *hydrogen*

Да́ здра́вствует! *Long live!*
мне́ плева́ть–: *I couldn't care less!*

ничего́: *not bad at all*

УПРАЖНЕНИЯ

18. *Расскажи́те о то́м, что́ вы́ прочита́ли.*

Что́ де́лают в па́рке молоды́е лю́ди?
Кто́ к ни́м подса́живается? Что́ он говори́т о свои́х пла́нах?
Что́ друзья́ угова́ривают его́ купи́ть?
О чём Рэ́м спра́шивает Вале́рика?
Что́ Вале́рик расска́зывает о свое́й рабо́те?
Како́й факульте́т зако́нчил Вале́рик? Что́ он ду́мает о свое́й профе́ссии?
Что́ ду́мает о рабо́те Рэ́м? Что́ он расска́зывает о рабо́те в лаборато́рии?
Ка́к отно́сится Ге́рман к «усто́йчивости веще́й»?
Почему́ он огорчи́лся, когда́ его́ до́м присоедини́ли к теплоцентра́ли?
Что́ говори́т Ви́ктор о «милоте́»? Ка́к на э́то смо́трит Ге́рман?
Че́м конча́ется разгово́р прия́телей?

19. *Согласи́тесь и́ли не согласи́тесь и объясни́те, почему́.*

Приме́р: Вале́рик ра́д, что ста́л журнали́стом.
    Вря́д ли он ра́д. Он говори́т, что рабо́та журнали́ста о́чень однообра́зная.

Рэ́м ничего́ не име́ет про́тив элеме́нта повто́рности.
Рэ́м дово́лен те́м, что когда́ он идёт на рабо́ту, он зна́ет, что́ он та́м найдёт и где́ что́ стои́т.
«Серя́тина» огорча́ет Рэ́ма.
Ге́рман не дово́лен, когда́ жи́знь идёт без переме́н.

Журнали́стика — интере́сная профе́ссия.
Профе́ссия врача́ о́чень однообра́зная.
Рабо́та е́сть рабо́та. Элеме́нт повто́рности е́сть везде́.
Ка́ждая рабо́та — «серя́тина».
В «серя́тине» е́сть своя́ пре́лесть.
Кака́я мо́жет бы́ть милота́, когда́ в ми́ре водоро́дная бо́мба и так да́лее.

20. *Упражне́ние-диало́г.* ⊗

Приме́р: (командиро́вка)
    — Вы́ в командиро́вку?
    — Да́, у на́с предви́дится се́рия командиро́вок.

(экспеди́ция — съе́зд — докла́д — ми́тинг — семина́р — ле́кция)

21. *Измени́те диало́г.*

— Ви́димо, бу́ду рабо́тать в реда́кции.
— Ты́ отделе́ние журнали́стики око́нчил?
— Журнали́стики.
— Интере́сная профе́ссия?
— Да́, я́ дово́лен, что ста́л журнали́стом.

Вы́ бу́дете рабо́тать в больни́це.
Вы́ бу́дете рабо́тать в лаборато́рии.
Вы́ бу́дете рабо́тать в шко́ле.

22. *Измени́те моноло́г.*

— Купи́ ша́р. Е́сли хо́чешь с на́ми сиде́ть, обяза́тельно купи́ ша́р. Тебе́ что́, рубля́ жа́лко? Жизнь, друзья́, на́до украша́ть. По возмо́жности, чём Бог посла́л.

Уговори́те дру́га купи́ть де́вушке буке́т цвето́в.
Уговори́те подру́гу потанцева́ть.
Уговори́те прия́теля купи́ть всём ва́м моро́женое.

23. *Напиши́те не́сколько предложе́ний на те́му:*

«Рабо́та, на кото́рую я́ бы хоте́л поступи́ть».

24. *Напиши́те не́сколько предложе́ний о то́м, где́ вы́ рабо́тали ле́том.*

Расскажи́те, что́ вы́ де́лали? Ско́лько зараба́тывали (получа́ли)? Ско́лько (часо́в) (вре́мени) вы́ рабо́тали? Нра́вилась ли ва́м рабо́та?

WORD STUDY

рабо́чий   столо́вая   моро́женое   ру́сские

Give the English equivalent for each of the preceding words.
Use each word to complete the following sentence.

Здесь не́т ———.

It is clear that these words are used as nouns, although they are declined
as adjectives. You have seen a number of such words in Levels I and II.
Below are additional examples.

бу́лочная	моло́чная	на́бережная	живо́тное	знако́мая	ру́сская
ва́нная	мостова́я	убо́рная	знако́мый	ру́сский	учёный
гости́ная	мясна́я	учи́тельская			

Participles too are sometimes used to function as nouns. Some of the
most common are:

уча́щийся   *equivalent to* студе́нт *and* учени́к
трудя́щийся   *equivalent to* рабо́тник
игра́ющий   *equivalent to* игро́к

When used as nouns, the preceding participles occur normally in the
masculine and the plural. Other participles when used as nouns are frequently feminine, masculine, or plural, as the examples below indicate.

начина́ющий	начина́ющая	начина́ющие
отдыха́ющий	отдыха́ющая	отдыха́ющие
отъезжа́ющий	отъезжа́ющая	отъезжа́ющие

The participle **танцу́ющие** when used as a noun occurs usually in the
plural.

Although the verbs **учи́ться, труди́ться, кури́ть** have shifting stress,
the present active participle of each is stressed on the ending of the stem.
Note carefully the stress in:

уча́щийся   трудя́щийся   куря́щий

УПРАЖНЕНИЕ

25. *О чём о́н говори́т?* ✖

Приме́р: Магази́н, в кото́ром продаю́т хле́б и бу́лочки.
<u>Он говори́т о бу́лочной.</u>

Ко́мната, в кото́рой купа́ются.
Ко́мната, в кото́рой отдыха́ют, разгова́ривают, смо́трят телеви́зор.
Ча́сть у́лицы, по кото́рой е́дут маши́ны.
У́лица вдо́ль реки́.
Ко́мната, в кото́рой собира́ются учителя́.

REFERENCE NOTES

1. Diminutives of Adjectives

In Level Two (Unit 24, p. 303) we saw how the suffix **-енький** produces diminutive forms of adjectives. These do not always indicate *smallness*. They may also reflect a certain attitude toward a person or thing: *affection,* **ста́ренький;** *pity,* **бе́дненький;** *amusement,* **глу́пенький;** etc.

But some adjectives with this suffix have acquired fixed meanings without any diminutive connotation. Thus **ма́ленький** means *small* or *little,* not *smallish* or *tinyish,* and **хоро́шенький** is simply the equivalent of *pretty.*

2. пошли́, пое́хали

Past forms of **–пойти́** and **–пое́хать,** usually for the first person plural and the second person singular, can be used colloquially to make a livelier, more emphatic imperative.

Пошли́! ⎫
Пое́хали! ⎬ Let's go!
Пошёл во́н! Get out!

3. сади́ться–, –се́сть

To get into or *on,* in respect to automobiles, taxis, buses, trolleys, etc., is most frequently expressed by **сади́ться–, –се́сть.**

Где́ мне́ се́сть на трамва́й, чтобы дое́хать до ва́с?	Where do I catch the streetcar to get to your place?
Сади́сь на авто́бус и приезжа́й!	Hop on a bus and come on over!

4. The Enclitic *-то*

We have seen that indefinite pronouns, adjectives, and adverbs are formed by adding **-то** to interrogative pronouns, adjectives, and adverbs.

кто́-то   someone
что́-то   something
како́й-то   some, some kind of
где́-то   somewhere
ка́к-то   somehow

The enclitic **-то** is used also colloquially to emphasize the word to which it is added.

наконе́ц-то   At long last.
говори́ть-то легко́   Talk is cheap.

Compare the following:

Он где́-то в Ленингра́де.   He's <u>somewhere</u> in Leningrad.
Где́-то о́н сейча́с?   <u>Where</u> can he be now?

5. чего́

In familiar speech **чего́** is equivalent to **заче́м** ог **почему́**.

Чего́ же я́ туда́ пойду́?   What should I go there for?
А ты́ чего́ наряди́лась?   What are you all dressed up for?

6. жа́лко, жа́ль

Impersonal expressions with **жа́лко** and **жа́ль** (**ему́ жа́лко бы́ло, мне́ жа́ль,** etc.) can be followed by either the genitive or the accusative.

a. When the accusative follows, the expression conveys pity.

Ему́ жа́ль сестру́.   He feels sorry for his sister.

b. When the genitive follows, it may indicate regret over loss or absence.

Мне́ жа́ль поте́рянного вре́мени.   I regret the time I've lost.

c. When the genitive follows, it may also show a reluctance to part with something.

Тебе́ рубля́ жа́лко?   Are you afraid to part with a ruble?

ПОЛЕТ

Расска́зывает
Алекса́ндр Григо́рьев

ность° конча́ется не в оди́н де́нь — и э́тот де́нь не отме́тишь в календаре́: «Сего́дня ко́нчилась моя́ ю́ность». Она́ ухо́дит незаме́тно — та́к незаме́тно, что с ней не успе́ешь прости́ться. То́лько что ты́ бы́л ма́льчиком, а смо́тришь — и пионе́р в трамва́е уже́ говори́т тебе́: «Дя́денька». Ю́ность ко́нчилась, а когда́, како́го числа́, в кото́ром часу́? Неизве́стно.

Ду́маю, что моя́ ю́ность ко́нчилась, когда́ я́ прошёл после́дние экза́мены в лётной шко́ле в Ленингра́де, и меня́ посла́ли в лётную шко́лу в Балашо́в. Та́м я́ ста́л учи́ться у настоя́щего инстру́ктора и на настоя́щей маши́не. Мой мечты́ сбыли́сь — я́ гото́вился ста́ть поля́рным лётчиком.

Не по́мню друго́го вре́мени в свое́й жи́зни, когда́ бы я́ та́к мно́го стара́лся.

— Зна́ете, ка́к вы́ лета́ете? — ещё в Ленингра́де сказа́л мне нача́льник шко́лы.— Ка́к сунду́к°. А для Се́вера на́до име́ть кла́сс.

Я изучи́л ночны́е полёты, когда́ сра́зу за ста́ртом начина́ется темнота́ и всё вре́мя, пока́° поднима́ешься, ка́жется, что идёшь по тёмному коридо́ру. Внизу́ аэродро́м: чёрное по́ле, вокру́г кото́рого я́рко све́тятся кра́сные огни́. Ли́ния желе́зной доро́ги чу́ть блести́т где́-то вдали́. Тёмный во́здух, тёмная земля́. Но во́т впереди́ появля́ется све́т — э́то го́род. Ты́сячи огне́й и всё ра́зных цвето́в.

Я по́нял, что лётчик до́лжен зна́ть во́здух та́к, ка́к хоро́ший капита́н зна́ет во́ду.

Это бы́ли го́ды, когда́ Арктика, кото́рая до сих по́р каза́лась каки́ми-то далёкими, никому́ не ну́жными льда́ми, ста́ла близка́ на́м, и пе́рвые вели́кие перелёты привлекли́ внима́ние всей страны́. У ка́ждого из на́с бы́л свой идеа́л лётчика, и мы́ спо́рили, кто лу́чше лета́ет: А. и́ли Л., и́ли Ч.? Ка́ждый де́нь в газе́тах появля́лись статьи́ об аркти́ческих экспеди́циях и откры́тиях, и я́ чита́л и́х с волне́нием. Я та́к хоте́л полете́ть на Се́вер!

ю́ность *f: early youth*   **сунду́к:** *trunk (for freight or luggage)*   **пока́:** *while, as*

Я мно́гое знал из жи́зни поля́рных лётчиков: я представля́л себе́ полёты над сне́жными го́рными хребта́ми°, полёты в пургу́, когда́ не ви́дишь кры́льев свое́й маши́ны, вы́нужденные° опа́сные поса́дки... Я вспомина́л стра́шные расска́зы об аркти́ческих мете́лях, кото́рые хоро́нят° челове́ка в дву́х ме́трах от до́ма.

Но я не боя́лся. Я хоте́л ста́ть поля́рным лётчиком, потому́ что э́то была́ профе́ссия, кото́рая тре́бовала° от меня́ терпе́ния и любви́ к своему́ де́лу. За ме́сяц до оконча́ния Балашо́вской шко́лы я написа́л дире́ктору письмо́ и попроси́л, чтобы меня́ посла́ли на Се́вер.

В ию́не я получи́л назначе́ние вторы́м пило́том в одну́ из да́льних се́верных ли́ний, в не́скольких киломе́трах от Заполя́рья.

Заполя́рье — шу́мный го́род. Коне́чно, там не о́чень большо́е движе́ние, но быва́ет, что по у́лице в то́ же са́мое вре́мя дви́гаются автомоби́ли, оле́ни, ло́шади и соба́ки.

Шумя́т пи́лы° на лесны́х заво́дах, и в уша́х° днём и но́чью слы́шен

хребе́т: *mountain range*	**хорони́ть–:** *to bury*	**пила́:** *saw*
вы́нужденный: *forced, emergency*	**тре́бовать–:** *to require*	**у́хо:** *ear*

э́тот шу́м. В конце́ концо́в его́ перестаёшь замеча́ть, но всё-таки где́-то далеко́ в голове́ звени́т и звени́т пила́.

Я вози́л в Красноя́рск инструме́нты для лесны́х заво́дов; отвози́л учителе́й, враче́й, рабо́тников в да́льние нене́цкие райо́ны°. Мне приходи́лось лета́ть над Енисе́ем, Куре́йкой и Ни́жней Тунгу́ской. Я жи́л в небольшо́й кварти́ре с двумя́ други́ми пило́тами: Ва́лей Жу́ковым и Гри́шей Ромашёвым.

Ка́к-то ра́з°, ра́но у́тром, зазвони́л телефо́н. Ва́ля вскочи́л с посте́ли и, заку́танный в своё одея́ло, побежа́л в сосе́днюю ко́мнату.

— Слу́шаю! Это — тебя́,— сказа́л он мне́, когда́ верну́лся че́рез мину́ту.

— Меня́?

Я наде́л шу́бу и пошёл к телефо́ну.

— Това́рищ Григо́рьев,— услы́шал я го́лос. Это бы́л гла́вный вое́нный вра́ч на́шего райо́на.— Сро́чное° де́ло. Вам на́до бу́дет полете́ть с до́ктором Па́вловым в Ванока́н. Вы́ зна́ете Ледко́ва?

Ещё бы!° Это бы́л знамени́тый профе́ссор — оди́н из са́мых изве́стных на Се́вере. Его́ все́ зна́ли.

— Он ра́нен°, нужна́ сро́чная по́мощь. Когда́ вы́ мо́жете вы́лететь?

— Че́рез ча́с,— отвеча́л я.

райо́н: *region*   **сро́чный:** *urgent, immediate*   **ра́неный:** *wounded, injured*

ка́к-то ра́з: *one day*   **Ещё бы!** *I should say so!*

Вот ктó был на самолёте у́тром пя́того ма́рта, когда́ мы́ подняли́сь в Заполя́рье и полете́ли на се́веро-восто́к: до́ктор, мо́й меха́ник Лу́ри и я́.

Это бы́л мо́й пятна́дцатый полёт на Се́вере, но в пе́рвый ра́з я́ лете́л в райо́н, где́ ещё не ви́дели самолёта. Ванока́н — э́то ма́ленькая дере́вня, куда́, действи́тельно, о́чень тру́дно попа́сть.

Профе́ссор Ледко́в бы́л ра́нен. Это случи́лось на охо́те. В Ванока́н мы́ должны́ бы́ли прилете́ть в три́ часа́ дня́. Но на вся́кий слу́чай мы́ взя́ли с собо́й проду́кты, раке́ты, ружьё, лопа́ты, пала́тку и топо́р°.

Про° пого́ду я́ зна́л то́лько одно́: что у на́с в Заполя́рье прекра́сная пого́да. Но кака́я она́ по маршру́ту — э́того я́ не зна́л. А узна́ть до отлёта не мо́г.

Ита́к, в Заполя́рье всё бы́ло в поря́дке, когда́ мы́ подняли́сь и полете́ли на се́веро-восто́к.

топо́р: *ax*   **про:** *about*

Внизу́ был ви́ден Енисе́й — широ́кая бе́лая ле́нта° среди́ бе́лых берего́в, вдоль кото́рых был лес. Пото́м начала́сь ту́ндра — огро́мная, сне́жная.

Но вот и го́ры! Они́ торча́ли° из облако́в°, покры́тые све́том. Я ви́дел в зе́ркале, как Лу́ри по́днял ру́ку, как бу́дто поздоро́вался с ни́ми, и что́-то сказа́л до́ктору, и до́ктор, смешно́й, похо́жий в свое́й огро́мной шу́бе на како́го-то зве́ря, кивну́л° голово́й.

В не́которых места́х бы́ли видны́ уще́лья° — прекра́сные, о́чень дли́нные уще́лья,— смерть в слу́чае вы́нужденной поса́дки.

Как бу́дто и ве́тра не́ было, когда́ пе́рвые огро́мные ту́чи° сне́га вдруг на́чали кружи́ться под на́ми.

Зе́ркало, в кото́ром я ви́дел Лу́ри и до́ктора, вдруг замёрзло°, а ещё че́рез де́сять мину́т нельзя́ бы́ло пове́рить, что над на́ми то́лько что бы́ло со́лнце и не́бо. Тепе́рь не́ было ни земли́, ни со́лнца, ни не́ба. Ве́тер уда́рил наш самолёт в ле́вый бок, пото́м в пра́вый, пото́м сно́ва° в ле́вый, так что нас сра́зу унесло́ куда́-то в сто́рону, где то́же был тума́н° и шёл снег. Пото́м наступи́ла ночь, так что, когда́ я сно́ва посмотре́л в зе́ркало, я бо́льше уже́ ничего́ не уви́дел. Ничего́ не́ было ви́дно вокру́г, и не́которое вре́мя я лете́л в по́лной темноте́. Лете́ть в таку́ю пого́ду бы́ло стра́шно тру́дно: в во́здухе пе́ред на́ми бы́ли настоя́щие сте́ны из сне́га. То я проходи́л че́рез них, то отступа́л, то сно́ва проходи́л че́рез них, то ока́зывался где́-то далеко́ под ни́ми. Это бы́ло са́мое стра́шное — самолёт вдруг па́дал на две́сти ме́тров, а я не знал вышины́ гор, кото́рые бы́ли под на́ми. У меня́ на́чали мёрзнуть но́ги, и мне ста́ло жа́лко, что я наде́л э́ти ва́ленки, а не други́е, бо́лее тёплые.

Вдруг я почу́вствовал, что с мото́ром что́-то нела́дное°. Ну́жно бы́ло во что́ бы то́ ни ста́ло° уйти́ от уще́лий, кото́рые всё ещё бы́ли под на́ми, и я ушёл от них. Но с мото́ром станови́лось всё ху́же и ху́же, ну́жно бы́ло сади́ться. Ну́жно бы́ло сади́ться о́чень ме́дленно и всё вре́мя ду́мать о земле́, кото́рая где́-то внизу́, и неизве́стно, где она́ и кака́я. Вдруг кака́я-то ма́сса пронесла́сь ря́дом с самолётом. Мне ста́ло жа́рко, но я не испуга́лся. Я бро́сился в сто́рону и чуть не цара́пнул° крыло́м зе́млю.

Не ста́ну расска́зывать о тех трёх су́тках, кото́рые мы провели́ в ту́ндре, недалеко́ от берего́в Ледови́того океа́на. Это одно́ из са́мых тяжёлых° воспомина́ний в мое́й жи́зни и, гла́вное, э́то однообра́зное воспомина́ние. Оди́н час был похо́ж на друго́й, друго́й на тре́тий, и то́лько пе́рвые мину́ты, когда́ нам на́до бы́ло ка́к-то укрепи́ть самолёт, потому́ что ина́че его́ унесла́ бы пурга́, бы́ли не похо́жи на други́е.

Попро́буйте сде́лать э́то в ту́ндре, где ничего́ не растёт, при ве́тре, кото́рый ду́ет° со всех сторо́н! Мы поста́вили самолёт но́сом к ве́тру

ле́нта: *ribbon*
торча́ть–: *to break through*
о́блако: *cloud*
–кивну́ть: *to nod*
уще́лье: *gorge*

ту́ча: *dark cloud*
–замёрзнуть: *to frost over*
сно́ва: *again*
тума́н: *fog*
нела́дный: *wrong*

во что́ бы то́ ни ста́ло: *no matter what might happen*
–цара́пнуть: *to scrape*
тяжёлый: *grim*
ду́ть–: *to blow*

и хоте́ли закопа́ть° его́. Но как то́лько мы́ поднима́ли сне́г лопа́той, как его́ уноси́л ве́тер.

Ну́жно бы́ло что́-то приду́мать, потому́ что ве́тер станови́лся всё бо́лее и бо́лее си́льным, и че́рез полчаса́ бы́ло бы уже́ по́здно. Тогда́ мы́ сде́лали одну́ просту́ю ве́щь — рекоменду́ю её всем поля́рным пило́там: мы́ привяза́ли к кры́льям самолёта верёвки, а к верёвкам чемода́ны, лы́жи, коро́бки° с раке́тами,— в о́бщем всё, чем бы́л нагру́жен самолёт, и что могло́ помо́чь собра́ться сне́гу. Че́рез пятна́дцать мину́т вокру́г э́тих веще́й уже́ бы́ли сугро́бы сне́га: самолёт остава́лся на ме́сте.

Тепе́рь нам бо́льше ничего́ не остава́лось, как жда́ть. Это бы́ло не о́чень ве́село, но э́то бы́ло еди́нственное, что́ нам остава́лось — жда́ть и жда́ть, а до́лго ли — кто́ зна́ет?

Я уже́ говори́л, что у на́с бы́ло всё для вы́нужденной поса́дки, но что ста́нешь де́лать, ска́жем, с пала́ткой, когда́ ве́тер ду́ет со все́х сторо́н и из-за сне́га вообще́ ничего́ не ви́дно.

Прошёл пе́рвый де́нь. Немно́го ме́ньше тепла́, немно́го бо́льше хо́чется спа́ть. А сне́г всё несётся ми́мо° на́с, и наконе́ц начина́ет каза́ться, что ми́мо на́с пролета́ет ве́сь сне́г, кото́рый то́лько е́сть на земле́...

–закопа́ть: *to bury*   **коро́бка:** *box*   **ми́мо:** *past, by*

Второ́й де́нь... Тре́тий де́нь...

Ещё ме́ньше тепла́, ещё бо́льше хо́чется спа́ть. Но гла́вное — не спа́ть. Ка́к утоми́тельно° жда́ть, когда́ нельзя́ засну́ть. Спа́ть нельзя́. Если засну́ть — мо́жно не просну́ться. До́ктор, кото́рый, несмотря́ на во́зраст°, оказа́лся са́мым си́льным из на́с, толка́ет то меня́, то Лу́ри. Стара́ется всё вре́мя о чём-то с на́ми говори́ть и, вре́мя от вре́мени, протя́гивает° на́м кусо́к шокола́ду. Но я́ всё-таки засыпа́ю...

Не зна́ю, ско́лько вре́мени я́ спа́л, наве́рное, дово́льно до́лго. Когда́ я́ просну́лся, то я́ снача́ла не пове́рил свои́м глаза́м — ду́мал, что э́то со́н. Пурга́ ко́нчилась. Сне́г переста́л идти́ и споко́йно лежа́л на земле́. Над ни́м бы́ло со́лнце и не́бо, тако́е огро́мное, како́е мо́жно уви́деть то́лько на́ мо́ре и́ли в ту́ндре. На э́том фо́не° сне́га и не́ба, в двадцати́ шага́х° от самолёта, стоя́л челове́к. За его́ спино́й стоя́ли оле́ни. Вдали́ бы́ли видны́ нене́цкие чу́мы, покры́тые сне́гом. Это и была́ та́ тёмная ма́сса, от кото́рой я́ бро́сился в сто́рону при поса́дке. Из-за пурги́ мы́ их ра́ньше не ви́дели и ника́к не ду́мали, что недалеко́ от на́с — лю́ди! Вокру́г чу́мов стоя́ли не́нцы, взро́слые и де́ти, и мо́лча, с больши́м интере́сом, смотре́ли на на́ш самолёт.

утоми́тельный: *exhausting*   протя́гивать–: *to hand*   ша́г: *pace*
во́зраст: *age*   на э́том фо́не: *against this background*

Я никогда́ не ду́мал, что положи́ть но́ги в ого́нь — э́то сча́стье. Но э́то настоя́щее, ни на что́ не похо́жее сча́стье! Вы́ чу́вствуете, как тепло́ поднима́ется по ва́шему те́лу° и бежи́т всё вы́ше и вы́ше, и во́т наконе́ц ме́дленно дохо́дит до се́рдца.

Мне́ тепло́ — бо́льше я́ ничего́ не чу́вствовал, ни о чём не ду́мал.

В чу́ме стоя́л ды́м. Не́нцы сиде́ли вокру́г огня́ и смотре́ли на на́с. У ни́х бы́ли серьёзные ли́ца. До́ктор что́-то объясня́л и́м по-нене́цки. Они́ слу́шали его́ и кива́ли голова́ми, как бу́дто всё понима́ли. Пото́м вы́яснилось, что они́ ничего́ не по́няли. До́ктор серди́то махну́л руко́й и ста́л представля́ть ра́неного челове́ка и самолёт, кото́рый лети́т ему́ на по́мощь. Э́то бы́ло бы о́чень смешно́, е́сли бы я́ не хоте́л так стра́шно спа́ть. То о́н ложи́лся на́ пол, то бежа́л вперёд с по́днятыми рука́ми. Вдру́г он подошёл ко мне́ и сказа́л:

— Они́ всё зна́ют! Всё! Они́ да́же зна́ют, куда́ ра́нен Ледко́в.

Он ста́л сно́ва говори́ть с ни́ми по-нене́цки, и я́ по́нял, что о́н спра́шивал, не зна́ют ли не́нцы, ка́к был ра́нен Ледко́в.

Тепе́рь уже́ я́ бо́льше не мо́г не спа́ть. Всё вдру́г поплы́ло передо мно́й, и мне́ ста́ло смешно́ от ра́дости, что я́ наконе́ц сплю́...

Когда́ я́ просн́лся, бы́ло совсе́м светло́. У вхо́да в чу́м стоя́л до́ктор, а не́нцы сиде́ли вокру́г него́. Вдали́ бы́л ви́ден самолёт. До́ктор спра́шивал у не́нцев, где́ нахо́дится Вонока́н.

— Та́м?— крича́л о́н серди́то и пока́зывал руко́й на ю́г.

— Та́м, та́м,— соглаша́лись не́нцы.

— Та́м?— о́н пока́зывал на восто́к.

— Та́м.

Пото́м не́нцы всё ка́к оди́н ста́ли пока́зывать на ю́го-восто́к. Тогда́ до́ктор нарисова́л на снегу́ огро́мную ка́рту берего́в Се́верного Ледови́того океа́на. Но и э́то ма́ло помогло́ де́лу: не́нцы отнесли́сь к географи́ческой ка́рте ка́к к произведе́нию иску́сства°, и оди́н из ни́х, ещё совсе́м молодо́й, нарисова́л ря́дом с ка́ртой оле́ня. Он хоте́л показа́ть, что и о́н уме́ет рисова́ть...

Во́т что ну́жно бы́ло сде́лать ра́ньше всего́: освободи́ть самолёт от сне́га. И мы́ никогда́ не смогли́ бы э́того сде́лать, е́сли бы не́нцы не помогли́ на́м. В жи́зни мое́й я́ не ви́дел сне́га, кото́рый бы́л та́к ма́ло похо́ж на сне́г! Мы́ руби́ли его́ топора́ми и лопа́тами, ре́зали ножа́ми. Но во́т наконе́ц после́дний сне́жный кирпи́ч° бы́л отбро́шен от самолёта. Во всех ча́йниках и кастрю́лях уже́ гре́лась вода́ для мото́ра. Молодо́й не́нец, то́т са́мый, кото́рый нарисова́л на снегу́ оле́ня, а тепе́рь согласи́лся бы́ть на́шим ги́дом, что́бы показа́ть доро́гу до Вонока́на, уже́ проща́лся с жено́й. Со́лнце вы́шло из-за облако́в — пого́да должна́ была́ бы́ть хоро́шей,— и я́ сказа́л до́ктору, что пора́ лете́ть.

те́ло: *body*   **сне́жный кирпи́ч:** *chunk of snow*
произведе́ние иску́сства: *work of art*

Всё в порядке. Мотор работает. Ненцы собираются у самолёта. Я пожимаю им руки, благодарю за помощь. Они смеются — довольны. Наш молодой гид лезет° в самолёт.

По привычке поднимаю руку, как будто прошу у ненцев старта.

— До свидания, товарищи!

Летим!..

В Ванокан мы прилетели очень быстро. Молодой ненец читал однообразную снежную пустыню, как географическую карту. Он очень хорошо знал этот край°. Через полчаса мы уже были в Ванокане.

Не стану рассказывать, как нас там встретили. Вся деревня прибежала к нашему самолёту. Нас кормили рыбой, пирогами и оленьим мясом.

Мы нашли Ледкова в плохом состоянии°. Я несколько раз встречался с ним на собраниях, бывал на его лекциях и даже раз возил из Красноярска в Игарку. Теперь я с трудом узнал его: так он похудел°.

Он не лежал, а сидел на кровати и смотрел в одну точку. Потом он вдруг вставал и садился на стул. Но и на стуле долго просидеть не мог. Опять возвращался на кровать. Он был ранен во время охоты на белого медведя. Пуля° попала в ногу и всё ещё была там. Нога стала огромной и синей. Страшная боль не давала ему ни на минуту заснуть. Было от чего потерять голову при виде такого больного.

Но доктор не потерял голову — напротив°! Этот довольно старый человек стал вдруг похож на решительного молодого военного врача, и на лице у него не было видно абсолютно никакой боязни.

Он сразу велел всем выйти из комнаты больного и переставил в комнате всю мебель. Вынес лишний стол во двор, а тот, на котором собирался делать операцию, поставил посредине комнаты, под лампу. Он пошёл в кухню и там долго мыл руки. Потом он вернулся в комнату больного и закрыл за собой дверь.

Минут через сорок он опять вышел к нам. Очевидно, операция прошла прекрасно: он радостно улыбался.

Рано утром мы перенесли Ледкова на самолёт и вылетели из Ванокана. Через три с половиной часа мы уже были в Заполярье.

Об этом случае, то есть о блестящей операции, которую доктор сделал в таких трудных условиях, и вообще о нашем полёте была написана довольно длинная статья в газете. Она кончалась словами: «Больной быстро поправляется». И действительно, больной поправился очень быстро.

Скоро после этого мы с Лури получили несколько дней отпуска, и я решил полететь домой.

— *По В. Каверину*

лезть–: *to climb*	**состояние:** *condition*	**пуля:** *bullet*
край: *country*	**–похудеть:** *to get thin*	**напротив:** *on the contrary*

УПРАЖНЕНИЯ

1. *Расскажи́те о то́м, что́ вы́ прочита́ли.*

Что́ случи́лось с Алекса́ндром, когда́ о́н ко́нчил лётную шко́лу в Ленингра́де?
Что́ Алекса́ндр говори́т о ночны́х полётах?
Че́м до сих по́р каза́лась Арктика?
О чём тепе́рь ка́ждый де́нь писа́ли в газе́тах?
Что́ вы́ зна́ете о Заполя́рье?

Почему́ гла́вный вое́нный вра́ч позвони́л Алекса́ндру?
Кто́ бы́л на самолёте у́тром пя́того ма́рта и куда́ они́ лете́ли?
Что́ они́ на вся́кий слу́чай взя́ли с собо́й?
Что́ бы́ло ви́дно с самолёта?
Ка́к вы́глядела ту́ндра, ка́к вы́глядели го́ры?
Ка́к пого́да вдру́г измени́лась?
Почему́ самолёт чу́ть не цара́пнул крыло́м зе́млю?

Что́ де́лали Алекса́ндр, Лу́ри и до́ктор по́сле вы́нужденной поса́дки?
Что́ Алекса́ндр уви́дел, когда́ проснул́ся?
О чём до́ктор до́лго говори́л с не́нцами и что́ о́н хоте́л от ни́х узна́ть?
Ка́к не́нцы отнесли́сь к ка́рте, кото́рую нарисова́л до́ктор?
Ка́к самолёт бы́л наконе́ц освобождён от сне́га?
Почему́ они́ та́к бы́стро прилете́ли в Ванока́н?
В како́м состоя́нии они́ нашли́ Ледко́ва?
Что́ сде́лал до́ктор?
Что́ об э́том слу́чае написа́ли в газе́те?

2. *Допиши́те письмо́.*

Допиши́те письмо́ Алекса́ндра роди́телям. Напиши́те о то́м, что́ с ни́м случи́лось.
Дороги́е!
Прости́те, что та́к до́лго не писа́л. Я ва́с не забы́л. Про́сто, всё э́то вре́мя бы́л стра́шно за́нят. Ка́ждый де́нь куда́-то лета́л.
Вчера́ верну́лся из Ванока́на. Это ма́ленькая не́нецкая дере́вня на Да́льнем Се́вере, куда́ о́чень тру́дно попа́сть. Отвози́л туда́ учи́теля, кото́рый бу́дет учи́ть не́нцев чита́ть, писа́ть и говори́ть по-ру́сски. Это бы́л о́чень интере́сный полёт.

Напиши́те:
в кото́ром часу́ Алекса́ндр вы́летел и кто́ с ни́м бы́л на самолёте;
что́ бы́ло на самолёте для вы́нужденной поса́дки;
кака́я пого́да была́, когда́ они́ лете́ли;
что́ бы́ло ви́дно с самолёта;
ка́к и́х встре́тили в Ванока́не;
ско́лько дне́й о́тпуска да́ли Алекса́ндру, когда́ о́н верну́лся.

Пока́ конча́ю. Та́к ра́д, что получи́л о́тпуск и ско́ро смогу́ прилете́ть к ва́м в Москву́.
Ва́ш Алекса́ндр

ЯЗЫК И ЛЕГЕНДЫ

UNIT 5

Рýсские кнúги XVI вéка

СЛОВО О СЛОВАХ

Ру́сский язы́к — оди́н из славя́нских языко́в

Вы́ встреча́ете челове́ка, у кото́рого но́с как две́ ка́пли° воды́ похо́ж на но́с ва́шего хоро́шего знако́мого. Че́м вы́ мо́жете объясни́ть тако́е схо́дство°?

Про́ще всего́ реши́ть, что оно́ вы́звано са́мой просто́й случа́йностью; ка́ждый зна́ет — таки́е случа́йные совпаде́ния° не ре́дкость.

Е́сли мы́ встре́тим дву́х люде́й, у кото́рых е́сть что́-то о́бщее в мане́ре говори́ть, в движе́ниях и́ли в похо́дке°, о́чень возмо́жно, что э́то — результа́т подража́ния°: ученики́ ча́сто подража́ют люби́мым учителя́м, де́ти — взро́слым, солда́ты — офице́рам.

Но предста́вьте себе́, что пе́ред ва́ми два́ челове́ка, у кото́рых похо́жи сра́зу и цве́т гла́з, и фо́рма лба́, и зву́к го́лоса, и мане́ра улыба́ться. Оба́ употребля́ют в разгово́ре одина́ковые° выраже́ния°. Не ду́маю, что́бы вы́ всё э́то объясни́ли случа́йностью. Скоре́е всего́ вы́ реши́те, что лю́ди э́ти — ро́дственники: похо́жие черты́° получи́ли о́ба от роди́телей.

Те́м бо́лее не прихо́дится иска́ть объясне́ний в случа́йном схо́дстве, е́сли вы́ ви́дите не дву́х похо́жих дру́г на дру́га люде́й (и́ли живо́тных), а це́лую гру́ппу, состоя́щую° из мно́гих чле́нов°. Гора́здо пра́вильнее реши́ть, что и здесь схо́дство вы́звано о́бщим происхожде́нием°, родство́м.

В ми́ре языко́в мы́ наблюда́ем и́менно таку́ю карти́ну: существу́ют° це́лые гру́ппы языко́в, почему́-то бли́зко напомина́ющих° дру́г дру́га. В

ка́пля: *drop*	**черта́:** *trait*
схо́дство: *likeness*	**состоя́ть–:** *to consist*
совпаде́ние: *coincidence*	**чле́н:** *member*
похо́дка: *walk*	**происхожде́ние:** *origin*
подража́ние: *imitation*	**существова́ть–:** *exist*
одина́ковый: *the same*	**напомина́ть–:** *to resemble*
выраже́ние: *expression*	

Стари́нная миниатю́ра XVI ве́ка

то́ же вре́мя они́ ре́зко отлича́ются от други́х гру́пп языко́в, кото́рые, в свою́ о́чередь, во мно́гом похо́жи друг на дру́га.

Та́к, наприме́р, сло́во «челове́к» звучи́т о́чень схо́дно в це́лом ря́де языко́в:

по-ру́сски	челове́к
по-украи́нски	чолови́к
по-по́льски	чло́век
по-болга́рски	чо́век
по-че́шски	чло́век

Всё э́то языки́ славя́нских наро́дов.

Но существу́ют и други́е языковы́е гру́ппы, внутри́° кото́рых мы́ замеча́ем не ме́ньше схо́дства, хотя́ ме́жду° и́х слова́ми и слова́ми славя́нских языко́в о́бщего гора́здо ме́ньше. Та́к, «челове́к»:

внутри́: *within*

ме́жду: *between, among*

по-францу́зски	(х)о́мм
по-латы́ни	хо́мо
по-испа́нски	(х)о́мбрэ
по-италья́нски	(у)о́мо
по-румы́нски	о́м

Эти языки́ принадлежа́т° наро́дам рома́нским. У герма́нских языко́в э́то же сло́во звучи́т совсе́м ина́че:

принадлежа́ть–: *to belong*

| по-англи́йски | мэ́н |
| по-неме́цки | ма́нн |

В то́ же вре́мя у ту́рок, тата́р, азербайджа́нцев, туркме́н, узбе́ков и други́х наро́дов тю́ркского пле́мени° поня́тие «челове́к» бу́дет выража́ться сло́вом «инса́н». Языки́ э́ти не похо́жи ни на славя́нские, ни на рома́нские, зато́ ме́жду собо́й э́ти языки́ име́ют° опя́ть большо́е схо́дство.

пле́мя *n: tribe*

име́ть–: *to have*

Прихо́дится предполага́ть, что тако́е схо́дство не могло́ произойти́ случа́йно. На́до ду́мать, что оно́ явля́ется° результа́том родства́ ме́жду схо́дными языка́ми.

явля́ться–: *to be*

Действи́тельно, языкозна́ние° у́чит на́с, что в ми́ре существу́ют не то́лько отде́льные языки́, но и больши́е и ма́ленькие гру́ппы языко́в, схо́дных ме́жду собо́й. Гру́ппы э́ти называ́ются «языковы́ми се́мьями», а появи́лись они́ потому́, что язы́к обяза́тельно сохраня́ет° не́которые черты́, о́бщие с те́м языко́м, от кото́рого о́н произошёл. Очень ча́сто родству́ ме́жду языка́ми соотве́тствует° родство́ ме́жду наро́дами, говоря́щими на э́тих языка́х; та́к, все́ славя́нские наро́ды произошли́ от о́бщих славя́нских пре́дков°. Ру́сскому языку́ бли́же всего́ украи́нский и белору́сский языки́, потому́ что они́ вхо́дят в одну́ восточнославя́нскую гру́ппу.

языкозна́ние: *linguistics*

сохраня́ть–: *to retain*

соотве́тствовать–: *to correspond*

пре́док: *ancestor*

Вы́ все́ зна́ете, коне́чно, великоле́пный° па́мятник языка́ дре́вней Руси́[1], знамени́тое «Сло́во о полку́ И́гореве»[2].

Этот дре́вний э́пос мы́, ру́сские, счита́ем па́мятником на́шего ру́сского языка́; роди́лся о́н тогда́, когда́ язы́к э́тот бы́л во мно́гом отли́чен от того́, на кото́ром мы́ говори́м сейча́с.

великоле́пный: *splendid*

---

[1]**Ру́сь** is the name usually given to Ancient Russia for the period that Kiev was its capital until the destruction of that city in 1240 by the Mongols.

[2]**«Сло́во о полку́ И́гореве»** (*The Song of Igor's Campaign*) is an epic about an actual Novgorod prince and his military expedition against a pagan tribe in 1185. Although its author remains unknown, the work is generally regarded as the masterpiece of Ancient Russian literature. One of the great Russian operas of the nineteenth century, Borodin's *Prince Igor,* was inspired by it.

Иллюстра́ции к «Сло́ву о полку́ Игореве»

Но на́ши бра́тья-украи́нцы с таки́ми же основа́ниями° гордя́тся° «Сло́вом», ка́к па́мятником языка́ украи́нского. Коне́чно, и и́х совреме́нный язы́к си́льно отлича́ется от того́, на кото́ром напи́сана блестя́щая° поэ́ма, но всё же они́ счита́ют её обра́зчиком° его́ дре́вних фо́рм. И, действи́тельно, тру́дно не согласи́ться с обе́ими э́тими мне́ниями°.

Не стра́нно ли? Ведь сего́дня никто́ не поколе́блется° отличи́ть ру́сские стихи́ и́ли про́зу от украи́нской. Стихи́ Пу́шкина никто́ не сочтёт° за напи́санные на украи́нском языке́; стихи́ Шевче́нко,[3] безусло́вно°, не явля́ются ру́сскими стиха́ми. Та́к почему́ же таки́е сомне́ния мо́гут возни́кнуть относи́тельно «Сло́ва», роди́вшегося на све́т семьсо́т ле́т наза́д? Почему́ Маяко́вского[4] на́до переводи́ть на украи́нский язы́к, а украи́нских писа́телей и́ли поэ́тов — на ру́сский? Творе́ние° же неизве́стного ге́ния да́вних времён соверше́нно одина́ково поня́тно (и́ли непоня́тно) и моско́вскому и ки́евскому шко́льнику. О чём э́то мо́жет говори́ть?

То́лько о то́м, что ра́зница ме́жду двумя́ на́шими языка́ми, о́чень суще́ственная° сейча́с, в XX ве́ке, семьсо́т ле́т наза́д была́ несравне́нно ме́ньшей. В те́ времена́ о́ба э́ти языка́ бы́ли, безусло́вно, бо́лее схо́дны ме́жду собо́й. Ви́дно, о́ба они́ происхо́дят от како́го-то о́бщего ко́рня° и то́лько с тече́нием вре́мени разошли́сь от него́ ка́ждый в свою́ сто́рону, ка́к две́ ве́тви° одного́ де́рева.
— *По Л. Успе́нскому*

основа́ние: *reason*
горди́ться–: *to take pride in*

блестя́щий: *magnificent*
обра́зчик: *model*
мне́ние: *opinion*
–поколеба́ться: *to think twice*
–сче́сть: *to consider*
безусло́вно: *under no circumstances*

творе́ние: *work*

суще́ственный: *substantial*

ко́рень *m:* *root*

ве́твь *f:* *branch*

---

[3]**Тара́с Шевче́нко (1814–1861)** is revered as the father of Ukrainian literature. His poetry often centered on the themes of freedom for the serfs and Ukrainian nationalism.
[4]**Влади́мир Маяко́вский (1893–1930),** as a poet and dramatist, devoted his talent to the support of the Soviet government in its early years.

УПРАЖНЕНИЯ

1. *Расскажи́те о то́м, что́ вы́ прочита́ли.*

Че́м мо́жно объясни́ть схо́дство дву́х челове́к?
Че́м мо́жно объясни́ть о́бщие мане́ры у дву́х челове́к?
Что́ вы́ реши́те, е́сли встре́тите дву́х челове́к, у кото́рых одина́ковые и черты́, и мане́ры?

Каку́ю карти́ну мы́ наблюда́ем в ми́ре языко́в?
В каки́х языка́х сло́во «челове́к» звучи́т о́чень схо́дно с ру́сским сло́вом?
Ка́к звучи́т сло́во «челове́к» по-францу́зски и́ли по-испа́нски?
Каки́м наро́дам принадлежа́т э́ти языки́?
Ка́к выража́ется поня́тие «челове́к» у наро́дов тю́ркского пле́мени?

Что́ мо́жно предположи́ть, когда́ языки́ напомина́ют дру́г дру́га?
Чему́ у́чит на́с языкозна́ние? Что́ тако́е языковы́е се́мьи?
Каки́е языки́ бли́же всего́ ру́сскому языку́ и почему́?

Како́й дре́вний э́пос ру́сские счита́ют па́мятником ру́сского языка́, а украи́нцы — украи́нского?
Почему́ сего́дня никто́ не поколе́блется отличи́ть ру́сский те́кст от украи́нского?
Почему́ семьсо́т ле́т тому́ наза́д э́ти о́ба языка́ бы́ли бо́лее схо́дны ме́жду собо́й?

2. *Дайте несколько ответов на каждый вопрос.*

Что вы знаете о русском языке?   Что вы знаете о польском языке?
Что вы знаете о французском языке?   Что вы знаете о болгарском языке?
Что вы знаете об английском языке?

3. *Сравните языки, которые вы знаете или изучаете. Данные ниже слова вам могут пригодиться.*

произношение   правописание   слова   понятие   алфавит   грамматика
грамматические формы   легче   труднее

4. *Расскажите о них.*

Пример: Александр Сергеевич Пушкин.
Александр Сергеевич Пушкин — великий русский поэт. Он родился в 1799-ом году.

Он написал такие известные произведения, как «Евгений Онегин», «Медный всадник»

и т. д.

Тарас Шевченко
Маяковский
«Слово о полку Игореве»

5. *Чем это можно объяснить?* ⊗

Пример: Они очень похожи. (сходство)
Чем вы можете объяснить такое сходство?

Он был очень сердит. (настроение)
Он тоже пришёл. (совпадение)
Он мне сказал неправду. (поступок)
Он написал не ей, а ему. (ошибка)

6. *У них есть что-то общее.* ⊗

Пример: Они оба так говорят.
У них есть что-то общее в манере говорить.

Они оба так ходят.   Они оба так читают.
Они оба так смотрят.   Они оба так поют.

7. *Составьте предложения.* ⊗

Пример: ученики / любимые учителя
Ученики часто подражают любимым учителям.

дети / взрослые
солдаты / офицеры
студенты / профессора

Фигу́ры славя́нских во́инов в одно́м из музе́ев Кремля́

Приме́р: о́н / мо́й хоро́ший знако́мый

Он ка́к две́ ка́пли воды́ похо́ж на моего́ хоро́шего знако́мого.

она́ / ва́ша хоро́шая знако́мая
они́ / ва́ши хоро́шие знако́мые
мо́й бра́т / на́ш оте́ц
моя́ сестра́ / на́ша ма́ть
ва́ша ма́ть / ва́ша ба́бушка
ва́ш оте́ц / ва́ш де́душка
тво́й двою́родный бра́т / ты́

Они́ похо́жи и́ли не́т?

— Ка́к они́ похо́жи дру́г на дру́га!

— Похо́жи? А по-мо́ему, не о́чень. Та́ня — краса́вица°, а Ли́за — ничего́ осо́бенного.

краса́вица: *a beauty*

— Ну́, кака́я Та́ня краса́вица? Ника́кая она́ не краса́вица!

— Не́т, всё же° она́ о́чень хоро́шенькая, о́чень изя́щная°... К тому́ же, Ли́за брюне́тка, а Та́ня блонди́нка; у Ли́зы глаза́ ка́рие°, а у Та́ни зелёные... Ли́за — у́мная, весёлая, предо́брая. В о́бщем, удиви́тельной души́[5] челове́к. А Та́ня... Та́ня с ленцо́й°, немно́го оби́дчивая°, засте́нчивая°...

всё же: *just the same*
изя́щный: *graceful*
ка́рий: *brown*

с ленцо́й: *rather lazy*
оби́дчивый: *easily offended*
засте́нчивый: *shy*
погоди́: *wait a minute*
вне́шность *f*: *appearance*

— Погоди́°, погоди́... Мы́ вне́шность° и́ли хара́ктеры сра́вниваем?

— Како́й о́н у ва́с шалу́н°!

шалу́н: *rascal*

— Да́ ещё како́й шалу́н! Шалу́н и забия́ка°! Ни мину́ты ти́хо не просиди́т.

забия́ка *m*: *scrapper*

— А дочу́рка ва́ша, наоборо́т, така́я засте́нчивая.

— Да́, она́ скоре́е° засте́нчивая. Ви́дите, опя́ть одна́ сиди́т. С ребяти́шками не игра́ет.

скоре́е: *rather*

— Так она́ кре́пенькая. Хоро́ший цве́т лица́°, румя́ная°.

цве́т лица́: *complexion*
румя́ный: *rosy*

— По-ва́шему, румя́ная? А я́ всё беспоко́юсь, что бле́дная.

— Да что́ вы́! Ника́кая она́ не бле́дная. Про́сто она́ у ва́с светленькая... блонди́ночка...

[5]**Челове́к удиви́тельной души́,** a wonderful person, someone with a marvelous disposition, literally means "a person with an amazing soul."

УПРАЖНЕНИЯ

8. *Расскажи́те о Та́не и Ли́зе.*

Приме́р: Та́ня и Ли́за не похо́жи дру́г на дру́га.
Та́ня румя́ная, а Ли́за бле́дная.

Та́ня блонди́нка.
У Та́ни глаза́ све́тлые.
Та́ня высо́кая.
Та́ня весёлая.
Та́ня с ленцо́й.

9. *Не соглаша́йтесь с тем, что вам говоря́т.*

Приме́р: Он стра́шный шалу́н!
Ну́, како́й он шалу́н? Никако́й он не шалу́н. Про́сто, о́чень живо́й ребёнок.

Он о́чень засте́нчивый!
Она́ краса́вица!
Он лентя́й!
Он удиви́тельной души́ челове́к!
Она́ о́чень до́брая!
Он молоде́ц!

10. *Согласи́тесь и доба́вьте.*

Приме́р: Она́, ка́жется, краса́вица.
Да ещё кака́я краса́вица! Са́мая краси́вая де́вушка в на́шей шко́ле.

Како́й он у вас шалу́н!
Он, ка́жется, лентя́й.
Како́й он у них молоде́ц.
А дочу́рка ва́ша скоре́е засте́нчивая.
А Ната́ша, по-мо́ему, о́чень энерги́чная.
А Та́нечка, ка́жется, у́мная де́вочка.

11. *Расскажи́те об э́тих лю́дях.*

Приме́р: Я слы́шал, что она́ предо́брая. Вы её хорошо́ зна́ете?
Да, мы давно́ знако́мы. Мы живём недалеко́ от неё. Э́то удиви́тельной души́ челове́к. Всегда́ стара́ется всем помо́чь. О всех ду́мает, волну́ется. Ча́сто прино́сит де́тям пода́рки.

Говоря́т, что она́ краса́вица. Что вы зна́ете о ней?
Он, ка́жется, с ленцо́й. Расскажи́те мне о нём.
Я слы́шал, что у него́ удиви́тельно прия́тный хара́ктер. Э́то пра́вда?
Она́ мне показа́лась о́чень ми́лой. Вы её хорошо́ зна́ете?
Говоря́т, что их ребёнок — стра́шный шалу́н. Вы его́ ви́дели?

12. *Вы его́ ви́дели? Он интере́сный?* ✪

Фо́рмой лба он напомина́ет отца́.

(цвет глаз — мане́ра говори́ть — звук го́лоса — похо́дка — движе́ния)

13. *Они, мóжет бы́ть, рóдственники?*

    У ни́х éсть чтó-то óбщее в <u>манéре говори́ть</u>.

    (манéра улыбáться — похóдка — движéния — фóрма лицá)

14. *Он óчень застéнчив.*

    Эта чертá у негó от <u>мáтери</u>.

    (отéц — бáбушка — дéдушка — дя́дя — тётя)

15. *Отвéтьте на вопрóсы.*

    Эти лю́ди не похóжи. Почемý?
    Эти языки́ óчень похóжи. Расскажи́те, чём?
    Эти городá óчень похóжи. Расскажи́те, чём?
    Эти домá не похóжи. Почемý?

16. *Расскажи́те об э́тих лю́дях. Словá, дáнные ни́же, мóгут вáм пригоди́ться.*

    рóт — нóс — глазá — брóви — лóб — щёки — лицó — вóлосы
    высóкий — ни́зкий — румя́ный — блéдный — энерги́чный — с ленцóй — ýмный — глýпый
    — изя́щный — дóбрый — оби́дчивый — застéнчивый — интерéсный — симпати́чный —
    хорóшенький — лентя́й(-ка) — шалýн(-ья) — забия́ка — молодéц

    Расскажи́те о мáленьком мáльчике, котóрого вы́ ви́дите во дворé.
    Расскажи́те о мáленькой дéвочке, котóрая живёт с вáми на однóм и тóм же этажé.
    Расскажи́те о молодóм спортсмéне, с котóрым вы́ познакóмились.
    Расскажи́те о студéнтке, котóрую вы́ встречáете на лéкциях.

17. *Напиши́те нéсколько фрáз о лю́дях, о котóрых вы́ говори́ли вы́ше.*

18. *Предстáвьте себé, что вы́ пи́шете письмó комý-то, ктó вáс дóлжен встрéтить на вокзáле, но ктó вáс рáньше никогдá не ви́дел. Напиши́те о себé: кáк вы́ вы́глядите, кáк вы́ бýдете одéты и гдé вы́ бýдете егó ждáть.*

GRAMMAR

Participles and Gerunds (*continued*)
Past Gerund

The past gerund is formed by substituting the ending **-в** or **-вши** for the final **-л** in the masculine of the past tense.

óн откры́-л   he opened   ⟶   откры́в (откры́вши)   having opened

óн сказа́-л   he said   ⟶   сказа́в (сказа́вши)   having said

If the masculine form of the past tense ends in a consonant other than **-л,** the suffix **-ши** is added.

óн принёс   he brought   ⟶   принёсши   having brought

óн лёг   he went to bed   ⟶   лёгши   having gone to bed

Notes:

1. Past gerunds are formed usually from perfective verbs and indicate an action prior to the action of the main verb.

2. Reflexive verbs require the ending **-вши** plus **-сь.**

óн верну́-л-ся   he returned   ⟶   верну́вшись   having returned

3. But a small number of perfective verbs (for the most part, the basic verbs of motion) form past gerunds with the ending **-я/-а.**

войдя́ в ко́мнату	having entered the room
Он сиди́т сложа́ ру́ки.	He does absolutely nothing. (Having folded his arms, he sits.)
— Ви́дите,— сказа́л, подойдя́, Зеле́нин.— Я ухожу́ ра́ньше всех.	"You see," said Zelenin, after he had come up to them, "I'm leaving before all of you."

There is a corresponding present gerund for each of these verbs in their imperfective aspect (**входя́, скла́дывая, подходя́**) to indicate action simultaneous to that of the main verb. Compare **уйдя́** (from –**уйти́**) with the present gerund **уходя́** (from **уходи́ть**–).

Уходя́, óн услы́шал телефо́н.	As he was leaving, he heard the telephone.
Уйдя́ ра́но, óн не опозда́л на по́езд.	Since he had left early, he did not miss the train.

Past Active Participle

The past active participle is formed by substituting the ending **-вший, -вшая, -вшее,** etc., for the final **-л** of the past tense. The suffix **-ший,** etc., is added to masculine past tense forms that end in a consonant other than **-л.**

о́н сказа́-л he said	⟶	сказа́вший having said
о́н взя́-л he took	⟶	взя́вший having taken
о́н у́мер he died	⟶	у́мерший having died
о́н верну́-л-ся he returned	⟶	верну́вшийся having returned

Notes:

1. Past active participles, like past gerunds, are formed usually from perfective verbs and refer to an action prior to the action of the main verb.

2. Past active participles from reflexive verbs end in the suffix **-ся.**

оде́вшийся	верну́вшиеся
оде́вшегося	верну́вшимися

Translate and explain all of the preceding.

3. Do not confuse **сказа́вший** and **сказа́вши. Сказа́вший,** the past active participle, has the full adjectival declension of **хоро́ший. Сказа́вши,** the past gerund, is an adverbial form and so is not declined.

Би́тва 1169 го́да ме́жду Но́вгородом и Влади́мир-Су́здалем

4. Remember that **щ** appears in the ending of the present active participle, but **ш** appears in the ending of the past active participle and the past gerund.

УПРАЖНЕНИЯ

19. *Перепишите предложения по данному ниже примеру.*

Пример: Достав письмо из конверта, она всё-таки не читала его.

Когда она достала письмо из конверта, она всё-таки не читала его.

Узнав, что она из Москвы, я перешёл на русский.

Мы ехали по дороге, ведущей в Москву.

«Известия» провели интервью с американскими студентами, проводящими лето в Сочи.

Вернувшись домой, они пошли в гостиную смотреть телевизор.

Возвращаясь домой, они встретили Марью Петровну.

Прочитав эту книгу, я понял полное значение полёта Гагарина.

Студенткам, умеющим говорить по-английски, не трудно найти на лето работу.

Увидев, что из этого всё равно ничего не выйдет, она не стала просить их.

Переводя её письмо, он всё время от волнения останавливался.

Я читал интересную статью о племени, живущем на Камчатке.

Осматривая Ленинград, мы долго гуляли по набережной.

Катаясь на лыжах, он сломал ногу.

20. *Перепишите предложения по данному ниже примеру.**

Пример: Только человек, который всё потерял, поймёт меня.

Только человек, всё потерявший, поймёт меня.

Старик, который там сидит, известный учёный.

Так как он чувствовал себя плохо, он заехал к врачу.

День, который так давно ожидали, наконец пришёл.

Когда она смотрела на него, она всегда улыбалась.

Когда она вспоминала о разговоре с ним, она волновалась.

Вещи, которые продаются в этом магазине, очень дешёвые.

Когда он отвечает, он не думает о том, что говорит.

Студенты, которые поют в университетском хоре, недавно вернулись из Советского Союза.

Из зала послышались звуки оркестра, который начал первый вальс.

После заседания, президент говорил с сенаторами, которые собрались вокруг него.

*Note: As you rewrite the sentences, be sure to keep the following rules in mind:
  1. Present (imperfective) participles and gerunds refer to an action that is simultaneous with that of the main verb.
     Past (perfective) participles and gerunds refer to an action that is prior to that of the main verb.
  2. Participles are used to replace relative clauses.
  3. Gerunds are used to replace adverbial clauses when the subject of the subordinate clause is the same as the subject of the main clause.

ПО ГОРОДАМ РОССИИ

„ЗОЛОТОЕ КОЛЬЦО РОССИИ" —
РАЙОН, ОХВАТЫВАЮЩИЙ
ДРЕВНИЕ ЗЕМЛИ ЗАМОСКОВЬЯ,
ГДЕ СКОНЦЕНТРИРОВАНЫ
ПАМЯТНИКИ ОСОБОЙ
ХУДОЖЕСТВЕННОЙ ЦЕННОСТИ,
ОБЪЕКТЫ, ИНТЕРЕСНЫЕ
СО ВСЕХ ТОЧЕК ЗРЕНИЯ.

НОВГОРОД

КИЕВ

СУЗДАЛЬ

РОСТОВ

РУ́ССКИЙ ЯЗЫ́К

Совреме́нный° ру́сский литерату́рный язы́к сложи́лся в результа́те до́лгого истори́ческого разви́тия°. Ле́ксика его́ включа́ет°:

1) слова́ чи́сто ру́сские;
2) церковнославя́нские[6] слова́;
3) иностра́нные слова́, взя́тые из други́х языко́в, как восто́чных, так и западноевропе́йских.

Основно́й° и са́мый большо́й слой° ру́сского литерату́рного языка́ состои́т из слов чи́сто ру́сских. Он включа́ет в себя́, во-пе́рвых, дре́внюю общеславя́нскую° ле́ксику, иду́щую от тех времён, когда́ на́ши пре́дки ещё не объедини́лись в гру́ппы восто́чных, за́падных и ю́жных славя́н, а жи́ли отде́льными племена́ми; во-вторы́х, восточнославя́нскую ле́ксику, зароди́вшуюся в то́ вре́мя, когда́ не́которые из славя́нских племён посели́лись° в Восто́чной Евро́пе, основа́в древнеру́сское госуда́рство со столи́цей в Ки́еве; и, в-тре́тьих, ле́ксику ру́сского национа́льного языка́, относя́щуюся к XVI–XVII века́м, когда́ вокру́г Москвы́ вы́росло Моско́вское госуда́рство.

Чи́сто ру́сская ле́ксика во вре́мя всей исто́рии ру́сского наро́да пополня́лась° ле́ксикой из други́х языко́в. Пре́дки ру́сских с са́мых древне́йших времён постоя́нно встреча́лись с болга́рами, гре́ками, тата́рами, не́мцами и поля́ками; а с XVII–XVIII веко́в начина́ется те́сное° обще́ние° с наро́дами За́падной Евро́пы — англича́нами, францу́зами, италья́нцами и други́ми. В результа́те э́того в ру́сском языке́ появля́ются и слова́ э́тих наро́дов.

Та́к, наприме́р:

Из гре́ческого языка́ в ру́сский язы́к вошли́ церко́вные слова́: Би́блия, Ева́нгелие и др.; слова́, относя́щиеся к иску́сству и нау́ке: коме́дия, теа́тр, траге́дия, библиоте́ка, филосо́фия и др.

ТЕАТР
ТРАГЕ́ДИЯ
КОСМОС

Из лати́нского языка́ в ру́сский язы́к вошли́ слова́, обознача́ющие° поня́тия из госуда́рственной, администрати́вной жи́зни, и́ли слова́, относя́щиеся к уче́бной жи́зни: респу́блика, ле́кция, шко́ла, экза́мен.

РЕСПУБЛИКА
ШКОЛА
ЭКЗАМЕН

совреме́нный: *modern*
разви́тие: *development*
включа́ть–: *to include*

основно́й: *basic*
слой: *layer*
общеславя́нский: *Common Slavic*

–посели́ться: *to settle*
пополня́ть–: *to enrich*
те́сный: *close*

обще́ние: *contact*
обознача́ть–: *to designate*

---

[6]**Церковнославя́нский язы́к,** Church Slavonic, was introduced in Kiev by Bulgarian missionaries upon the Christianization of Russia in 988. It was Russia's written language until the 17th century. Today it is used only in the services of the Russian Orthodox Church.

Из тата́рского языка́ ру́сским языко́м при́няты слова́ ка́к наприме́р, сунду́к°, карава́н.

Из западноевропе́йских языко́в в ру́сский язы́к вошли́ слова́, относя́щиеся к вое́нному и морско́му де́лу, наприме́р:
батальо́н, гарнизо́н, генера́л, ла́герь, ма́ршал, флот;

слова́, относя́щиеся к иску́сству:
антра́кт, о́пера, пейза́ж, пье́са°, ро́ль;

слова́, относя́щиеся к спо́рту:
волейбо́л, спо́рт, футбо́л, чемпио́н;

ВОЛЕЙБОЛ
СПОРТ

слова́, относя́щиеся к тра́нспорту:
авто́бус, автомоби́ль, ваго́н, мотоци́кл, трамва́й;

Автомобиль
ТРАНСПОРТ

слова́, относя́щиеся к медици́не:
диа́гноз, гри́пп, кли́ника.

медицина
ХИРУРГ

Несмотря́ на э́то, ру́сский литерату́рный язы́к представля́ет собо́й еди́нство, в кото́ром ча́сто тру́дно отличи́ть иностра́нное сло́во от чи́сто ру́сского. Большинство́ славяни́змов по́лностью осво́илось° ру́сским языко́м. Слова́, взя́тые из иностра́нных языко́в, бо́льшей ча́стью изменены́ по зако́нам ру́сского языка́.

сунду́к: *trunk*　　　　пье́са: *stage play*　　　　—осво́ить: *to assimilate*

УПРАЖНЕНИЯ

21. *Расскажи́те о то́м, что́ вы прочита́ли.*

Ка́к сложи́лся ру́сский литерату́рный язы́к?
Каки́е слова́ включа́ет в себя́ ле́ксика ру́сского языка́?
Како́й сло́й в ру́сском литерату́рном языке́ составля́ют слова́ чи́сто ру́сские?
Когда́ и где́ зароди́лась восточнославя́нская ле́ксика?
Кака́я ле́ксика вошла́ в ру́сский литерату́рный язы́к в XVI–XVII века́х?
Ка́к появи́лись в ру́сском литерату́рном языке́ иностра́нные слова́?
Каки́е слова́ из гре́ческого языка́ вошли́ в ру́сский?
А каки́е из лати́нского языка́?
Каки́е слова́ вошли́ в ру́сский литерату́рный язы́к из западноевропе́йских языко́в?

22. *С ке́м встреча́лись пре́дки ру́сских?* ⊗

Пре́дки ру́сских постоя́нно встреча́лись с болга́рами.

(гре́ки — тата́ры — не́мцы — поля́ки)

С XVII ве́ка у ру́сских начало́сь те́сное обще́ние с наро́дами За́падной Евро́пы.

(англича́не — францу́зы — италья́нцы)

23. *Расскажи́те о происхожде́нии ру́сских сло́в.*

Каки́е слова́ вхо́дят в ле́ксику ру́сского языка́?
Что́ вы зна́ете о чи́сто ру́сских слова́х?
Да́йте приме́ры сло́в, кото́рые бы́ли взя́ты из други́х языко́в.

24. *Напиши́те о славя́нских языка́х.*

Каки́е языки́ вхо́дят в э́ту гру́ппу?
Почему́ э́ти языки́ ро́дственны ме́жду собо́й?
Каки́е из славя́нских языко́в осо́бенно близки́ ру́сскому? Почему́?

Моско́вские боя́ре — рису́нок Били́бина

WORD STUDY

Verbal Prefixes

вз- воз-

The basic meaning of the prefixes **вз-** and **воз-**[7] is *up*.

–взойти́   to go up, to ascend
–взлете́ть   to fly up, to soar
–вскочи́ть   to jump up
–возвы́сить   to raise up

Note the more figurative idea of *up* in the following:

–воспита́ть   to educate, to train, to bring up
–вспо́мнить   to recall, to call up from memory
–взволнова́ть   to agitate, to stir up

вз-, воз- can convey the notion of sudden intensity to an action just beginning:

–вскрича́ть   suddenly to shout out
–вскипе́ть   to start boiling, to flare up

–возмути́ть   to anger, to stir up
–воскли́кнуть   to exclaim

воз- can contribute the idea of repetition or renewal. It is an equivalent of the English prefix *re-*:

–возврати́ть   to return
–возрази́ть   to retort, to rejoin
возрожде́ние   renaissance, rebirth

на-

The basic meaning of the prefix **на-** is similar to that of the preposition **на:**

–наступи́ть   to step on
–найти́   to find, to come upon

На- also contains the idea of accumulation or excess:

–набра́ть   to collect, to amass
–наговори́ть   to say too much

---

[7]**Вс-** and **вос-** before unvoiced consonants: –**вспо́мнить, восходи́ть**–. **Взо-** before some consonant clusters: –**взобра́ться**, and before all forms from **идти́: –взойти́, взойдёт, взошёл.**

144

*Поэ́ты
и писа́тели
о рýсском
языке́*

Вели́кий рýсский учёный М. В. Ломоно́сов, кото́рого А. С. Пýшкин называ́л пе́рвым университе́том, говори́л, что рýсский язы́к превосхо́дит° всё европе́йские языки́, так как в нём е́сть «великоле́пие испа́нского, жи́вость францу́зского, кре́пость неме́цкого, не́жность° италья́нского и к тому́ же бога́тство и кра́ткость гре́ческого и лати́нского».

А. С. Пýшкин характеризова́л рýсский язы́к как «язы́к ги́бкий° и мо́щный»°.

«Наро́д, у кото́рого тако́й язы́к,— наро́д вели́кий»,— говори́л рýсский писа́тель И. С. Тургéнев.

«Рýсский язы́к безграни́чно бога́т...»
— писа́л М. А. Гóрький.

А. Н. Толсто́й писа́л: «Рýсский язы́к до́лжен ста́ть мировы́м языко́м. Наста́нет вре́мя (и оно́ не за гора́ми),— рýсский язы́к начну́т изуча́ть по всéм меридиа́нам земно́го ша́ра»°.

превосходи́ть–: *to surpass*
не́жность *f: delicacy*
ги́бкий: *flexible*

мо́щный: *powerful*
по всéм меридиа́нам земно́го
ша́ра: *in all quarters of the globe*

REFERENCE NOTES

1. –вспо́мнить *vs.* –напо́мнить

Вспо́мнить means *to remember, to recall, to recollect.*

Я ника́к не могу́ вспо́мнить, где́ она́ живёт.   I can't remember at all where she lives.

Напо́мнить means *to remind.*

Я ва́м напо́мню, а то́ вы́ забу́дете.   I'll remind you; otherwise you'll forget.
Она́ мне́ напомина́ет мою́ сестру́.   She reminds me of my sister.

The aspectual pairs are:

вспомина́ть– –вспо́мнить
напомина́ть– –напо́мнить

Note the noun **воспомина́ние**, *recollection, memory.* The plural form **воспомина́ния** means, in addition, *memoirs, reminiscences.*

2. –предста́вить себе́

Предста́вить себе́ and **вообрази́ть** are synonymous. Imperatives of each are frequently used in conversation as introductory expressions, equivalent to the English *Just imagine.*

Предста́вьте себе́, о́н сда́л все́ экза́мены. ⎤
Вообрази́те, о́н сда́л все́ экза́мены. ⎦ Just imagine, he passed all his exams.

3. похо́жий на

The adjective **похо́жий,** *similar, resembling,* when followed by a complement requires the preposition **на** with the accusative.

Он похо́ж на отца́.   He looks like his father.
Она́ не похо́жа на сестру́.   She doesn't look like her sister.

4. Special Declensions

Пле́мя is one of ten neuter nouns ending in **-мя**. It is declined in the same way as **вре́мя** and **и́мя** (see Level II, Unit 16, pp. 68–69).

Болга́рин and **тата́рин** are nouns of the same type as **англича́нин** (see Level II, Unit 22, p. 245). Nouns of this type lose the suffix **-ин** in the plural (**англича́не, болга́ры, тата́ры**) and have no ending in the genitive and accusative plural (**англича́н, болга́р, тата́р**).

If in the singular the suffix **-ин** is stressed (**славяни́н**), the stress in the plural is on the preceding syllable (**славя́не**). But remember that in the plural of **граждани́н** the stress moves to the first syllable (**гра́ждане, гра́ждан,** etc.). Also note the following:

Singular	Plural
господи́н *gentleman, Mister, Sir*	господа́, госпо́д, господа́м, etc.
хозя́ин *landlord, master,* *owner, host*	хозя́ева, хозя́ев, хозя́евам, etc.

5. пре-

The prefix **пре-** combines with adjectives and adverbs to form a type of superlative: **предо́брый,** *most kind, exceedingly kind.*

предли́нный   very, very long
прескýчно   terribly boring

6. подража́ть– + dative

подража́ть–, *to imitate, to follow as a model or example,* is followed by the dative.

Они́ подража́ют испа́нским худо́жникам.
Он во всём подража́ет ста́ршему бра́ту.

The noun **подража́ние** is also followed by the dative.

подража́ние взро́слым
подража́ние гре́ческим поэ́там

UNIT 6

ДЛИННЫЕ СЛОВА

Вот вам задача: садитесь и напишите по-русски самый маленький рассказик, строчек пять или шесть, но так, чтобы в нём не было ни одного слова длиннее, чем в один слог°.

Сделать такую вещь серьёзно нельзя. Я раз попробовал и написал: «Я шёл с гор в лес. Шёл вниз. Что там? Там зверь! Пуль° нет. Я за нож. Где же зверь? Он под куст. Зверь — ёж и т.д.» Получалось° смешно и довольно глупо.

А вот раз попала мне в руки довольно толстая английская книжка — «Робинзон Крузо» — для самых младших учеников, только начинающих читать.

Поверьте, если можете: заботливые° английские профессора переписали весь знаменитый роман так, что в нём не осталось слов длиннее, чем в один слог!

Чтоб поверить этому, довольно посмотреть на несколько строк из какого угодно° английского стихотворения. Возьмём, например, начало серьёзной поэмы Байрона: «Шильонский узник»[1].

> My hair is gray but not with years,
> Nor grew it white in a single night,
> As men's have grown from sudden fears . . .

Вот перевод этого стихотворения, сделанный Жуковским[2]:

> Взгляните на меня — я сед°,
> Но не от старости и лет;

slog: *syllable*
пу́ля: *bullet*
получа́ться–: *to turn out*

забо́тливый: *meticulous*
како́й уго́дно: *any (. . . whatsoever)*
седо́й: *grey-haired*

---

[1]**«Шильо́нский у́зник»,** *The Prisoner of Chillon,* is a narrative poem by the English poet Lord Byron (1788–1824).

[2]**В. И. Жуко́вский** (1783–1852), a Russian translator of English and German poetry and himself a poet.

Не страх внеза́пный° в но́чь одну́
До сро́ка° да́л мне́ седину́...

В те́ксте Ба́йрона — 22 сло́ва, в ру́сском — 23. Но Ба́йрону на́до бы́ло три стро́чки, та́м где́ Жуко́вскому ну́жно бы́ло четы́ре. Отку́да ли́шняя стро́чка? Посчита́йте: из англи́йских сло́в — все́ односло́жные, кро́ме *single* и *sudden*. А в ру́сском перево́де?

У Жуко́вского односло́жных сло́в то́лько 15, двусло́жных — 3. Остальны́е четы́ре — по́ три сло́га ка́ждое.

Нельзя́ при э́том забы́ть, что В. А. Жуко́вский о́чень стара́тельно выбира́л для перево́да са́мые коро́ткие ру́сские слова́.

Тепе́рь я́сно: ру́сские слова́ длинне́е англи́йских — большинство́ ру́сских сло́в многосло́жные. В англи́йском же языке́ мно́жество односло́жных сло́в, и англича́нину тру́дно произнести́ слова́ в три́-четы́ре сло́га длино́й.

По э́тому по́воду° мо́жно вспо́мнить интере́сный расска́зик:

Оди́н челове́к, ру́сский, поспо́рил бу́дто бы° с каки́м-то англича́нином,— чей язы́к трудне́е изучи́ть? Брита́нец ду́мал, что чём трудне́е язы́к, тём краси́вее, и говори́л, что нёт ничего́ трудне́е англи́йского произноше́ния. «Попро́буйте, научи́тесь выгова́ривать э́ти зву́ки пра́вильно! — говори́л о́н.— А у ва́с? Ну каки́е у ва́с тру́дности? Да я́ вы́учусь говори́ть по-ру́сски в не́сколько дне́й!»

Пока́ говори́ли о зву́ках и и́х изображе́нии° на бума́ге, ру́сскому, действи́тельно, бы́ло дово́льно тру́дно.

Но во́т начало́сь чте́ние те́кста. И ту́т,— говори́т а́втор,— я́ за́дал ему́ одну́ фра́зу. Са́мую просту́ю, совсе́м лёгкую ру́сскую фра́зу:

«Бе́рег бы́л покры́т выкара́бкивающимися° из воды́ лягу́шками°».

— Что́, ми́лый мо́й,— сказа́л я́ ему́,— не выхо́дит? Пустяки́°! Это же та́к легко́. Вы́учите фра́зу наизу́сть°! Ничего́, голу́бчик°, не волну́йтесь; я́ не спешу́...

Ту́т я́ рассмея́лся стра́шным сме́хом и ушёл. А о́н оста́лся выкара́бкиваться из э́той фра́зы. Выкара́бкивается о́н из неё и до сих по́р. Ка́к говори́т италья́нская погово́рка: «Если э́то и не пра́вда, то́ приду́мано хорошо́».

— По Л. Успе́нскому

внеза́пный: *sudden*
до сро́ка: *before (my) time*
по э́тому по́воду: *as regards this*
бу́дто бы: *supposedly*
изображе́ние: *representation*
выкара́бкиваться–: *to scramble out*

лягу́шка: *frog*
Пустяки́! *Nonsense! There's nothing to it!*
наизу́сть: *by heart*
голу́бчик: *dear fellow*

УПРАЖНЕНИЯ

1. *Расскажи́те о то́м, что́ вы прочита́ли.*

Что́ а́втор сове́тует чита́телю написа́ть?
Ка́к англи́йские профессора́ переписа́ли рома́н «Робинзо́н Кру́зо»?
Почему́ перево́д «Шильо́нского у́зника» на ру́сский язы́к гора́здо длинне́е, чем те́кст по-англи́йски?
О чём поспо́рили англича́нин и ру́сский?
Како́й расска́зик вспомина́ет а́втор?
Что́ говори́т брита́нец об англи́йском языке́?
Почему́ англича́нин на́чал волнова́ться?

2. *Расскажи́те о языке́, кото́рый вы у́чите, употребля́я ни́же да́нные слова́.*

звук — бу́ква — сло́во — стро́чка — фра́за — язы́к — слова́рь — алфави́т — произноше́ние — правописа́ние — чте́ние

3. *Расскажи́те о то́м, что́ вы чита́ете, о то́м, что́ чита́ют ва́ши роди́тели и друзья́. Употреби́те сочета́ния ни́же да́нных сло́в.*

расска́з — стихотворе́ние — ска́зка — рома́н — статья́ — произведе́ние — те́кст — докла́д
чита́ть — прочита́ть — перечита́ть — дочита́ть
интере́сный — ску́чный — дли́нный — коро́ткий — юмористи́ческий — смешно́й — гру́стный

4. *Ко́ротко напиши́те на ка́ждую из ни́же да́нных те́м.*

Во́т уже́ тре́тий го́д, ка́к я учу́сь ру́сскому языку́.

После́днее вре́мя я мно́го чита́ю.

5. *Отве́тьте та́к, ка́к пока́зано в приме́ре.* ⊗

Приме́р: Напиши́те расска́з!
Хорошо́, напи́шем расска́з.

Возьми́те кни́ги!   Прослу́шайте внима́тельно!
Перечита́йте стихотворе́ния! Посчита́йте слова́!
Перепиши́те упражне́ния!

А Б В Г Д Е Ж З И
Й К Л М Н О П Р
С Т У Ф Х Ц Ч Ш
Щ Э Ю Я Ы Ъ Ь

Ра́зные фо́рмы ру́сских букв

а б в г д е ж з
й к л м н о п р с
т у ф х ц ч ш щ
ъ ы э ю я
a b c d e f g h i
j k l m n o p q r
s t u v w x y z

САМАЯ УДИВИТЕЛЬНАЯ БУКВА РУССКОГО АЛФАВИТА

Сейча́с вы́ удиви́тесь.

Откро́йте то́мик стихо́в А. С. Пу́шкина на изве́стном стихотворе́нии «Зи́мняя доро́га». Возьми́те бума́гу и каранда́ш. Посчита́ем, шу́тки ра́ди, ско́лько в шестна́дцати пе́рвых стро́чках ра́зных бу́кв: ско́лько «а», ско́лько «б», ско́лько «в» и т. д. Заче́м? Уви́дите.

Зи́мняя доро́га

Сквозь° волни́стые тума́ны°
Пробира́ется° луна́,
На печа́льные поля́ны
Льёт печа́льный све́т она́.

По доро́ге зи́мней, ску́чной
Тро́йка³ бо́рзая° бежи́т.
Колоко́льчик однозву́чный
Утоми́тельно° греми́т°.

Что́-то слы́шится родно́е
В до́лгих пе́снях ямщика́°:
То́ разгу́лье удало́е°,
То́ серде́чная тоска́°...

Ни огня́, ни чёрной ха́ты°...
Глу́шь и сне́г... Навстре́чу мне
То́лько вёрсты⁴ полоса́ты°
Попада́ются одне́°.

сквозь: *through*
тума́н: *fog*
пробира́ться–: *to steal one's way*

бо́рзый: *swift*

утоми́тельный: *tiresome*
греме́ть–: *to jingle*

ямщи́к: *coachman*
разгу́лье удало́е: *dashing revelry*
серде́чная тоска́: *heart-felt longing*
ха́та: *peasant cottage*

полоса́тый: *striped*

одне́: *одни́*

³**Тро́йка** is a carriage or sleigh drawn by three horses harnessed side by side.
⁴**Верста́** is a measure of distance equalling about two-thirds of a mile, used in Russia before the introduction of the metric system. In the poem **вёрсты полоса́ты** refer to the striped posts set along the roadside to indicate the distance to the next town.

Тро́йка на зи́мней доро́ге

Посчита́ть легко́. Бу́ква «п» в э́тих·16-ти стро́чках появля́ется 9 ра́з, «к» — 7 ра́з, «в» — 6. Бу́квы «ф» не́т ни одно́й.

Тепе́рь возьми́те произведе́ние° того́ же поэ́та — «Пе́снь о ве́щем Оле́ге»[5]. И опя́ть посчита́йте бу́квы.

произведе́ние: *work*

В «Пе́сне» о́коло 70-ти бу́кв «п», 80 с че́м-то «к», бо́лее со́тни «в»... Бу́ква «ф» и ту́т не встреча́ется ни ра́зу. Во́т э́то уже́ стано́вится стра́нным.

Что́ э́то — случа́йность? Или Пу́шкин специа́льно выбира́л слова́ без «ф»?

Не сто́ит счита́ть да́льше. Я про́сто скажу́ ва́м: в прекра́сной поэ́ме «Полта́ва»[6] о́коло 30.000 бу́кв. Но ни в пе́рвой, ни в тре́тьей, ни в пя́той ча́сти вы́ не найдёте бу́квы «ф»! А «п», «к» и́ли «ж»? Да и́х та́м со́тни, е́сли не ты́сячи. Неуже́ли Пу́шкин не люби́л бе́дной бу́квы «ф»?

[5] **«Пе́снь о ве́щем Оле́ге»** tells of the Ancient Kievan prince. Pushkin's poem was set to music and became a popular song. The Reading Selection following this unit treats the poem in some detail.

[6] **«Полта́ва»** is a poem in which Pushkin commemorates the victory of Peter the Great over the Swedes in 1709 at Poltava in the central Ukraine.

Коне́чно, э́то не та́к. Изучи́те стихи́ любо́го° друго́го на́шего поэ́та-кла́ссика — результа́т бу́дет то́т же.

любо́й: *any*

Зна́чит, причи́на° отсу́тствия° бу́квы «ф» нахо́дится в чём-то друго́м.

причи́на: *reason*
отсу́тствие: *absence*

Обрати́те внима́ние на слова́, в кото́рых мы́ нашли́ бу́кву «ф» в «Полта́ве». Эти слова́ — «ци́фра» и «ана́фема» (сло́во «ана́фема» появля́ется два́ ра́за). Эти о́ба сло́ва не ру́сские по своему́ происхожде́нию. Хоро́ший слова́рь ска́жет ва́м, что сло́во «ци́фра» пришло́ к на́м из ара́бского (ведь и са́ми ци́фры, кото́рыми мы́ по́льзуемся, называ́ются, ка́к вы́ зна́ете, «ара́бскими»), а «ана́фема» — гре́ческое сло́во. Оно́ зна́чит «прокля́тие»°. Это о́чень любопы́тный для на́с фа́кт.

прокля́тие: *curse*

В пу́шкинской «Ска́зке о царе́ Салта́не» бу́ква «ф», ка́к и в «Полта́ве», встреча́ется три́ ра́за в одно́м и то́м же сло́ве «фло́т». Но ведь э́то сло́во то́же не ру́сское; оно́ междунаро́дное: по-латы́ни *fluere* зна́чит «те́чь»,

> а по-испа́нски «фло́т» бу́дет — «flota»
> по-англи́йски — «fleet»
> по-францу́зски — «flotte»
> по-неме́цки — «Flotte»

Все́ языки́ взя́ли оди́н и то́т же древнери́мский ко́рень°. Ви́дно, что ка́ждое сло́во в ру́сском языке́, в кото́ром — в нача́ле, на конце́ и́ли в середи́не — пи́шется бу́ква «ф», ока́зывается сло́вом не чи́сто ру́сским, а сло́вом, кото́рое пришло́ к на́м из други́х языко́в.

ко́рень *m:* *root*

Та́к, «фона́рь» — с гре́ческого, «ко́фе» — с ара́бского и т. д.

Во́т тепе́рь всё поня́тно.

Вели́кие ру́сские писа́тели и поэ́ты писа́ли на чи́стом ру́сском языке́. В бога́том его́ словаре́ слова́, кото́рые пришли́ из други́х стра́н, всегда́ занима́ли второстепе́нное° ме́сто. Та́к удиви́тельно ли, что бу́ква «ф» встреча́ется та́к ре́дко в произведе́ниях на́ших худо́жников° сло́ва?

второстепе́нный: *secondary*
худо́жник: *artist*

Что́ же э́то зна́чит? Неуже́ли ру́сский язы́к почему́-то совсе́м не зна́ет и не име́ет зву́ка «ф»?

Ничего́ подо́бного. Я говори́л не о зву́ке, а о бу́кве. Зву́к «ф» в на́шем языке́ совсе́м не ме́ньше обы́чен, чем во мно́гих други́х языка́х.

Позво́льте!° — вероя́тно, удиви́тесь вы́. Но ра́зве зву́к и бу́ква — не одно́ и то́ же? Коне́чно, не́т!

Позво́льте! *Just a minute!*

Дава́йте гро́мко прочита́ем слова́: о́стров, зо́в, Ле́рмонтов, Че́хов.

Послу́шайте внима́тельно: како́й зву́к вы́ слы́шите в напеча́танных° вы́ше слова́х, когда́ бу́ква «в» стои́т после́дней в сло́ве.

-напеча́тать: *to print*

Вы́ я́сно слы́шите «ф». Потому́ иностра́нцы пи́шут ру́сские фами́лии, кото́рые ока́нчиваются на «ов», всегда́ ка́к «офф»: «Ивано́фф», «Влади́мирофф», «Ле́рмонтофф» и т. д. Они́ в э́тих слу́чаях пи́шут та́к, ка́к мы́ выгова́риваем.

Зна́чит, в ру́сском языке́ зву́к «ф» встреча́ется о́чень ча́сто. А бу́ква «ф», ка́к мы́ ви́дели,— ре́дкая го́стья.

— *По Л. Успе́нскому*

УПРАЖНЕНИЯ

6. *Расскажи́те о то́м, что́ вы́ прочита́ли.*

В каки́х произведе́ниях а́втор про́сит посчита́ть бу́квы?
Чьи́ э́то произведе́ния?
Кака́я бу́ква в ни́х почти́ не встреча́ется?
Почему́ бу́ква «ф» встреча́ется та́к ре́дко у Пу́шкина и у други́х поэ́тов-кла́ссиков?
В каки́х слова́х обы́чно встреча́ется бу́ква «ф» и отку́да э́ти слова́?
Кака́я бу́ква ча́сто пи́шется, когда́ слы́шен зву́к «ф»?

7. *Согласи́тесь с те́м, что́ ска́зано и отве́тьте та́к, ка́к ука́зано в приме́ре.*

Приме́р: Не спо́рьте об э́том.
    1-ый студе́нт. <u>Да́, не бу́дем спо́рить.</u>
    2-ой студе́нт. <u>Пра́вда, не сто́ит спо́рить об э́том.</u>

Не волну́йтесь об э́том.
Не вспомина́йте об э́том.
Не говори́те об э́том.
Не ду́майте об э́том.

Приме́р: Перечи́тайте э́то стихотворе́ние.
    <u>Хорошо́, дава́йте перечита́ем э́то стихотворе́ние.</u>

Спо́йте что́-нибудь.
Помоги́те на́м.
Подожди́те и́х.
Напиши́те е́й.

8. *Откажи́тесь и отве́тьте та́к, ка́к ука́зано в приме́ре.* ⊗

Приме́р: Послу́шаем пласти́нки, хорошо́?
    <u>Не хо́чется, ты́ са́м слу́шай.</u>

Пойдём в кино́, хорошо́?
Посмо́трим телеви́зор, хорошо́?
Поу́жинаем, хорошо́?
Погуля́ем в па́рке, хорошо́?

Приме́р: Закро́йте окно́!
    <u>Пу́сть она́ закро́ет.</u>

Откро́й две́рь!
Включи́ ра́дио!
Вы́ключи телеви́зор!
Позвони́ домо́й!
Пригото́вь у́жин!

ПУШКИН
АЛЕКСАНДР СЕРГЕЕВИЧ
/1799-1837/

Автопортрет

С а́вгуста 1824 го́да до сентября́ 1825 го́да Пу́шкин про́жил в селе́ Миха́йлов-ском. Та́м о́н запи́сывал наро́дные пе́сни, слу́шал ска́зки ня́ни Ари́ны Родио́новны, чита́л е́й свои́ произведе́ния...

Пу́шкин чита́ет ня́не свои́ стихи́

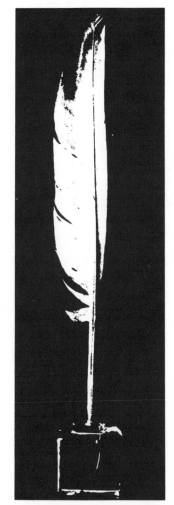

Пу́шкин в селе́ Миха́йловском

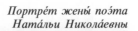
Портре́т жены́ поэ́та
Ната́льи Никола́евны

Рису́нок Пу́шкина

157

РУССКИЕ НАРОДНЫЕ СКАЗКИ

Отры́вки из произведе́ний А. С. Пу́шкина:

Русла́н и Людми́ла

Ска́зка о рыбаке́ и ры́бке

Ска́зка о царе́ Салта́не

*Иллюстрáция
Билúбина*

У лукомóрья°

У лукомóрья дýб зелёный;
Златáя цéпь° на дýбе тóм:
И днём и нóчью кóт учёный
Всё хóдит по цепú кругóм;
Идёт напрáво — пéснь завóдит,
Налéво — скáзку говорúт.

Тáм чудесá: тáм лéший° брóдит,
Русáлка° на ветвя́х сидúт;
Тáм на невéдомых° дорóжках
Следы́ невúданных° зверéй;
Избýшка тáм на кýрьих° нóжках
Стоúт без óкон, без дверéй;

* * *

И тáм я́ бы́л, и мёд я́ пúл;
У мóря вúдел дýб зелёный;
Под нúм сидéл, и кóт учёный
Свой мнé скáзки говорúл.

А. С. Пýшкин

лукомóрье (*poetic*): *seashore*
цéпь (*f*): *chain*
лéший: *forest spirit*
русáлка: *mermaid*

невéдомый: *unfamiliar*
невúданный: *mysterious*
кýрьи: *pertaining to a chicken*

Жил стари́к со своє́ю стару́хой
У са́мого си́него мо́ря;
Они́ жи́ли в ве́тхой° земля́нке
Ро́вно° три́дцать ле́т и три́ го́да.
Стари́к лови́л не́водом° ры́бу,
Стару́ха пряла́° свою́ пря́жу°.
Ра́з о́н в мо́ре заки́нул° не́вод,
Пришёл не́вод с одно́ю ти́ной°.

ве́тхий: *tumbledown*
ро́вно: *exactly*
не́вод: *long fishing net*
пря́сть–: *to spin*

пря́жа: *yarn*
–заки́нуть: *to cast*
ти́на: *mud*

Иллюстра́ция Били́бина к «Ска́зке о рыбаке́ и ры́бке»

Он в друго́й ра́з заки́нул не́вод,
Пришёл не́вод с траво́й морско́ю.
В тре́тий ра́з заки́нул он не́вод,
Пришёл не́вод с одно́ю ры́бкой,
С непросто́ю° ры́бкой — золото́ю.
Ка́к взмо́лится° золота́я ры́бка!
Го́лосом мо́лвит° челове́чьим:
«Отпусти́ ты́, ста́рче°, меня́ в мо́ре,
Дорого́й за себя́ да́м о́ткуп°:
Откуплю́сь, чём то́лько пожела́ешь°».

Удиви́лся стари́к, испуга́лся:
Он рыба́чил три́дцать ле́т и три́ го́да
И не слы́хивал, чтоб ры́ба говори́ла.
Отпусти́л он ры́бку золоту́ю
И сказа́л ей ла́сковое° сло́во:
«Бо́г с тобо́ю, золота́я ры́бка!
Твоего́ мне́ о́ткупа не на́до;
Ступа́й себе́ в си́нее мо́ре,
Гуля́й та́м себе́ на просто́ре°».

А. С. Пу́шкин

непросто́й: *fancy*   **—мо́лвить** *poetic: to say*   **о́ткуп:** *ransom*   **ла́сковый:** *affectionate*
—взмоли́ться: *to plead*   **ста́рче** *archaic: old man*   **—пожела́ть:** *to desire*   **просто́р:** *freedom*

Иллюстрáция Билúбина к «Скáзке о царé Салтáне»

СКАЗКА о ЦАРѢ САЛТАНѢ

Ве́тер по́ мо́рю гуля́ет
И кора́блик подгоня́ет°.
Он бежи́т себе́ в волна́х
На подня́тых паруса́х°
Ми́мо° о́строва круто́го°,
Ми́мо го́рода большо́го;
Пу́шки с при́стани паля́т°,
Кораблю́ приста́ть веля́т.

Ве́тер ве́село шуми́т,
Су́дно ве́село бежи́т
Ми́мо о́строва Буя́на,
В ца́рство сла́вного Салта́на,
И жела́нная° страна́
Во́т у́ж и́здали видна́.

А. С. Пу́шкин.

подгоня́ть–: *to press on*
на подня́тых паруса́х: *under full sail*
ми́мо: *past*

круто́й: *steep-sided*
пали́ть–: *to fire*
жела́нный: *long-wished-for*

Иллюстра́ция Били́бина к «Ска́зке о царе́ Салта́не»

GRAMMAR

Past Passive Participle

In Level II you were taught to recognize the forms of the past passive participle. It is by far the most frequently encountered participle. Its short forms are the only participial forms which normally occur in the spoken language.

The past passive participle has two sets of endings: **-нный, -нная, -нное, -нные** (**-н, -на, -но, -ны** in the short form) and **-тый, -тая, -тое, -тые** (**-т, -та, -то, -ты** in the short form).

1. Infinitives ending in **-ать, -ять** and **-еть** form the past passive participle by dropping the final **-ть** and adding **-нный.**

Царь Салтан

написа́ть to write	⟶	напи́санный (having been) written
потеря́ть to lose	⟶	поте́рянный (having been) lost
просмотре́ть to inspect	⟶	просмо́тренный (having been) inspected

2. Infinitives ending in **-ить** form the past passive participle by dropping the final **-ить** and adding **-енный** (**-ённый** when stressed).

| положи́ть to put | ⟶ | поло́женный (having been) put |
| объясни́ть to explain | ⟶ | объяснённый (having been) explained |

a. Second conjugation verbs in **-ить** which change the final consonant of the stem in the first person singular have the same change in the past passive participle.

бро́сить to throw	⟶	бро́шенный (having been) thrown
встре́тить to meet	⟶	встре́ченный (having been) met
купи́ть to buy	⟶	ку́пленный (having been) bought

b. First conjugation verbs that change the final consonant of the stem in all forms of the present imperfective (and future perfective) have the same change in all forms derived from the present stem, except in the past passive participle.

писа́ть (я пишу́, они́ пи́шут) to write
present active participle: пи́шущий writing
past passive participle: напи́санный (having been) written

3. The suffix **-тый,** etc. is used to form the past passive participle of the following:

a. verbs with infinitives ending in **-ыть, -оть,** and **-уть**

открыть to open ⟶ откры́тый (having been) opened

забы́ть   to forget   ⟶   забы́тый   (having been) forgotten
заколо́ть   to pin back   ⟶   зако́лотый   (having been) pinned
дости́гнуть   to attain   ⟶   дости́гнутый   (having been) attained

b. verbs derived from the perfective stem **...нять**

приня́ть   to receive   ⟶   при́нятый   (having been) received

c. verbs derived from **пере́ть** and **тере́ть** (**-тый** is added to the masculine form of the past tense)

запере́ть   to lock   ⟶   о́н за́пер   he locked   ⟶   за́пертый   (having been) locked

d. verbs derived by prefixation from **гре́ть,** *to heat;* **пе́ть,** *to sing;* **би́ть,** *to beat;* **бри́ть,** *to shave;* **ви́ть,** *to wind;* **жи́ть,** *to live;* **ли́ть,** *to pour;* **пи́ть,** *to drink;* and **ши́ть,** *to sew*

согре́ть   to heat   ⟶   согре́тый   (having been) heated
уби́ть   to kill   ⟶   уби́тый   (having been) killed

e. the unprefixed perfective verbs

взя́ть   to take   ⟶   взя́тый   (having been) taken
нача́ть   to begin   ⟶   на́чатый   (having been) begun

Notes:

1. Past passive participles are almost always formed from perfective verbs.

2. The stress is normally that of the past tense:

сде́ланный   о́н сде́лал
объяснённый   о́н объясни́л
встре́ченный   о́н встре́тил
бро́шенный   о́н бро́сил
про́данный   о́н про́дал
при́нятый   о́н при́нял

Стари́к

3. The stress is shifted to the next-to-last syllable before the ending in verbs with infinitives ending in stressed **-а́ть / -я́ть.**

напи́санный   написа́ть
прочи́танный   прочита́ть
про́данный   прода́ть
поте́рянный   потеря́ть

It is also shifted to the next-to-last syllable in verbs with mobile stress in the future perfective (see Level I, Unit 6, pp. 84–86).

Contrast: поло́женный (я́ положу́, ты́ поло́жишь) with
изменённый (я́ изменю́, ты́ изме́нишь).

Translate all the following. Explain the ending and stress of each form, and give the first and second person singular of the future perfective for each.

расте́рянный	ска́занный	запла́канный	прочи́танный
предло́женный	вы́бранный	за́нятый	на́званный
забы́тый	сва́ренный	вы́мытый	сфотографи́рованный
почи́ненный	разби́тый	поста́вленный	
оста́вленный	взволно́ванный	соединённый	

Select any five of the preceding past passive participles and write five Russian sentences using their short forms.

Write out the translations of all the following sentences. Indicate the past passive participle in each sentence.

Они́ проигра́ли всё де́ньги, вы́игранные и́ми вчера́.
Взя́тые в библиоте́ке кни́ги ну́жно верну́ть.
Он взя́л пригото́вленные вчера́ ве́щи.
Она́ прочита́ла всё рома́ны, напи́санные Толсты́м.

Rewrite all the following sentences, replacing each relative clause with the proper form of the past passive participle.

Мы́ познако́мились с посло́м, кото́рого неда́вно назна́чили в Москву́.
За ве́щи, кото́рые мы́ там купи́ли, на́до заплати́ть до пе́рвого января́.
Вы́шла но́вая кни́га о худо́жнике, кото́рого всё давно́ забы́ли.
Он всё жале́ет о деньга́х, кото́рые о́н потеря́л.

Summary

чита́ть- -прочита́ть

	Participle		Gerund
	Active	*Passive*	
present	чита́ющий	чита́емый	чита́я
past	прочита́вший	прочи́танный	прочита́в
			(прочита́вши)

открыва́ть- -откры́ть

	Participle		Gerund
	Active	*Passive*	
present	открыва́ющий	открыва́емый	открыва́я
past	откры́вший.	откры́тый	откры́в
			(откры́вши)

WORD STUDY

Compound Words

In Level II, Unit 19, page 165, your attention was called to the formation of compound words. Since then you have encountered many such words. Give the meanings of the following words, and in each case indicate the words or stems which have joined to form the compound word.

рыболо́в	одновре́менно	междунаро́дный
общежи́тие	киноаппара́т	правдоподо́бный
морепла́ватель	снегоочисти́тель	языкозна́ние
первома́йский	Югосла́вия	западноевропе́йский
многозначи́тельный	физкульту́рный	церковнославя́нский
правописа́ние	аэроса́ни	древнеру́сский

Derive the meanings of:

однозву́чный
второстепе́нный

Слог is the word for syllable. Explain the English equivalents given for the following:

односло́жный   monosyllabic
двусло́жный   disyllabic
многосло́жный   polysyllabic

The following prefixes occur frequently as elements of compound words.

не- (English *in-, un-*)
    незави́симый   independent
    неинтере́сный   uninteresting

пол- (полу-) (*half, semi-, demi-*)
    полчаса́   half-hour
    полуо́стров   peninsula

разно- (*vari-*)
    разноцве́тный   multicolored

без- (бес-) (English suffix *-less*)
    бесконе́чный

еже- (English suffix *-ly* in time expressions)
    ежего́дный   yearly
    ежедне́вный   daily

Translate all of the following:

полуживо́й	незнако́мец	безрабо́тный	безопа́сный
разнообра́зный	полукру́глый	необы́чный	безнадёжный
еженеде́льный	беспла́тный	нея́рко	неве́село
беспоко́йство			

REFERENCE NOTES

1. Commands

Commands directed to the person spoken to are expressed by the imperative (see Level II, Unit 26, pp. 354–356, 358). Commands may also include the speaker, or they may refer to a third person or persons.

a. The Inclusive Imperative *Let us*

Translate all of the following. Pay particular attention to the underlined forms.

Возьмём нача́ло поэ́мы Ба́йрона.

Сади́тесь. Откро́йте тетра́ди. Прове́рим дома́шнее зада́ние.

Возьми́те бума́гу и каранда́ш. Посчита́ем, ско́лько бу́кв в пе́рвой стро́чке.

Пое́демте, реба́та.

Ва́ня, идём.

The first person plural of the future tense of both perfective and imperfective verbs and of the present tense of determinate verbs of motion is used to express an invitation or a command to join in an action. The suffix **-те** may be added when speaking to more than one person or when speaking to a person addressed as **вы.**

Translate all of the following. Pay particular attention to the underlined forms.

Дава́йте рабо́тать. Уже́ пора́.

Дава́й остано́вимся, ты́ уста́л.

Дава́йте посиди́м вме́сте.

Дава́йте пообе́даем.

Дава́йте бе́гать.

Дава́йте (or **дава́й**) may be used with an imperfective infinitive or with the first person plural of the future (perfective or imperfective) to express an invitation or a command to join in an action.

b. The Third Person Imperative *Let him, etc.*

Translate all of the following. Pay particular attention to the underlined forms.

Пу́сть идёт.

Пу́сть бу́дет та́к.

Я слы́шал, что На́дя выхо́дит за́муж. Ну́ что́ ж? Пу́сть выхо́дит.

Я не хочу́ е́хать. <u>Пу́сть</u> е́дут они́.

<u>Пуска́й</u> же говоря́т, что́ хотя́т.

Пу́сть (or **пуска́й**) is used with the third person, singular or plural, present or future, to express a third person imperative.

2. Plural Declensions

a. Masculine nouns with a nominative plural ending in **-á** stress the endings of all cases in the plural.

Nom. Singular	Nom. Plural	Gen. Plural
профе́ссор	профессора́	профессоро́в
о́стров	острова́	острово́в
по́езд	поезда́	поездо́в

b. The genitive plural of feminine nouns in **-a** is regularly formed by dropping the ending of the nominative singular.

Note that when the final consonant of the stem is soft (before **-я**), the soft sign **ь** must be added in the genitive plural.

Nom. Singular	Gen. Plural
неде́ля	неде́ль
пу́ля	пу́ль
ка́пля	ка́пель
дере́вня	дереве́нь
ба́рышня	ба́рышень

3. обраща́ть– (–обрати́ть) внима́ние на

To pay attention to is rendered by **обраща́ть– (–обрати́ть) внима́ние на** followed by the accusative.

Note that in the negative **внима́ние** appears in the genitive.

Он не обраща́ет внима́ния на на́с.

4. любо́й, вся́кий, како́й уго́дно

Любо́й, вся́кий, како́й уго́дно are synonyms and have the English meaning *any*.

О жи́зни славя́н

Т ы́сячу лет тому́ наза́д на широ́ких равни́нах° европе́йской Росси́и бы́ли то́лько нике́м не заселённые° леса́, сте́пи и ре́ки. На э́той земле́ и посели́лись многочи́сленные племена́ восто́чных славя́н. Они́ спусти́лись с Карпа́тских гор и снача́ла посели́лись на берега́х Днепра́, Во́лхова и други́х рек. Из э́тих племён пото́м и образова́лись три наро́да: ру́сский, украи́нский и белору́сский.

Сосе́дями восто́чных славя́н на се́вере бы́ли фи́нские племена́, на восто́ке — болга́ры и хоза́ры, а в степя́х, ме́жду Карпа́тами и Во́лгой, печене́ги, по́ловцы и тата́ры. На се́вере, за́ морем, в Скандина́вии жи́ло герма́нское пле́мя варя́гов.

Лес и ре́ки име́ли большо́е значе́ние в жи́зни славя́н. Лес дава́л им дрова́ и материа́л для постро́ек. Ди́кие зве́ри, жи́вшие в леса́х, дава́ли пропита́ние°, а мех их служи́л материа́лом для торго́вли°. Ре́ки дава́ли ры́бу, а гла́вное, бы́ли са́мыми безопа́сными° и удо́бными путя́ми сообще́ния, — леса́ бы́ли непроходи́мыми. Пла́вали славя́не по река́м на деревя́нных ло́дках. А когда́ река́ не туда́ вела́, куда́ они́ хоте́ли попа́сть, то ло́дку выта́скивали° на бе́рег и волокли́° до друго́й реки́. Так мо́жно бы́ло по во́дному пути́ добра́ться° из Фи́нского зали́ва° по Неве́, Ло́вати, Двине́ и Днепру́ в Чёрное мо́ре к гре́кам, с кото́рыми, как изве́стно, славя́не вели́ торго́влю. Вдоль э́того торго́вого пути́, славя́нами бы́ли осно́ваны города́: в се́верной ча́сти Руси́ — Но́вгород и Смоле́нск, а в ю́жной — Черни́гов и Ки́ев.

Славя́не бы́ли лю́ди си́льные, высо́кого ро́ста, со све́тлыми волоса́ми°

равни́на: *plain*
–засели́ть: *to populate, to settle*
пропита́ние: *livelihood*
торго́вля: *trade*
безопа́сный: *safe*
выта́скивать–: *to haul up*

воло́чь–: *to drag*
–добра́ться°: *to get (from one place to another)*
зали́в: *gulf, bay*
во́лосы *pl:* *hair*

и голубы́ми глаза́ми. Жи́ли они́ в посёлках. Ка́ждый посёлок состоя́л из двух-трёх изб и был окружён° то́лстой земляно́й стено́й. Для посёлков выбира́ли таки́е места́, к кото́рым врага́м° бы́ло бы не так легко́ добра́ться.

Се́мьи у славя́н бы́ли больши́е. Вся власть над семьёй была́ у ста́ршего, остальны́е должны́ бы́ли его́ слу́шаться°. Власть же над не́сколькими племена́ми была́ у кня́зя°.

О кня́зе Оле́ге

дни́м из пе́рвых ру́сских князе́й был Оле́г. Он жил в Ки́еве, кото́рый назва́л «ма́терью городо́в ру́сских», потому́ что по́нял, что Ки́ев нахо́дится на о́чень хоро́шем для торго́вли ме́сте и что он ско́ро ста́нет са́мым бога́тым и вели́чественным го́родом на Руси́.

Оле́г был у́мным и бога́тым кня́зем. Он воева́л° со мно́гими славя́нскими племена́ми, а та́кже и с гре́ками. Са́мый изве́стный похо́д° Оле́га — похо́д на Царьгра́д (тепе́рь э́то Истамбу́л, кото́рый изве́стен в исто́рии как Константино́поль). Что́бы завоева́ть э́тот го́род, Оле́г поста́вил свои́ корабли́ на колёса° и подвёл их под са́мые сте́ны го́рода. Гре́ки так испуга́лись, что сра́зу же подписа́ли переми́рие°.

Сам Оле́г у́мер не в похо́де, а от уку́са змей°. О сме́рти° Оле́га сохрани́лось мно́го леге́нд. Одну́ из э́тих леге́нд Пу́шкин испо́льзовал° для своего́ стихотворе́ния, назва́в его́ «Песнь о ве́щем Оле́ге».

Вот что передаёт нам леге́нда.

Тёмным ле́сом е́хал князь Оле́г воева́ть с хоза́рами[1]. Вдруг из лесу вы́шел ему́ навстре́чу ста́рый куде́сник°. Князь останови́л коня́° и сказа́л:

–окружи́ть: *to enclose*	**похо́д**: *campaign*	**смерть** *f*: *death*
враг: *enemy*	**колесо́**: *wheel*	**–испо́льзовать**: *to make use of*
слу́шаться–: *to obey*	**переми́рие**: *truce*	**куде́сник**: *wizard*
князь *m*: *prince*	**змея́**: *snake*	**конь** *m*: *horse*
воева́ть–: *to fight* (against)		

---

[1]**Хоза́ры**, a Tatar tribe.

«Скажи́ мне́, куде́сник, люби́мец бого́в,
   Что́ сбу́дется в жи́зни со мно́ю?
И ско́ро ль, на ра́дость сосе́дей-враго́в,
   Моги́льной засы́плюсь землёю?°
Откро́й мне́ всю пра́вду, не бо́йся меня́:
   В награ́ду° любо́го возьмёшь ты́ коня́».

Куде́сник отвеча́л:

— Не бою́сь я́ тебя́, кня́зь, и ничего́ мне́ не на́до от тебя́. Я тебе́ и та́к всю пра́вду скажу́. Ты́ бу́дешь мно́го воева́ть, и враги́ бу́дут тебя́ боя́ться. Умрёшь ты́ не в похо́де и не в бою́°. Сме́рть принесёт тебе́ тво́й ко́нь.

Пове́рил Оле́г куде́снику и ту́т же распроща́лся навсегда́ со свои́м конём:

«Проща́й, мо́й това́рищ, мо́й ве́рный слуга́°,
   Расста́ться° наста́ло на́м вре́мя.
Тепе́рь отдыха́й! Уж не сту́пит нога́
   В твоё позлащённое стре́мя°».

Прошло́ мно́го ле́т. Ра́з, по́сле би́твы° с хоза́рами, пирова́л кня́зь со свои́ми во́инами°. Вдру́г о́н вспо́мнил о своём ста́ром коне́ и спроси́л о нём слу́г:

«А где́ мо́й това́рищ,— промо́лвил° Оле́г,—
   Скажи́те, где́ ко́нь мо́й рети́вый°?
Здоро́в ли? Всё та́к же ль лего́к его́ бе́г?
   Всё то́т же ль о́н бу́рный°, игри́вый?»

Слу́ги отве́тили, что коня́ уже́ давно́ не́т на све́те и что ко́сти° его́ лежа́т на круто́м берегу́ Днепра́.

Жа́ль ста́ло Оле́гу, что пове́рил ста́рому куде́снику, и реши́л о́н пое́хать к Днепру́, посмотре́ть на ко́сти коня́. Подня́лся на круто́й бе́рег, нашёл ко́сти своего́ ста́рого дру́га и, поста́вив но́гу на че́реп°, ста́л ду́мать о нём. В э́то вре́мя из че́репа коня́ вы́ползла° змея́.

«Ка́к чёрная ле́нта, вкру́г° но́г обвила́сь°,
   И вскри́кнул внеза́пно ужа́ленный° кня́зь.»

Леге́нда говори́т, что кня́зь у́мер от уку́са э́той змеи́.

«Моги́льной засы́плюсь **землёю?**»: *"Will I be covered by the earth of my grave?"*	**би́тва:** *battle*
награ́да: *reward*	**во́ин** *poetic: warrior*
бо́й: *combat*	**–промо́лвить** *archaic: to say*
слуга́: *servant*	**рети́вый:** *flashing*
–расста́ться: *to part*	**бу́рный:** *impetuous*
«..у́ж не сту́пит ного́й/В твоё **позлащённое стре́мя»:** *". . . never more will I set foot inside your gilded stirrup."*	**ко́сть** *f: bone*
	че́реп: *skull*
	–вы́ползти: *to crawl out*
	вкру́г *poetic:* **вокру́г**
	–обви́ться: *to wind oneself*
	ужа́ленный: *(snake-) bitten*

Иллюстра́ции: на стр. 171 Суде́йкина; на стр. 170, 173 Били́бина

ТАЙНА НЕКОТОРЫХ НАЗВАНИЙ
«ДЕРЕВЯННАЯ РУСЬ»

о географическим именам, по названиям городов, районов и областей° можно узнать многое, что уже ушло из памяти людей. Так, например, Россию иногда называют «Деревянная Русь». Почему? Объяснение очень простое.

Русские люди с давних времён жили в лесах, занимались лесным промыслом° и в лесах же строили свои жилища, крепости и города. В сердце лесной страны, где начинаются реки Волга, Днепр, Дон и Северная Двина, складывалось° и росло русское государство.

Здесь же была основана и Москва.

В те годы, когда строилась Москва, основными материалами для строительства жилищ и крепостных стен служили не камень или железо, а дерево. Из него же делались всевозможные вещи и предметы для дома.

Ребёнок засыпал в дубовой° колыбели°, он играл деревянными игрушками, мать причёсывала° его деревянным гребнем° и кормила деревянной ложкой из деревянной чашки. Он засыпал под шум деревянного веретена°.

А когда ребёнок подрастал, то за хорошее поведение ему давали деревянную лошадку, деревянное яйчко. За плохое поведение наказывали хворостиной°. Удочки, лодки, телеги°, тарелки, чашки — всё делалось из дерева. Даже гвозди° были деревянные.

Лапти° делали из коры° берёзы. Корой покрывали деревянные избы. Из коры берёзы также делали корзины, посуду°.

область *f: province*
промысел: *craft*
складываться–: *to be formed*
дубовый: *oak*
колыбель *f: cradle*

причёсывать–: *to comb somebody's hair*
гребень *m: comb*
веретено: *spindle*
хворостина: *a long switch*
телега: *cart, wagon*

гвоздь *m: nail*
лапти: *тип туфель*
кора: *bark (of a tree)*
берёза: *birch*
посуда: *plates and dishes*

*Стари́нная резьба́
по де́реву*

В ру́сском языке́ есть мно́го слов, сравне́ний, погово́рок, выраже́ний, свя́занных с ле́сом. Определя́я вид челове́ка, говоря́т, что он «кре́пок, как дуб»; наблюда́я несогла́сие в де́ле, насме́шливо замеча́ют, что здесь «кто в лес, кто по дрова́»;° когда́ хотя́т приободри́ть°, вспомина́ют посло́вицу: «волко́в боя́ться — в лес не ходи́ть»;° говоря́ о глу́пом челове́ке, шу́тят, бу́дто он «из-за дере́вьев ле́су не ви́дит» и́ли «заблуди́лся в трёх со́снах».°

Не тру́дно догада́ться°, что ко́рнем сло́ва «ле́ший» явля́ется сло́во «лес». Де́рево по-славя́нски «дре́во», и одно́ из древне́йших славя́нских племён — древля́не — получи́ло тако́е и́мя потому́, что пле́мя э́то жи́ло в леса́х.

Ка́жется, что и слова́ «дре́вний», «дре́вность» то́же происхо́дят от сло́ва «дре́во».

Погово́рок, назва́ний предме́тов, выраже́ний, свя́занных с ле́сом, почти́ нет у наро́дов,

---

«кто в лес, кто по дрова́»: *"one pulls this way, the other pulls that way"*
–**приободри́ть:** *to give encouragement*
«волко́в боя́ться — в лес не ходи́ть»: *"nothing ventured, nothing gained"*

«заблуди́лся в трёх со́снах»: *"he couldn't find his way in broad daylight"*
–**догада́ться:** *to guess*

кото́рые жи́ли в гора́х и́ли пусты́нях. У сосе́днего с древля́нами пле́мени поля́н, то́ есть наро́да, жи́вшего на равни́не — в степя́х, в по́ле — нет таки́х сло́в, ка́к «дре́вний» и́ли «дре́вность». Украи́нцы вме́сто° э́тих сло́в говоря́т: «старода́вний» и «старода́вность».

Таки́е дре́вние ру́сские слова́, ка́к «кре́мль», «го́род», то́же возни́кли в лесу́. В старину́° «кре́мью» называ́ли лу́чшую ча́сть ле́са, где́ росли́ кру́пные и кре́пкие дере́вья. Отсю́да и пошло́ сло́во «кре́мль» — кре́пость, сде́ланная из лу́чших брёвен°. Что́ тако́е го́род? В дре́вности го́родом называ́ли населённое

ме́сто, огоро́женное забо́ром из брёвен.

Ты́сячи ру́сских географи́ческих назва́ний свя́зано с поро́дой° де́рева. Наприме́р: Ду́бно под Москво́й, Е́льня в Смоле́нской о́бласти, Сосно́вка на Ура́ле.

Интере́сно то́, что назва́ний, происходя́щих от сло́ва «то́поль»°, на се́вере, где́ то́поль не растёт, совсе́м нет, ка́к и нет назва́ний, происходя́щих от сло́ва «е́ль», на ю́ге. Все́х назва́ний, свя́занных с ле́сом и́ли с поро́дой дере́вьев в на́шей стране́, та́к мно́го, что перечи́слить и́х невозмо́жно.

— *И. Серге́ев*

Стари́нные це́ркви на о́строве Кижи́

вме́сто: *instead of*　　**в старину́:** *in the olden days*　　**бревно́:** *log*　　**поро́да:** *species*　　**то́поль** *m: poplar*

Деревя́нные у́льи: глаза́ и рот — э́то отве́рстия для пчёл

УПРАЖНЕНИЯ

1. *Расскажи́те о то́м, что́ вы́ прочита́ли.*

Расскажи́те о дре́вних славя́нах: отку́да они́ пришли́; куда́; где́ они́ посели́лись; где́ они́ достава́ли материа́л для торго́вли; куда́ вози́ли меха́ и мёд; где́ стро́или свои́ города́?

Расскажи́те о кня́зе Оле́ге: куда́ о́н е́хал, когда́ встре́тил куде́сника; что́ куде́сник ему́ сказа́л; что́ сде́лал кня́зь; когда́ о́н опя́ть вспо́мнил о своём коне́; отку́да вы́ползла змея́?

2. *Сочине́ние.*

Кра́тко изложи́те те́ксты «О жи́зни славя́н» и «О кня́зе Оле́ге».

3. *Расскажи́те о то́м, что́ вы́ прочита́ли.*

Ка́к мо́жно узна́ть о то́м, что́ уже́ ушло́ из па́мяти люде́й?
Почему́ Росси́ю иногда́ называ́ют «Деревя́нная Ру́сь»?
Где́ скла́дывалось и росло́ ру́сское госуда́рство и го́род Москва́?
Како́й материа́л бы́л основны́м, когда́ стро́илась Москва́?
Каки́е ве́щи де́лали из де́рева?
Каки́е погово́рки и выраже́ния, свя́занные с ле́сом, вы́ зна́ете?
Каки́х сло́в нет у наро́дов, живу́щих в степя́х?
Ка́к мо́жно объясни́ть значе́ние сло́ва «кре́мль»?
С че́м свя́заны мно́гие географи́ческие назва́ния?

4. *Сочине́ние.*

Почему́ Росси́ю иногда́ называ́ют «Деревя́нная Ру́сь»?

ТУРИСТОМ
В МОСКВЕ

UNIT 7

Кремлёвские куранты

МОСКОВСКИЙ Кремль

Зна́ете ли вы,..

...что длина́ сте́н Кремля́ два́ с полови́ной киломе́тра.

...что сте́ны Кремля́ име́ют два́дцать ба́шен, и ни одна́ ба́шня не повторя́ет другу́ю.

...что знамени́тые кремлёвские кура́нты занима́ют три́ этажа́ ба́шни. Длина́ часово́й стре́лки — почти́ три́ ме́тра, а мину́тной — три́ ме́тра и три́дцать сантиме́тров.

...что Кре́мль стро́или и перестра́ивали не́сколько ра́з.

...что в 1156-ом году́ была́ постро́ена деревя́нная кре́пость, кото́рая и была́ нача́лом Москвы́.

...что в Благове́щенском собо́ре Кремля́ сохрани́лись ико́ны[1], напи́санные Андре́ем Рублёвым[2] ещё в 1405 году́.

---

[1] **Ико́на:** a religious painting inside an Eastern Orthodox church. In pre-Revolutionary times icons could be seen in most Russian homes.
[2] **Андре́й Рублёв** (about 1370–1430): the greatest of Russian icon painters.

УПРАЖНЕНИЕ

1. *Что́ вы́ узна́ли о Кремле́?*

Како́й длины́ сте́ны Кремля́?
Ско́лько в Кремле́ ба́шен?
Что́ вы́ мо́жете рассказа́ть о ни́х?
Что́ вы́ зна́ете о кремлёвских кура́нтах?
Ка́к стро́или Кре́мль?
Что́ бы́ло нача́лом Москвы́? В како́м году́?
Что́ сохрани́лось до сих по́р в Благове́щенском собо́ре?

Лечу́ в Москву́

Стюарде́сса. Ва́ше ме́сто во второ́м сало́не, в пя́том ряду́.
Пассажи́р. Сле́ва?
Стюарде́сса. Не́т, спра́ва.
Пассажи́р. Куда́ мо́жно положи́ть э́ти ве́щи?
Стюарде́сса. Ручно́й бага́ж мо́жно положи́ть на се́тку°.

се́тка: (*baggage*) *rack*

Стюарде́сса. Уважа́емые[3] пассажи́ры. Капита́н корабля́ и экипа́ж° приве́тствуют ва́с на борту́ на́шего ла́йнера. На́ш самолёт соверша́ет перелёт по маршру́ту° Нью-Йо́рк — Москва́. Вре́мя в полёте — 8 часо́в 20 мину́т. В Москву́ прибыва́ем° в 7.30 утра́ по моско́вскому вре́мени. При взлёте° прошу́ застегну́ть° ремни́ и не кури́ть.

экипа́ж: *crew*
маршру́т: *route*
прибыва́ть-: *to arrive*
взлёт: *take-off*
-застегну́ть: *to fasten*

Стюарде́сса. Уважа́емые пассажи́ры. Самолёт идёт на поса́дку. Застегни́те ремни́. До по́лной остано́вки самолёта прошу́ не встава́ть.

[3]**Уважа́емый:** a respectful form of address, often used in the salutation of a letter. More formal variants include **многоуважа́емый, глубокоуважа́емый.**

ВАС ЖДЕТ МОСКВА!

УПРАЖНЕНИЯ

2. *Отве́тьте на вопро́сы.*

Вы́ ча́сто лета́ете на самолёте?
Куда́ вы́ лета́ли?
Каки́м бы́л ва́ш са́мый дли́нный перелёт?
Вы́ лета́ли когда́-нибудь на америка́нском самолёте «Бо́инг-747»?

3. *Дава́йте поговори́м.*

Предста́вьте себе́, что вы́ стюарде́сса и́ли пило́т: каки́е указа́ния вы́ даёте в полёте, о чём информи́руете пассажи́ров?

Предста́вьте себе́, что вы́ лети́те в Москву́. Поговори́те со стюарде́ссой. Спроси́те её, где́ ва́ше ме́сто, куда́ мо́жно поста́вить ручно́й бага́ж, мо́жно ли во вре́мя полёта кури́ть, кака́я пого́да в Москве́ и когда́ самолёт прибыва́ет в аэропо́рт?

4. *Когда́ поса́дка самолёта из Ло́ндона?*

Вы́ прилете́ли в Москву́ два́ дня́ тому́ наза́д. Ва́ша сестра́ прилети́т из Ло́ндона за́втра. Вы́ должны́ её встре́тить в аэропорту́. Вы́ звони́те в спра́вочное бюро́, чтобы узна́ть о вре́мени поса́дки её самолёта.

Приме́р разгово́ра

Тури́ст. — Скажи́те, пожа́луйста, когда́ прилета́ет самолёт из Ло́ндона?
Дежу́рная.[4] — Но́мер ре́йса?
Тури́ст. — <u>909</u>.
Дежу́рная. — В <u>20</u> часо́в.
Тури́ст. — Спаси́бо.
Дежу́рная. — Пожа́луйста.

Прочита́йте диало́г, заменя́я подчёркнутые слова́ други́ми подходя́щими по смы́слу слова́ми.

5. *Каки́м ре́йсом прилета́ет самолёт из Нью-Йо́рка?*

Вы́ прие́хали с сестро́й встре́тить дру́га в аэропорту́ Шереме́тьево. Ва́м ну́жно узна́ть, каки́м ре́йсом и когда́ о́н прилета́ет.

Приме́р разгово́ра

Тури́ст. — Скажи́те, когда́ прилета́ет самолёт из Нью-Йо́рка?
Дежу́рный. — Ре́йс <u>№ 350</u>. Жди́те, объя́вят по ра́дио.
Ди́ктор. — Соверши́л поса́дку самолёт Пари́ж — Москва́, ре́йс <u>№ 469</u>.
Сестра́. — Это не на́ш.
Ди́ктор. — Гра́ждане пассажи́ры, ре́йс <u>№ 350</u> Нью-Йо́рк — Москва́ заде́рживается из-за нелётной пого́ды. О вре́мени прибы́тия самолёта бу́дет объя́влено осо́бо.

Прочита́йте диало́г, заменя́я подчёркнутые слова́ други́ми подходя́щими по смы́слу слова́ми.

---

[4] The word **дежу́рная (дежу́рный)** can refer to anyone carrying out assigned duties at a specific place and time: an information clerk, a hospital physician or nurse, etc.

КРАТКИЕ СВЕДЕНИЯ О САМОЛЕТАХ

Аэрофлот располагает большим парком современных самолетов и вертолетов. «Гран-При», золотые медали и почетные дипломы — вот их заслуженные оценки, а главное — признание и восхищение миллионов авиапассажиров.

SOME FACTS ABOUT OUR PLANES

Aeroflot puts at your disposal a great "flotilla" of most modern pla___s and _____ ___edal, _____ __ the _____ __g of _____ __inc-
_____ _tion

Мы́ то́лько что прилете́ли

Ка́к прошёл полёт?

— Отли́чно.

— Прекра́сно.

— Не могу́ пожа́ловаться°.

— Пло́хо.

— Лу́чше не спра́шивайте. Трясло́ невероя́тно°.

Вы́, наве́рное, проголода́лись°?

— Что́ вы, на́с всё вре́мя че́м-нибудь угоща́ли.

— Да не́т, мы́ обе́дали.

— Не́т. Стюарде́сса была́ о́чень внима́тельна, постоя́нно угоща́ла на́с апельси́нами°, лимона́дом и минера́льной водо́й.

Вы́ уста́ли?

— Уста́л. Хочу́ вы́спаться.

— С удово́льствием отдохну́ немно́го.

Вы́ лете́ли с переса́дкой°?

— Да́, с переса́дкой в Ве́не.

— Не́т, без переса́дки.

Вы́ прие́хали ка́к тури́ст?

— Не́т, к ро́дственникам.

— Не́т, я́ прие́хал с вы́ставкой.

— Не́т, я́ прие́хал в делову́ю° командиро́вку.

А где́ же ва́ш бага́ж?

— Я́ беру́ с собо́й то́лько са́мое необходи́мое. Путеше́ствую налегке́°.

— Не зна́ю. Где́-то та́м. Бу́дьте та́к любе́зны, помоги́те его́ найти́.

— Я́ его́ как ра́з жду́. У меня́ два́ чемода́на. Их сейча́с принесёт носи́льщик.

— Его́ должны́ привезти́.

Ско́лько вы́ здесь пробу́дете?

— Ро́вно два́ дня́. Мы́ пото́м лети́м да́льше, в Ленингра́д.

— Приме́рно° две́ неде́ли.

— Не бо́льше неде́ли.

— Су́тки°. За́втра в э́то вре́мя мы́ вылета́ем домо́й.

— По кра́йней ме́ре два́ ме́сяца.

Что́ вы́ и́щете? Вы́ что́-то забы́ли?

— Не́т, не́т... Я́ про́сто проверя́л, со мно́й ли всё ну́жные докуме́нты.

—пожа́ловаться: *to complain*

Трясло́ невероя́тно: *It was incredibly rough.*

—проголода́ться: *to get hungry*

апельси́н: *orange*

переса́дка: *change*

делово́й: *business*

налегке́: *light*

приме́рно: *approximately*

су́тки: *twenty-four hours*

УПРАЖНЕНИЯ

6. *Вы́ то́лько что прилете́ли в Москву́ ка́к тури́ст.*

   Вы́ о́чень дово́льны полётом. Расскажи́те, почему́.

   Вы́ оста́лись недово́льны те́м, ка́к проходи́л полёт. Расскажи́те, почему́.

   Ва́с встреча́ют друзья́. Расскажи́те и́м, ка́к проходи́л полёт.

   Ва́с встреча́ет сове́тский студе́нт, с кото́рым вы́ познако́мились в Аме́рике. Поговори́те с ни́м.

7. *Я́ то́лько что прилете́л.*

   Приме́р: Вы́, наве́рное, уста́ли? (отдохну́ть)
   Да́, хорошо́ бы отдохну́ть.

   и́ли
   Да́, я́ бы с удово́льствием отдохну́л.

   Вы́ проголода́лись? (пое́сть)
   Вы́ не у́жинали? (поу́жинать)
   Вы́ не спа́ли. (ле́чь спа́ть)

8. *Во вре́мя полёта на́с ча́сто угоща́ли.*

   Приме́р: Ва́м предлага́ли фру́кты?
   Да́, стюарде́сса угоща́ла на́с фру́ктами.

   Ва́м предлага́ли апельси́ны?
   Ва́м предлага́ли минера́льную во́ду?
   Ва́м предлага́ли пече́нье?
   Ва́м предлага́ли моро́женое?

9. *Я́ зде́сь то́лько прое́здом.*

   Приме́р: Вы́ пробу́дете зде́сь неде́лю?
   Не бо́льше неде́ли.

   Вы́ пробу́дете зде́сь ме́сяц?
   Вы́ пробу́дете зде́сь су́тки?
   Вы́ пробу́дете зде́сь три́ дня́?
   Вы́ пробу́дете зде́сь два́ ме́сяца?

10. *Одну́ мину́тку... Я́ что́-то потеря́л.*

    Приме́р: Вы́ и́щете па́спорт?
    Да́, не могу́ найти́ па́спорта.

    Вы́ и́щете ка́рту?
    Вы́ и́щете а́дрес гости́ницы?
    Вы́ и́щете телефо́н знако́мых?
    Вы́ и́щете докуме́нты?
    Вы́ и́щете кошелёк?

АЭРОФЛОТ

АЭРОФЛОТ — КРУПНЕЙШЕЕ° В МИРЕ АВИАТРАНСПОРТНОЕ ПРЕДПРИЯТИЕ

Из любо́го аэропо́рта земно́го ша́ра мо́жно прилете́ть в СССР самолётами Аэрофло́та.

В 1923 году́ длина́ пе́рвой авиали́нии ме́жду Москво́й и Ни́жним Но́вгородом составля́ла 420 киломе́тров. Сейча́с протяжённость° возду́шных доро́г Аэрофло́та дости́гла° 500 ты́сяч киломе́тров.

В 1970 году́ по во́здуху бы́ло перевезено́ о́коло 80 миллио́нов пассажи́ров.

С ка́ждым го́дом расширя́ется° сеть° междунаро́дных ли́ний Аэрофло́та. Сове́тский Сою́з име́ет соглаше́ния о прямо́м возду́шном сообще́нии° с 55 госуда́рствами, регуля́рные полёты осуществля́ются° в 48 стра́н.

Че́рез Сове́тский Сою́з прохо́дят са́мые коро́ткие возду́шные пути́ из Евро́пы на Бли́жний Восто́к, в Восто́чную и Юго-Восто́чную Азию.

К услу́гам° возду́шных путеше́ственников — всеми́рно изве́стные скоростны́е° ла́йнеры Аэрофло́та ИЛ-62, ТУ-134, ТУ-114, ТУ-124, ИЛ-18. На борту́ самолётов — комфо́рт, блю́да ру́сской ку́хни, традицио́нное гостеприи́мство°.

Приглаша́ем Вас соверши́ть возду́шное путеше́ствие в СССР и транзи́том° че́рез Сове́тский Сою́з.

ЛЕТАЙТЕ САМОЛЁТАМИ АЭРОФЛОТА!

крупне́йший: *largest*
протяжённость *f:* *extent*
-дости́чь: *to reach*
расширя́ться-: *to expand*

сеть *f:* *network*
сообще́ние: *service*
осуществля́ться-: *to be carried out*
услу́га: *accommodation*

скоростно́й: *high-speed*
гостеприи́мство: *hospitality*
транзи́том: *in transit*

УПРАЖНЕНИЯ

11. *Расскажи́те об Аэрофло́те.*

Что тако́е Аэрофло́т?
С каки́х аэропо́ртов мо́жно прилете́ть в СССР на самолётах Аэрофло́та?
Ско́лько пассажи́ров бы́ло перевезено́ Аэрофло́том в 1970 году́?
Со ско́лькими госуда́рствами СССР име́ет соглаше́ния о прямо́м возду́шном сообще́нии?
Куда́ прохо́дят че́рез СССР са́мые коро́ткие возду́шные пути́ из Евро́пы?
Каки́е скоростны́е ла́йнеры к услу́гам возду́шных путеше́ственников Аэрофло́та?
Что мо́жно сказа́ть об э́тих самолётах?
Како́е путеше́ствие предлага́ет соверши́ть Аэрофло́т?

GRAMMAR

Verbs of Motion

Eight verbs of motion, each of which has two imperfective forms (an indeterminate and a determinate), have already been presented.

Imperfective		Perfective	
Indeterminate	*Determinate*		
бе́гать	бежа́ть	побежа́ть	to run
води́ть	вести́	повести́	to lead
вози́ть	везти́	повезти́	to convey
е́здить	е́хать	пое́хать	to go (not on foot)
лета́ть	лете́ть	полете́ть	to fly
носи́ть	нести́	понести́	to carry
пла́вать	плы́ть	поплы́ть	to swim, to sail
ходи́ть	идти́	пойти́	to go (on foot)

Four additional verbs of this type are:

Imperfective		Perfective	
Indeterminate	*Determinate*		
броди́ть	брести́	побрести́	to wander
гоня́ть	гна́ть	погна́ть	to drive, to impel
ла́зить	ле́зть	поле́зть	to climb
по́лзать	ползти́	попо́лзти́	to crawl

See below[5] for the conjugation of these verbs.

The corresponding imperfective partners to these new perfectives are derived in two ways.

1. Six of the twelve verbs merely prefix the indeterminate:

переводи́ть– –перевести́   to translate
ввози́ть– –ввести́   to import

---

[5] броди́ть– (брожу́, бро́дишь)
брести́– (бреду́, бредёшь); past tense: брёл, брела́, брело́, брели́

гоня́ть– (гоня́ю, гоня́ешь)
гна́ть– (гоню́, го́нишь); past tense: гна́л, гнала́, гна́ло, гна́ли

ла́зить– (ла́жу, ла́зишь)
ле́зть– (ле́зу, ле́зешь); past tense: лёз, ле́зла, ле́зло, ле́зли

по́лзать– (по́лзаю, по́лзаешь)
ползти́– (ползу́, ползёшь); past tense: по́лз, ползла́, ползло́, ползли́

выгоня́ть– –вы́гнать   to expel
взлета́ть– –взлете́ть   to take off
приноси́ть– –принести́   to bring
находи́ть– –найти́   to find

2. The other six verbs form corresponding imperfectives to the new perfectives by combining the given prefix and a special supplementary stem:

	Special Stem
избега́ть– –избежа́ть to avoid	[бега́ть]
забреда́ть– –забрести́ to wander in on	[бреда́ть]
переезжа́ть– –перее́хать to move (to a new residence)	[езжа́ть]
взлеза́ть– –взле́сть to climb up	[леза́ть]
переплыва́ть– –переплы́ть to swim across	[плыва́ть]
выполза́ть– –вы́ползти to climb over	[ползать]

When a prefix is added to the determinate of any of these twelve verbs, a new perfective is formed.

–убежа́ть   to run away
–улете́ть   to fly away
–уползти́   to crawl away

УПРАЖНЕНИЯ

12. *Вы́ прилете́ли на самолёте!*

На како́й аэропо́рт?
Ка́к до́лго вы́ лете́ли?
В кото́ром часу́ вы́ прилете́ли?
Над каки́ми стра́нами вы́ пролета́ли?
Вы́ смотре́ли в окно́, когда́ подлета́ли к го́роду?
Куда́ вы́ полети́те отсю́да?
Како́го числа́ вы́ улета́ете?
С како́го аэропо́рта вылета́ет ва́ш самолёт?

13. *Вы́ прие́хали на по́езде!*

На како́й вокза́л?
Ка́к до́лго вы́ е́хали?
Когда́ вы́ вы́ехали?
Когда́ прие́хали?
Ми́мо каки́х городо́в вы́ проезжа́ли?
Вы́ смотре́ли в окно́, когда́ подъезжа́ли к Москве́?
Куда́ вы́ пое́дете отсю́да?
Како́го числа́ вы́ уезжа́ете?

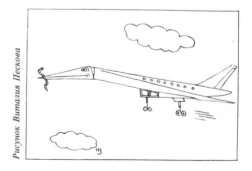

Рисунок Виталия Пескова

14. *Вы́ приплы́ли на парохо́де!*

В како́й по́рт?

Ка́к до́лго вы́ плы́ли?

Вы́ смотре́ли на при́стань, пока́ парохо́д отплыва́л? Ва́с провожа́ли знако́мые?

Вы́ смотре́ли на зе́млю, пока́ парохо́д подплыва́л к бе́регу?

Вы́ обра́довались, когда́ приплы́ли к бе́регу?

Вы́ поплывёте да́льше?

Како́го числа́ ва́ш парохо́д уплыва́ет да́льше?

15. *Вы́ пришли́ пешко́м!*

Ка́к до́лго вы́ шли́?

В кото́ром часу́ вы́ вы́шли и́з дому?

Наве́рное, когда́ вы́ выходи́ли и́з дому, ещё бы́ло темно́.

По како́й доро́ге вы́ пошли́?

Вы́ перешли́ че́рез мо́ст?

Вы́ прошли́ ми́мо па́рка?

Ми́мо каки́х магази́нов вы́ проходи́ли?

Наде́юсь, вы́ зашли́ в кафе́ закуси́ть.

Наде́юсь, от на́с вы́ пое́дете, а не пойдёте пешко́м.

Пойдёте?!

Когда́ же ва́м на́до уходи́ть?

На́до позвони́ть к Ивано́вым до того́, ка́к вы́ вы́йдете. Вы́ са́ми позвони́те?

Вы́ зайдёте к ни́м по доро́ге домо́й?

Вы́ к ни́м давно́ не заходи́ли?

16. *Соста́вьте фра́зы по да́нным приме́рам.*

Приме́р: По́езд в Га́гры уже́ отошёл. Он тепе́рь отхо́дит на полчаса́ ра́ньше.

Авто́бус из Со́чи уже́ пришёл.   Молоко́ уже́ привезли́.

Вече́рний самолёт уже́ улете́л.   Газе́ты уже́ принесли́.

Ло́дка на о́стров уже́ отплыла́.

17. *Соста́вьте фра́зы по да́нным приме́рам.*

Приме́р: Он прое́хал на велосипе́де бо́лее десяти́ киломе́тров. Он хорошо́ е́здит.

Он переплы́л на ту́ сто́рону зали́ва.

Он пе́рвым добежа́л на конька́х до фи́ниша.

Он дошёл на лы́жах до са́мой дере́вни.

Он прилете́л на вертолёте, несмотря́ на плоху́ю пого́ду.

18. *Перепиши́те отры́вок, вставля́я подходя́щие по смы́слу глаго́лы движе́ния.*

На ле́тние кани́кулы реши́л _____ на самолёте в Кры́м. Я ещё никогда́ на самолёте не _____ и немно́го волнова́лся.

Наконе́ц наступи́л де́нь моего́ полёта. Я _____ и́з дому о́чень ра́но. _____ до́ждь, и мне́

На Красной площади — девочки покупают мороженое

пришлось _____ пешком до площади, так как свободных такси нигде не было. Наконец я увидел такси, которое было свободно. Я сёл в такси и попросил шофёра _____ прямо на аэродром.

Город ещё спал. Улицы были почти пустые. Мы _____ мимо гостиницы «Националь» и мимо Красной площади, но даже в этих, обычно шумных, местах было мало людей. Когда мы _____ через мост, то по реке, как раз _____ пассажирский пароходик. Но в этот ранний час и он был полупустой.

Наконец мы _____ к аэродрому. Я _____ из такси и _____ прямо в зал ожидания. Там было очень шумно. Носильщики _____ чемоданы или _____ их на специальных маленьких тележках. По залу _____ мальчишки. Всё куда-то спешили.

Я хотел посмотреть, как _____ и _____ самолёты. _____ из зала и решил _____ на специальную площадку, с которой был виден весь аэропорт. Огромный реактивный самолёт как раз готовился к отлёту. Он должен был _____ через десять минут. Пассажиры _____ в самолёт. К самолёту _____ багаж.

Но вот последние пассажиры _____ в самолёт. В это время по громкоговорителю объявили, что мой самолёт тоже готов к отлёту. И я _____ обратно в зал ожиданий.

GRAMMAR

Verbs of Motion (*continued*)

A prefix may combine with an indeterminate imperfective verb of motion to produce a perfective. For example, when the prefix **с– (со–)** indicates a round trip, it combines with the indeterminate only, and the resulting verb (**–сходи́ть, –съе́здить**) is always used perfectively. Verbs of this type have no corresponding imperfectives.

–сходи́ть   to go and come back (on foot)

	Imperfective	*Perfective*
infinitive	_____	сходи́ть
present	_____	_____
past	_____	я сходи́л
future	_____	я схожу́

–съе́здить   to go and come back (riding)

	Imperfective	*Perfective*
infinitive	_____	съе́здить
present	_____	_____
past	_____	я съе́здил
future	_____	я съе́зжу

Other prefixes of this kind with their suggested meanings are:

за-   begin,   **–заходи́ть**   to start walking;
из- (ис-)   from one end to the other,   **–исходи́ть**   to walk over a whole area;
по-   a short while,   **–походи́ть**   to walk around for a while.

Instead of the special supplementary stems, the regular indeterminates (**бе́гать–, броди́ть–, е́здить–, ла́зить–, пла́вать–, по́лзать–**) are always used with prefixes of this type. Besides **–съе́здить** other examples include:

–забе́гать   to start running
–изъе́здить   to cover a whole area (riding)
–поброди́ть   to wander about for a short while

Notes:
Remember that **сходи́ть–** with the meaning *to walk down* is the imperfective partner of **–сойти́** and that **заходи́ть–**, *to drop in on*, is the imperfective partner of **–зайти́.**
Be careful not to confuse **–забе́гать**, *to start running*, with **забега́ть–**, *to run in*, and **–сползать**, *to crawl somewhere and back*, with **сполза́ть–**, *to crawl down.*

УПРАЖНЕНИЯ

19. *Переведи́те на англи́йский язы́к.*

Он схо́дит в универма́г.
Он схо́дит вни́з по ле́стнице.
Она́ сходи́ла с самолёта.
Она́ сходи́ла в бу́лочную за хле́бом.
Та́ня зайдёт к ни́м.
Она́ бы́стро заходи́ла по доро́жке.
Мы́ зашли́ в кафе́-моро́женое.
Он заходи́л по кабине́ту.
Они́ исходи́ли ве́сь ле́с.
Я походи́л по па́рку и пошёл домо́й.

20. *Переведи́те на ру́сский язы́к.*

We'll make a trip to Washington before the end of the month.
Wait for me. All I have to do is go downtown for the tickets.
We'll drive over to see the Ivanovs today.
Vania came down the hill first.
He loves to slide down this hill.

21. *Пи́сьменное упражне́ние*

Соста́вьте предложе́ния с ра́зными фо́рмами сле́дующих глаго́лов.

забе́гать	съе́здить
забега́ть	съе́хать
забежа́ть	съезжа́ть
изъе́здить	исходи́ть

Схе́ма анса́мбля Кремля́

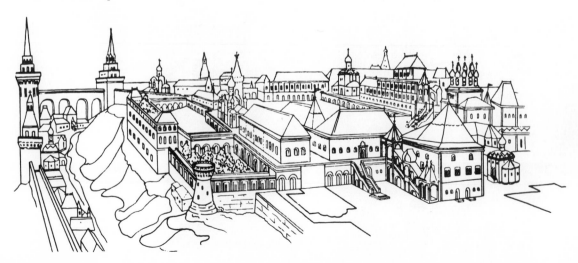

ИЗ ПУТЕВОДИТЕЛЯ «СПУТНИК ТУРИСТА»

Кре́мль и Кра́сная пло́щадь

Кре́мль откры́т ка́ждый день с 9-ти до 20-ти часо́в. Вхо́д свобо́дный.

Пре́жде° чем нача́ть осмо́тр Кремля́, посмотри́те на Кре́мль со стороны́ Москвы́-реки́, лу́чше всего́ с Москворе́цкого моста́. На скло́не холма́°, ка́к на огро́мной сце́не, открыва́ется панора́ма Кремля́, вокру́г кото́рого ви́дно кра́сную кирпи́чную° сте́ну со мно́жеством ба́шен. Са́мая ста́рая из ни́х и наибо́лее° изве́стная — Спа́сская ба́шня. Её на́чали стро́ить в 1491-ом году́. На не́й нахо́дятся часы́ с золоты́ми ци́фрами и стре́лками. На ба́шне часы́ XVI ве́ка. При Петре́ Пе́рвом дре́вние часы́ замени́ли но́выми с му́зыкой. Часа́м, кото́рые тепе́рь на ба́шне, 110 ле́т. Спа́сская ба́шня — э́то гла́вные воро́та Кремля́.

пре́жде: *before*

склон холма́: *slope of a hill*
кирпи́чный: *brick*
наибо́лее: *most*

Па́мятник ру́сским геро́ям Ми́нину и Пожа́рскому пе́ред собо́ром Васи́лия Блаже́нного

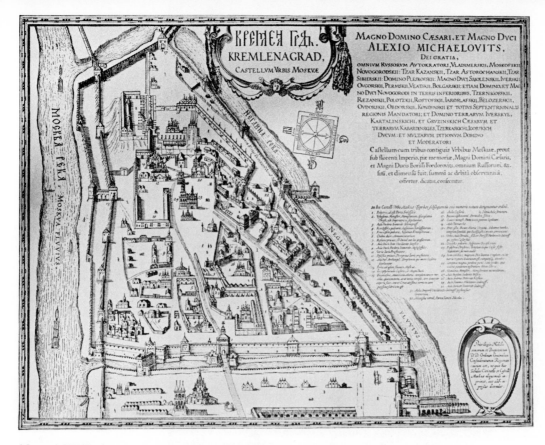

Москва́ XVII ве́ка

В це́нтре Кремля́ — Собо́рная пло́щадь. На не́й — три́ собо́ра, Грано́витая пала́та и колоко́льня Ива́на Вели́кого. Собо́ры тепе́рь превращены́ в музе́и. Они́ откры́ты для пу́блики. Грано́витую пала́ту то́же мо́жно осма́тривать. Она́ до́лгое вре́мя служи́ла° тро́нным за́лом для ру́сских царе́й. С колоко́льни Ива́на Вели́кого мо́жно уви́деть всю́ Москву́. Около колоко́льни стоя́т Ца́рь-ко́локол (ве́с — 200 то́нн) — са́мый тяжёлый ко́локол в ми́ре, и Ца́рь-пу́шка (ве́с — 40 то́нн). Са́мым молоды́м и еди́нственным совреме́нным зда́нием Кремля́ явля́ется Кремлёвский Дворе́ц съе́здов — стро́гое и лёгкое сооруже́ние°. Оно́ возведено́° в 1961-ом году́ из белосне́жного ура́льского мра́мора°. В Кремлёвском Дворце́ съе́здов, зри́тельный за́л кото́рого вмеща́ет° ше́сть ты́сяч челове́к, прохо́дят собра́ния, конгре́ссы, междунаро́дные конфере́нции. Во дворце́ даю́тся та́кже театра́льные спекта́кли, конце́рты, устра́иваются кинофестива́ли.

Че́рез Спа́сские воро́та мо́жно пройти́ на Кра́сную пло́щадь, гла́вную пло́щадь столи́цы СССР. Здесь, на Кра́сной пло́щади,— Мавзоле́й В. И. Ле́нина.

На то́й стороне́ Кра́сной пло́щади, где́ начина́ется спуск к Москве́-реке́, вы́сится хра́м° Васи́лия Блаже́нного — ценне́йший° па́мятник ру́сского зо́дчества° середи́ны XVI столе́тия.

служи́ть-: *to serve*

сооруже́ние: *structure*
-возвести́: *to erect*
мра́мор: *marble*
вмеща́ть-: *to seat*

хра́м: *cathedral*
ценне́йший: *most precious*
зо́дчество: *architecture*

В Третьяко́вской галере́е — карти́на Васнецо́ва «Ива́н Царе́вич и се́рый во́лк»

Музе́и, вы́ставки, теа́тры, ци́рк, кино́

Музе́и и вы́ставки. В Москве́, как и во вся́ком большо́м го́роде, есть мно́го музе́ев. Ка́ждый из них по-сво́ему интере́сен. Среди́ худо́жественных музе́ев на пе́рвом ме́сте стои́т Третьяко́вская галере́я. Там мо́жно уви́деть са́мую большу́ю в ми́ре колле́кцию карти́н ру́сских худо́жников: бо́лее 5-ти ты́сяч карти́н. Галере́я откры́та ка́ждый де́нь, кро́ме понеде́льника, с 10-ти до 20-ти часо́в.

Теа́тры. В Москве́ 30 теа́тров. Ка́ждый тури́ст обяза́тельно захо́чет побыва́ть в одно́м из них, а то и в не́скольких. С 1-го ноября́ 1960-го го́да во всех теа́трах вече́рние спекта́кли начина́ются в 18 часо́в 30 мину́т, а у́тренние — в 11 часо́в.

Са́мый ста́рый моско́вский теа́тр — Большо́й теа́тр.

Из драмати́ческих теа́тров осо́бенно изве́стен Моско́вский Худо́жественный Академи́ческий теа́тр (МХАТ).

В Москве́ та́кже есть не́сколько теа́тров для дете́й и молодёжи. Са́мый популя́рный из ни́х — Центра́льный теа́тр ку́кол°. Ку́клы та́к хорошо́ игра́ют, что на спекта́кли хо́дят не то́лько де́ти, но и взро́слые. Ка́ждый год теа́тр е́здит по больши́м города́м Сове́тского Сою́за, а иногда́ выезжа́ет и за грани́цу.

ку́кла: *puppet*

Цирк. Когда́ вы бу́дете в Москве́, то обяза́тельно зайди́те в Моско́вский Госуда́рственный цирк. Зде́сь вы уви́дите прекра́сных кло́унов и акроба́тов и мно́жество дрессиро́ванных звере́й.

Кино́. В Москве́ о́коло ста́ кинотеа́тров. Большинство́ из ни́х демонстри́рует фи́льмы в определённое вре́мя. По́сле нача́ла сеа́нса° пу́блику в за́л не впуска́ют.

сеа́нс: *show*

Антра́кт в Дворце́ съе́здов

УПРАЖНЕНИЕ

22. *Дава́йте поговори́м.*

Вы бесе́дуете с тури́стами, прие́хавшими в Москву́ на не́сколько часо́в. Что вы им сове́туете посмотре́ть?

Предста́вьте себе́, что вы гид. Проведи́те экску́рсию по Москве́. Что бы вы хоте́ли рассказа́ть тури́стам?

Расскажи́те об интере́сной экску́рсии, на кото́рой вы неда́вно бы́ли.

ИЗ ПУТЕВОДИТЕЛЯ «СПУТНИК ТУРИСТА»
(*продолжение*)

Тра́нспорт

Вокза́лы. В Москве́ де́вять вокза́лов. Са́мый ста́рый из ни́х — Ленин-гра́дский вокза́л. Магистра́ль° Москва́-Ленингра́д — пе́рвая ру́сская пассажи́рская желе́зная доро́га.

Ря́дом с Ленингра́дским вокза́лом располо́жен Яросла́вский вокза́л. Зде́сь начина́ется Транссиби́рская ли́ния от Москвы́ до Ти́хого океа́на, длино́й бо́лее 9-ти ты́сяч киломе́тров — са́мая больша́я магистра́ль в стране́. От Москвы́ до Владивосто́ка ско́рым по́ездом — во́семь с полови́ной су́ток.

Во́дные пути́. Несмотря́ на то́, что Москва́ не на́ море, она́ кру́пный морско́й по́рт. Постро́енный в 1934-ом году́ кана́л и́мени Москвы́ соеди-ня́ет столи́цу с вели́кой ру́сской реко́й Во́лгой, а че́рез неё — с Бал-ти́йским, Бе́лым и Каспи́йским моря́ми.

По э́тому кана́лу ка́ждый де́нь хо́дят экскурсио́нные парохо́ды. Они́ отправля́ются° у́тром, привоз́ят тури́стов в живопи́сные° места́, за не́сколько киломе́тров от Москвы́, а к восьми́ часа́м ве́чера возвраща́ют тури́стов обра́тно в го́род.

Возду́шные доро́ги. Три́ аэропо́рта — Вну́ково, Бы́ково и Шереме́ть-ево обслу́живают° пассажи́ров Москвы́. Шереме́тьево — междунаро́д-ный по́рт столи́цы. Всё самолёты зарубе́жных° ли́ний соверша́ют взлёты и поса́дки то́лько зде́сь.

Авто́бусы-экспре́ссы и такси́ привоз́ят пассажи́ров на аэропо́рты. Движе́ние авто́бусов круглосу́точное. Кро́ме того́, в Москве́ откры́лась пе́рвая вертолётная° ста́нция Аэрофло́та. Вертолётные ли́нии свя́зы-вают всё аэропо́рты столи́цы ме́жду собо́й и с це́нтром го́рода. Тепе́рь на комфорта́бельном вертолёте до Москвы́ — 15 мину́т.

Городско́й тра́нспорт. Са́мый удо́бный ви́д городско́го тра́нспор-та — метро́. Движе́ние начина́ется в ше́сть часо́в утра́ и прекраща́ется° в 12.30 но́чи. Биле́т на по́езд метро́ сто́ит пя́ть копе́ек. За бага́ж, е́сли он бо́льше 50-ти сантиме́тров в длину́ и 20-ти сантиме́тров в ширину́, на́до плати́ть 10 копе́ек.

Москву́ обслу́живает мно́жество тролле́йбусов, авто́бусов, трамва́ев и такси́. Такси́ мо́жно легко́ узна́ть по у́зкой ша́хматной поло́ске° вдо́ль ку́зова° и по зелёному фона́рику за пере́дним стекло́м°. Е́сли фона́рик гори́т — маши́на свобо́дна.

магистра́ль *f*: *main line (railway)*

отправля́ться–: *to leave*
живопи́сный: *picturesque*

обслу́живать–: *to serve*
зарубе́жный: *foreign*

вертолётный: *helicopter*

прекраща́ться–: *to end*

поло́ска: *band*
ку́зов: *body (automobile)*
пере́днее стекло́: *windshield*

Вид Кремля с экскурсио́нного парохо́да

УПРАЖНЕНИЕ

23. *Поговори́м о тра́нспорте в Москве́.*

Ско́лько вокза́лов в Москве́?
Расскажи́те о Ленингра́дском вокза́ле.
С како́го вокза́ла начина́ется Транссиби́рская ли́ния?
Что вы мо́жете рассказа́ть об э́той ли́нии?

Почему́ Москва́, хотя́ и не на́ море, всё же явля́ется кру́пным морски́м по́ртом?
По како́му кана́лу хо́дят экскурсио́нные парохо́ды?
Когда́ и куда́ хо́дят э́ти парохо́ды?

Что тако́е Вну́ково, Бы́ково и Шереме́тьево? Что вы могли́ бы рассказа́ть о них?
Как пассажи́ры самолётов мо́гут попа́сть в аэропо́рты Москвы́?
Что свя́зывает все аэропо́рты Москвы́?

Како́й са́мый удо́бный вид городско́го тра́нспорта?
Движе́ние метро́ круглосу́точное и́ли нет?
Ско́лько сто́ит биле́т на моско́вском метро́?
Ско́лько на́до плати́ть за бага́ж на метро́?

Каки́е ещё есть други́е ви́ды городско́го тра́нспорта в Москве́?
Как мо́жно знать, что такси́ свобо́дно?

У стён Новодевичьего монастыря всегда много туристов

Экскурсии по Москве

Если вы хотите поехать на экскурсию и осмотреть город с помощью гида, звоните по телефону Б4-00-56.

К примеру, приводим план одной из таких экскурсий:

Специальный автобус для туристов отходит каждый день от гостиницы «Украина» в девять часов утра.

Первая остановка: Кремль, Красная площадь (2 часа 30 минут).

Специальный гид даст объяснение об архитектуре и истории Кремля.

Вторая остановка: Большой театр (45 минут).

Туристы осмотрят зал и сцену.

Третья остановка: Памятник А. С. Пушкину (15 минут).

Четвёртая остановка: Гостиница (2 часа).

Обед в ресторане гостиницы. Автобус отходит в 3 часа дня от главного входа. Просьба ко всем туристам — не опаздывать.

Пятая остановка: Планетарий (2 часа).

На астрономической площадке туристам покажут всевозможные аппараты, при помощи которых публика может наблюдать полёты спутников и комёт. Внутри здания, разные аппараты показывают движение Солнца, Луны, планет, звёзд. В фойе, на выставке по космическим полётам, вы сможете увидеть модели спутников.

Шестáя останóвка: Высóтное здáние на плóщади Восстáния
($\frac{1}{2}$ часá).

Это однó из семи многоэтáжных здáний гóрода. Центрáльная чáсть
высотóй в 22 этажá.

Седьмáя останóвка: Пáрк культýры и óтдыха им. М. Гóрького
(5 часóв).

Прогýлка по пáрку. Вы осмóтрите пáрк, побывáете на шáхматном
турнире и на выставке послéдних мóд. В 7 часóв вéчера от пристани
пáрка отойдёт парохóд. На вéрхней пáлубе, под открытым нéбом, бýдут
устрóены тáнцы. Пóсле экскýрсии автóбусы привезýт вáс обрáтно в
гостиницу «Украина».

A Girl With a Jumping Rope

Рисунок Олега Теслера

ДЕВОЧКА СО СКАКАЛКОЙ

REFERENCE NOTES

1. идти– / ходить– *to attend, to call on*

When **идти–, ходить–** is the equivalent of *to attend, to go to see,* or
to call on, motion on foot is not necessarily indicated. In the question **Вы
когдá-нибудь ходили на балéт?** *Do you ever go to the ballet?* the
speaker wants to know whether the person addressed attends the ballet, not
whether he walks or rides there.

In each of the following sentences, the verb may refer either to walking or riding.

Мы́ ча́сто хо́дим в го́сти.	We often go visiting.
Я иду́ к до́ктору.	I'm going to see the doctor.
Они́ иду́т в кино́.	They're going to the movies.
Когда́ вы́ бы́ли в Москве́, вы́ мно́го ходи́ли на конце́рты?	Did you attend many concerts when you were in Moscow?
В каку́ю це́рковь они́ хо́дят?	What church do they attend?
Он ка́ждый де́нь хо́дит на рабо́ту.	He goes to work every day.

The determinate imperfective in the past, **шёл, шла́, шли́,** is not used to mean *to attend, to go to see,* or *to call on,* but refers to the motion as such.

Он шёл в па́рк, когда́ мы́ его́ встре́тили.	He was on his way (walking) to the park when we met him.

2. идти́– / ходи́ть–   with vehicles

Vehicles or motors that move under their own power, such as trains, ships, or clocks, require the use of **идти́–, ходи́ть–.**

Куда́ идёт э́тот по́езд?	Where does this train go?
Э́тот парохо́д идёт в Австра́лию.	That steamer is going to Australia.
Ме́жду моско́вскими аэропо́ртами хо́дит мно́го авто́бусов.	Many buses run between the Moscow airports.
По́езд шёл ме́дленно.	The train was traveling along slowly.
Твои́ часы́ иду́т пра́вильно?	Does your watch keep good time?

Smaller vehicles, such as automobiles, usually require **е́здить–, е́хать–.**

По у́лице е́хал автомоби́ль.	A car was coming down the street.

УПРАЖНЕНИЯ

24. *Перепиши́те диало́г. Зако́нчите предложе́ния одни́м из подходя́щих глаго́лов движе́ния.*

    — Вы́ ча́сто _____ в теа́тр?

    — Да́. Во вре́мя зи́мнего сезо́на быва́ет, что _____ два́-три́ ра́за в неде́лю.

    — Вы́, наве́рное, _____ туда́ на авто́бусе?

    — Не́т, авто́бусы, к сожале́нию, отсю́да в го́род бо́льше не _____. Меня́ обы́чно подво́зят Орло́вы. Они́ _____ в го́род на свое́й маши́не.

25. *Перепиши́те отры́вок, вставля́я подходя́щие по смы́слу глаго́лы движе́ния.*

    Ме́жду Аме́рикой и Евро́пой _____ огро́мные парохо́ды. Во́т на тако́м парохо́де я́ и познако́мился со свое́й бу́дущей жено́й. Я _____ из Нью-Йо́рка в Га́вр, а отту́да собира́лся в Пари́ж. Она́ _____ туда́ же. Бы́л си́льный тума́н, и поэ́тому парохо́д _____ ме́дленнее, чем обы́чно. Мы́ _____ из Нью-Йо́рка в Га́вр во́семь дне́й, и за э́то вре́мя успе́ли подружи́ться.

Игра́ «Путеше́ствие по Москве́»

Усло́вия игры́:

Игра́ющий броса́ет ку́бик и дви́гается вперёд на сто́лько пу́нктов°, ско́лько пока́зывает ку́бик. Если он попада́ет на ма́ленький кружо́к, он до́лжен сказа́ть, куда́ он е́дет. Наприме́р, попа́в на кружо́к 4, он до́лжен сказа́ть: «Я е́ду на стадио́н». Если игра́ющий попада́ет на большо́й кружо́к, он до́лжен сказа́ть, где он. Наприме́р, попа́в на кружо́к 8, он говори́т: «Я на стадио́не». Если игра́ющий, отвеча́я, допу́стит оши́бку°, он пропуска́ет оди́н ход.

Выи́грывает тот, кто ра́ньше всех дое́дет до вокза́ла.

пу́нкт: *point*

–допусти́ть оши́бку: *to make an error*

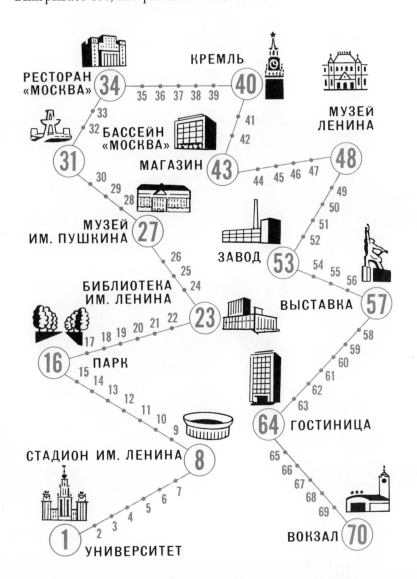

UNIT 8

УВАЖАЕМЫЕ ГОСТИ МОСКВЫ!
DEAR VISITORS TO MOSCOW!

ГОСТИНИЦА

«РОССИЯ»

УВАЖА́ЕМЫЕ ГО́СТИ!

Дире́кция гости́ницы «Росси́я» ра́да приве́тствовать Вас и сообщи́ть не́которые све́дения о на́шей гости́нице.

На́ш а́дрес: Москва́, К-495, ул. Ра́зина, до́м № 6.

Цена́ Ва́шего но́мера ———— руб. в су́тки. ————

Но́мер Ва́шего телефо́на ————————————

Но́мер телефо́на дежу́рной Ва́шего этажа́ ————

Но́мер телефо́на спра́вочного бюро́° гости́ницы: К 8-54-00.

В гости́нице в ка́ссах, располо́женных в вестибю́ле, Вы мо́жете заказа́ть железнодоро́жные и авиацио́нные биле́ты, а та́кже биле́ты в теа́тры и на конце́рты.

При жела́нии Вы мо́жете заказа́ть в креди́т телефо́нный разгово́р с любы́м го́родом Сове́тского Сою́за, а та́кже с города́ми зарубе́жных стра́н по телефо́ну Б 5-05-62.

Зака́зы принима́ются круглосу́точно.

Брошю́ра для госте́й
гости́ницы «Росси́я»

спра́вочное бюро́: *information bureau*

ЕСЛИ ВЫ ПОЖЕЛАЕТЕ

— заказа́ть такси́;

— что́бы Вас разбуди́ли в определённый час;

— сдать бельё° в сти́рку°, о́бувь° в ремо́нт°, оде́жду в хи́мчистку, ремо́нт, утю́жку;

— сда́ть в ремо́нт часы́. очки́. чемода́ны и друго́е — обрати́тесь, пожа́луйста, к дежу́рной по этажу́.

Медици́нская по́мощь произво́дится беспла́тно; сто́имость лека́рства опла́чивается прожива́ющими°.

бельё: *linen (underclothing, sheets, etc.)*
сти́рка: *laundry*
о́бувь *f: shoes*
ремо́нт: *repair(s)*

прожива́ющий: *guest (of a hotel)*

ЕСЛИ ВЫ ЗАХОТИ́ТЕ

поза́втракать, пообе́дать и́ли поу́жинать, Вы найдёте большо́й вы́бор блюд ру́сской ку́хни в рестора́нах на 1-ом и 2-о́м этажа́х:

рестора́н 1-го этажа́ рабо́тает с 12.00 до 23.00 часо́в. телефо́н К 8-54-73.

рестора́н 2-го этажа́ рабо́тает с 8.00 до 23.00 часо́в. телефо́н К 8-54-75.

НАПОМИНА́ЕМ ВА́М, ЧТО В ВЕСТИБЮ́ЛЕ РАСПОЛО́ЖЕНЫ:

По́чта	с 8.00 до 20.00
Телегра́ф	с 8.00 до 22.00
Театра́льная ка́сса	с 10.00 до 18.00
Железнодоро́жная ка́сса	с 11.00 до 13.00
Авиацио́нная ка́сса	с 8.00 до 17.00

Ка́мера хране́ния° веще́й рабо́тает круглосу́точно.

ка́мера хране́ния: *checkroom*

Кио́ски:

Сувени́ры	с 9.00 до 19.00
Таба́чный	с 9.00 до 19.00
Парфюме́рия	с 9.00 до 19.00

Да́мская и мужска́я парикма́херская°, маникю́рный и косметический за́лы нахо́дятся на 2-о́м этаже́. Часы́ рабо́ты с 7.30 до 22.00.

парикма́херская: *hair stylist's*

ДИРЕ́КЦИЯ

Ка́рточки из ра́зных гости́ниц — на ка́рточке и́мя го́стя и но́мер его́ ко́мнаты

ДЛЯ ВАС:

Обме́н валю́ты 181-25-91	*Рестора́н* 181-88-68	*Ремо́нт оде́жды* 181-88-60	*Апте́ка* 181-89-23
Бюро́ обслу́живания 181-25-91	*Парикма́херская* 181-87-11, 181-87-80	*Ремо́нт о́буви* 181-87-46	*Столо́вая* 181-89-44
Сберка́сса 181-36-64	*Спра́вочное бюро́* 181-23-24	*Газе́ты, кни́ги* 181-87-35	*Буфе́т* 181-99-30
По́чта, телефо́н, телегра́ф 181-34-80, 181-35-64	*Химчи́стка* 181-87-45	*Медпо́мощь* 181-88-13	*Пра́чечная* 181-87-34

УПРАЖНЕНИЯ

1. *Расскажи́те о гости́нице «Росси́я» прия́телю, кото́рый собира́ется та́м останови́ться.*

Да́йте а́дрес гости́ницы.
Назови́те це́ну но́мера.
Расскажи́те об услу́гах гости́ницы.
Что́ мо́жно заказа́ть в ка́ссах, расположен-ных в вестибю́ле?
Когда́ принима́ются зака́зы на телефо́нный разгово́р?

За чём мо́жно обраща́ться к дежу́рной по этажу́?
Что́ располо́жено в вестибю́ле?
Когда́ откры́та ка́мера хране́ния?
Каки́е при гости́нице кио́ски?
Где́ нахо́дится да́мская и мужска́я парик-ма́херская?

2. *Вы́ в гости́нице «Росси́я».*

Вы́ хоти́те узна́ть, е́сть ли в гости́нице рестора́н. По како́му но́меру вы́ звони́те?

Вы́ хоти́те заказа́ть биле́т в Большо́й теа́тр на бале́т «Лебеди́ное о́зеро». Куда́ вы́ обраща́етесь?

Вы́ хоти́те сда́ть руба́шку в сти́рку. По како́му но́меру вы́ звони́те?

Вы́ хоти́те заказа́ть такси́. К кому́ вы́ обраща́етесь?

3. *Я́ то́лько вчера́ прие́хал в гости́ницу.* ⊗

Приме́р: Где́ бюро́ обслу́живания?
   Я́ ищу́ бюро́ обслу́живания.

Где́ сберка́сса?   Где́ парикма́херская?   Где́ химчи́стка?
Где́ по́чта?   Где́ рестора́н?   Где́ апте́ка?
Где́ телегра́ф?   Где́ спра́вочное бюро́?   Где́ пра́чечная?

4. *Я́ ско́ро верну́сь.* ⊗

Приме́р: Я́ иду́ в парикма́херскую
   Опя́ть! Ты́ была́ в парикма́херской вчера́.

Я́ иду́ в химчи́стку.   Я́ иду́ в сберка́ссу.   Я́ иду́ в апте́ку.
Я́ иду́ в спра́вочное бюро́. Я́ иду́ на по́чту.   Я́ иду́ в универма́г.

5. *Расскажи́те о гости́нице, в кото́рой вы́ когда́-нибудь остана́вливались.*

Где́ э́то бы́ло? Когда́? Вы́ бы́ли в о́тпуску и́ли по рабо́те?
На кото́ром этаже́ была́ ва́ша ко́мната? Како́й из окна́ бы́л ви́д?
Расскажи́те об услу́гах гости́ницы. Вы́ рекоменду́ете её друзья́м и́ли не́т? Почему́?

6. *Напиши́те письмо́.*

Расскажи́те в письме́ о гости́нице, в кото́рой вы́ останови́лись, и посове́туйте её ва́шим друзья́м.

7. *Напиши́те ещё одно́ письмо́.*

Расскажи́те в нём о гости́нице, в кото́рой вы́ останови́лись.
Посове́туйте друзья́м в ней не остана́вливаться.

На́до позвони́ть по телефо́ну

— Где́ зде́сь мо́жно позвони́ть по телефо́ну?

— Ближа́йший автома́т та́м. Ва́м ну́жно бу́дет две́ копе́йки. У ва́с есть ме́лочь°?

ме́лочь *f: change (coins)*

— Спаси́бо, есть.

— Междугоро́дная? Мо́жно заказа́ть разгово́р с° Ки́евом? Мо́й но́мер телефо́на: 131-25-12; но́мер в Ки́еве 72-123.

–заказа́ть разгово́р с..: *to put in a call to . . .*

— Мину́точку... Ва́ш но́мер за́нят.

— Он не отвеча́ет?

— Не́т, о́н за́нят. Позвони́те че́рез не́сколько мину́т.

— Алло́! Это спра́вочное бюро́?

— Не́т, вы́ не туда́ попа́ли. Како́й но́мер ва́м ну́жен?

— 31-48-96.

— Вы́ непра́вильно набра́ли но́мер°. Это — 31-49-96.

непра́вильно набра́ть но́мер: *to dial the wrong number*

— Извини́те, пожа́луйста.

— Спра́вочная? Да́йте мне́, пожа́луйста, но́мер телефо́на гости́ницы «Тури́ст».

— 48-52-70.

— Спаси́бо.

ПОЛЬЗУЙТЕСЬ МЕЖДУГОРОДНЫМ ТЕЛЕФОНОМ!

Для проживающих в гостиницах междугородные телефонные разговоры предоставляются в кредит.

Заказывая междугородный разговор, обязательно назовите телефонистке наименование гостиницы, номер Вашего телефона и Вашу фамилию.

Заказы на междугородные разговоры с городами Советского Союза принимаются по телефону 10-00-19. Справки наводятся по телефону 07.

Заказы на города зарубежных стран и справки о них принимаются по телефону 15-00-30.

Для удобства граждан, проживающих в гостиницах, Междугородная телефонная станция оказывает следующие дополнительные услуги:

— наводит справки о ходе спортивных соревнований и состоянии погоды в другом городе, об адресах граждан, проживающих в другом городе;

— по желанию абонента, производит запись сообщения на магнитофон и передает эту запись в пункт назначения вызываемому абоненту;

— по просьбе абонента, ведет за него междугородный телефонный разговор (когда абонент не может говорить, плохо слышит, не может ожидать и в т. п. случаях).

Эти услуги для Вас выполнит «Бюро добрых услуг» Междугородной телефонной станции. Заказы принимаются по телефону 15-90-95.

Плата за разговоры и дополнительные услуги будет принята от Вас при расчете за услуги гостиницы.

Междугородная телефонная станция

Тип УПП ЛВЦ ВОГ. Зак. 1678. Тираж 30 000 15-XII-70 г.

Как по́льзоваться междугоро́дным телефо́ном?

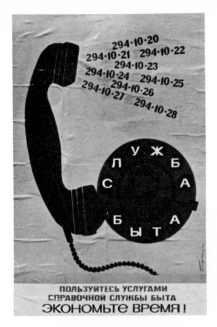

ЗАЯВКА НА МЕЖДУГОРОДНЫЙ РАЗГОВОР

С городом _____

Телефон или адрес _____

_____

Кого _____ _____

Дата и время вызова _____

Количество минут _____

Подпись _____

Плака́т сове́тует сове́тским гра́жданам по́льзоваться телефо́ном

— Телегра́ф? Прими́те, пожа́луйста, телегра́мму.
— Ва́ш но́мер телефо́на?
— Я останови́лся в гости́нице «Росси́я» — телефо́н 81-23-24.
— Како́й те́кст?
— Уже́ в Москве́. Прилета́ю в Ки́ев пя́того ию́ня.
— Хорошо́. Телегра́мму приняла́ Петро́ва.[1]

[1] It is customary for the employee in the telegraph office who takes the telegram to indicate his (or her) name.

УПРАЖНЕНИЯ

8. *Инсцени́руйте диало́ги.*

   Вы́ обраща́етесь по телефо́ну в спра́вочное бюро́, чтобы узна́ть, где́ мо́жно купи́ть биле́ты в теа́тр.

   Вы́ обраща́етесь по телефо́ну в гости́ницу, чтобы заказа́ть но́мер.

   Вы́ обраща́етесь по телефо́ну в кино́, чтобы узна́ть, како́й идёт фи́льм.

   Вы́ обраща́етесь по телефо́ну в телегра́ф и даёте телегра́мму.

   Вы́ звони́те дру́гу (подру́ге) и приглаша́ете его́ (её) в теа́тр.

9. *Разыгра́йте по телефо́ну ситуа́ции.*

   Вы́ непра́вильно набра́ли но́мер.
   Ва́ш но́мер за́нят.
   Ва́ш но́мер не отвеча́ет.

Ка́к найти́ доро́гу?

Не мо́жете ли вы́ сказа́ть мне́, где́ гости́ница «Москва́»?
— Она́ нахо́дится в це́нтре го́рода.

Прости́те, вы́ не ска́жете, ка́к прое́хать к тра́нспортному аге́нству°?
— На второ́м тролле́йбусе и́ли на пя́том авто́бусе.

тра́нспортное аге́нство: *travel agency*

Где́ зде́сь ближа́йшая остано́вка метро́?
— Та́м, напра́во. Ви́дите большо́е «М» над вхо́дом?

Скажи́те, пожа́луйста, где́ зде́сь стоя́нка такси́?
— Та́м. Ви́дите маши́ны с «ша́хматными» клёточками° по бока́м°?

клёточка: *check, square*
бо́к: *side*

Скажи́те, пожа́луйста, где́ мо́жно наня́ть° маши́ну?
— Та́м, напра́во. У ва́с е́сть права́?

–наня́ть: *to rent*

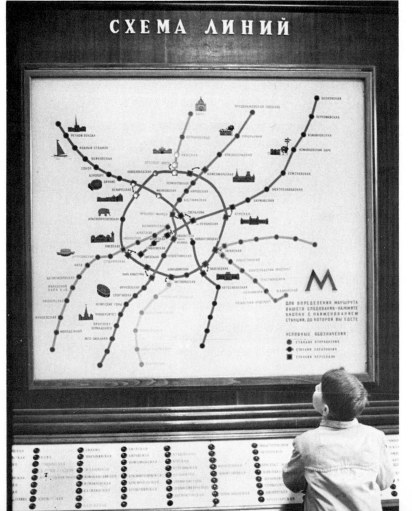

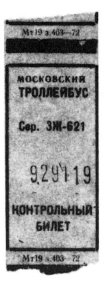

Схе́ма ли́ний
Моско́вского метро́

Милиционе́р помога́ет де́тям перейти́ у́лицу

УПРАЖНЕНИЕ

10. *Зада́йте вопро́сы.*

Спроси́те милиционе́ра, ка́к прое́хать в гости́ницу «Тури́ст».
Спроси́те молодо́го челове́ка, где́ стоя́нка такси́.
Спроси́те води́теля такси́, свобо́дно ли такси́.
Спроси́те де́вушку, где́ ста́нция метро́.
Спроси́те води́теля авто́буса, како́й но́мер идёт к Большо́му теа́тру.
Спроси́те води́теля тролле́йбуса, где́ нахо́дится гости́ница «Украи́на».
Спроси́те ги́да, где́ мо́жно наня́ть маши́ну.

11. *Объясни́те, ка́к пройти́ или прое́хать.*

Объясни́те гру́ппе сове́тских тури́стов, кото́рые осма́тривают ва́ш го́род, ка́к пройти́ в библиоте́ку.
Объясни́те и́м, ка́к прое́хать к му́зею.
Расскажи́те и́м о стадио́не и посове́туйте, когда́ лу́чше всего́ его́ осмотре́ть.
Скажи́те и́м, где́ нахо́дится па́рк и ка́к туда́ попа́сть.
Скажи́те и́м, где́ нахо́дится хоро́шая гости́ница, и объясни́те, ка́к туда́ прое́хать.
Расскажи́те и́м о то́м, где́ мо́жно пообе́дать, поу́жинать и́ли про́сто закуси́ть, и укажи́те доро́гу.

ПОЛЬЗУЙТЕСЬ УСЛУГАМИ ЛЕГКОВЫХ ТАКСИ!

Товарищ такси

Са́мый просто́й спо́соб найти́ до́м по а́дресу — э́то, коне́чно, останови́ть такси́.

Такси́ легко́ найти́ по чёрно-бе́лым «ша́хматным» кле́точкам по бока́м, кра́сной кры́ше (не у все́х маши́н!) и зелёному огоньку́° за пере́дним стекло́м (э́то зна́к, что автомоби́ль свобо́ден).

Такси́ мо́жно останови́ть на у́лице, подня́в ру́ку.

Е́сли маши́на не останови́лась, зна́чит, она́ идёт по вы́зову°. Э́то мо́жет повтори́ться не́сколько ра́з, поэ́тому надёжнее° взя́ть такси́ на специа́льной стоя́нке. И́х мно́го во все́х города́х. Они́ обы́чно располо́жены у вокза́лов, теа́тров, гости́ниц, рестора́нов, ста́нций метро́.

огонёк: (*small*) *light*
по вы́зову: *in response to a call*
надёжный: *safe, reliable*

Объявле́ние из бюлете́на для́
иностра́нцев, посеща́ющих Москву́

В ТАКСИ
ПО УЛИЦАМ
МОСКВЫ

В любо́е вре́мя су́ток на у́лицах и площадя́х
Москвы́ Ва́с ждёт маши́на с зелёным огонько́м.
Никто́ та́к хорошо́ не зна́ет на́шего го́рода,
ка́к води́тель такси́.

По́льзуясь° услу́гами такси́, Вы́ никогда́ не
заблу́дитесь.

Вы́звать такси́ мо́жно по телефо́нам:

225-00-00

227-00-40

250-00-60

257-00-40

137-00-40

по́льзоваться–: *to make use of*

УПРАЖНЕНИЕ

12. *Отвéтьте на вопрóсы.*

Какóй сáмый простóй спóсоб найти дóм по áдресу?
Кáк мóжно узнáть такси?
Чтó знáчит «зелёный огонёк» за перéдним стеклóм такси?
Кáк мóжно остановить такси?
Если машина не остановилась, чтó э́то знáчит?
Гдé надёжнее всегó найти такси?
Гдé располóжены стоя́нки такси?

13. *Инсценируйте диалóги с водителем такси.*

Попросите водителя отвезти вáс на Внýковский аэропóрт.
Поговорите с ним по дорóге о своём полёте.

Попросите водителя отвезти вáс в гостиницу «Россия».
Постарáйтесь по дорóге узнáть об э́той гостинице.

Попросите водителя отвезти вáс к Кремлю́. Расспросите
егó по дорóге о тóм, чтó тáм мóжно увидеть.

Однá из стáнций Москóвского метрó

В вагоне метро

МОСКОВСКОЕ МЕТРО

Ста́нции Моско́вского метро́ мо́жно назва́ть подзе́мными дворца́ми. Ка́ждая из ни́х отлича́ется своеобра́зием° архитекту́ры. Мно́гие ста́нции метро́ укра́шены мра́мором.

своеобра́зие: *individual style*

Ста́нции Моско́вского метрополите́на расположе́ны почти́ на все́х вокза́льных площадя́х, у речно́го по́рта, ря́дом с Гла́вным почта́мтом° и Центра́льным телегра́фом, недалеко́ от теа́тров и конце́ртных за́лов, во́зле па́рков и стадио́нов, о́коло больши́х гости́ниц, дворцо́в культу́ры, библиоте́к, ву́зов и музе́ев.

Гла́вный почта́мт: *General Post Office*

«Комсомо́льская» — са́мая больша́я ста́нция Моско́вского метро́. Высота́° её равна́ высоте́ трёхэта́жного до́ма. В огро́мном за́ле мно́го све́та. Сверка́ют° огро́мные хруста́льные лю́стры°. Высо́кий сво́д° подде́рживают се́мьдесят две́ коло́нны. Они́ сде́ланы из бе́лого мра́мора.

высота́: *height*
сверка́ть–: *to sparkle*
лю́стра: *chandelier*
сво́д: *arch, vault*

Бо́льше всего́ пассажи́ров быва́ет на ста́нциях «Пло́щадь револю́ции», «Пло́щадь Свердло́ва», «Проспе́кт Ма́ркса». Они́ нахо́дятся в це́нтре го́рода.

УПРАЖНЕНИЕ

14. *Отве́тьте на вопро́сы.*

Че́м отлича́ется одна́ ста́нция метро́ от друго́й?
Че́м укра́шены ста́нции метро́?
Где́ расположе́ны ста́нции метро́?
Кака́я ста́нция метро́ са́мая больша́я?
Почему́ на э́той ста́нции мно́го све́та?
Что́ подде́рживает высо́кий сво́д э́той ста́нции?
На каки́х ста́нциях бо́льше всего́ пассажи́ров?

Полно́чный тролле́йбус

Когда́ мне́ не вмо́чь переси́лить беду́,
Когда́ подступа́ет отча́янье,
Я в си́ний тролле́йбус сажу́сь на ходу́,
В после́дний, случа́йный.
Полно́чный тролле́йбус, по у́лицам мчи́,
Верши́ по бульва́рам круже́нье,
Чтоб все́х подобра́ть, потерпе́вших в ночи́
Круше́нье, круше́нье.
Полно́чный тролле́йбус, мне́ две́рь отвори́!
Я зна́ю, ка́к в зя́бкую по́лночь
Твои́ пассажи́ры — матро́сы твои́ —
Прихо́дят на по́мощь.
Я с ни́ми не ра́з уходи́л от беды́,
Я к ни́м прикаса́лся плеча́ми.
Ка́к мно́го, предста́вьте себе́, доброты́
В молча́нье, в молча́нье.
Полно́чный тролле́йбус плывёт по Москве́,
Москва́, ка́к река́, затуха́ет,
И бо́ль, что скворчо́нок стуча́ла в виске́,
Стиха́ет, стиха́ет.

Була́т Окуджа́ва

Москва́ но́чью

В ГОСТЯХ

При по́исках° до́ма ва́шего дру́га вам мо́гут оказа́ться поле́зными сле́дующие све́дения. Номера́ домо́в в СССР пи́шутся на специа́льных щитка́х°, кото́рые обы́чно име́ют таку́ю фо́рму:

по́иски: *search*

щито́к: *a little shield*

Ве́чером они́ освеща́ются°. Ча́сто номера́ дубли́руются больши́ми чёрными ци́фрами на само́м до́ме.

освеща́ться–: *to be lighted*

Табли́чки° с назва́ниями у́лиц вися́т на ка́ждом углу́, причём внизу́ пока́зано направле́ние°, к кото́рому увели́чиваются° номера́ домо́в в кварта́ле:

табли́чка: *street sign (board)*
направле́ние: *direction*
увели́чиваться–: *to get bigger*

Номера́ кварти́р, помеща́ющихся° в да́нном подъе́зде большо́го до́ма, напи́саны над две́рью подъе́зда:

помеща́ться–: *to be located*

УПРАЖНЕНИЯ

15. *Зако́нчите фра́зы.*

   В СССР номера́ домо́в пи́шутся на _____ .
   Ве́чером номера́ _____ .
   Табли́чки с назва́ниями у́лиц вися́т на _____ .
   Номера́ кварти́р напи́саны над _____ .

16. *Дава́йте поговори́м.*

   Расскажи́те дру́гу, кото́рый собира́ется в СССР, как найти́ дом знако́мого.

   Расскажи́те дру́гу, прие́хавшему к вам из СССР, о том, как найти́ ваш дом.

Не слишком ли резко!

GRAMMAR

Adjectives with Numerals

Та́м стоя́ли два́ реакти́вных самолёта.
Та́м стоя́ли пя́ть реакти́вных самолётов.

Мы́ вдру́г уви́дели два́ реакти́вных самолёта.
Мы́ вдру́г уви́дели пя́ть реакти́вных самолётов.

Мы́ проезжа́ли ми́мо дву́х реакти́вных самолётов.
Мы́ проезжа́ли ми́мо пяти́ реакти́вных самолётов.

Они́ приближа́ются к дву́м реакти́вным самолётам.
Они́ приближа́ются к пяти́ реакти́вным самолётам.

Бага́ж поста́вили пе́ред двумя́ реакти́вными самолётами.
Бага́ж поста́вили пе́ред пятью́ реакти́вными самолётами.

Войска́ прилете́ли на дву́х реакти́вных самолётах.
Войска́ прилете́ли на пяти́ реакти́вных самолётах.

An adjective modifying a noun in the genitive singular after **два́, три́,** or **четы́ре** is in the genitive plural, never in the genitive singular.

In all other instances adjectives and nouns appearing after cardinal numerals have the same case and number.

Notes:

1. The nominative plural form of the adjective is used more frequently than the genitive plural to modify feminine nouns in the genitive singular after **две́, три́,** and **четы́ре.**

двé но́вые гости́ницы
три́ стари́нные ба́шни
четы́ре дли́нные у́лицы

Although it would not be incorrect to use the genitive plural forms (**но́вых, стари́нных, дли́нных**) in the preceding expressions, the nominative plural form is used more frequently.

However, in those feminine nouns where the stress on the genitive singular differs from that on the nominative plural, the genitive plural form of the adjective is preferred.

две́ мла́дших сестры́ (*nom. pl.* сёстры)
три́ высо́ких горы́ (*nom. pl.* го́ры)

2. Pronominal adjectives (e.g., **мо́й, э́тот, ве́сь**) and certain other adjectives which also usually precede the numeral (e.g., **ка́ждый, пе́рвый, после́дний, друго́й**) require the nominative plural.

мой три́ мла́дших сестры́
эти четы́ре кни́ги
ка́ждые две́ мину́ты
после́дние пя́ть неде́ль

УПРАЖНЕНИЯ

17. *Расскажи́те мне́ о ва́шем го́роде.* ⊗

    Приме́р: Та́м хоро́шие теа́тры?
              <u>Да́, у на́с два́ прекра́сных теа́тра.</u>

Та́м хоро́шие музе́и?	Та́м хоро́шие магази́ны?
Та́м хоро́шие гости́ницы?	Та́м хоро́шие галере́и?
Та́м хоро́шие рестора́ны?	Та́м хоро́шие гастроно́мы?
Та́м хоро́шие столо́вые?	Та́м хоро́шие кафе́?

Повтори́те упражне́ние, включа́я 3, 4, 5, 6 в ва́ш отве́т.

18. *Вы́ хоти́те узна́ть о го́роде.* ⊗

    Приме́р: Та́м два́ моста́? (широ́кий)
              <u>Да́, два́ широ́ких моста́.</u>

Та́м пя́ть ба́шен. (высо́кий)	Та́м две́ гости́ницы. (но́вый)
Та́м четы́ре собо́ра. (дре́вний)	Та́м три́ музе́я. (худо́жественный)

19. *Зако́нчите диало́г.*

    — Я слы́шал, что вы́ познако́мились с гру́ппой тури́стов. Ка́к они́? Не скуча́ют?
    — Не́т! Что́ вы́?

Они́ уже́ успе́ли побыва́ть на (2 / прекра́сный / конце́рт).
Они́ ви́дели (2 / интере́сный / пье́са).
Они́ осмотре́ли (3 / стари́нный / собо́р).
Они́ бы́ли в (2 / худо́жественный / музе́й).
Они́ побыва́ли в (3 / большо́й / магази́н).
Они́ обе́дали в (2 / моско́вский / столо́вая).
Их познако́мили с (5 / сове́тский / студе́нт).
Им показа́ли (7 / высо́тный / зда́ние).
Их пригласи́ли к (2 / сове́тский / профе́ссор).
Они́ посла́ли откры́тки (5 / хоро́ший / знако́мый).

матрёшки-сувени́ры

*Моско́вское
кафе́-моро́женое*

ИЗ ПУТЕВОДИТЕЛЯ «СПУТНИК ТУРИСТА»
(*продолже́ние*)

Столо́вые, рестора́ны, кафе́

Столо́вые. Если вы́ хоти́те бы́стро перекуси́ть°, то лу́чше всего́ зайти́ в одну́ из моско́вских столо́вых. Та́м большо́й вы́бор заку́сок и ра́зных горя́чих и холо́дных блю́д. Жда́ть официа́нта не на́до: бери́те подно́с° и выбира́йте то́, что́ ва́м нра́вится. В ка́ссе вы́ запла́тите за еду́.

Рестора́ны. В Москве́ е́сть мно́жество рестора́нов. Мно́гие из ни́х нахо́дятся при гости́ницах.

Кафе́. Если вы́ хоти́те вы́пить стака́н ча́ю и́ли ча́шку ко́фе, то посети́те° одно́ из мно́гих моско́вских кафе́. Та́м вы́ найдёте пиро́жные, бискви́ты и ра́зные сла́дкие бу́лочки и пирожки́.

В бо́лее жа́ркие дни́ москвичи́ лю́бят зайти́ в кафе́-моро́женое, где́ продаю́т лимона́д, газиро́ванную во́ду и други́е прохлади́тельные напи́тки°, и, коне́чно, ра́зные сорта́ моро́женого.

—перекуси́ть: *to have a snack*

подно́с: *tray*

—посети́ть: *to visit*

прохлади́тельный
напи́ток: *soft drink*

Вкусное
Ароматное
Полезное
Приятное

ПЛОМБИР,
СЛИВОЧНОЕ,
ФРУКТОВОЕ,
ШОКОЛАДНОЕ...

Выбирайте по вкусу!

БОДРЯЩИЙ, освежающий напиток—
КОФЕ С МОРОЖЕНЫМ
ИЗЫСКАННОЕ лакомство—
МОРОЖЕНОЕ С ВАРЕНЬЕМ

*Попробуйте—
убедитесь!*

УПРАЖНЕНИЯ

20. *Расскажи́те о то́м, что́ вы́ прочита́ли.*

   Расскажи́те о моско́вских рестора́нах, столо́вых, кафе́.
   Объясни́те, что́ тако́е «рестора́н», что́ тако́е «столо́вая», что́ тако́е «кафе́».
   Расскажи́те о кафе́-моро́женых.

21. *Дава́йте поговори́м.*

   Посове́туйте дру́гу рестора́н. Расскажи́те, почему́ вы́ его́ сове́туете. В каки́е рестора́ны вы́ лю́бите ходи́ть? Что́ вы́ лю́бите зака́зывать? Расскажи́те о ва́шем люби́мом рестора́не.

22. *Инсцени́руйте диало́г.*

   Убеди́те дру́га пойти́ с ва́ми в кафе́-моро́женое. Расскажи́те ему́ о ра́зных сорта́х моро́женого, кото́рые та́м мо́жно заказа́ть.

Пешехо́ды на у́лицах Москвы́

Покупа́тели в магази́не «Де́тский мир»

В любом ресторане гостиницы «Россия»

вы можете вкусно пообедать, в приятной обстановке побеседовать с друзьями, послушать эстрадную музыку, потанцевать.

Двери ресторанов гостеприимно открыты
с 12 до 23 часов.

(Перерыв с 17 до 18 часов).

Объявле́ние рестора́на «Росси́я» в одно́м из моско́вских журна́лов

Интурист

меню
menu

INTOURIST

меню

ХОЛОДНЫЕ ЗАКУСКИ

Сельдь натуральная . . . .

Осетрина под майонезом . . . .

Балык . . . .

Икра чёрная . . . .

СУПЫ

Солянка рыбная из осетрины . . . .

Окрошка мясная . . . .

МЯСНЫЕ ГОРЯЧИЕ БЛЮДА

Ростбиф . . . .

Котлеты отбивные из свинины . . . .

БЛЮДА ИЗ ПТИЦЫ

Куры жареные . . . .

БЛЮДА ИЗ
ЯИЦ И МОЛОЧНЫЕ

Яйцо всмятку . . . .

Яичница натуральная . . . .

Блинчики со сметаной . . . .

СЛАДКИЕ БЛЮДА

Кофе-гляссе . . . .

menu[2]

HORS D'OEUVRES

Herring natural

Sturgeon in Mayonnaise

Balyk (smoked sturgeon fish)

Caviar

SOUPS

Solyanka Soup of Sturgeon

Cold Kvas Soup with Meat

HOT MEAT DISHES

Roast Beef

Pork Chops

POULTRY

Roast Chicken

EGGS AND MILK

Soft-Boiled Egg

Fried Eggs

Pancakes with Sour Cream

DESSERTS

Coffee glacé

[2]This is an authentic Soviet menu. The English translation appears as an aid to tourists from abroad. Accents, of course, do

ГОРЯЧИЕ НАПИТКИ	WARM DRINKS
Чай с са́харом	Tea with Sugar
Чай с варе́ньем	Tea with Jam
Чай с лимо́ном	Tea with Lemon
Ко́фе чёрный	Black Coffee
Ко́фе с молоко́м	Coffee with Milk
Ко́фе со сли́вками	Coffee with Cream

КОНДИТЕРСКИЕ ИЗДЕЛИЯ	CAKES AND BISCUITS
Пиро́жное	Sponge Cakes
Пече́нье	Biscuits

ФРУКТЫ	FRUITS
Я́блоки	Apples
Апельси́ны	Oranges

ВОДА ФРУКТОВАЯ	FRUIT WATER
Лимона́д	Lemonade
Я́блочная	Apple Water
Мандари́новая	Tangerine Water

МИНЕРАЛЬНЫЕ ВОДЫ И СОКИ	MINERAL WATERS AND JUICES
Боржо́ми	Borzhomi (mineral water)
Нарза́н	Narzan (mineral water)
Со́к виногра́дный	Grape Juice
Со́к клубни́чный	Strawberry Juice

not appear on the original.

ПРИЯТНОГО АППЕТИТА

УПРАЖНЕНИЯ

23. *Разыгра́йте диало́ги.*

Вы́ в рестора́не. Попроси́те официа́нта принести́ ва́м меню́. Закажи́те обе́д.

Вы́ у́жинаете в рестора́не со знако́мыми. Посове́туйте дру́г дру́гу, что́ заказа́ть.

24. *Зако́нчите разгово́р.*

— Ты́ бы́л в э́том кафе́? Тебе́ понра́вилось та́м?
— Да́, та́м хорошо́.

Я съе́л (2 / вку́сный / горя́чий / пирожо́к).
Я вы́пил (2 / ча́шка / прекра́сный / чёрный / ко́фе).
Я заказа́л (2 / по́рция / сли́вочный / моро́женое).
Я съе́л (2 / вку́сный / бутербро́д) — оди́н с сы́ром, друго́й с колбасо́й.
Я вы́пил (2 / стака́н / холо́дный / газиро́ванный / вода́).

25. *Предста́вьте себе́, что вы́ в рестора́не с шестью́ знако́мыми. Вы́ зака́зываете для все́х.*

Официа́нт: Вы́ уже́ просмотре́ли меню́? Что́ вы́ хоти́те заказа́ть?
  Тури́ст: Начнём с заку́ски:
        (7 / холо́дный / заку́ска)
        (2 / по́рция / чёрный / икра́)
        (3 / небольшо́й / по́рция / люби́тельский / колбаса́)
     Пото́м су́п:
        (3 / таре́лка / украи́нский / бо́рщ)
        (2 / таре́лка / ру́сский / щи́)
        (2 / кури́ный / бульо́н)
     На тре́тье:
        (2 / натура́льный / бифште́кс)
        (5 / по́рция / пожа́рский / котле́та)
     На сла́дкое:
        (6 / по́рция / земляни́чный / моро́женое)
        (1 / я́блоко в вине́)
     Пото́м:
        (3 / ча́шка / чёрный / ко́фе)
        (2 / холо́дный / шокола́дный / напи́ток)
        (2 / стака́н / горя́чий / ча́й)

26. *Тепе́рь закажи́те обе́д на пя́ть челове́к. Просмотри́те меню́ и вы́берите всё, что́ хоти́те.*

27. *Соста́вьте пи́сьменно.*

Соста́вьте меню́ для «ру́сского обе́да», на кото́рый вы́ приглаша́ете друзе́й.

GRAMMAR

Equivalents of *Until*

1. The equivalent of *until* when it introduces a subordinate clause is **пока́ . . . не.**

Жди́те, пока́ я не верну́сь.   Wait until I come back.

2. The equivalent of *not until* is **то́лько (когда́).**

То́лько два́ дня́ спустя́ я узна́л, что о́н вы́-
играл.

It was not until two days later that I found out that he had won.

То́лько когда́ я получи́л твоё письмо́, я
узна́л, что о́н вы́играл.

It was not until I received your letter that I found out that he had won.

3. The equivalent of *until* when it is followed by a noun or a noun phrase is the preposition **до** with the genitive.

Мы́ бу́дем жда́ть до ва́шего возвраще́ния.   We'll wait until your return.
Остава́йся до вто́рника.   Stay until Tuesday.
До свида́ния.   Good-by. (Until we see each other again.)

Prepositions in Expressions of Time

1. **за** + accusative ⟶ throughout the duration of a given period.

За ча́с я успе́ю туда́ съе́здить.   I can drive there and back in an hour.

It may refer to a period which precedes a given action.

За́ год до его́ сме́рти...   For a year before his death . . .

2. **че́рез** + accusative ⟶ after an interval of.

Че́рез го́д...   {A year from now . . .
{A year later . . .

То́лько че́рез два́ дня́ я узна́л, что о́н вы́-
играл.

It was only two days later that I found out that he had won.

3. **на** + accusative ⟶ for a specific period subsequent to the action of the main verb, expressed or implied.

Она́ прие́хала на неде́лю.   She came (to stay) for a week.
Во́т ва́м рабо́та на за́втра.   Here's your work for tomorrow.

4. **под** + accusative ⟶ (getting on) toward.

Я засну́л то́лько под у́тро.   I got to sleep only toward morning.
Ему́ под со́рок.   He's close to forty.

5. **к** + dative ⟶ by the end of a certain period.

К тому́ вре́мени рабо́та бу́дет уже́ зако́н-чена.	By that time the work will already be finished.
Он прие́дет к концу́ бу́дущей неде́ли.	He will arrive by the end of next week.
Я приду́ к шести́ часа́м.	I will arrive about six (not much before and certainly not much after six).

6. **с** + genitive ⟶ since, from . . . on.

Я ва́с жду́ с трёх часо́в.	I've been waiting for you since three o'clock.
Он не ви́дел её с про́шлого го́да.	He hasn't seen her since last year.
Я бу́ду здесь с двадца́того.	I'll be here from the twentieth on.

7. **с . . . до, от . . . до** + genitive ⟶ from . . . until . . .

С утра́ до ве́чера . . .	From morning to evening . . .
Я бу́ду в Москве́ с февраля́ до ма́я.	I'll be in Moscow from February until May.

от . . . до is used when a precise date or time is given.

Я бу́ду в Москве́ от пятна́дцатого февраля́ до пе́рвого ма́я.	I'll be in Moscow from the fifteenth of February to the first of May.
Я жда́л ва́с от трёх до пяти́.	I waited for you from three until five.

Note:

The preposition **с** (and not **от**) is used when there is no termination date.

Я бу́ду в Москве́ с пятна́дцатого апре́ля.	I'll be in Moscow from the fifteenth of April on.

с + genitive . . . **по** + accusative is used instead of **с . . . до** and **от . . . до** when the speaker wishes to stress that the final date is included.

Я бу́ду в Москве́ с пятна́дцатого апре́ля по пе́рвое ма́я.	I'll be in Moscow from the fifteenth of April through the first of May.

УПРАЖНЕНИЯ

28. *Перепиши́те фра́зы. Вста́вьте пропу́щенные слова́.*

Я простоя́л о́коло ка́ссы, ＿＿＿ она́ ＿＿＿ откры́лась.

Я по́нял, ка́к я люблю́ Москву́, ＿＿＿ ＿＿＿ перее́хал на ю́г.

Мы́ просиде́ли в кафе́ ＿＿＿ ве́чера.

Они́ уе́хали отсю́да ＿＿＿ ме́сяц до ва́шего прие́зда.

＿＿＿ э́ту неде́лю я до́лжен ко́нчить всю рабо́ту.

На́ш самолёт приземли́тся ＿＿＿ де́сять мину́т.

Они́ прие́хали в СССР то́лько ＿＿＿ две́ неде́ли.

Он зайдёт к на́м ＿＿＿ трём часа́м.

Он о́чень го́лоден: о́н ＿＿＿ утра́ ничего́ не е́л.

Мы́ ＿＿＿ утра́ ＿＿＿ ве́чера гуля́ли по го́роду.

Я бу́ду в Москве́ _____ второ́го сентября́ _____ пя́того ноября́.

Меня́ здесь не бу́дет _____ февраля́ _____ ма́рта.

Пра́чечная бу́дет закры́та _____ пе́рвого июля _____ пя́тое а́вгуста.

29. *Перепиши́те фра́зы. Поста́вьте слова́ в пра́вильную фо́рму.*

Мы оста́немся здесь до (суббо́та).

Я не смогу́ прочита́ть э́ту кни́гу за (одна́ неде́ля).

Я позвоню́ им по телефо́ну че́рез (неде́ля).

Они́ пое́хали в о́тпуск на (два ме́сяца).

На (пя́тница) нам за́дали мно́го уро́ков.

Она́ пригласи́ла госте́й к (семь часо́в).

Я был в Крыму́ с (ию́нь) до (сентя́брь).

Мы бу́дем жить в гости́нице от (два́дцать второ́е февраля́) до (деся́тое ма́рта).

Химчи́стка бу́дет закры́та с (тридца́тое ма́я) по (тре́тье ию́ня).

Он получи́л письмо́ то́лько к (коне́ц неде́ли).

Сове́тские де́ньги

Магази́ны и ры́нки

Госуда́рственный универса́льный магази́н — ГУМ — Кра́сная пло́щадь, 3, тел. Б1-57-63. Откры́т ка́ждый де́нь с 8-ми́ до 20-ти́ часо́в. Это са́мый большо́й магази́н в стране́. Та́м мо́жно купи́ть всё: от иго́лок° до телеви́зоров.

иго́лка: *needle*

Магази́ны «Гастроно́м». В э́тих магази́нах мо́жно купи́ть всевозмо́жные проду́кты: ча́й, са́хар, ма́сло, колбасу́, мёд, варе́нье и т. д. Проду́кты мо́жно зака́зывать по телефо́ну.

Специализи́рованные магази́ны. В Москве́ мно́го специализи́рованных магази́нов, наприме́р: «Молоко́», «Бу́лочная», «Мя́со», «Овощи и фру́кты» и други́е.

Ры́нки. В Москве́ 63 колхо́зных ры́нка. Колхо́зники привозят в го́род на прода́жу мя́со, пти́цу°, молоко́, све́жие о́вощи и фру́кты. Часы́ торго́вли на ры́нках — с 7-ми́ до 18-ти́ часо́в; ле́том (ию́нь — а́вгуст) — до 19-ти́ часо́в.

пти́ца: *bird, fowl*

Чудесный аромат и нежный вкус у конфет «ЧЕРНОМОРОЧКА».

Отменны и конфеты «ВЕЧЕР».

Особый вкус и тем и другим придает присутствие в них какао-порошка.

ЭТИ КОНФЕТЫ, выпускаемые фабрикой им. Бабаева, покупайте во всех магазинах, торгующих кондитерскими изделиями.

«Росбакалея»

УПРАЖНЕНИЯ

30. *Инсценируйте диалог.*

Вы в ГУМе. Вы хотите купить сувенир. Вам предлагают русских «Матрёшек».

Вы в ГУМе, в отделе готового платья. Вам нужен свитер (плащ, костюм и т. д.).

Вы в ГУМе. Вам нужны туфли.

Вы в магазине «Гастроном». Вы хотите купить мёд и варенье.

Вы в магазине. Вы хотите купить коробку конфет.

Вам нужен сахар и чай. Вы заказываете продукты по телефону.

Вы в специализированном магазине «Молоко». Выберите продукты.

Вы в специализированном магазине «Булочная». Выберите продукты.

Вы в магазине «Овощи и фрукты». Выберите продукты.

Вы на рынке. Поговорите с колхозником, который привёз в город продукты.

31. *Составьте письменно.*

Составьте рекламу для вашего любимого мороженого.
Составьте рекламу для ресторана.
Составьте рекламу для полётов в Москву.

WORD STUDY

Nouns Derived from Verbs of Motion

Many nouns derive from the prefixes and stems of verbs already familiar to you.
Other nouns of this type include:

выход	exit
проезд	thoroughfare, passage
подъезд	entrance, approach (for vehicles)
отъезд	departure
полёт	flight

Verb	Prefix	Stem	Noun
входить– to enter	в-	–ход–	вход entrance
приезжать– to arrive	при-	–езж (д)–	приезд arrival
отлетать– to take off	от-	–лет–	отлёт take-off

УЛИЦА ТРЕБУЕТ ВНИМАНИЯ

Запо́мните э́ти зна́ки. Вы́ их встре́тите на доро́гах.

Железнодорожный переезд со шлагбаумом

Железнодорожный переезд без шлагбаума

Пересечение с трамвайной линией

Пересечение с равнозначной дорогой

Пересечение со второстепенной дорогой

б

Примыкание к главной дороге второстепенной

в

Регулируемое пересечение (участок дороги)

Разводной мост

Выезд на набережную

а

Животные на дороге

б

а

Извилистая дорога

б

Пешеходный переход

Неровная дорога

Скользкая дорога

Дети

Поворот направо запрещён

Разворот запрещён

Подача звукового сигнала запрещена

Въезд запрещён

Движение запрещено

Автомобильное движение запрещено

Грузовое движение запрещено

Мотоциклетное движение запрещено

Гужевое движение запрещено

Движение тракторов запрещено

Велосипедное движение запрещено

Пешеходное движение запрещено

Ограничение веса

Обгон запрещён

Обгон грузовым автомобилям запрещён

Ограничение скорости

Пункт медицинской помощи

Телефон

Пункт питания

Гостиница

Кемпинг

Направление объезда

ИЗ ИСТОРИИ

ПОЧЕМУ МАШИНЫ ИДУТ ПО ПРАВОЙ СТОРОНЕ ДОРОГИ? В старину́, когда́ посёлок° от посёлка разделя́ли со́тни вёрст, а круго́м бы́ли сте́пи и́ли шуме́ли леса́, пу́тники для защи́ты° от звере́й и раз-

посёлок: *settlement*
защи́та: *protection*

бо́йников° бра́ли с собо́й в доро́гу ору́жие° и щиты́°. Быва́ло, встре́тятся два́ челове́ка и, уступа́я дру́г дру́гу доро́гу, ка́ждый берёт чу́ть праве́е. Та́к бы́ло безопа́снее: ле́вую сто́рону те́ла° защища́л щи́т, и её бы́ло не та́к риско́ванно подста́вить незнако́мцу.

Когда́ по доро́гам и у́лицам помча́лись са́ни, дро́жки, каре́ты (а пото́м и маши́ны!), лю́ди реши́ли: пу́сть ве́сь тра́нспорт дви́жется по пра́вой стороне́. В 1812 году́ в Москве́ уже́ де́йствовали° пра́вила правосторо́ннего движе́ния.

АВТОМОБИЛЬ В РОССИИ.
Пе́рвое путеше́ствие в Росси́и автомоби́ль соверши́л ме́жду Москво́й и Петербу́ргом в сентябре́ 1895 го́да. На ве́сь пу́ть ушло́ 3 дня́.

ОТ ПОЧТЫ ДО ПОЧТЫ.
Расстоя́ние° ме́жду насе-лёнными пу́нктами и́здавна счита́ют от по́чты до по́чты. Всё, кто́ выезжа́л из Москвы́, начина́ли «отмеря́ть° вёрсты» у Мясни́цких воро́т (Ки́ровские воро́та, зда́ние Главпочта́мта). То́лько в 1924 году́ при́нято реше́ние счита́ть за исхо́дный пу́нкт це́нтр Кра́сной пло́щади.

разбо́йник: *bandit*
ору́жие: *weapons*
щи́т: *shield*
те́ло: *body*
де́йствовать–: *to be in effect*
расстоя́ние: *distance*
отмеря́ть–: *to measure*

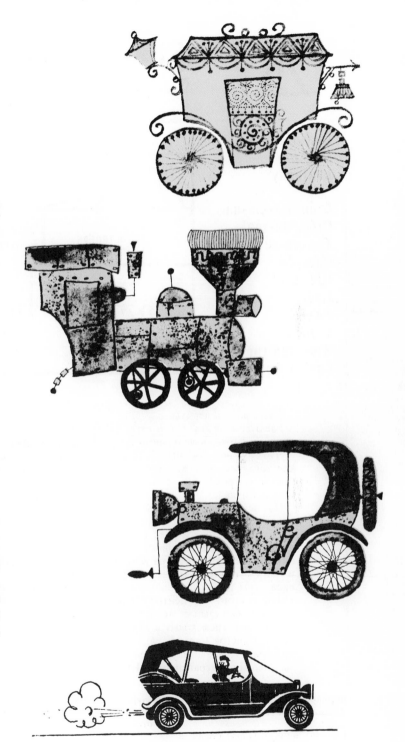

Перекрёсток

Снача́ла вы́учите счита́лку°:

Сто́п, ма-ши́-на,
Сто́п, мо-то́р!
Тор-мо-зи́
Ско-ре́й,
Шо-фёр!
Кра́с-ный гла́з
Гля-ди́т
В упо́р° —
Это стро́-гий
Све-то-фо́р°!

Светофо́ру и води́ть.

Где́ бу́дем игра́ть? Где́ хоти́те: во дворе́, в па́рке, в шко́льном за́ле. Что́ ну́жно для игры́? Перекрёсток. Всё, кто́ хо́чет игра́ть, бы́стро «стро́ят» его́ с по́мощью кусо́чка ме́ла°.

На перекрёстке должны́ бы́ть «перехо́ды», «островки́ безопа́сности», ли́нии «сто́п» и т. д., то́ есть ли́нии, кото́рые пока́зывают опа́сные и безопа́сные места́ на у́лицах, и зна́ть кото́рые необходи́мо. Пра́вила игры́ таки́е: веду́щий — Светофо́р — стои́т в це́нтре перекрёстка. Остальны́е де́лятся на́ две гру́ппы: «пешехо́ды» и «тра́нспорт». Свисто́к Светофо́ра! Перекрёсток ожива́ет: иду́т «пешехо́ды», дви́жется «тра́нспорт». И ту́т-

то Светофо́р начина́ет са́лить° и те́х, и други́х. За что́? Коне́чно, за наруше́ние° пра́вил у́личного движе́ния. Са́лить мо́жно свистко́м, называ́я и́мя наруши́теля. Наруши́тели выбыва́ют из игры́. Побежда́ют° те́, кто́ уме́ет ходи́ть по у́лицам.

Но игра́ не конча́ется. Победи́тели уча́ствуют в автопробе́ге на велосипе́дах и самока́тах, кото́рые все́ уча́стники игры́ сдаю́т в о́бщий бага́ж.

ПРИМЕЧА́НИЕ.° То́т, кто́ проигра́л, не ката́ется во вре́мя пробе́га да́же на своём велосипе́де. На нём мо́жет ката́ться любо́й победи́тель игры́.

Н. ИЗВЕКОВА

перекрёсток: *intersection*
счита́лка: *a rhyme used in a child's game*
гляде́ть— в упо́р: *to look steadily, to stare*

светофо́р: *traffic light*
ме́л: *chalk*
са́лить—: *to tag (as in a game)*

наруше́ние: *violation*
побежда́ть—: *to win, to be victorious*
примеча́ние: *note*

REFERENCE NOTES

1. The Collective Numerals: *двóе, трóе, чéтверо.*

The collective numerals **двóе, трóе** and **чéтверо** always take the genitive plural.

двóе брáтьев	two brothers
трóе рýсских	three Russians
чéтверо детéй	four children

The collective numerals are used with nouns denoting male persons.

двóе мужчи́н	two men
трóе ю́ношей	three youths

They are also used with personal pronouns.

вáс двóе	there are two of you
нáс бы́ло трóе	there were three of us
и́х бýдет чéтверо	there will be four of them

Двóе, трóе and **чéтверо** must be used with nouns which occur only in the plural.

трóе часóв	three watches (clocks)
Note: три́ часá	three hours (three o'clock)
чéтверо сýток	four days (24-hour periods)
двóе санéй	two sleighs
трóе ворóт	three gates
трóе нóжниц	three (pairs of) scissors

2. держáться– + genitive

When it means *to maintain, to adhere to, to keep to, to stick to,* **держáться–** is followed by the genitive.

Он всё дéржится прéжнего мнéния.
Держи́тесь бéрега.
Слýшайте, нáдо держáться тéмы.

ТРУСОХВОСТИК*

ДЕЙСТВУЮЩИЕ ЛИЦА

ТРУСОХВОСТИК

ПУГОВКА ⎫ зайцы

ЗАЙКА-ЗАЗНАЙКА ⎭

КОТ

КОШЕЧКА

СТАРЫЙ КОЗЕЛ

СТАРАЯ КОЗА

ХАВРОНЬЯ

*Трусохво́стик: Scared Rabbit. The Russian name derives from тру́с (*coward*) and хво́ст (*tail*).

ПЕС

ЕЖ

МЕДВЕДЬ

ГЛАВНЫЙ
ДЯТЕЛ

ПЕРВЫЙ
ДЯТЕЛ

ВТОРОЙ
ДЯТЕЛ

Действие происходит на земле и в воздухе.

Сце́на пе́рвая

Земля́.

Разде́лся Трусохво́стик. Лёг в посте́ль. Натяну́л на себя́ одея́ло. Поста́вила Пу́говка ве́ник° в у́гол и то́же легла́ на свою́ крова́тку.

Где́-то, тепе́рь уже́ о́чень далеко́, греми́т гром. Слы́шно, ка́к в ко́мнате ти́кают° часы́. Неожи́данно раздаётся сту́к в окно́.

ТУК! ТУК! ТУК!

Т р у с о х в о́ с т и к (*вска́кивая*). Что́ тако́е? Кто́ стуча́л? А?

П у́ г о в к а. Кто́ стуча́л? Мне́ послы́шалось, что кто́-то стуча́л в две́рь!

Прислу́шиваются за́йцы. Сту́к в окно́ повторя́ется.

ве́ник: *broom*   **ти́кать–:** *to tick*

ТУК! ТУК! ТУК!

Трусохвóстик (*испýганно*). Тáк и éсть! Стучáт. В двéрь стучáт. К нáм.

Пýговка (*осторóжно*). Ктó тáм?

Гóлос за окнóм. Открóйте! Это — почтальóн!

Трусохвóстик. Нóчь на дворé. Какóй мóжет быть почтальóн, когдá всé спят? (*Грóмко.*) Чтó вáм нáдо? Мы спим!

Гóлос за окнóм. Я вáм говорю, что э́то — почтальóн! Вáм телегрáмма. Открóйте, пожáлуйста!

Пýговка (*тихо*). По-мóему, э́то Еж! (*Грóмко.*) А нý, скажи́те ещё чтó-нибудь!

Гóлос за окнóм. Чéстное слóво, вы́ меня обижáете°! Вы́ же меня отли́чно знáете, я вáм всегдá пи́сьма и посы́лки° приношý! А сегóдня — вáм телегрáмма!

Пýговка. Это — Еж! Я узнаю́ егó по гóлосу. (*Грóмко.*) А от когó телегрáмма?

Гóлос за окнóм. Откýда я знáю! Я не вскрывáю чужи́х° телегрáмм! Получи́те — узнáете...

Пýговка (*тихо*). Нáдо впусти́ть... (*Грóмко.*) Входи́те! (*Вздохнýв°.*) От когó э́то телегрáмма? Неужéли мáма заболéла?

Откры́ла Пýговка двéрь. Вошёл Еж.

обижáть–: *to hurt (somebody's) feelings*
посы́лка: *parcel*

чужóй: *somebody else's*
–вздохнýть: *to give a deep sigh*

Трусохво́стик (*винова́то*). Извини́те, пожа́луйста! Но́ на́м пока-
за́лось, что э́то не вы́!

Еж (*ворчи́т°*). Ка́жется, не пе́рвый го́д знако́мы!

Он достаёт из су́мки телегра́мму.

Еж. Распиши́тесь!

Трусохво́стик. Где́?

Еж (*серди́то*). Во́т здесь.

Трусохво́стик (*стара́тельно распи́сываясь*). Я расписа́лся.

Еж. Споко́йной но́чи. (*Ухо́дит.*)

Пу́говка. Прочита́й, что та́м напи́сано...

Трусохво́стик (*чита́ет телегра́мму*). «Трусохво́стику. Сро́чно°
вылета́й пе́рвым самолётом то́чка° За́йка-Зазна́йка».

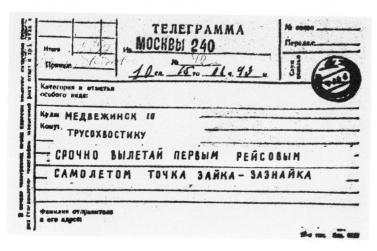

Пу́говка. Что́ э́то мо́жет зна́чить?

Трусохво́стик. «Сро́чно вылета́й... самолётом...» хоро́шенькое
де́ло! Этого ещё не хвата́ло!°

Пу́говка. Ра́з на́до, зна́чит, на́до... За́йка-Зазна́йка не ста́л бы зря́°
телеграфи́ровать. Придётся тебе́ лете́ть.

Трусохво́стик. Но ведь я́ же никогда́ в жи́зни ещё не лета́л! А
о́н пи́шет «вылета́й»! Как бу́дто я́ кака́я-нибудь га́лка°.

ворча́ть–: *to grumble*
сро́чный: *immediate*
то́чка: *stop (in telegram), period*

Этого ещё не хвата́ло! *That's a bit too much!*
зря́: *for no good reason*
га́лка: *crow*

Пу́говка. Но что́ де́лать? Придётся...

Трусохво́стик. Это же не по земле́ пры́гать! Это же на́до подня́ться в во́здух — лете́ть! Ты́ понима́ешь?

Пу́говка. Отли́чно понима́ю.

Трусохво́стик. Это опа́сно. Ты́ э́то понима́ешь?

Пу́говка. Те́перь всё лета́ют. Да́же слоны́.

Трусохво́стик. Это и́х ли́чное де́ло.

Пу́говка. Встреча́ться с охо́тниками гора́здо опа́снее.

Трусохво́стик. Како́й за́втра де́нь?

Пу́говка (*смо́трит на календа́рь*). Понеде́льник. (*Срыва́ет° ли́стик календаря́.*) Трина́дцатое число́.

Тринадцатое число

Трусохво́стик. Трина́дцатое число́? Понеде́льник, да ещё трина́дцатое число́?

Пу́говка. Ну и что́ из э́того?

Трусохво́стик. И ты́ ещё спра́шиваешь: что́ из э́того? В э́тот де́нь вообще́ нельзя́ выходи́ть из до́ма, а я́ та́к до́лжен сади́ться в како́й-то самолёт, кото́рый подни́мет меня́ в во́здух и понесёт за облака́°?!

Пу́говка (*серьёзно*). Ка́к тебе́ не со́вестно!° Ты́ уже́ взро́слый, жена́тый за́яц и тако́й суеве́рный°. Прозва́ли тебя́ Трусохво́стиком, потому́ что и снам-то ты́ ве́ришь, и гро́ма бои́шься, и лете́ть бои́шься! Ложи́сь!

Привы́к Трусохво́стик слу́шаться Пу́говку.

Лёг на крова́тку. Спря́тался с голово́й под одея́ло.

срыва́ть–: *to tear off*
о́блако: *cloud*

Ка́к тебе́ не со́вестно! *You ought to be ashamed of yourself!*
суеве́рный: *superstitious*

Сце́на втора́я

Земля́.
Стои́т гото́вый к вы́лету самолёт. На хвосте́° самолёта напи́сан № 13-13. Ме́дленно поднима́ется по тра́пу° пило́т Медве́дь. Он оде́т в си́нию фо́рму. На голове́ у него́ краси́вая фура́жка°. Медве́дь зева́ет.

Г о́ л о с   п о   р а́ д и о. Объявля́ется поса́дка° на самолёт но́мер 13-13, вылета́ющий трина́дцатым ре́йсом по маршру́ту Заячьего́рск — Медве́жинск — Лебя́жье... Повторя́ю...

Пило́т Медве́дь скрыва́ется в самолёте и зате́м° появля́ется в пило́тской каби́не. Отту́да о́н начина́ет наблюда́ть за поса́дкой пассажи́ров в самолёт.

М е д в е́ д ь (*стро́го*). Прошу́ пассажи́ров проходи́ть в самолёт и занима́ть места́. (*Хавро́нье°.*) А ва́с я попроси́л бы, пока́° не по́здно, ча́сть веще́й сда́ть в бага́ж! Это же всё-таки самолёт, а не това́рный ваго́н!

Х а в р о́ н ь я. Это невозмо́жно! Это всё должно́ лете́ть со мно́й! При мне́!

К о з ё л° (*Козе́*). Прилети́м, передохнём полчаса́ и — пря́мо на ле́кцию!

К о з а́. Сего́дня на́ш седьмо́й полёт!

хвост: *tail*	**фура́жка:** *cap*	**зате́м:** *shortly after*	**пока́:** *while*
тра́п: *ramp*	**поса́дка:** *boarding*	**хавро́нья:** *sow*	**козёл:** *(billy) goat*

Козёл и Козá поднимáются по трáпу и скрывáются
в самолёте.

Появлÿется вáжный Пёс. На шéе° у негó ошéйник
с блестÿщими медáлями. На однóй лáпе тóлстый
портфéль, в другóй — журнáл. В зубáх° у негó
тóлстая сигáра.

Медвéдь. У самолёта курúть запрещенó°! Категорúчески!

Пёс. Сигáры тóже?

Медвéдь. Я, кáжется, ÿсно сказáл: курúть запрещенó!

Пёс. Кудá же мнé её?

Медвéдь. Не знáю. Кудá хотúте!

Пёс с недовóльным вúдом спускáется по трáпу и
скрывáется за хвостóм самолёта. Появлÿются Кóт и
Кóшечка.

шéя: *neck*   **зýб:** *tooth*   **–запретúть:** *to prohibit*

Ко́шечка. Ве́чно мы́ опа́здываем. Ещё бы немно́го, и они́ улете́ли бы без на́с.

Ко́т. Тебе́ не идёт, когда́ ты́ се́рдишься. Сейча́с же улыбни́сь.

Ко́шечка (*улыба́ясь*). Ну и что́ же да́льше?

Ко́т. Да́льше мы́ полети́м, и часа́ че́рез три́ бу́дем у мо́ря! Ты́ взяла́ купа́льник°?

Ко́шечка. Коне́чно!

Появля́ется Пёс.

Пёс (*мра́чно, Коту́*). Ми́р — дру́жба!

Пёс поднима́ется по тра́пу и скрыва́ется в самолёте.

Ко́т. Этот пёс — иностра́нец!

Ко́шечка. Како́й проти́вный° господи́н.

Ко́т. Если на́ши места́ ря́дом — мы́ переся́дем.

Ко́шечка. Это всё та́к волни́тельно... та́к волни́тельно... Впро́чем, с тобо́й я́ ничего́ не бою́сь!

Ко́т. Я́ лета́ю два́ го́да. Туда́ и обра́тно! Два́ го́да! Ничего́ стра́шного! Подня́лся — приземли́лся. Улете́л — прилете́л. Прекра́сно! Бы́стро, удо́бно и дёшево! Сего́дня — зде́сь, а за́втра — та́м! Во́т уви́дишь!

Появля́ются Пу́говка и Трусохво́стик.

купа́льник: *купа́льный костю́м*   проти́вный: *unpleasant*

Ко́шечка. А! Кого́ мы́ ви́дим! Пу́говка! Вы́ лети́те и́ли провожа́ете?

Пу́говка. Я остаю́сь, а о́н лети́т. (*Пока́зывает на Трусохво́стика.*)

Медве́дь. Прошу́ пассажи́ров заня́ть свои́ места́!

Го́лос по ра́дио. Зака́нчивается поса́дка в самолёт но́мер 13-13, вылета́ющий трина́дцатым ре́йсом по маршру́ту: Заячьего́рск — Медве́жинск — Лебя́жье... Повторя́ю...

Ко́т и Ко́шечка поднима́ются по тра́пу и, помаха́в ла́пками Пу́говке, скрыва́ются в самолёте.

Пу́говка (*Трусохво́стику*). Ну́, дава́й попроща́емся!

Трусохво́стик (*упа́вшим го́лосом*). У меня́ како́е-то плохо́е предчу́вствие, как бу́дто что́-то должно́ случи́ться!

Медве́дь. Вы́ лети́те и́ли остаётесь? (*Зева́ет.*)

Пу́говка (*поспе́шно*). Лети́м, лети́м!

Поцелова́ла Пу́говка Трусохво́стика. Подня́лся Трусохво́стик вве́рх по тра́пу.

Сце́на тре́тья

Во́здух.

Лети́т самолёт.

Сидя́т пассажи́ры на свои́х места́х. Хавро́нья с аппети́том е́ст. Приоткры́л° пило́т Медве́дь две́рь свое́й каби́ны. Зевну́л. Пересчита́л пассажи́ров.

Медве́дь. Ра́з... два́... три́... четы́ре... пя́ть... ше́сть... Прошу́ все́х пристегну́ться° ремня́ми! Во вре́мя полёта прошу́ не кури́ть! Лете́ть бу́дем на высоте́ пя́ть ты́сяч ме́тров. Продолжи́тельность полёта — два́ часа́ пятна́дцать мину́т.

Гудя́т мото́ры самолёта. Лети́т самолёт № 13-13.

Сидя́т пассажи́ры на свои́х места́х.

Трусохво́стик (*сидя́щему ря́дом Псу́*). Скажи́те, пожа́луйста, во вре́мя полёта си́льно ука́чивает°?

Пёс не отвеча́ет.

Трусохво́стик. Благодарю́ ва́с...

Ко́шечка (*спу́тнику*). А заче́м пристёгиваться ремня́ми?

Ко́т. На вся́кий слу́чай.

Трусохво́стик (*гро́мко*). Ну вот, ка́жется, мы́ лети́м! Тепе́рь на́м остаётся то́лько благополу́чно приземли́ться.

–**приоткры́ть**: *to open part way*
–**пристегну́ться**: *to fasten*

ука́чивать–: *to make one sick (from motion of plane, ship, etc.)*

Сце́на четвёртая

Во́здух.
Лети́т, лети́т, лети́т самолёт.
Пассажи́ры дре́млют° на свои́х места́х. То́лько Пёс
продолжа́ет чита́ть журна́л.

Трусохво́стик (*гро́мко*). Интере́сно бы́ло бы зна́ть, где́ мы́ сейча́с лети́м?

Пёс опя́ть ничего́ не отве́тил. Тогда́ Трусохво́стик
отстегну́л сво́й реме́нь и реши́тельно подня́лся с
ме́ста. Он прошёл ми́мо спя́щих пассажи́ров и
откры́л две́рь в каби́ну пило́та. Пе́рвое, что́ о́н
уви́дел, насто́лько испуга́ло его́, что о́н чу́ть бы́ло
не лиши́лся чу́вств°. Пило́т Медве́дь, вме́сто того́,
что́бы управля́ть самолётом, спа́л.

Трусохво́стик бро́сился к пило́ту и ста́л трясти́ его́
за плечо́.

Трусохво́стик. Просни́тесь! Что́ с ва́ми? Мы́ же лети́м! Ка́к же та́к мо́жно? Да просни́тесь же, наконе́ц! Вы́ слы́шите?

Но всё уси́лия Трусохво́стика бы́ли напра́сны°. А
самолёт лете́л себе́ высоко́ над землёй.
Вы́бившись из си́л°, Трусохво́стик верну́лся к пасса-
жи́рам.
Те́ уже́ просну́лись и занима́лись тепе́рь ка́ждый
свои́м де́лом: одни́ за́втракали, други́е игра́ли в
ка́рты, кто́ — чита́л, а кто́ — вяза́л°...
Вста́в спино́й к две́ри каби́ны пило́та, Трусохво́стик
не́которое вре́мя молча́л, а зате́м неожи́данно
по́днял ла́пку. Все́ обрати́ли на него́ внима́ние.

дрема́ть–: *to doze*   –вы́биться из си́л: *to become exhausted*
–лиши́ться чу́вства: *to faint*   вяза́ть–: *to knit*
напра́сный: *futile, vain*

Трусохво́стик (*твёрдым го́лосом*). Прошу́ внима́ния!

Ко́шечка (*Коту́*). Смотри́, смотри́! Трусохво́стик хо́чет нам что́-то сказа́ть!

Ко́т. Что́ мо́жет сказа́ть за́яц? Каку́ю-нибудь глу́пость!

Хавро́нья. Что́ случи́лось?

Трусохво́стик. Сейча́с всё узна́ете! По́сле моего́ сообще́ния все остаю́тся на свои́х места́х!

Ко́т. А в чём де́ло? Нельзя́ поясне́е! И погро́мче! Нам пло́хо слы́шно.

Трусохво́стик (*гро́мко и реши́тельно*). Я говорю́: всем остава́ться на свои́х места́х! Прошу́ без па́ники! Ничего́ ещё не случи́лось! Пока́!

Коза́. Я ничего́ не понима́ю. Что́ он говори́т?

Козёл. Кто́ он тако́й? Я его́ в пе́рвый ра́з ви́жу! У него́ у́ши° и́ли рога́°? Э́то, ка́жется, за́яц?

Трусохво́стик. Друзья́! Наш пило́т — спит!

Козёл. То́ есть ка́к э́то спи́т?

Коза́. Почему́ спи́т?

Ко́т. Заче́м спи́т?

Ко́шечка. Глу́пые шу́тки!

Трусохво́стик. Мы́ лети́м без управле́ния!

Ко́т (*подскочи́в на своём ме́сте*). Ка́к без управле́ния?

Трусохво́стик. Наш пило́т засну́л. Мы́ лети́м без пило́та. Са́ми по себе́!

Козёл. Э́то же безотве́тственно°!

Коза́. Что́ же э́то тако́е?

Ко́т. Мы́ бу́дем жа́ловаться!

Трусохво́стик. Друзья́! Я прошу́ ва́с соблюда́ть по́лное споко́й-ствие!

Козёл. Что́ же тепе́рь де́лать?

Ко́шечка. Ка́к же мы́ долети́м?

Коза́. Э́то же ужа́сно!

Ко́т. Кто́ нам помо́жет?

Трусохво́стик. Дава́йте, друзья́, постара́емся его́ разбуди́ть! Пу́сть ка́ждый по о́череди пройдёт в каби́ну и постара́ется разбуди́ть пило́та! (*Обраща́ясь к Козлу́.*) Прошу́ ва́с!

Козёл. Мы́ вме́сте.

> Вошли́ Козёл и Коза́ в каби́ну пило́та. Здесь они́, огляде́вшись°, на́чали буди́ть Медве́дя. Медве́дь не просыпа́лся. Пришло́сь им верну́ться к пассажи́рам.

Трусохво́стик (*кома́ндует*). Сле́дующий! (*Ука́зывает на Хав-ро́нью.*)

> Пришла́ о́чередь Хавро́ньи. Вошла́ она́ в каби́ну пило́та. Медве́дь спит. Верну́лась Хавро́нья на своё ме́сто.

у́хо: *ear*
ро́г: *horn*

безотве́тственный: *irresponsible*
–огляде́ться: *to look things over*

Трусохво́стик (*кома́ндует*). Ва́ша о́чередь! (*Ука́зывает на Пса́.*)

Пёс (*мра́чно*). Я иностра́нец.

Трусохво́стик. Пойди́те, пола́йте! Мо́жет бы́ть, о́н проснётся!

> Вошёл Пёс в каби́ну пило́та. Ста́л рыча́ть° и ла́ять.
> Верну́лся к пассажи́рам.

Пёс (*опуска́ясь в кре́сло*). Ба́й-ба́й!..

Трусохво́стик (*Коту́ и Ко́шечке*). Мо́жет бы́ть, вы́ попро́буете?

> Бро́сились Ко́т и Ко́шечка в каби́ну пило́та. Медве́дь
> воро́чается°, но продолжа́ет спа́ть. И ту́т Ко́т уви́дел
> лежа́щий в углу́ каби́ны парашю́т. Забы́в про свою́
> спу́тницу, о́н схвати́л° парашю́т и вы́бежал с ни́м из
> каби́ны. Трусохво́стик сра́зу схвати́л его́ за ворот-
> ни́к°.

Трусохво́стик. А ну́! Да́йте сюда́!

Ко́т. Я его́ нашёл...

Трусохво́стик (*отнима́ет парашю́т*). Отда́й парашю́т! Я тебе́ сказа́л? Сади́сь на своё ме́сто! Бы́стро!

> Се́л Ко́т на своё ме́сто. А Ко́шечка всё поняла́ и
> растеря́лась. По́днял Трусохво́стик парашю́т над
> голово́й.

рыча́ть–: *to growl*   –схвати́ть: *to grab, to catch*
воро́чаться–: *to stir, to toss and turn* воротни́к: *collar*

Трусохвóстик. Товáрищи! Друзья́! У нáс, оказывается, éсть оди́н парашю́т. Оди́н на всéх! Нáс — сéмеро пассажи́ров. Каки́е бу́дут предложéния?

Козёл. Среди́ нáс éсть иностра́нец...

Трусохвóстик. Я́сно. Мóжете не продолжа́ть! Всё поня́тно! (*Псу́.*) Вáм, как иностра́нцу, мы́ мóжем предложи́ть э́тот парашю́т внé° вся́кой óчереди!

Пёс. Нéт. Мнé сегóдня необходи́мо бы́ть на соба́чьей вы́ставке.

Трусохвóстик (*обраща́ясь к Козлу́*). Éсли я́ не ошиба́юсь, вы́ учёный?

Козёл. Угада́ли°. Профéссор. А э́то — моя́ жена́. Наскóлько° я́ понима́ю, нáс двóе, а парашю́т оди́н.

Трусохвóстик (*обраща́ясь к Хаврóнье*). Вáм я́ не предлага́ю. Вáм одногó парашю́та ма́ло.

Хаврóнья. Я́ ещё не сошла́ с ума́, чтóбы та́к рискова́ть!

Коза́. Мы́ отка́зываемся° пры́гать! Пу́сть пры́гает тóт, ктó помолóже.

Трусохвóстик (*Кóшечке*). Вы́ бу́дете пры́гать? Вы́ молóже всéх.

Кóт. Я́! Я́ помолóже!

Кóшечка. Ты́?! Неужéли ты́ мóжешь?..

Кóт (*вопи́т°*). Я́ бу́ду пры́гать! Вы́ слы́шите: никтó не хóчет! А я́ хочу́! Да́йте мнé парашю́т! Я́ егó нашёл! Он мóй! Я́ бу́ду пры́гать! Я́!

Кóшечка (*сквóзь слёзы*). Да́йте ему́ парашю́т! Да́йте ему́ парашю́т! Я́ не хочу́ егó бóльше ви́деть! Не хочу́ слы́шать! Он тру́с!

ОН ТРУС!

Трусохвóстик (*с презрéнием°*). Пры́гай! Бери́!

Кóт хвата́ет парашю́т. Кóшечка не вéрит свои́м глаза́м. Кóт броса́ется к дверя́м самолёта. Пыта́ется откры́ть двéрь.

Кóшечка (*шéпчет*). Какóй тру́с!

КАКОЙ ТРУС!

внé: *out of, outside*
-угада́ть: *to guess correctly*
наскóлько: *as much as*

отка́зываться–: *to refuse*
вопи́ть–: *to wail, to howl*
презрéние: *contempt, scorn*

Помо́г Трусохво́стик Коту́ откры́ть две́рь самолёта.

Ко́т. Бою́сь! Высоко́! (*Пры́гает.*)
Пёс. Ко́т — не соба́ка!

Ко́шечка (*пла́чет*). Да́же не попроща́лся...
Трусохво́стик (*обраща́ется к пассажи́рам*). Дава́йте что́-нибудь приду́маем!

Сцéна пя́тая

Земля́.
Аэропóрт.
Радúст Дя́тел° пытáется налáдить° свя́зь с находя́-
щимся в вóздухе самолётом. Здéсь же нахóдится
Вторóй дя́тел.

Пéрвый дя́тел. Ничегó не поймý! Самолёт № 13-13 вы́летел из
Заячьегóрска по расписáнию. Я имéл с ни́м свя́зь. И вдрýг всё пропáло.
Слы́шу какóй-то храп°, и бóльше ничегó. Вóт, послýшай сáм!

Включáет рáдио. Слы́шен храп.

Вторóй дя́тел. Ми́шка — пилóт óпытный°. Хотя́° он мнé говори́л,
что устáл летáть и что емý порá на зи́мнюю спя́чку!

Пéрвый дя́тел. Скóлько у негó на бортý пассажи́ров?

Вторóй дя́тел. Сéмь. Среди́ ни́х оди́н иностра́нец. Лети́т на
собáчью вы́ставку.

Пéрвый дя́тел пытáется налáдить свя́зь.

Пéрвый дя́тел (*прислýшивается*). Чтó э́то? Слы́шишь?

Вторóй дя́тел. Чтó?

Пéрвый дя́тел. Какóе-то мя́уканье°...

Включáет рáдио. В репродýкторе слы́шно мя́уканье.
Затéм раздаётся далёкий, но вня́тный° гóлос Кó-
шечки.

Гóлос из эфи́ра. Земля́! Земля́! Ты́ меня́ слы́шишь?

Пéрвый дя́тел. Ктó говори́т? Приём...

Гóлос из эфи́ра. Говори́т самолёт 13-13.

Пéрвый дя́тел. Это ты́, Ми́шка? Почемý у тебя́ гóлос такóй
стрáнный?

Гóлос Трусохвóстика. Это не Ми́шка, а Кóшка.

Пéрвый дя́тел (*стрóго*). Ктó со мнóй говори́т?

Гóлос из эфи́ра. С вáми говори́т Кóшка. Я — пассажи́рка самó-
лёта нóмер 13-13.

Пéрвый дя́тел. Кáк вы́ попáли в каби́ну пилóта? Гдé пилóт?

Гóлос из эфи́ра. Он спи́т.

Вторóй дя́тел. Спи́т? Ми́шка спи́т?

Пéрвый дя́тел. Чтó вы́ говори́те? Пилóт спи́т? А самолёт?

Гóлос. А самолёт лети́т!

дя́тел: *woodpecker*   **óпытный:** *experienced*   **мя́уканье:** *meowing*
–налáдить: *to restore, to adjust*   **хотя́:** *although*   **вня́тный:** *distinct*
храп: *snore*

Пе́рвый дя́тел. А пассажи́ры?

Го́лос из эфи́ра. А пассажи́ры сидя́т и ждут...

Второ́й дя́тел. Спроси́, чего́ они́ ждут?..

Пе́рвый дя́тел. А чего́ они́ ждут?

Го́лос. Ждут, что́ вы́ им посове́туете!

Пе́рвый дя́тел. Бро́сьте э́ти шу́тки.

Го́лос Трусохво́стика. Мы́ не шу́тим. Мы́ не зна́ем, что́ нам де́лать.

Пе́рвый дя́тел. А вы́ отку́да взя́лись?

Го́лос Трусохво́стика. Я всё вре́мя тут.

Пе́рвый дя́тел. Вы́ кто тако́й?

Го́лос из эфи́ра. Это с ва́ми говори́л Трусохво́стик. Я — ко́шка, а о́н — за́яц.

Го́лос Трусохво́стика. Я пассажи́р самолёта. Нахожу́сь в каби́не пило́та. Наш пило́т спи́т. Пассажи́ры на места́х. Мы́ не зна́ем, что́ нам де́лать. Посове́туйте, пожа́луйста, ка́к нам бы́ть?

Пе́рвый дя́тел (*поду́мав*). Ко́шка! Ко́шка!! Вы́ меня́ слы́шите?

Го́лос из эфи́ра. Я ва́с отли́чно слы́шу.

Пе́рвый дя́тел. Переда́йте ва́шему за́йцу, е́сли о́н действи́тельно за́яц, что ра́ньше, чем ва́м что́-нибудь посове́товать, я́ са́м до́лжен посове́товаться! Вы́ меня́ по́няли?

Го́лос из эфи́ра. Мы́ ва́с по́няли.

Пе́рвый дя́тел. Я доложу́ о ва́с нача́льнику аэродро́ма. Вы́ меня́ по́няли?

Го́лос из эфи́ра (*по́сле небольшо́й па́узы*). Я ва́с поняла́. То́лько поторопи́тесь°, пожа́луйста! А то у на́с мо́жет бензи́н ко́нчиться...

> Пе́рвый дя́тел снима́ет нау́шники и уступа́ет своё ме́сто това́рищу. Надева́ет фо́рменную фура́жку. В помеще́ние загля́дывает За́йка-Зазна́йка.

–поторопи́ться: *to hurry*

Зáйка-Зазнáйка. Разрешúте?

Пéрвый дя́тел. Сюдá нельзя́! Служéбное помещéние! Посторóнним вхóд запрещён!°

> # СЛУЖЕБНОЕ ПОМЕЩЕНИЕ
> ## посторонним
> ## вход запрещен!

Зáйка-Зазнáйка. Простúте... Вы́ не знáете, что случúлось с самолётом № 13-13? Вы́летел из Заячьегóрска по расписáнию тринáдцатым рéйсом...

Вторóй дя́тел. Вы́летел, знáчит прилетúт.

Зáйка-Зазнáйка. Вы́ дýмаете, всё в поря́дке? Ничегó не моглó случúться?

Пéрвый дя́тел. Самолёт — сáмый дешёвый, сáмый вы́годный° и сáмый безопáсный вид трáнспорта.

> # САМОЛЕТ самый дешевый,
> ## самый выгодный,
> ## и САМЫЙ безопасный
> ## вид транспорта

Вторóй дя́тел. Ясно́?

Зáйка-Зазнáйка. Ясно.

Пéрвый дя́тел (*Вторóму*). Я побежáл! А ты́ держú свя́зь! Свя́зь держú! (*Убегáет.*)

Посторóнним вхóд запрещён!
Unauthorized persons not admitted!

вы́годный: *rewarding, advantageous*

Сце́на шеста́я

Во́здух.
А самолёт № 13-13 всё лети́т...
Пассажи́ры сидя́т на свои́х места́х. Все они́, кро́ме
дымя́щего сига́рой и чита́ющего журна́л Пса́, смо́трят
в око́шки самолёта.
На свобо́дном ме́сте, в хвосте́ самолёта, храпи́т
пило́т Медве́дь. На его́ ме́сте в каби́не сиди́т Тру-
сохво́стик. Он стара́тельно разгля́дывает до́ску с
прибо́рами° и осторо́жно тро́гает непоня́тные ему́
кно́пки°. Ря́дом с ним Ко́шечка в нау́шниках.

Коза́ (*Козлу́*). О чём ты́ сейча́с ду́маешь?

Козёл. О то́м, что я́ никогда́ не встреча́л на своём пути́ хра́брых°
за́йцев! И во́т — на тебе́! Это како́й-то удиви́тельный за́яц! Поду́мать
то́лько: Трусохво́стик! Хоро́ш Трусохво́стик!

Вы́шел Трусохво́стик из каби́ны пило́та. Все смо́трят
на него́.

Трусохво́стик (*подня́в ла́пки*). Друзья́! Я реши́л сажа́ть° самолёт!

Козёл. И ва́м э́то уда́стся?° Это не риско́ванно?

Трусохво́стик. Риско́ванно, но я́ попро́бую. На вся́кий слу́чай,
дава́йте проголосу́ем° моё предложе́ние! Кто́ за то́, что́бы я́ рискну́л
посади́ть самолёт, прошу́ подня́ть ла́пы!

Все, кро́ме Пса́, поднима́ют ла́пы.

Трусохво́стик (*Псу́*). Прости́те, вы́ про́тив?

Пёс. Я воздержа́лся.

Трусохво́стик. Друго́го вы́хода у на́с не́т.

Хавро́нья. А где́ мы́ сейча́с лети́м?

Трусохво́стик. Поня́тия не име́ю. Лети́м — и всё! Прошу́ ва́с
покре́пче пристегну́ться ремня́ми. А ва́с я́ попрошу́ не кури́ть! (*Стро́го
смо́трит на Пса́.*)

Пёс (*послу́шно ту́шит° сига́ру*). Я ва́с по́нял! О-кей!

Коза́ (*Козлу́*). Ока́зывается, он — англича́нин!

Козёл. Тепе́рь э́то уже́ не име́ет никако́го значе́ния.

Трусохво́стик. Прошу́ всех остава́ться на свои́х места́х до по́лного
приземле́ния.

Ухо́дит в каби́ну пило́та. Сади́тся за штурва́л°.

прибо́р: *instrument*
кно́пка: *button*
хра́брый: *brave*
сажа́ть–: *to set down, to land*

И ва́м э́то уда́стся? *Can you pull it off?*
–проголосова́ть: *to vote (for)*
туши́ть–: *to put out, to extinguish*
штурва́л: *(steering) controls*

Сце́на седьма́я

*Земля́.
То́ же помеще́ние, что и в пя́той карти́не. То́лько
тепе́рь, кро́ме дву́х дя́тлов, зде́сь нахо́дится Гла́вный
дя́тел в фо́рме нача́льника аэродро́ма.*

Гла́вный дя́тел (*говори́т взволно́ванно по телефо́ну*). Чрезвыча́й-
ное происше́ствие!° Чрезвыча́йное! Самолёт но́мер 13-13, вы́летевший
сего́дня в пя́ть но́ль-но́ль трина́дцатым ре́йсом по маршру́ту Заячье-
го́рск — Медве́жинск — Лебя́жье, те́рпит бе́дствие! Име́ет на борту́
ше́сть пассажи́ров. Седьмо́й пассажи́р поки́нул° самолёт в райо́не° Зе-
лёной ре́чки. Пило́т продолжа́ет спа́ть. У него́ зи́мняя спя́чка. Не́т,
не́т! Никако́й па́ники! Кто́ отпра́вил в ре́йс? Вы́ясним, доло́жим, нака́-
жем°. Поня́тия не име́ю... Како́й-то Трусохво́стик! Свя́зь подде́рживает
Ко́шка. Обыкнове́нная Ко́шка. Во́т та́к! Бу́ду докла́дывать! (*Кладёт
трубку°, обраща́ется к Пе́рвому дя́тлу.*) Кто́ тако́й э́тот Трусохво́стик?

Пе́рвый дя́тел. За́яц.

Гла́вный дя́тел. Не мо́жет бы́ть!

Второ́й дя́тел. Сейча́с прове́рить тру́дно.

Гла́вный дя́тел. Впро́чем, всё мо́жет бы́ть! Свя́зь е́сть?

Пе́рвый дя́тел. Е́сть. (*Включа́ет ра́дио.*) Трина́дцать-трина́дцать!
Я — Земля́. Вы́ меня́ слы́шите? Приём...

Го́лос из эфи́ра. Я — трина́дцать-трина́дцать. Я ва́с слы́шу.

Гла́вный дя́тел. Доложи́те обстано́вку°. Приём...

Го́лос из эфи́ра (*по́сле небольшо́й па́узы*). Обстано́вка хоро́шая.
Пассажи́ры сидя́т и жду́т.

Гла́вный дя́тел. Чего́ они́ жду́т?

Го́лос из эфи́ра. Ка́к чего́? Стра́нный вопро́с! Жду́т конца́!

Гла́вный дя́тел. Како́го конца́?

Го́лос из эфи́ра. Конца́ полёта.

Гла́вный дя́тел (*тяжело́ вздохну́в и вы́терев платко́м° ло́б*). Пи-
ло́т всё ещё спи́т?

Го́лос из эфи́ра. Ещё ка́к спи́т-то! Пу́шкой не разбу́дишь!

Гла́вный дя́тел. Вы́ его́ про́бовали буди́ть?

Го́лос из эфи́ра. Коне́чно, про́бовали. Стра́нный вопро́с. Вы́ на́м
лу́чше подскажи́те, что́ на́м ту́т де́лать?

Гла́вный дя́тел. Кто́ занима́ет ме́сто пило́та?

Го́лос Трусохво́стика. Трусохво́стик!

Гла́вный дя́тел. Вы́ кто́, за́яц?

Го́лос Трусохво́стика. Да́. Я — за́яц. А что́?

Гла́вный дя́тел. Ничего́. Про́сто интере́сно. Вы́ когда́-нибудь
че́м-нибудь управля́ли?

**Чрезвыча́йное
происше́ствие!** *Emergency report!*
–поки́нуть: *to abandon*
райо́н: *vicinity, region*

–наказа́ть: *to hand out punishment*
тру́бка: *receiver (telephone)*
обстано́вка: *situation*
плато́к: *handkerchief*

Голос Трусохвостика. К сожалению, нет.

Главный дятел. И что же вы намерены° делать?

Голос Трусохвостика. Сажать самолёт.

Главный дятел. А как вы думаете это сделать?

Голос Трусохвостика. Как-нибудь. По инструкции. Вот, например, тут у меня справа, внизу, под лапой, большая чёрная ручка. Для чего она? Можно её повернуть?

Главный дятел (*в ужасе*). Ни в коем случае!°

Голос Трусохвостика. А слева, такая кнопка? Она зачем?

Главный дятел. И эту пока не трогайте! Слушайте меня внимательно! Я буду вам говорить, а вы слушайте, повторяйте за мной мой инструкции и точно исполняйте всё, что я вам буду диктовать! Вы меня поняли?

Голос Трусохвостика. Я вас понял. Говорите!

Сцена восьмая

Воздух.
Летит самолёт.
Крепко пристегнувшись ремнями, пассажиры послушно сидят на своих местах.
Решив сажать самолёт, Трусохвостик поудобнее уселся в кресло пилота. Перед ним и вокруг него было множество разных ручек, кнопок, выключателей, приборов, похожих на часы и т.д.
Кошечка, устроившись рядом с Трусохвостиком, не сводила глаз с храбреца.
Козёл и Коза, прижавшись° друг к другу и закрыв глаза, не шевелились°. По всему было видно, что они приготовились к худшему.
Только Пёс, самодовольный иностранец, продолжал читать. Впрочем, может быть, он просто делал вид, что читает. Вероятно, он вообще не умел читать и держал журнал в лапах так, ради пущей важности°.
Тем временем Трусохвостик не без труда освоился° с профессией пилота. Наконец пришёл решающий момент, и он обратился к пассажирам по радио.

Трусохвостик. Прошу внимания! Прошу внимания! Самолёт идёт на посадку! Самолёт идёт на посадку! Все остаются на своих местах! Я иду на посадку!

Пассажиры замерли. Трусохвостик вцепился° обеими лапками в штурвал.
Кошечка покинула кабину пилота и, улыбаясь, обратилась к пассажирам.

вы намерены: *you intend*
Ни в коем случае! *Under no circumstances!*
—прижаться: *to nestle up*

шевелиться—: *to stir*
ради пущей важности: *just for show*
—освоиться: *to familiarize oneself*
—вцепиться: *to grasp*

Кóшечка. Всё идёт отлично! Ещё немнóго терпéния. Мы́ идём на посáдку.

Козёл. Держи́сь, Трусохвóстик!

Козá. Держи́сь, Трусохвóстик!

Хаврóнья. Держи́сь, Трусохвóстик!

И вдру́г всé пассажи́ры запéли.

Пассажи́ры (*поют*):

Держи́сь, Трусохвóстик! Сажáй самолёт!
Сажáй! И никáк не инáче!
Мы́ знáем, что э́то твóй пéрвый полёт:
Тебé мы́ желáем удáчи°!

Держи́сь, Трусохвóстик! Ты́ зáяц-герóй!
Ты́ смéлое при́нял решéнье!
Держи́сь, Трусохвóстик! Мы́ ря́дом с тобóй!
И вмéсте мы́ ждём приземлéнья!

Гля́дя вперёд, Трусохвóстик вцепи́лся в штурвáл
самолёта обéими лáпками. Он понимáл, что сейчáс,
и́менно сейчáс, и никогдá бóльше, всё зави́сит от егó
ли́чной вы́держки и му́жества°.
И Трусохвóстик благополу́чно посади́л самолёт
№ 13-13...

13-13

Сцéна девя́тая

Земля́.
Опя́ть зáячий дóмик. Ворóчается Трусохвóстик на
своéй кровáтке.

Трусохвóстик (*во снé*). Земля́! Земля́! Иду́ на посáдку! Держи́сь, Трусохвóстик!

Пу́говка. Тру́ся! Тру́ся! Просни́сь! Мы́ опáздываем на самолёт!

Трусохвóстик (*проснýвшись*). Чтó? Гдé? Пу́говка, мне сейчáс такóе присни́лось!° Ты́ знáешь, как бу́дто сади́мся мы́ в самолёт, а пилóт... Ми́шка заснýл...

Пу́говка (*торóпит*). По дорóге расскáжешь, Тру́ся. Идём! Порá!

Пу́говка помогáет Трусохвóстику одéться. И они́
вмéсте бы́стро выхóдят из дóмика.

удáча: *good luck, success*
му́жество: *courage*

Мне́ сейчáс такóе присни́лось! *What a dream I just had!*

Сцена деся́тая

Стои́т на земле́ самолёт.

Го́лос по ра́дио. Объявля́ется поса́дка на самолёт но́мер 13-13, вылета́ющий трина́дцатым ре́йсом по маршру́ту: Заячьего́рск — Медве́жинск — Лебя́жье... Внима́ние! Пеки́нскую у́тку и алба́нского се́лезня° про́сим пройти́ к дежу́рному по аэровокза́лу... Повторя́ю...

ОБЪЯВЛЯЕТСЯ посадка на самолет номер 13-13, вылетающий тринадцатым рейсом по маршруту
ЗАЯЧЬЕГОРСК — МЕДВЕЖИНСК — ЛЕБЯЖЬЕ

Появля́ются пассажи́ры: Хавро́нья, Козёл, Коза́,
Пёс, Ко́шечка, Ко́т.

Медве́дь (*проверя́ет биле́ты. Свинье́*°). Ме́сто седьмо́е. (*Не зева́ет.*)
Козёл. Прилети́м, отдохнём и сра́зу на ле́кцию.
Коза́ (*Медве́дю*). Мы́ вме́сте: я́ и му́ж.

се́лезень *m*: drake   **свинья́**: pig

Медве́дь. Ме́сто пе́рвое, второ́е. (*Псу́.*) У самолёта кури́ть за-прещáется.

Пёс. О-ке́й!

Медве́дь. Тре́тье ме́сто.

Ко́шечка (*Коту́*). Всё э́то та́к волни́тельно, та́к волни́тельно. Впро́чем, с тобо́й я́ ничего́ не бою́сь!

Ко́т. Я́ уже́ лета́ю два́ го́да. Ничего́ стра́шного.

Появля́ются Трусохво́стик и Пу́говка.

Трусохво́стик (*ве́село*). Ты́ ви́дишь: самолёт № 13-13 и ре́йс трина́дцатый! (*Медве́дю.*) Здра́вствуйте!

Медве́дь. Здра́вствуйте! Ва́ше четвёртое ме́сто. (*Не зева́ет.*)

Трусохво́стик (*Пу́говке*). Я́ уже́ говори́л — самолёт са́мый дешё-вый, са́мый вы́годный и са́мый безопа́сный ви́д тра́нспорта. (*Целу́ет Пу́говку.*)

Всё захо́дят в самолёт. Дя́тлы убира́ют тра́п.

Медве́дь. Внима́ние! Прошу́ все́х пристегну́ться ремня́ми. Во вре́мя полёта прошу́ не кури́ть! Лете́ть бу́дем на высоте́ пя́ть ты́сяч ме́тров. Жела́ю счастли́вого полёта!

Заработали мото́ры. Самолёт на́чал ме́дленно дви-
гаться.
И ту́т все́ пассажи́ры запе́ли.

Пассажи́ры (*пою́т*):

Не ка́ждый геро́ем роди́тся.
Не ка́ждый с отва́гой° знако́м,
Но мо́жет и с за́йцем случи́ться,
Что о́н прослывёт° смельчако́м!
Лети́м, лети́м, лети́м, лети́м,
Лети́м туда́, куда́ хоти́м,—
В далёкие края́!
Садя́тся вме́сте в самолёт
И пёс, и ко́шечка, и ко́т —
Ка́к дру́жная семья́!
Сего́дня все́ зве́ри крыла́ты°,
Полёты для ни́х пустяки́!
Но за́йцы не все́ трусова́ты,
А львы́° не всегда́ смельчаки́!

КОНЕЦ

отва́га: *valor*   **крыла́тый:** *with wings*
-просль́ть: *to have the reputation of*   **ле́в:** *lion*

ЧЕМ ТЫ УВЛЕКАЕШЬСЯ?

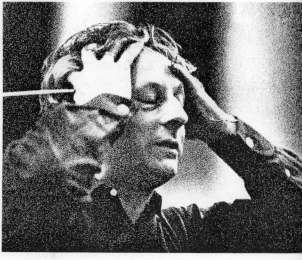

UNIT 9

ПЕРВЫЙ РАЗ В ТЕАТРЕ

Из воспоминаний Шаляпина

нé было лéт двенáдцать, когдá я в пéрвый рáз попáл в теáтр. Случилось это тáк: в духóвном хóре°, гдé я пéл, был симпатичнейший юноша° Панкрáтьев.

Так вóт, кáк-то рáз Панкрáтьев спросил меня, не хочý ли я пойти в теáтр? У негó есть лишний билéт.

Я знáл, что теáтр — большóе кáменное здáние с полукрýглыми óкнами. Сквозь пыльные° стёкла этих окóн на ýлицу выгля́дывает какóй-то мýсор°. Едвá ли° в этом дóме мóгут дéлать чтó-нибудь такóе, что было бы интерéсно мнé.

— А что тáм бýдет? — спросил я.

— «Рýсская свáдьба°», дневнóй спектáкль.

Свáдьба? Я тáк чáсто пéл на свáдьбах, что эта церемóния не моглá ужé возбуждáть° моегó любопытства. Если б францýзская свáдьба, это интерéснее. Но всё-таки я купил билéт у Панкрáтьева, хотя и не óчень охóтно°.

И вóт я на галёрке теáтра. Был прáздник. Нарóду мнóго. Мнé пришлóсь стоя́ть, придéрживаясь рукáми за потолóк.

Я с изумлéнием смотрéл в огрóмный колóдец, окружённый по стенáм полукрýглыми местáми, на тёмное днó° егó, устáвленное ряда́ми стýльев, среди котóрых растекáлись° лю́ди. Горéл гáз, и зáпах° егó остáлся для меня́ на всю жизнь прия́тнейшим зáпахом. Игрáл оркéстр. Вдрýг зáнавес поднялся́, и я срáзу обомлéл°, очарóванный°. Прéдо мнóю ожилá какáя-то смýтно° знакóмая мнé скáзка. По кóмнате, чудéсно укрáшенной, ходили

духóвный хóр: *church choir*
юноша: *youth*
пыльный: *dust-covered*
мýсор: *rubbish*
едвá ли: *hardly*
свáдьба: *wedding*
возбуждáть–: *to arouse, to excite*

охóтно: *willingly*
днó: *depths, bottom*
растекáться–: *to be spread (about)*
зáпах: *smell*
–обомлéть: *to be struck dumb*
очарóванный: *enchanted*
смýтно: *vaguely*

великоле́пно оде́тые лю́ди, разгова́ривая друг с дру́гом ка́к-то осо́бенно краси́во. Я не понима́л, что они́ говоря́т. Я до глубины́° души́ был потрясён те́м, что ви́дел и, ни о чём друго́м не ду́мая, смотре́л на э́ти чудеса́.

глубина́: *depth*

За́навес опуска́лся, а я всё стоя́л, очаро́ванный сно́м наяву́°, сно́м, кото́рого я никогда́ не ви́дел, но всегда́ ждал его́, жду и сейча́с. Лю́ди крича́ли, толка́ли° меня́, уходи́ли и опя́ть возвраща́лись, а я всё стоя́л. И когда́ спекта́кль ко́нчился, ста́ли гаси́ть° ого́нь, мне ста́ло гру́стно. Не ве́рилось, что э́та жизнь прекрати́лась. У меня́ затекли́ ру́ки и но́ги°. По́мню, что я шата́лся°, когда́ вы́шел на у́лицу.

сон наяву́: *waking dream*

толка́ть–: *to shove*
гаси́ть–: *to put out*
У меня́ затекли́ ру́ки и но́ги: *My arms and legs were numb.*
шата́ться–: *to stagger*

Я по́нял, что теа́тр — э́то несравни́мо интере́снее всего́, что я ра́ньше ви́дел. Бы́ло стра́нно, что на у́лице ещё день. Я сно́ва верну́лся в теа́тр и купи́л биле́т на вече́рнее представле́ние.

Ве́чером дава́ли «Меде́ю». У меня́ бы́ло удо́бное ме́сто. Я сиде́л о́коло барье́ра. Опя́ть, не отрыва́я° глаз, я смотре́л на сце́ну.

отрыва́ть–: *to tear away*

Теа́тр свёл меня́ с ума́°. Возвраща́ясь домо́й по пусты́нным у́лицам, ви́дя, то́чно сквозь сон, как ре́дкие фонари́ подми́гивают° друг дру́гу, я остана́вливался на тротуа́рах, вспомина́л великоле́пные ре́чи° актёров и деклами́ровал, подража́я ми́мике и же́стам ка́ждого.

–свести́ с ума́: *to drive to distraction*
подми́гивать–: *to wink*
речь *f:* *speech*

Случа́лось, что хму́рый° прохо́жий остана́вливался пре́до мной и спра́шивал:

хму́рый: *gloomy*

— В чём де́ло?°

В чём де́ло? *What's the matter?*

Сконфу́женный, я убега́л от него́, а он, гля́дя вслед мне, наве́рное, ду́мал: пья́н° мальчи́шка!

пья́ный: *drunk*

Большо́й теа́тр

Дóма я́ расскáзывал мáтери о тóм, что́ ви́дел. Меня́ му́чило° жела́ние передáть ей хóть мáлую части́цу рáдости, наполня́вшей моё се́рдце. Я говори́л об удиви́тельной красоте́ люде́й в теáтре, передавáл их ре́чи, но я́ чу́вствовал, что всё э́то не занимáет мáть, непоня́тно ей.

— Тáк, тáк,— тихóнько откликáлась° онá, ду́мая о своём.

му́чить–: *to torment*

откликáться–: *to reply*

УПРАЖНЕНИЯ

1. *Расскажи́те о то́м, что́ вы́ прочитáли.*

   Когдá Шаля́пин в пе́рвый рáз попáл в теáтр?
   Что́ Шаля́пин знáл в то́ вре́мя о теáтре?
   Что́ покáзывали в то́т де́нь в теáтре?
   Почему́ Шаля́пин не о́чень охо́тно купи́л биле́т у Панкра́тьева?
   Почему́ в теáтре бы́ло мнóго нарóду?
   Что́ уви́дел Шаля́пин, когдá подня́лся зáнавес?
   Че́м о́н бы́л очарóван?
   Почему́ Шаля́пину стáло гру́стно, когдá кóнчился спектáкль?
   Почему́ Шаля́пин купи́л в то́т же де́нь биле́т и на вече́рнее представле́ние?
   Какóе у негó бы́ло ме́сто ве́чером?
   Что́ сде́лал теáтр с Шаля́пиным?
   О чём вспоминáл Шаля́пин, возвращáясь домóй из теáтра?
   Что́ ду́мал о мáльчике Шаля́пине прохо́жий?
   Что́ Шаля́пин хоте́л передáть мáтери? О чём о́н ей говори́л?
   Кáк мáть отвечáла сы́ну?

2. *Давáйте поговори́м.*

   Расскажи́те о то́м, кáк вы́ впервы́е пошли́ в кино́ и́ли в теáтр.

   Расскажи́те о спектáкле, котóрый вáм осóбенно понрáвился.

3. *Состáвьте диалóг.*

   Вы́ бы́ли вме́сте с товáрищем на спектáкле. Спектáкль вáм о́чень понрáвился, а ему́ не́т. Поспóрьте на э́ту те́му. Постарáйтесь доказáть ему́, что спектáкль бы́л хорóший. Пу́сть о́н постарáется доказáть вáм, что спектáкль не́ был интере́сным.

4. *Состáвьте фрáзы с кáждым из дáнных ни́же сло́в.*

   хóр — теáтр — концéрт — óпера — спектáкль — представле́ние — балéт — фи́льм — пье́са — зáнавес — оркéстр — сце́на — галёрка

5. *Напиши́те корóткое сочине́ние.*

   Расскажи́те о то́м, кáк Шаля́пин пошёл впервы́е в теáтр.

Борис Годунов — иллюстрация Зворыкина

БОРИС ГОДУНОВ

Расска́зывает до́чь Шаля́пина

Са́мыми тру́дными дня́ми для на́шей семьи́ бы́ли дни́ конце́ртов и спекта́клей отца́. В таки́е дни́ о́н о́чень не́рвничал, ту́т уже́ на́до бы́ло стара́ться не попада́ться ему́ на глаза́.

Та́к бы́ло и в то́т де́нь, о кото́ром я́ пишу́. С са́мого утра́ о́н, «попро́бовав» го́лос, реши́л, что о́н не звучи́т; да́льше пошли́ жа́лобы° на то́, что никто́ его́ не понима́ет, не сочу́вствует, что пу́блика ни за что́ не° пове́рит.

«Да́же е́сли бы я́ у́мер, всё равно́ не пове́рили, сказа́ли бы — кривля́ется»°.

Своему́ секретарю́ и дру́гу Иса́ю Двори́щину оте́ц заяви́л, что пе́ть не мо́жет — бо́лен, и проси́л его́ неме́дленно позвони́ть в Большо́й теа́тр и отмени́ть° спекта́кль «Бори́с Годуно́в». Иса́й в у́жасе вы́шел из его́ спа́льни.

Уви́дев его́ в коридо́ре расстро́енного°, я́ спроси́ла:

— Что́ случи́лось?

— Отка́зывается° пе́ть Бори́са. Что́ же э́то бу́дет?

— Иса́й Григо́рьевич, умоля́ю ва́с, воздей́ствуйте° на па́пу, ва́м э́то иногда́ удаётся лу́чше, чем кому́-либо.

— Не́т, сего́дня ничего́ не помога́ет, се́рдится, не́рвничает... Удеру́° я́ в Большо́й теа́тр, но отменя́ть ничего́ не бу́ду, подожду́ до ве́чера.

И Иса́й — удра́л!

Мра́чно поброди́в по ко́мнатам и сыгра́в не́сколько па́ртий на билья́рде, оте́ц успоко́ился и часа́ за́ два до спекта́кля подошёл к роя́лю и ста́л распева́ться°.

Я́ потихо́ньку подошла́ к дверя́м за́ла, прислу́шиваясь. Го́лос отца́ звуча́л хорошо́. Вдру́г о́н вста́л, вы́шел на середи́ну за́ла и спе́л пе́рвую фра́зу из па́ртии «Бори́са Годуно́ва».

«Скорби́т° душа́..». Э́та фра́за для него́ всегда́ была́ камерто́ном° к «Бори́су Годуно́ву». Е́сли она́ у него́ звуча́ла, о́н споко́йно шёл пе́ть.

— Иса́йка!— вдру́г загреме́л оте́ц на всю́ кварти́ру.

Я́ вошла́ в за́л.

— Иса́я не́т, о́н уе́хал в Большо́й теа́тр отменя́ть тво́й спекта́кль.

Оте́ц растеря́лся.

— Неуже́ли отменя́ть?.. Зна́ешь, го́лос-то звучи́т непло́хо, я́, пожа́луй, спе́л бы,— проговори́л о́н с винова́тым° ви́дом.

— Ну́ и зна́ет же тебя́ Иса́й!— рассмея́лась я́.— Предста́вь себе́, о́н спекта́кля не отменя́л, а про́сто скры́лся с твои́х гла́з.

жа́лоба: *complaint*
ни за что́ не: *not . . . for anything*

кривля́ться–: *to fake*

–отмени́ть: *to cancel*

расстро́енный: *upset*

отка́зываться–: *to refuse*
воздей́ствовать–: *to use one's influence*

–удра́ть: *to dash off*

распева́ться–: *to warm up one's voice*

скорбе́ть–: *to grieve*
камерто́н: *tuning fork*

винова́тый: *guilty*

— Молоде́ц Иса́й,— ра́достно восклѝкнул° оте́ц.— Ну́, пойду́ одева́ться.

    –восклѝкнуть: *to exclaim*

Че́рез полчаса́ о́н бы́л гото́в. У подъе́зда его́ ждала́ маши́на.

В артисти́ческой убо́рной всё уже́ гото́во к прихо́ду Шаля́пина. Костю́мы аккура́тно разве́шаны°, грим° разло́жен на столе́ пе́ред зе́ркалом. Ря́дом — стака́н для ча́я и наре́занный кружо́чками лимо́н. Оте́ц люби́л пи́ть ча́й во вре́мя спекта́кля.

    –разве́шать: *to hang*
    грим: *(stage) make-up*

На́с встре́тил Иса́й Григо́рьевич и сказа́л, что всё благополу́чно, всё на места́х, жду́т то́лько его́.

Оте́ц разде́лся по по́яс° и ста́л гримирова́ться. Пото́м наде́л пари́к и ста́л прикле́ивать° бо́роду, предвари́тельно° растрепа́в° её.

    по́яс: *waist*

    прикле́ивать–: *to stick on*
    предвари́тельно: *beforehand*
    –растрепа́ть: *to tousle*
    парте́р: *stalls (theatre)*

Но во́т тре́тий звоно́к. Я бегу́ в зри́тельный за́л. Он вы́глядит сего́дня осо́бенно пра́зднично. Пу́блика са́мая разнообра́зная: в партере° и ло́жах — прекра́сные пла́тья моско́вских краса́виц и бле́ск вое́нных мунди́ров°, торже́ственность фра́ков и смо́кингов. Да́льше идёт ме́нее наря́дная пу́блика, но бо́лее восто́рженная° и взволно́ванная, а в ве́рхних я́русах° — студе́нты, люби́мая пу́блика Фёдора Ива́новича.

    мунди́р: *uniform*
    восто́рженный: *enthusiastic*
    я́рус: *tier (theatre)*

Подня́лся за́навес, и под колоко́льный зво́н, «ведо́мый по́д руки боя́рами», из пра́вой кули́сы° появи́лся ца́рь Бори́с.

    кули́са: *wing (theatre)*

Гря́нули° аплодисме́нты, и вдру́г сра́зу всё за́мерло°. Со́тни гла́з, бино́клей, лорне́тов, не отрыва́ясь, смотре́ли то́лько на одного́ челове́ка: на Шаля́пина — Бори́са.

    –гря́нуть: *to break out*
    –замере́ть: *to become still*

Боя́рин. Костю́м к о́пере «Бори́с Годуно́в» — рису́нок Били́бина

Шаля́пин в ро́ли Бори́са Годуно́ва

Костю́мы для о́перы «Бори́с Годуно́в» — рису́нки Бенуа́

УПРАЖНЕНИЯ

6. *Расскажи́те о то́м, что́ вы́ прочита́ли.*

Каки́е дни́ бы́ли са́мыми тру́дными для семьи́ Шаля́пина?

Что́ случи́лось в то́т де́нь, о кото́ром пи́шет до́чь Шаля́пина?

На что́ жа́ловался Шаля́пин?

Что́ Шаля́пин заяви́л своему́ секретарю́ в то́т де́нь? Что́ о́н попроси́л его́ сде́лать?

О чём умоля́ла до́чь Шаля́пина Иса́я Двори́шина?

Что́ реши́л сде́лать секрета́рь?

Что́ в э́то вре́мя де́лал Шаля́пин?

Почему́ Шаля́пин вдру́г спе́л пе́рвую фра́зу из «Бори́са Годуно́ва»?

Что́ Шаля́пин узна́л от до́чери об Иса́е и спекта́кле?

Почему́ Шаля́пин сказа́л, что Иса́й молоде́ц?

Что́ бы́ло в театра́льной убо́рной?

Что́ сказа́л Иса́й Григо́рьевич Шаля́пину?

Что́ на́чал де́лать Шаля́пин?

Куда́ побежа́ла до́чь Шаля́пина по́сле тре́тьего звонка́?

РЕПЕРТУАР МОСКОВСКИХ ТЕАТРОВ
С 4 ПО 10 ФЕВРАЛЯ

КРЕМЛЕВСКИЙ ДВОРЕЦ СЪЕЗДОВ
4 Золушка
5 Дон Карлос
6, 7 (у. и в.) Концерты русской музыки, песни и танца
9 Лебединое озеро
10 Шопениана
Петрушка
Жар-птица

БОЛЬШОЙ ТЕАТР
(Пл. Свердлова)
4 Царская невеста
5 Риголетто
6 Ванина Ванини
Подпоручик Киже
Героическая поэма
7 (у) Сказка о царе Салтане
7 (в) Дон-Кихот
8 Борис Годунов
10 Евгений Онегин

КРЕМЛЕВСКИЙ ТЕАТР
(Вход в театр через Спасские ворота Кремля)
Спектакли Театра имени Моссовета
4, 5 На диком бреге
6, 7 (у) Объяснение в ненависти
7 (в) Солисты Государственного театра оперы и балета имени Т. Г. Шевченко — лауреаты Международного конкурса вокалистов заслуженные артисты УССР З. Христич и А. Кикоть
10 Русский народный хор им. Пятницкого

МХАТ
(Пр. Художественного театра, 3)
4 Мария Стюарт
5 (у) Милый лжец
5 (в), 9 Три долгих дня
Утро: 6, 7 Синяя птица
6 (в) Анна Каренина
7 (в) Иду на грозу
8 Госпожа Бовари
(Спектакль Малого театра)
10 Зимняя сказка

ФИЛИАЛ МХАТ
(Петровка, ул. Москвина, 3)
Спектакли Малого театра
4, 8 И вновь — встреча с юностью...
5, 9 Веер леди Уиндермиер

6 Браконьеры
7 (у) Украли консула!
7 (в) Каменное гнездо

МАЛЫЙ ТЕАТР
(Пл. Свердлова. 1/6)
4 Дачники
5, 9 Ярмарка тщеславия
6 Порт-Артур
7 (у) Страница дневника
7 (в) Власть тьмы
8 Палата
10 Иркутская история
(Спектакль Театра имени Вахтангова)

ТЕАТР им. ВАХТАНГОВА
(Арбат, 26)
4 Миллионерша
5 (у) Принцесса Турандот
5 (в) Живой труп
6 Иркутская история
7 (у), 10 Дамы и гусары
7 (в) Черные птицы
8 Потерянный сын
9 Опечаленная семья
(Спектакль Театра им. Моссовета)

ТЕАТР им. МОССОВЕТА
(Б. Садопая. 16 сад «Аквариум»)
4 Милый лжец
5 Миллион за улыбку
6 Нора
7 (у) Обручальное кольцо
7 (в) Маскарад
8 (у. и в.) Миллионерша
(Спектакль Театра имени Вахтангова)
9 (у. и дн.) Когда часы пробили полночь
9 (в) Ленинградский проспект
10 Бунт женщин

МУЗЫКАЛЬНЫЙ ТЕАТР им. СТАНИСЛАВСКОГО и НЕМИРОВИЧА-ДАНЧЕНКО
(Пушкинская ул., 17)
4 Одноактные балеты:
Поэма
Карнавал
Картинки с выставки
5 Так поступают все женщины
6 В бурю
7 (у) Доктор Айболит
7 (в) Перикола
8 Снегурочка
9 Гурий Львович Синичкин
(СпектакльТеатра сатиры)
10 Тоска

ТЕАТР им. МАЯКОВСКОГО
(Ул. Герцена, 19)
4 Побег из ночи
5 Перебежчик
6 Голубая рапсодия
7 (у) Золотой конь
7 (в) Весенние скрипки
8 Время любить
9 Суббота, воскресенье, понедельник
(Спектакль Театра имени Ермоловой)
10 Современные ребята

ЦЕНТРАЛЬНЫЙ ТЕАТР СОВЕТСКОЙ АРМИИ
(Пл. Коммуны, 2)
Большая сцена
4, 10 Белокурая бестия
5 Граф Люксембург
(Спектакль Театра оперетты)
6 Океан
7 (у) На той стороне
7 (в) Под одной из крыш
8 Барабанщица
9 Юстина
Малая сцена
4, 10 Каса маре
6 Яков Богомолов
7 (у) Сережка с Малой Бронной
7 (в) Укрощение строптивой
8 Моя семья
9 Всеми забытый

ТЕАТР им. ЛЕНИНСКОГО КОМСОМОЛА
(Ул. Чехова, 6)
4, 6 В день свадьбы
5, 8 104 страницы про любовь
7 (у) Буря в стакане
7 (в) Мой бедный Марат
9 До свидания, мальчики
10 Такая любовь
(Спектакль Драматического театра им. Станиславского)

ТЕАТР им. ПУШКИНА
(Тверской бульвар, 23)
4 Поднятая целина
5 Тревожное счастье
6, 7 (у. и в.) Дневник женщины
8 Аристократы
(Спектакль Театра им. Маяковского)
9 Петровка, 38
10 Столпы общества

Театра́льная афи́ша

Кака́я была́ пу́блика в теа́тре в то́т де́нь?
Кто́ и ка́к появи́лся из пра́вой кули́сы?
Почему́ по́сле аплодисме́нтов вдру́г всё сра́зу за́мерло?

7. *Предста́вьте себе́, что вы́ ведёте интервью́ с до́черью Шаля́пина.*

   Пи́сьменно соста́вьте вопро́сы, кото́рые вы́ хоте́ли бы е́й зада́ть о её знамени́том отце́, пото́м у́стно проведи́те интервью́.

8. *Напиши́те кра́тко о то́м, что расска́зывает до́чь Шаля́пина о своём отце́.*

9. *Просмотри́те програ́мму спекта́клей.*

   Каки́е из спекта́клей ва́м знако́мы? Что́ вы́ зна́ете о ни́х?

10. *Прочита́йте диало́г.*

    — У ва́с е́сть биле́ты на 12 часо́в?
    — Не́т. На дневно́й спекта́кль биле́ты распро́даны.
    — А на 7 часо́в?
    — Да́, но то́лько 15-ый и 17-ый ря́д.
    — Да́йте, пожа́луйста, два́ биле́та, 15-ый ря́д в це́нтре.
    — В це́нтре не́т. Есть то́лько с ле́вой стороны́.
    — Н-не́т, та́к не́т. Да́йте два́ с ле́вой стороны́.
    — Пожа́луйста.

11. *Повтори́те диало́г, изменя́я в нём ци́фры.*

12. *Прочита́йте диало́г.*

    — Пошли́ на бале́т. Я постара́юсь доста́ть биле́ты. Идёт «Спарта́к».
    — Опя́ть на бале́т? Смотри́, в Большо́м идёт «Бори́с Годуно́в». Мы́ та́к давно́ не́ были в о́пере. Не пойти́ ли на́м лу́чше в о́перу?
    — Я слу́шал э́ту о́перу не та́к давно́.
    — Кто́ пе́л (па́ртию) Бори́са?
    — Не по́мню.
    — Ну во́т ви́дишь... А в пя́тницу поёт Петро́в, о́чень хоро́ший певе́ц, и э́то его́ лу́чшая ро́ль.

13. *Повтори́те диало́г, изменя́я ситуа́цию.*

    Уговори́те дру́га пойти́ в кино́.
    Уговори́те дру́га пойти́ на бале́т.
    Уговори́те дру́га пойти́ в ци́рк.

14. *Напиши́те письмо́ о спекта́клях, кото́рые сейча́с иду́т в Москве́, и предложи́те знако́мому и́ли знако́мой пойти́ с ва́ми на оди́н из ни́х.*

GRAMMAR

Indirect Discourse

Кóля: Онѝ идýт в теáтр.

Вáня: Кóля сказáл, что онѝ идýт в теáтр.

Кóля: Онѝ пошлѝ в теáтр.

Вáня: Кóля сказáл, что онѝ пошлѝ в теáтр.

Кóля: Онѝ пойдýт в теáтр.

Вáня: Кóля сказáл, что онѝ пойдýт в теáтр.

In Russian, the tense used in indirect discourse (reported speech) is the same as that used in the original utterance.

Direct discourse:

Я придý. | I will come.

Indirect discourse:

Я сказáл, что придý. | I said that I would (will) come.

Direct discourse:

Онá пѝшет сочинéние. | She is writing a composition.

Indirect discourse:

Он сказáл, что онá пѝшет сочинéние. | He said that she was (is) writing a composition.

УПРАЖНЕНИЯ

15. *Отвéтьте на вопрóсы по дáнному примéру.*

Примéр: (писáть письмó)

Чтó ты дéлаешь?

Пишý письмó.

Он сказáл, что óн пѝшет письмó.

Чтó ты сдéлал, когдá вернýлся домóй?

Написáл письмó.

Он сказáл, что óн написáл письмó.

Чтó ты сдéлаешь, когдá онѝ уйдýт?

Напишý письмó.

Он сказáл, что óн напѝшет письмó.

(éхать в óперу)	(идтѝ на концéрт)
Кудá онѝ éдут?	Кудá онá идёт?
Кудá онѝ поéхали?	Кудá онá пошлá?
Кудá онѝ поéдут в воскресéнье?	Кудá онá пойдёт вéчером?

16. *Что они говорят?* ⊗

> *Пример:* «Я не пойду́ на спекта́кль»,— сказа́ла Ната́ша.
>
> Ната́ша сказа́ла, что она́ не пойдёт на спекта́кль.

«Биле́ты распро́даны»,— сказа́ла касси́рша.

«К Большо́му теа́тру идёт авто́бус № 5»,— объясни́л милиционе́р.

«Конце́рт прошёл исключи́тельно хорошо́»,— передаю́т по ра́дио.

«На́ши места́ бы́ли во второ́м ряду́»,— отве́тил Ива́н Петро́вич.

«Серёжу зову́т к телефо́ну»,— кри́кнула Та́ня.

17. *Как э́то бу́дет по-ру́сски?*

They said that they were working.

They said that they would come.

They said that they arrived at seven.

Vania wrote that he would be in Moscow until June.

Sonia informed us that she had passed all her exams.

I think that he is in Moscow.

I thought that he was in Moscow.

I thought that he had been in Moscow already.

Dima told us that he was planning to buy a new camera.

Kolia said that he would buy a new motorcycle.

18. *На ка́ждый из ни́же да́нных вопро́сов, напиши́те по́ два отве́та: пе́рвый — в фо́рме прямо́го отве́та, второ́й — в фо́рме тре́тьего лица́, как ука́зано в приме́ре.*

> *Пример:* Андре́й, каку́ю пласти́нку ты купи́л?
>
> Я купи́л а́рии из «Бори́са Годуно́ва».
>
> Андре́й сказа́л, что он купи́л а́рии из «Бори́са Годуно́ва».

Па́влик, что ты чита́ешь?

Ни́на, что ты купи́ла в универма́ге?

Анна Петро́вна, о чём вы нам расска́жете?

Ка́тя, куда́ ты пойдёшь в пя́тницу ве́чером?

Бори́с, что ты зака́жешь на второ́е?

Серёжа, куда́ ты пое́дешь ле́том?

19. *Перепиши́те ни́же да́нные предложе́ния, испо́льзуя сло́во в ско́бках и в фо́рме не прямо́й, а ко́свенной ре́чи, как э́то ука́зано в приме́ре.*

> *Пример:* Скажи́, пожа́луйста, Ивано́вым, что я не приду́. (Ники́та)
>
> Ники́та проси́л сказа́ть Ивано́вым, что он не придёт.

Скажи́, пожа́луйста, Ни́не, что я приглаша́ю их в го́сти. (Мари́на)

Переда́й, пожа́луйста, Са́ше, что я ему́ позвоню́. (Пе́тя Семёнов)

Напиши́, пожа́луйста, твое́й сестре́, что мы её ждём. (друзья́ в Москве́)

Объясни́, пожа́луйста, Андре́евым, почему́ ты не мо́жешь прийти́. (ма́ма)

Узна́й, пожа́луйста, у стюарде́ссы, когда́ мы прилети́м в Москву́. (он)

„Анна
Каренина"
в балете

Анна Каре́нина» в бале́те? Рома́н Льва́ Толсто́го... и та́нец? Это ка́жется невозмо́жным. Но вот в Большо́м теа́тре в Москве́ состоя́лась° премье́ра бале́та — и зри́тели бы́ли и́скренне° потрясены́ всем уви́денным. Потому́ что и му́зыка компози́тора Родио́на Щедрина́, и де́йствие°, и исполни́тели гла́вных роле́й насто́лько° гармони́чны в свое́й дина́мике, траги́ческой напряжённости°, что это никого́ не могло́ оста́вить равноду́шным°.

Поста́вила° э́тот спекта́кль балери́на, наро́дная арти́стка СССР, лауреа́т Ле́нинской пре́мии Ма́йя Плисе́цкая. Это её дебю́т в ка́честве° балетме́йстера. Она́ же вы́ступила и в гла́вной ро́ли.

— Я спра́шиваю себя́,— говори́т Ма́йя Плисе́цкая,— почему́ иде́я перенести́ «А́нну Каре́нину» на бале́тную сце́ну никому́ не приходи́ла в го́лову ра́ньше? Я же твёрдо уве́рена, что са́мому бли́зкому мне иску́с-ству подвла́стна° больша́я литерату́ра.

Премье́ра «А́нны Каре́ниной» заста́вила° сно́ва° заговори́ть о Ма́йе Плисе́цкой, как о звезде́ сове́тского бале́та пе́рвой величины́. Её герои́-ня — А́нна Каре́нина — полна́ тако́й вну́тренней борьбы́° чувств, что всё её сце́ны, вплоть до° траги́ческого фина́ла, глубоко́° захва́тывают.

Эмоциона́льная напряжённость, осо́бенно в двух пе́рвых а́ктах, отлича́ет и о́браз Вро́нского, со́зданный° наро́дным арти́стом РСФСР Ма́рисом Ли́епой.

Либре́тто написа́л заслу́женный арти́ст РСФСР, изве́стный режиссёр и кри́тик Бори́с Льво́в-Ано́хин. Это его́ пе́рвая рабо́та в о́бласти° драматурги́и бале́та.

-состоя́ться: *to take place*
и́скренне: *truly, sincerely*

де́йствие: *action*
насто́лько: *so*
напряжённость *f*: *intensity*
равноду́шный: *indifferent*
-поста́вить: *to stage*
в ка́честве: *as, in the capacity of*

подвла́стный: *subject to*
-заста́вить: *to compel*
сно́ва: *again*

борьба́: *conflict*
вплоть до: *right up to*
глубоко́: *thoroughly, deeply*

-созда́ть: *to create*

о́бласть *f*: *field*

Сце́на из бале́та «А́нна Каре́нина»

Государственный ордена Ленина академический
БОЛЬШОЙ ТЕАТР СССР

16 сентября 1973 года

ВЕЧЕР

ЛОЖА БЕЛЬЭТАЖА 2

Левая сторона

место **1**   **2 р. 90 к.**

Б/кн. №

000079

контроль

Государственный ордена Ленина академический
БОЛЬШОЙ ТЕАТР СССР

16 сентября 1973 года

ВЕЧЕР

ЛОЖА БЕЛЬЭТАЖА 2

Левая сторона

место **2**   **2 р. 90 к.**

Б/кн. №

000079

контроль

В БОЛЬШОМ ТЕАТРЕ

21-й спектакль со дня первого представления балета
в Большом театре СССР (1972 год)

Р. ЩЕДРИН

АННА КАРЕНИНА

Лирические сцены, балет в 3 действиях
Либретто Б. ЛЬВОВА-АНОХИНА
по мотивам романа Л. ТОЛСТОГО

Действующие лица и исполнители:

Анна . . . . народная артистка СССР,
лауреат Ленинской премии
М. М. Плисецкая

Вронский . . . . А. Б. Годунов

народный артист РСФСР
Н. Б. Фадеечев

мужик . . . . заслуженный артист РСФСР
Ю. К. Владимиров

заслуженная артистка РСФСР,
лауреат премии Ленинского комсомола
Н. И. Сорокина

А. Г. Богуславская

народный артист РСФСР
В. А. Левашев

Осип Тунинский

С. Н. Радченко

А. Б. Петров

В. И. Владыкин

А. Н. Федорова

Л. В. Козлов,
А. В. Силантьев,
заслуженный артист РСФСР
Г. Б. Ситников

Майя Плисецкая

ЛУЧШИЙ ТАНЦОВЩИК

В спи́ске роле́й наро́дного арти́ста РСФСР Ма́риса Ли́епы ря́дом стоя́т столь непохо́жие друг на дру́га о́бразы, что иногда́ тру́дно пове́рить, что со́здал их оди́н и тот же актёр.

И действи́тельно, как противоре́чат° друг дру́гу (как далеки́ друг от дру́га) изы́сканный° ва́рвар Дре́внего Ри́ма Марк Красс и лири́ческий ю́ноша Альбе́рт в стари́нной, романти́ческой «Жизе́ли», меланхоли́чный Роме́о шекспи́ровской траге́дии и ру́сский аристокра́т про́шлого ве́ка Алексе́й Вро́нский.

Тво́рческая° жизнь Ли́епы начала́сь в хореографи́ческом учи́лище го́рода Ри́ги. Эта шко́ла пригоди́лась ему́ в пе́рвые го́ды рабо́ты на сце́не Ри́жского теа́тра о́перы и бале́та, и когда́ он танцева́л в национа́льном бале́те «Ла́йма» па́ртию ру́сского солда́та Ники́ты, и когда́ стал чле́ном тру́ппы Моско́вского музыка́льного теа́тра и́мени Станисла́вского и Неми́ровича-Да́нченко и блиста́тельно° испо́лнил геро́ическую па́ртию Ко́нрада в бале́те «Корса́р», оттени́в° класси́ческий та́нец пла́стикой восто́чного колори́та.

— Роль Кра́сса в «Спартаке́» Хачатурья́на — пока́ моя́ люби́мая, лу́чшая из того́, что я, как танцо́вщик, получи́л в совреме́нном бале́те от хорео́графов,— говори́т актёр. За исполне́ние э́той ро́ли Ма́рису Ли́епе была́ присуждена́° Ле́нинская пре́мия.

Ря́дом с триу́мфом в «Спартаке́» — выступле́ния в веду́щих па́ртиях «Ро́мео и Джулье́тты», «Леге́нды о любви́», «Спя́щей краса́вицы»... И в тракто́вке° э́тих о́бразов, как и во всех други́х его́ рабо́тах, чу́вствуется большо́й ма́стер.

Большо́й тво́рческий успе́х сове́тского арти́ста был отме́чен на Междунаро́дном ко́нкурсе в Ни́цце, где М. Ли́епу удосто́или° зва́ния «Лу́чшего танцо́вщика ми́ра за 1971 год» и пре́мии и́мени Нижи́нского.

противоре́чить–: *to be at variance with*

изы́сканный: *refined*

тво́рческий: *artistic*

блиста́тельный: *brilliant*

–оттени́ть: *to shade, to set off*

–присуди́ть: *to award*

тракто́вка: *interpretation*

–удосто́ить: *to award*

Необыкновенный балет

УПРАЖНЕНИЯ

20. *Расскажи́те о Ма́йе Плисе́цкой.*

Кака́я премье́ра состоя́лась в Большо́м теа́тре?
Что никого́ не могло́ оста́вить равноду́шным в бале́те «Анна Каре́нина»?
Кто поста́вил э́тот спекта́кль?
О чём спра́шивает себя́ Ма́йя Плисе́цкая?
В чём она́ твёрдо уве́рена?
О ко́м заста́вила сно́ва заговори́ть премье́ра «Анны Каре́ниной» и почему́?
Что глубоко́ захва́тывает в бале́те «Анна Каре́нина»?
Что отлича́ет о́браз Вро́нского в пе́рвых двух а́ктах?

21. *Расскажи́те о Ма́рисе Ли́епе.*

Кто тако́й Ма́рис Ли́епа?
Каки́е о́бразы со́здал актёр Ли́епа?
Что Ли́епа говори́т о ро́ли Кра́сса?
Како́го зва́ния удосто́ился Ли́епа на ко́нкурсе в Ни́цце?
Каку́ю пре́мию он получи́л?

22. *Дава́йте поговори́м.*

Предста́вьте себе́, что вы бы́ли на премье́ре бале́та «Анна Каре́нина». Расскажи́те о том, что вы ви́дели.

23. *Отве́тьте на вопро́сы.*

Вы бы́ли когда́-нибудь на бале́те? На како́м? Где? Кто танцева́л? Вам понра́вилось?
Вы смотре́ли когда́-нибудь бале́т по телеви́зору? Како́й?
Вам нра́вится бале́т? Почему́?
О каки́х сове́тских балери́нах и танцо́вщиках вы слы́шали?
Како́й бале́т вы хоте́ли бы посмотре́ть? Почему́?

24. *Соста́вьте пи́сьменно.*

Напиши́те реце́нзию в газе́ту о бале́те и́ли любо́м друго́м спекта́кле, кото́рый вы неда́вно ви́дели.

25. *Соста́вьте интервью́.*

Предста́вьте себе́, что вы журнали́ст и прово́дите интервью́ с Ма́рисом Ли́епой. Снача́ла вы́пишите вопро́сы, пото́м зада́йте их у́стно Ма́рису Ли́епе.

26. *Дава́йте поговори́м.*

Расскажи́те о ва́шем люби́мом бале́те.
Расскажи́те о ва́шей люби́мой о́пере.
О чём был са́мый интере́сный фильм, кото́рый вы ви́дели?

GRAMMAR

Indirect Questions

Гдé вы́ живёте?
Он меня́ спроси́л, гдé я́ живу́.

Гдé вы́ жи́ли?
Он меня́ спроси́л, гдé я́ жи́л.

Гдé вы́ бу́дете жи́ть?
Он меня́ спроси́л, гдé я́ бу́ду жи́ть.

An indirect question introduced by an interrogative word (e.g., **гдé, ктó, почему́, когда́**) keeps the same tense and word order as the direct question.

Direct question:

Когда́ ты́ прие́дешь?   When will you arrive?

Indirect question:

Он меня́ спроси́л, когда́ я́ прие́ду.   He asked me when I would (will) arrive.

УПРАЖНЕНИЯ

27. *О чём óн тебя́ спра́шивал?* ⊗

   Приме́р: Чтó ты́ де́лаешь?

   Он меня́ спроси́л, чтó я́ де́лаю.

   Чтó ты́ де́лаешь по́сле заня́тий?
   Чтó ты́ сде́лал, когда́ э́то случи́лось?
   Чтó ты́ сде́лаешь, éсли она́ позвони́т?
   Кому́ ты́ всё вре́мя звони́шь?
   Кому́ ты́ то́лько что позвони́л?
   Кому́ ты́ позвони́шь?
   Почему́ ты́ не идёшь в теа́тр?
   Почему́ ты́ не пошёл с ни́ми в кинó?
   Почему́ ты́ не пойдёшь к ни́м в гóсти?

28. *Расскажи́те о тóм, о чём они́ ва́с спра́шивали.* ⊗

   Приме́р: «Ка́к пройти́ на Кра́сную пло́щадь?» — спроси́ла меня́ де́вушка.

   Де́вушка спроси́ла меня́, ка́к пройти́ на Кра́сную пло́щадь.

   «Ско́лько стóят биле́ты?» — спроси́л Ники́та.
   «Почему́ спекта́кль не начина́ется?» — волнова́лась пу́блика.
   «Когда́ нача́ло ма́тча?» — интересова́лись боле́льщики.
   «Ктó бу́дет пе́ть Бори́са?» — спра́шивали зри́тели.

GRAMMAR

ли in Indirect Questions

Вы спешите?
Он нас спросил, спешим ли мы.

Они пойдут с нами?
Коля спросил, пойдут ли они с нами.

Ты не голоден?
Катя спросила, не голоден ли я.

Ты был в театре?
Таня спросила меня, был ли я в театре.

An indirect question which is not introduced by an interrogative word requires the particle **ли**. In indirect questions of this kind
1. **ли** can never be the first word in the clause,
2. the tense of the direct question is retained,
3. the order of the subject and predicate is usually inverted.

Direct question:

Ты идёшь в оперу?	Are you going to the opera?

Indirect question:

Она меня спросила, иду ли я в оперу.	She asked me if (whether) I was going to the opera.

Direct question:

Он дома?	Is he at home?

Indirect question:

Меня спросили, дома ли он.	They asked me if (whether) he was at home.

Note:
Если is not used in indirect questions; that is, **если** cannot be used as the equivalent of *if* meaning *whether*. In indirect questions, the equivalent of *if* (*whether*) is the particle **ли**.

Я приеду, если вы хотите.	I will come *if* you want me to. (not equivalent to *whether*)
Я не знаю, хотите ли вы, чтобы я приехал.	I don't know *if* (*whether*) you want me to come.

It is important not to confuse **если** and **есть ли**. **Есть ли,** *whether there is* (*are*), is frequently used in indirect questions.

Я не знаю, есть ли у него машина.	I don't know *if* (*whether*) he has a car.
Посмотрите, есть ли для меня письма.	See *if* (*whether*) there is any mail for me.

УПРАЖНЕНИЯ

29. *О чём они спрáшивали?*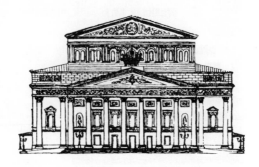

> *Примéр:* «Ты́ придёшь?» — спросúла меня́ Óльга.
>
> Óльга спросúла меня́, придý ли я́.

«Вы́ достáли билéты на «Спартáк»?» — спросúл нáс сосéд.

«Вáм понрáвился балéт?» — спросúл меня́ профéссор.

«Вы́ когдá-нибудь вúдели, кáк танцýет Плисéцкая?» — спросúла меня́ учúтельница.

«Ты́ когдá-нибудь слы́шал Шаля́пина?» — спросúла меня́ Óльга Ивáновна.

«Онú пойдýт в óперу?» — спросúла Áнна Петрóвна.

«Вáм не скýчно?» — спросúла нáс хозя́йка.

«Ты́ ужé кóнчил вýз?» — спросúл Кóстя Вúктора.

30. *Состáвьте предложéния по дáнным примéрам.*

> *Примéр:* — Дúма, у тебя́ éсть телефóн?— спросúла Кáтя.
>
> Кáтя спросúла Дúму, éсть ли у негó телефóн.

«Ты́ достáл билéты?» — спросúла Натáша Максúма.

«Вáм понрáвился спектáкль?» — спросúл Сергéй Вúктора Петрóвича.

«У вáших сосéдей éсть телевúзор?» — спросúл Кóстя Ивáновых.

«У вáс éсть билéты на зáвтра?» — спросúла Тáня кассúршу.

«У вáс в дерéвне éсть таксú?» — спросúла Вéра Úгоря.

«Онú пойдýт с вáми в óперу?» — спросúла Нúна Áнну Андрéевну.

31. *Закóнчите слéдующие фрáзы словáми «éсть ли» или «éсли».*

_____ онú дóма, то зайдú к нúм и спросú, _____ у нúх свобóдная квартúра. Скажú, что мы́ вúдели на прóшлой недéле объявлéние в газéте. _____ же úх дóма нéт, то остáвь у двéри запúску. Напишú, что _____ онú всё ещё úщут жильцóв, то пýсть звоня́т нáм зáвтра вéчером по телефóну 45-086. Напишú, что _____ нáс вдрýг нéт дóма, то пýсть звоня́т попóзже. Не забýдь, что необходúмо узнáть, _____ у нúх гарáж и мóгут ли жильцы́ úм пóльзоваться. _____ же гаражá нéт, то спросú, _____ гдé-нибудь недалекó от дóма мéсто, гдé мóжно оставля́ть машúну. _____ квартúра ужé заня́та, то обязáтельно спросú, не знáют ли онú, _____ в э́том райóне другúе свобóдные квартúры.

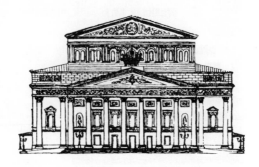

ПАНОРАМА КУЛЬТУРНОЙ ЖИЗНИ

МОСКОВСКАЯ ГОСУДАРСТВЕННАЯ ФИЛАРМОНИЯ

БОЛЬШОЙ ЗАЛ КОНСЕРВАТОРИИ

(ул. Герцена, 13)

13 февраля абон. 21
ФОРТЕПЬЯННАЯ МУЗЫКА
Лев ВЛАСЕНКО
Скарлатти, Лист, Брамс

14 февраля абон. 8
СИМФОНИЧЕСКИЙ ОРКЕСТР
Московской государственной филармонии
Дирижер — А. КАЦ.
Солист — Б. ДОБРИН.
Бетховен, Баласанян

15 февраля
Галина ВИШНЕВСКАЯ
(4-й концерт цикла)
СИМФОНИЧЕСКИЙ ОРКЕСТР

Московской государственной филармонии
Дирижер — М. РОСТРОПОВИЧ.
Мусоргский, Шостакович

КОНЦЕРТНЫЙ ЗАЛ имени П. И. ЧАЙКОВСКОГО

(пл. Маяковского, 20)

13 февраля
ЛИТЕРАТУРНЫЙ ВЕЧЕР
Владимир РЕЦЕПТЕР
Пушкин — Диалоги

14 февраля
КАМЕРНЫЙ ХОР «МАДРИГАЛ»
(Филиппины)
Бриттен, Хасслер, Палестрина, филиппинские народные песни

15 и 16 февраля
Хореографический ансамбль солистов
«РИТМ-БАЛЕТ»
Художественный руководитель — Ю. ВЗОРОВ

МАЛЫЙ ЗАЛ КОНСЕРВАТОРИИ

(ул. Герцена, 13)

13 февраля абон. 65
СОНАТНЫЙ ВЕЧЕР
Валерий КЛИМОВ
Леонид БЛОК
(6-й концерт цикла)
Дворжак, Лало, Франк

Начало концертов в 19 час. 30 мин.

Музыка

Кино

Цирк

Театр Кукол

Театр

ГОСУДАРСТВЕННЫЙ ОРДЕНА ЛЕНИНА АКАДЕМИЧЕСКИЙ

МАЛЫЙ ТЕАТР СССР

МОСКОВСКИЙ ХУДОЖЕСТВЕННЫЙ АКАДЕМИЧЕСКИЙ ТЕАТР Союза ССР имени М. ГОРЬКОГО

МОСКОВСКИЙ драмы театр и комедии НА ТАГАНКЕ

WORD STUDY

Verbs from *–стáть* and *стáвить–*

Verbs formed by prefixation from **стáть** are all perfective and are all conjugated in the same way, **...стáну, ...стáнешь,** etc. Each of these verbs has an imperfective partner formed from the stem **...ставáть,** which is conjugated **...стаю́, ...стаёшь,** etc.

вставáть– –встáть to get up
доставáть– –достáть to obtain
заставáть– –застáть to find, to come upon
наставáть– –настáть to come, to begin
оставáться– –остáться to remain
переставáть– –перестáть to stop, to cease
расставáться– –расстáться to part
уставáть– –устáть to get tired

Imperfective verbs derived by prefixation from **стáвить** are formed by combining the given prefix with the stem **...ставля́ть.**

выставля́ть– –вы́ставить to display ⟶ вы́ставка exhibition
доставля́ть– –достáвить to furnish, to supply ⟶ достáвка delivery
заставля́ть– –застáвить to compel, to obstruct
оставля́ть– –остáвить to leave (behind) ⟶ остáвленный abandoned
переставля́ть– –перестáвить to rearrange
представля́ть– –предстáвить to present ⟶ представи́тель representative
представле́ние performance

Note:
It is important not to confuse words derived from the stems **...ставля́ть, стáвить** with those derived from the stems **...ставáть, стáть.**

оставля́ть– –остáвить to leave
оставáться– –остáться to remain

пи́ть– vs. пéть–

The forms of **пи́ть,** *to drink,* should not be confused with those of **пéть,** *to sing.*

Imperfective verbs derived by prefixation from **пéть** have the stem **...певáть.**

пéть– –спéть to sing ⟶ пéние singing
пéсня song
певéц ⎫
певи́ца ⎭ singer
воспевáть– –воспéть to glorify
запевáть– to lead others in singing
–запéть to break into song
напевáть– to hum ⟶ напéв tune, refrain

УПРАЖНЕНИЯ

32. *Закóнчите слéдующие предложéния прáвильной фóрмой глагóла «пить» или глагóла «петь».*

Это прекрáсный хóр. Они замечáтельно _____.
Они сидя́т в кафé и _____ лимонáд.
Не _____ эту пéсню! Я её не люблю́.
_____ побóльше молокá, это óчень полéзно.
Я кáждое ýтро _____ молокó.

33. *Закóнчите слéдующие предложéния, выбирáя из слóв дáнных вы́ше сáмые подходя́щие.*

Зáвтра в óпере бýдет петь моя́ люби́мая _____.
Эту рóль пел знамени́тый рýсский _____ Шаля́пин.
Он вы́шел на крыльцó, _____ себé чтó-то под нос.
Я óчень люблю́ этот стари́нный церкóвный _____.
Кня́зя Влади́мира _____ во мнóгих стари́нных рýсских пéснях.

WORD STUDY

свéт vs. цвéт

Свéт has two meanings: *light* and *world*.

Some of the words derived from **свéт** meaning *light* are:

свéтлый   light, bright
свéтло-зелёный   light green
свечá   candle
светлячóк   glowworm

освещáть– –осветúть to illuminate ⟶ освещéние illumination
просвещáть– –просветúть to enlighten ⟶ просвещéние enlightenment, education
Министéрство нарóдного просвещéния
Ministry of People's Education

светлéть– –посветлéть to become light

Some of the words derived from **свéт** meaning *world* are:

свéтский worldly, well-mannered
кругосвéтное путешéствие trip around the world

ЦВÉТ VS. ЦВЕТÓК

The following words, derived from a common root, should be carefully distinguished:

цвéт color ⟶ цветнóй colored
цветóк flower ⟶ цветóчный floral

Note that the plural of **цвéт** is **цветá, цветóв,** and that the plural of **цветóк** is **цветы́, цветóв.**

Other words derived from the same root are:

цвестú– –зацвестú to bloom, to flourish
выцветáть– –вы́цвести to fade
процветáть– –процвестú to thrive
расцветáть– –расцвестú to burst into bloom

УПРАЖНÉНИЯ

34. *Закóнчите слéдующие предложéния, выбирáя из дáнных вы́ше слóв сáмые подходя́щие.*

Онú, очевúдно, дóма. У нúх в óкнах _____.
Я давнó хочý объéхать вокрýг _____.
Онá постáвила на стóл высóкую бéлую _____.
Он собирáется в _____ _____ и вернётся тóлько чéрез четы́ре мéсяца.

35. *Закóнчите слéдующие предложéния, выбирáя из дáнных вы́ше слóв сáмые подходя́щие.*

Какóго _____ твоё нóвое плáтье?
У нáс в садý цветы́ всéх _____.
Мóй любúмый _____ — рóза.
В э́том пáрке красúвые _____.
В э́том годý гиацúнты _____ рáньше, чем обы́чно.
Мы́ купúли мнóго _____ бумáги, чтóбы дéлать украшéния для ёлки.

Рисунок М. Бартака

Извините, пожалуйста, но мне так хотелось бы знать, как кончается эта новая симфония.

Рисунок Феликса Куриц

— *Ну что ж, ваш номер нам подойдёт.*

REFERENCE NOTES

1. The Superlative Suffix *-ейший (-айший)*

When the suffix **-ейший (-айший** after **ж, ч, ш, щ)** is added to an adjective, it forms a superlative that can be used in two ways:

1. as an intensifier, adding the meanings *very, a most*

Это интере́снейшая кни́га.	This is a very interesting book.
	(This is a most interesting book.)

2. as an exact equivalent of the superlative formed with **са́мый,** adding the meaning *the most*

Во́лга длинне́йшая река́ в Евро́пе. = Во́лга са́мая дли́нная река́ в Евро́пе.

Give the English equivalent for each of the following:

В хо́ре, где́ я пе́л, бы́л симпати́шнейший ю́ноша Панкра́тьев.
Горе́л га́з, и за́пах его́ оста́лся для меня́ прия́тнейшим за́пахом.

2. Мы́ с тобо́й

Compound noun phrases, for example, *brother and sister,* can be expressed in Russian by a noun plus **с** and a second noun in the instrumental: **бра́т с сестро́й.**

When *I* is a part of a compound subject, for example, *my wife and I,* **мы́,** not **я,** is used in the Russian equivalent:

Мы́ с жено́й.

The verb accompanying **мы́** in this construction must be in the first person plural.

Мы́ с ва́ми пойдём.	You and I will go.

The form of **мы́** in this construction depends on the structure of the sentence in which it occurs.

На́м с тобо́й повезло́.	You and I were lucky.

...ПОЧЕМУ

Я ЛЮБЛЮ ХОККЕЙ¨

Сего́дня мы́ хоти́м познако́мить люби́телей спо́рта с изве́стным хоккеи́стом, игроко́м сбо́рной° СССР — Анато́лием Фи́рсовым.

— Когда́ впервы́е взя́ли в ру́ки клю́шку°? Ка́к вы́ ста́ли хоккеи́стом?

— Очень хорошо́ по́мню свои́ пе́рвые шаги́ на конька́х. Бы́ло мне́ тогда́ ле́т ше́сть, и ходи́л я́ ещё в де́тский са́д. Игра́ли дво́р на дво́р. Улица на у́лицу. И, коне́чно же, бе́гали на стадио́н смотре́ть, ка́к игра́ют в хокке́й с мячо́м взро́слые.

Стадио́н бы́л располо́жен ту́т же, в Богоро́дском. Незаме́тно для себя́° я́ ста́л ка́ждый де́нь быва́ть на стадио́не, приходи́л на трениро́вки хоккеи́стов. И вско́ре на́чал игра́ть в де́тской кома́нде заво́да «Кра́сный богаты́рь». А пото́м уже́ меня́ взя́ли в «Спарта́к».

— Ка́к относи́лись роди́тели к ва́шему увлече́нию° хокке́ем?

— Я ро́с без отца́ — он поги́б° на фро́нте. Ма́тери же, к сожале́нию, я добавля́л нема́ло рабо́ты и огорче́ний. Одна́жды, когда́ я яви́лся со двора́ домо́й с рассечённым° желе́зной клю́шкой лбо́м, она́ и во́все спря́тала от меня́ коньки́. Всё же коньки́ она́ вско́ре верну́ла, а во́т шра́м° на лбу́ оста́лся.

— Ва́ш са́мый па́мятный ма́тч? Са́мый па́мятный го́л?

— Са́мый я́ркий, са́мый па́мятный для меня́ ма́тч — со сбо́рной Кана́ды на чемпиона́те ми́ра 1967 го́да. В э́той встре́че я и забил

сбо́рная: *all-star team*
клю́шка: *hockey stick*

незаме́тно для себя́: *without being aware of it*
увлече́ние: *passion*

–поги́бнуть: *to be killed*
–рассе́чь: *to cut deeply*
шра́м: *scar*

свой са́мый па́мятный го́л. Мы́ прои́грывали 0 : 1 и ника́к не могли́ сломи́ть сопротивле́ние кана́дцев. И во́т я́ мчу́сь с ша́йбой° по ле́вому кра́ю°, пыта́юсь попа́сть в це́нтр, пробежа́ть к воро́там. Но це́нтр уже́ перекры́т. Защи́тники тесня́т меня́ к противополо́жному, пра́вому бо́рту. И си́л у меня́ уже́ не́т. Вы́дохся. У са́мого бо́рта, не гля́дя, броса́ю ша́йбу в сто́рону воро́т. А са́м скоре́й впры́гиваю на барье́р — сменя́ться. То́лько занёс но́гу, а меня́ наза́д кто́-то та́щит. Ничего́ не понима́я, я́ на́чал бы́ло отбива́ться°... А мне́ крича́т: «Го́л!» Ока́зывается, по́сле броска́ ша́йба взвила́сь° вве́рх и неожи́данно для Марти́на влете́ла в воро́та. Он её не ви́дел и ли́шь° вздро́гнул, когда́ она́ щёлкнула позади́ него́ о металли́ческую се́тку. Пото́м мно́гие, в то́м числе́ и я́ са́м, пыта́лись бросо́к э́тот повтори́ть, да без успе́ха. Тако́е быва́ет ли́шь одна́жды...

— Говоря́т, вы собира́етесь поки́нуть° хокке́й. Пра́вда ли э́то?
— Ви́димо, ны́нешний° сезо́н бу́дет для меня́ после́дним.

— В печа́ти° ва́с называ́ют «игра́ющий тре́нер». Что́ э́то означа́ет?
— Я одновре́менно и трениру́юсь са́м, и веду́ заня́тия с молоды́ми хоккеи́стами на́шего клу́ба.

— Ка́к отно́сится ва́ша жена́ к хокке́ю? Ка́к реаги́рует до́чь на пораже́ния° ва́шей кома́нды?

— Жена́ На́дя, несмотря́ на заня́тость, — она́ педаго́г,— не пропуска́ет, пожа́луй, ни одного́ хокке́йного ма́тча. А во́т до́чку во́дим на хокке́й ре́дко, да и то́ с опа́ской. Уж о́чень она́ пережива́ет. Пла́чет да́же, е́сли мы́ про́игрываем.

— **Ка́к вы́ отно́ситесь к боле́льщикам?**
— Боле́льщик — о́н ведь ра́зный. Я люблю́ тако́го боле́льщика, кото́рый понима́ет игру́, кото́рый получа́ет от хокке́я тако́е же удово́льствие, ка́к, ска́жем, от спекта́кля в теа́тре.

— **Уде́ржит ли сбо́рная СССР ти́тул чемпио́нов ми́ра ещё пя́ть ле́т?**
— Пока́ за сбо́рную бу́дут игра́ть таки́е закалённые° «бойцы́»°, ка́к Старшино́в, Рагу́лин, Ку́зькин, Коновале́нко,— я за неё споко́ен. Что́ каса́ется° на́ших молоды́х хоккеи́стов... Всё, ка́к говори́тся, в и́х рука́х.
Ещё ду́маю, что в успе́хах на́шей сбо́рной нема́лую ро́ль игра́ет огро́мный авторите́т её тре́неров — Черныше́ва и Тара́сова.

— **Кто́ бы́л ва́шим спорти́вным куми́ром°?**
— Куми́ров у меня́ не́ было. И вообще́° игру́ кома́нд мастеро́в я впервы́е уви́дел о́чень по́здно, когда́ уже́ всерьёз игра́л в хокке́й в «Спартаке́».

— **Ка́к вы́ учи́лись в шко́ле и где́ у́читесь сейча́с?**
— Учи́лся я стара́тельно, но доучи́ться не пришло́сь. На́с у ма́тери бы́ло тро́е, и, са́ми понима́ете, е́й приходи́лось тяжело́. Око́нчив семиле́тку, я пошёл рабо́тать — бы́л разнорабо́чим. Повзросле́в, я по́нял, что нельзя́ остава́ться недоу́чкой. Э́то бы́ло о́чень тяжело́ для меня́, взро́слого семе́йного челове́ка: по́сле

закалённый: *seasoned*
бое́ц: *warrior*

что каса́ется: *as for*
куми́р: *idol*

вообще́: *as a matter of fact*

долгого перерыва° засесть за учебники... Сейчас учусь в Институте физкультуры.

По собственному опыту° хочу сказать мальчишкам, увлечённым хоккеем: не пренебрегайте° серьёзной учёбой. И ещё: освобождайтесь от вредных° привычек. Я, например, с раннего возраста — лет с восьми — начал курить. И курил до восемнадцати лет... А теперь горько° сожалею об этом. Если бы не никотин, я мог бы ещё лет пять играть в хоккей.

— Почему вы всё время выступаете под номером 11? Это что, суеверие°?

— Так получилось, что, когда я пришёл в команду мастеров «Спартака», мне достался именно этот номер. Потом перешёл в армейский клуб, и, когда там распределяли рубашки, попросил: «Можно, я буду одиннадцатым?» Никто не возражал°, хотя° я, кажется, взял чей-то привычный номер. С тех пор играю с двумя единицами на спине. Это никакое не суеверие, а скорее привычка.

— Есть ли у вас наследник?

— Есть. На моём месте будут играть или Юрий Блинов, или Александр Смолин.

— За что вы любите хоккей? Каким видите хоккей будущего?

— Люблю за мужественность°, за красоту. Хоккей будущего? Он станет ещё более быстрым, скоростным, «умным».

— Какие качества° наиболее цените в спротсмене?

— Мужество, настойчивость°, самолюбие°...

—«*Комсомольская правда*»

перерыв: *interruption*	**горько:** *bitterly*	**мужественность** *f: manliness*
опыт: *experience*	**суеверие:** *superstition*	**качество:** *quality*
пренебрегать‑: *to neglect*	**возражать‑:** *to object*	**настойчивость** *f: persistence*
вредный: *harmful*	**хотя:** *even though*	**самолюбие:** *self-respect*

УПРАЖНЕНИЯ

1. *Расскажи́те о то́м, что́ вы́ прочита́ли.*

Кто́ тако́й Анато́лий Фи́рсов?

Что́ он хорошо́ по́мнит? Расскажи́те о его́ пе́рвых шага́х на конька́х.

В како́й кома́нде он вско́ре на́чал игра́ть?

Почему́ Анато́лий ро́с без отца́? Ка́к ма́ть относи́лась к его́ увлече́нию хокке́ем?

Како́й са́мый па́мятный ма́тч для Фи́рсова? Како́й го́л он заби́л в то́т го́д?

Что́ пыта́лся Фи́рсов пото́м повтори́ть?

Почему́ Фи́рсова называ́ют «игра́ющий тре́нер»?

Ка́к жена́ Фи́рсова отно́сится к хокке́ю?

Почему́ Фи́рсовы во́дят свою́ до́чку на хокке́й ре́дко?

Ка́к Фи́рсов отно́сится к боле́льщикам? Како́го боле́льщика он лю́бит?

Почему́ Фи́рсов ду́мает, что сбо́рная СССР уде́ржит ти́тул чемпио́нов ми́ра?

Бы́л ли у Фи́рсова спорти́вный куми́р?

Когда́ Фи́рсов впервы́е уви́дел игру́ кома́нд мастеро́в?

Почему́ Фи́рсов, уча́сь стара́тельно, всё же не доучи́лся? Что́ он де́лал по оконча́нии семиле́тки?

Что́ он по́нял, когда́ повзросле́л? Где́ он тепе́рь у́чится?

Что́ Фи́рсов сове́тует мальчи́шкам? О чём он тепе́рь го́рько сожале́ет и почему́?

Под каки́м но́мером выступа́ет Фи́рсов? Ка́к получи́лось, что у него́ э́тот но́мер?

За что́ Фи́рсов лю́бит хокке́й? Что́ он ду́мает о хокке́е бу́дущего?

Каки́е ка́чества наибо́лее це́нит Фи́рсов в спортсме́не?

2. *Отве́тьте на вопро́сы.*

Ва́с интересу́ет хокке́й? Почему́?

Вы́ бы́ли когда́-нибудь на хокке́е? Где́?

У ва́с в шко́ле е́сть клу́б хоккеи́стов? Вы́ иногда́ смо́трите, ка́к они́ игра́ют?

Вы́ следи́ли за игро́й сове́тских хоккеи́стов про́тив кана́дских? Ка́к?

3. *Дава́йте поговори́м.*

Расскажи́те всё, что́ вы́ зна́ете об Анато́лии Фи́рсове.

Расскажи́те о ва́шем люби́мом спортсме́не. Како́е ка́чество вы́ бо́льше всего́ в нём це́ните?

4. *Бори́с — спортсме́н?* ⊗

Приме́р: Да́, он не пло́хо игра́ет в хокке́й.
<u>Его́ счита́ют хоро́шим хоккеи́стом.</u>

Он не пло́хо игра́ет в футбо́л.

Он не пло́хо игра́ет в волейбо́л.

Он не пло́хо игра́ет в баскетбо́л.

Он не пло́хо игра́ет в бейсбо́л.

5. *Она́ хо́чет узна́ть пра́вила игры́.* ⊗

Приме́р: Пу́сть поговори́т с Андре́ем. Он футболи́ст.
<u>Да он ничего́ не зна́ет о футбо́ле.</u>

Пусть поговорит с Виктором. Он хоккеист.
Пусть поговорит с Сергеем. Он боксёр.
Пусть поговорит с Димой. Он бейсболист.
Пусть поговорит с Максимом. Он волейболист.

6. *Закончите каждое предложение.*

Познакомьтесь! Это наши спортсмены!

Это Сергей. Он _____ .
Это Виктор. Он _____ .
Вот Максим. Он _____ .
Вот Коля. Он _____ .

7. *Письменно характеризуйте вашего любимого спортсмена.*

Программа 34-го чемпионата СССР по футболу

СПОРТ

●●●●●●●●●●●●●●●●●●●●●●●●●●●●●●●●

ХОККЕЙ

8 мая «ЦСКА» — «Химик»
(Дворец спорта ЦСКА, начало в 19.30)
«Спартак» — «Крылья Советов»
(Лужники, Дворец спорта, начало в 19.30)
11 мая «ЦСКА» — «Спартак»
(Лужники, Дворец спорта, начало в 15.00)
«Химик» — «Динамо» (Москва)
(Игра в г. Воскресенске в 15.00)

ФУТБОЛ

Первенство СССР среди команд первой группы класса «А»

8 мая «Динамо» (Москва) — **«ЦСКА»** (стадион «Динамо»)
9 мая «Торпедо» (Москва — **«Зенит»** (Ленинград) (Лужники)
10 мая «Спартак» (Москва) — **«Шахтер»** (Донецк) (Лужники)
12 мая «ЦСКА» — «Уралмаш» (Свердловск) (стадион «Динамо»)
13 мая «Динамо» (Москва) — **«Крылья Советов»** (Куйбышев)
(стадион «Динамо»)
14 мая «Торпедо» (Москва) — **«Шахтер»** (Донецк) (Лужники)
Начало матчей в 19.00.
В субботу в 17.00.

СОРЕВНОВАНИЯ, ПОСВЯЩЕННЫЕ ДНЮ ПОБЕДЫ

БОКС 8—9 мая (ЦПКиО им. М. Горького)
РЕГБИ 8—9 мая (стадион «Авангард»)
ПЛАВАНИЕ 8—9 мая — встреча сборных команд
Москвы, Ленинграда, РСФСР и УССР (бассейн
Дворца водного спорта, Мироновская набережная, 27)
ЛЕГКАЯ АТЛЕТИКА 9 мая — Финал весеннего
кросса Москвы
(Московский ипподром, начало в 9.00)
Всесоюзный кросс на приз газеты «Правда»
(Московский ипподром, начало в 14.00).

Редактор **В. В. ЛЮБИНСКИЙ.**
Художественный редактор **Ю. И. Шаков.**
Технический редактор **О. А. Бендер.** Ст. корректор **Л. В. Долина.**
Издательство «Реклама» Управления по печати Мосгорисполкома
Адрес редакции: Смоленская наб., 2-а. **Телефон 244-28-86.**
А06701. В печ. 28/IV—69 г. Ф. 60×90¹/₁₆. Объем 5 п. л. Изд. 891. З. 1634. Т. 13.000
Типография изд-ва «Московская правда», Потаповский пер., 3.

Чéм вы́ увлекáетесь?

Я слы́шал, что ты́ незауря́дный° спортсмéн. Каки́м ви́дом спóрта ты́ занимáешься?

— Плáваньем.

— Грéблей.°

— Лёгкой атлéтикой.

— Тяжёлой атлéтикой.

— Пáрусным спóртом.

— Парашю́тным спóртом.

— Фигу́рным катáньем.

Мнé говори́ли, что ты́ коллекционéр.

— Ну какóй я коллекционéр, прóсто собирáю мáрки.

— Дá, я собирáю стари́нные монéты.°

— Не коллекционéр. Прóсто у меня́ небольшáя коллéкция интерéсных камнéй.

— Дá, собирáю рáзные значки́,° раку́шки, откры́тки.

Side glossary:

незауря́дный: *outstanding, quite a*

грéбля: *rowing*

монéта: *coin*

значóк: *badge, emblem*

Ты́ занима́ешься му́зыкой?

— Игра́ю на скри́пке.°
— Игра́ю на роя́ле.
— Не серьёзно. Немно́го игра́ю на гита́ре и на гармо́шке.

скри́пка: *violin*

Я чле́н кружка́ филатели́стов. А ты́?

— А я́ чле́н фотокружка́.
— А я́ чле́н кружка́ совреме́нного та́нца.
— А я́ чле́н литерату́рного кружка́.
— А я́ посеща́ю кружо́к самодея́тельности.°

самодея́тельность *f*:
amateur talent activities

УПРАЖНЕНИЯ

8. *Эти ребя́та — коллекционе́ры.*

   У Андре́я колле́кция _____ .
   У Тама́ры колле́кция _____ .
   Ни́на собира́ет _____ .
   Светла́на собира́ет _____ .

9. *У тебя́ интере́сная колле́кция?* ✕

   Приме́р: Ты́ собира́ешь ма́рки?
   Да́, у меня́ больша́я колле́кция ма́рок.

   Ты́ собира́ешь откры́тки?
   Ты́ собира́ешь раку́шки?
   Ты́ собира́ешь ка́мни?
   Ты́ собира́ешь моне́ты?
   Ты́ собира́ешь значки́?

10. *Эти ребя́та чле́ны кружка́ орке́стра.*

    Ви́тя игра́ет на _____ .   Ве́ра игра́ет на _____ .
    Та́ня игра́ет на _____ .   Ми́тя игра́ет на _____ .

11. *Когда́ собра́ние кружка́?* ✕

    Приме́р: Собра́ние кружка́ совреме́нного та́нца в сре́ду?
    Да́, э́тот кружо́к собира́ется по среда́м.

    Собра́ние кружка́ филатели́стов во вто́рник?
    Собра́ние фотокружка́ в четве́рг?
    Собра́ние кружка́ орке́стра в пя́тницу?
    Собра́ние кружка́ совреме́нного та́нца в понеде́льник?
    Собра́ние кружка́ самодея́тельности в суббо́ту?

GRAMMAR

Purpose Clauses with *чтóбы*

Purpose clauses are introduced by **чтóбы,** *in order to.*
When the subject of the main clause is the same as the subject of the
purpose clause, **чтóбы** is followed by an infinitive.

Мы́ спеши́м, чтóбы не опоздáть на мáтч.	We're rushing to be (in order that we may be) on time for the game.

When the subjects are not the same, **чтóбы** is followed by a verb in
the past, regardless of the tense of the main clause.

Роди́тели сдéлали всё возмóжное, чтóбы я мóг поступи́ть в университéт.	My parents did everything possible for me to be able to (in order that I could) go to college.
Роди́тели дéлают всё возмóжное, чтóбы я мóг поступи́ть в университéт.	My parents are doing everything possible for me to be able to (in order that I can) go to college.

After verbs of motion, **чтóбы** may be omitted in purpose clauses if it
is to be followed by an infinitive.

Я пришёл сюдá (чтóбы) поговори́ть с вáми.	I came here to have a talk with you.

When the speaker wishes to emphasize the idea of purpose, he may use
затéм or **для тогó** before **чтóбы** in the main clause.

Я пришёл и́менно для тогó, чтóбы поговори́ть с вáми.	I came here precisely for the purpose of having a talk with you.
Онá приглаcи́т меня́ домóй затéм, чтóбы я мóг познакóмиться с ни́ми.	She will invite me to her house so that I can meet them.

УПРАЖНЕНИЯ

12. *Состáвьте фрáзы по дáнному примéру.* ⊗

   Примéр: Он э́то сдéлал, чтóбы занимáться спóртом. (я)
   Он э́то сдéлал, чтóбы я занимáлся спóртом.

   Я куплю́ шáйбу, чтóбы игрáть в хоккéй. (сы́н)
   Онá э́то сдéлает, чтóбы вы́играть. (ты́)
   Они́ э́то сдéлали, чтóбы не проигрáть. (вы́)
   Я э́то сдéлал, чтóбы не опоздáть. (óн)
   Они́ егó приглася́т, чтóбы познакóмиться с ни́м. (мы́)
   Он останови́лся, чтóбы заби́ть гóл. (Блинóв)
   Онá тудá позвони́т, чтóбы получи́ть путёвку. (Ни́на)

13. *Соста́вьте фра́зы по да́нному приме́ру.* ⊗

    Приме́р: Я прошу́ его́, что́бы о́н да́л мне́ де́нег. (когда́ я́ его́ уви́жу) (вчера́)

        Когда́ я́ его́ уви́жу, я́ попрошу́ его́, что́бы о́н да́л мне́ де́нег.

        Я вчера́ попроси́л его́, что́бы о́н да́л мне́ де́нег.

Я пишу́ ей, что́бы она́ поскоре́е возвраща́лась. (давно́) (за́втра)

Роди́тели меня́ посыла́ют во Фра́нцию, что́бы я́ учи́лся францу́зскому языку́. (в про́шлом году́) (в бу́дущем году́)

Она́ звони́т им, что́бы они́ пришли́. (че́рез не́сколько мину́т) (то́лько что)

Они́ даю́т мне́ свою́ маши́ну, что́бы я́ мо́г туда́ пое́хать. (не́сколько дне́й тому́ наза́д) (на бу́дущей неде́ле)

14. *Перепиши́те фра́зы, ста́вя да́нные спра́ва глаго́лы в пра́вильную фо́рму.*

Он сказа́л официа́нту, что́бы то́т _____ ему́ стака́н ква́су. (принести́)

Скажи́те им, что́бы они́ _____ не та́к гро́мко. (говори́ть)

Ты́ э́то говори́шь специа́льно для того́, что́бы меня́ _____. (оби́деть)

Вы́ пое́дете на вокза́л, что́бы _____ жену́? (встре́тить)

Я ва́м э́то говорю́, что́бы вы́ _____ им, пока́ не по́здно. (позвони́ть)

Они́ говоря́т шёпотом, что́бы не _____ на́м. (меша́ть)

Я ва́м покажу́ фотогра́фии, что́бы вы́ _____, ка́к та́м краси́во. (зна́ть)

Он вы́шел в коридо́р, что́бы _____. (покури́ть)

Я пришёл к ва́м не для того́, что́бы с ва́ми _____! (спо́рить)

Роди́тели проси́ли тебе́ переда́ть, что́бы ты́ _____ поча́ще. (писа́ть)

Объявле́ние ма́тча «Локомоти́в» — «Торпе́до»
Хокке́й оди́н из са́мых популя́рных ви́дов спо́рта в СССР

ЦЕНТРАЛЬНЫЙ СТАДИОН «ЛОКОМОТИВ»

14 и 15 февраля

ХОККЕЙ

ПЕРВЕНСТВО СССР 1973 ГОДА

1-я группа класса «А»

«ЛОКОМОТИВ» — «ТОРПЕДО»

(Москва)   (Усть-Каменогорск)

Нача́ло игр в 18 часов.

Билеты продаю́тся в ка́ссах Центра́льного стадио́на «Локомоти́в».

Прое́зд: метро ст. «Преображе́нская пло́щадь», тролл. 41; авт.: 34, 52, 230, 516.

ЛЕТО:
ЛЫЖИ ...

Вы́ никогда́ не про́бовали прогуля́ться по воде́... пешко́м? «Обува́йте» во́дные лы́жи — не пожале́ете! Како́е э́то прекра́сное, необы́чное ощуще́ние° — пробежа́ться по волна́м с ветерко́м, разбива́я и́х в каска́дах серебри́стых бры́зг°! Популя́рность во́дных лы́ж растёт с ка́ждым днём. Водно-лы́жник — гимна́ст, плове́ц, акроба́т одновре́ме́нно (ну и лы́жник, коне́чно!). Во́дные лы́жи — э́то сла́лом, фигу́рное ката́нье и прыжки́° с трампли́на.

ощуще́ние: *sensation*
бры́зги *pl: spray*

прыжо́к: *jump*

УПРАЖНЕНИЯ

15. *Расскажи́те о то́м, что́ вы прочита́ли.*

   Ка́к мо́жно прогуля́ться по воде́ пешко́м?
   Что́ тако́е воднолы́жник?
   Что́ тако́е во́дные лы́жи?

16. *Отве́тьте на вопро́сы.*

   Вы́ занима́етесь во́дным спо́ртом? Каки́м?
   Вы́ иногда́ ката́етесь на ло́дке? На како́й? На па́русной? На я́хте?
   Вы́ лю́бите пла́вать? Вы́ хорошо́ пла́ваете? Где́ вы́ пла́ваете?
   Вы́ лю́бите ныря́ть? Вы́ пры́гаете с трампли́на? С како́й высоты́?

Футбо́льная пе́сенка

Стихи́ Л. Оша́нина   Му́зыка А. Но́викова

На лучи́стом°, чи́стом не́бе со́лнце све́тит,
С высоты́ с любопы́тством гляди́т.
Быстроно́ги футболи́сты, сло́вно° ве́тер.
Кто́ кого́ в э́тот ра́з победи́т?

     Уда́р° коро́ток —
     И мя́ч в воро́тах!
     Крича́т «боле́льщики», свисто́к даёт судья́.
     Вперёд, друзья́!
     Быстроно́ги футболи́сты, сло́вно ве́тер.
     Кто́ кого́ в э́тот ра́з победи́т?

В не́бе зла́я грозова́я панора́ма.
Мя́ч плывёт у воро́т по воде́.
Но упря́мо° е́дет пря́мо на «Дина́мо»
Вся́ Москва́, позабы́в о дожде́.

Мы́ нере́дко, мы́ нере́дко би́ли ме́тко°:
— Ну́-ка, дру́г, ми́мо ру́к получи́!—
И к брита́нцам, и к шотла́ндцам° пря́мо в се́тку
Из Москвы́ залета́ли мячи́.

Над зелёным стадио́ном с лёгким зво́ном
Хо́чет мя́ч це́лый ми́р облете́ть.
Сла́ва сме́лым° и уме́лым° чемпио́нам
И приве́т те́м, кто лю́бит «боле́ть»!

     Уда́р коро́ток —
     И мя́ч в воро́тах!
     Крича́т «боле́льщики», свисто́к даёт судья́.
     Вперёд, друзья́!
     В ка́ждом по́ле, в ка́ждой шко́ле стадио́ны!
     До чего́ ж молодёжь горяча́!

лучи́стый: *radiant*	ме́ткий: *deadly accurate*
сло́вно: *like*	шотла́ндец: *Scotsman*
уда́р: *kick*	сме́лый: *bold*
упря́мый: *obstinate*	уме́лый: *skillful*

СОСЕДИ

Б. ЛАСКИН

Ввоскресéнье, пóсле традициóнной у́тренней прогу́лки всéм семéйством, Алексéев заня́лся маши́ной. Он вы́мыл её и потóм дóлго тёр° тря́пкой°. Маши́на засверкáла на сóлнце. Алексéеву помогáл семилéтний Жéнька — егó сы́н. Гóрдый окáзанным ему́ довéрием, он, подражáя отцу́, вытирáл лóб рукóй и отвечáл, когдá мáть звалá егó, жáлобным гóлосом:

тере́ть–: *to polish*
тря́пка: *rag*

— Мáма, рáзве ты́ не ви́дишь, что мы́ дéлаем профилáктику? Неужéли нельзя́ немнóго подождáть?

Закóнчив с маши́ной, отéц с сы́ном пошли́ под ду́ш°. Прия́тно в жáркий дéнь постоя́ть под весёлым звеня́щим дóждиком!

душ: *shower (bath)*

Пóсле ду́ша, Алексéев сказáл сы́ну пойти́ побéгать с ребя́тами, а сáм, надéв пижáму, подошёл к огрáде и кри́кнул:

— Пáвел Петрóвич!

Ю́рий Сергéевич Алексéев и Пáвел Петрóвич Лагу́тин дружи́ли давнó. Óба рабóтали на однóм завóде, жи́ли в гóроде в однóм дóме, и дáже здéсь, под Москвóй, дáчи и́х стоя́ли ря́дом.

Лагу́тин появи́лся у огрáды.

— Ну кáк? — ти́хо спроси́л Алексéев.

— Всё в поря́дке.

— Тогдá вóт чтó. Иди́ к себé. Немнóго погодя́ я́ заведу́ разговóр, и ты́ срáзу вступáй...

Друзья́ верну́лись кáждый на свою́ террáсу, и вскóре, бы́стро съéв тарéлку холóдного борщá, Алексéев кри́кнул:

— Петрóвич!

— Я́! — отвéтил Лагу́тин.

— Ты́ всё отдыхáешь?

— А чтó же не отдыхáть... Воскресéнье.

— Ю́ра, мóжет бы́ть, вы́ пóсле обéда поговори́те? — вмешáлась Вéра Михáйловна, женá Алексéева.

— Погоди́, Вéрочка, у нáс деловóй разговóр. — Алексéев встáл. — Извéстно тебé, Петрóвич, котóрый чáс?

Алексéев говори́л грóмко, чтóбы егó услы́шала и женá Лагу́тина — Мари́я Николáевна, котóрая ужé с любопы́тством смотрéла из окнá.

— А ты́ чтó же, про° техни́ческое совещáние° забы́л? — кри́кнул Алексéев.

про: *about, concerning*
совеща́ние: *meeting*

— Какóе совещáние? Сегóдня воскресéнье, — сказáла Мари́я Николáевна. — Вы́, пожáлуйста, не выду́мывайте.

Рýсская дáча

— Техни́ческое совеща́ние,— сказа́л Алексе́ев и, взгляну́в на жену́, доба́вил:— Да-да́, Ве́рочка. Не́чего удивля́ться.

— Это чтó же, зна́чит, вы́ до ве́чера?— спроси́ла Мари́я Никола́евна.

— Нéт,— отве́тил му́ж. Гóлос егó бы́л слы́шен на терра́се у Алексе́евых.

— Сегóдня совеща́ние корóткое,— сказáл Алексе́ев,— часá нá три, не бóльше.— Он торопли́во доедáл вторóе.— Тáк что к шести́ часáм мóжете самовáр стáвить. Бýдем здéсь.

...Когдá маши́на вы́ехала на шоссé°, Алексе́ев прибáвил гáзу и взгляну́л на Лагу́тина.

— Кáк ду́маешь, не догадáлись°?

— Трýдно сказáть. У моéй какóе-то стрáнное выражéние лицá бы́ло.

— М-дá... Нó, с другóй стороны́, не могли́ же мы́ прóсто взя́ть и сказáть: «Дороги́е жёны, мы́ поéхали на футбóл».

— Дá. Тогдá бы у нáс э́то нóмер, пожáлуй, не прошёл. Начали́сь бы разговóры — воскресéнье, давáй занимáться сáдом, то-сё°. А сегóдня такáя игрá!

— Э́то-то, конéчно, тáк, но мы́ с тобóй всё же эгои́сты, а?

— Ну зачéм же тáк рéзко° стáвить вопрóс — эгои́сты! Во-пéрвых, у нáс всегó двá билéта, жёны нáши футбóлом не интересу́ются. Во-вторы́х, мы́ не на цéлый дéнь уéхали. И потóм, в концé концóв, мы́ мóжем верну́ться пóсле пéрвой полови́ны.

Алексе́ев посмотрéл на Лагу́тина. «Ну дá, тáк ты́ и уйдёшь, не досмотрéв игры́!— подумáл óн.— Знáю я́ тебя́, болéльщика!»

Друзья́ помолчáли. Потóм Алексе́ев бóдро° сказáл:

— Мы́ нáших гдé остáвили? На дáче. Прекрáсная прирóда°. Сóсны. Свéжий вóздух. Вéрно?

— Конéчно. Пýсть отдыхáют,— с неожи́данной нéжностью заключи́л° Лагу́тин.— Отды́х óчень укрепля́ет здорóвье.

Возврати́вшись на дáчу, довóльные побéдой своéй комáнды, друзья́ с озабóченными° ли́цами вы́шли из маши́ны и напрáвились к лагу́тинской террáсе, на котóрой сидéли óбе жены́.

— Здорóво всё-таки Тимофéев выступáл,— с энтузиáзмом нáчал Алексе́ев, кáк бы продолжáя разговóр.

— Дá,— сказáл Лагу́тин, внýтренне усмехáясь. Óчень у́ж ненатурáльно прозвучáла пéрвая фрáза Алексе́ева.— А вóт и мы́,— сказáл óн, поднимáясь на террáсу,— привéт!

Емý никтó не отвéтил.

У самовáра, за столóм, устáвленным закýсками, сидéли Вéра Михáйловна и Мари́я Никола́евна с непроницáемыми° ли́цами. «Неужéли догадáлись?»— подумáл Алексе́ев, взгляну́в на дру́га и читáя в егó глазáх тý же беспокóйную мы́сль°.

— Сади́тесь,— неожи́данно стрóгим гóлосом сказáла Мари́я Никола́евна,— сади́тесь. Бýдет у нáс с вáми крýпный разговóр.

шоссé	*indecl: highway*
–догадáться	*to guess*
тó-сё	*this and that*
рéзко	*strongly, sharply*
бóдро	*heartily*
прирóда	*nature*
–заключи́ть	*to conclude*
озабóченный	*anxious*
непроницáемый	*inscrutable*
мы́сль	*f: thought*

«Та́к и е́сть, догада́лись»,— поду́мал Лагу́тин и ти́хо спроси́л:

— А что́ случи́лось?

— Па́ша! Ю́рий Серге́евич! Пока́ ва́с не́ было, мы́ с Ве́рой о́чень пережива́ли. Де́ло в то́м...— Мари́я Никола́евна была́ взволно́вана и говори́ла, с трудо́м подбира́я слова́:— Вы́ соверше́нно себя́ не щади́те°. Ма́ло того́, что вы́ рабо́таете всю неде́лю, вы́ да́же и сего́дня, в выходно́й де́нь°, вме́сто того́, что́бы отдыха́ть, бо́льше трёх часо́в провели́ на совеща́нии...

Мужья́ перегляну́лись.

— Посмотри́ на себя́, Па́ша,— продолжа́ла Мари́я Никола́евна,— у тебя́ тако́е уста́лое лицо́! Да и ва́ш ви́д, Ю́рий Серге́евич, то́же, ка́к говори́тся, оставля́ет жела́ть лу́чшего. Могу́ себе́ предста́вить, как та́м кури́ли!

— Вообще́-то говоря́, наро́д действи́тельно кури́л,— неуве́ренно на́чал Алексе́ев, стара́ясь не гляде́ть на Лагу́тина.

— Сиде́ли в закры́том помеще́нии°?— спроси́ла Ве́ра Миха́йловна.

— Не́т... Помеще́ние бы́ло тако́е, дово́льно откры́тое,— сказа́л Лагу́тин.

— Не на́до на́с успока́ивать,— суро́во° сказа́ла Мари́я Никола́евна,— мы́ не де́ти!

Алексе́ев посмотре́л на жену́. Она́ пока́чивала голово́й. «Сейча́с созна́юсь°,— поду́мал Алексе́ев.— Созна́юсь — и гора́ с пле́ч».

— До того́ нарабо́тались на ва́шем совеща́нии, что да́же аппети́та не́т?— сказа́ла Мари́я Никола́евна.— Иди́те мо́йте ру́ки, пое́шьте и ложи́тесь отдыха́ть.

Друзья́ мо́лча спусти́лись с терра́ссы. Подходя́ к рукомо́йнику, приби́тому° к сосне́, Лагу́тин сказа́л:

— Ты́ зна́ешь, я до того́ растеря́лся, что да́же жале́ю, что мы́ с тобо́й е́здили. Ка́к они́ на́с встре́тили. Ка́к встре́тили!

— Да́,— вздохну́л° Алексе́ев,— не це́ним мы́ поро́й тако́го отноше́ния. Но ничего́. Ничего́!.. Сейча́с мы́ и́х успоко́им, и они́ у на́с сра́зу повеселе́ют. Пойдём призна́емся и пока́жем во́т э́ти биле́ты.

— Па́па!

Алексе́ев останови́лся. К нему́ бежа́л Же́нька.

— Па́па! Дя́дя Па́ша! А мы́ ва́с ви́дели!

— Ти́хо! Не кричи́ на ве́сь уча́сток°. Где́ вы́ на́с ви́дели?

— В телеви́зор.

— Что́?

— Мы́ к Богома́зовым на да́чу ходи́ли телеви́зор смотре́ть. Та́м футбо́л передава́ли со стадио́на «Дина́мо».

— Погоди́, погоди́,— переби́л° сы́на Алексе́ев,— а кто́ смотре́л э́тот... телеви́зор?

— Кто́ смотре́л? Мно́го наро́ду бы́ло. Я́, ма́ма, тётя Ма́ша Лагу́тина, Лю́ся... Когда́ вы́ в телеви́зоре появи́лись, тётя Ма́ша сказа́ла: «Во́т они́ сидя́т, голу́бчики, на совеща́нии. Полюбу́йтесь°!»

Дово́льный эффе́ктом, кото́рый вы́звало его́ сообще́ние, Же́нька продолжа́л:

щади́ть-: *to spare, to have mercy on*

выходно́й де́нь: *day off*

помеще́ние: *room, quarters*

суро́вый: *severe*

-созна́ться: *to confess*

-приби́ть: *to nail, to fasten*

-вздохну́ть: *to sigh*

уча́сток: *neighborhood*

-переби́ть: *to interrupt*

-полюбова́ться: *to feast one's eyes*

— Сперва́ вы́ шля́пами маха́ли и чего́-то крича́ли, а пото́м пошли́ пи́во пи́ть.

— Это что, то́же по телеви́дению передава́ли?— удиви́лся Лагу́тин.

— Не́т. Это ма́ма сказа́ла: «Сейча́с, говори́т, они́ пойду́т пи́ва вы́пьют в че́сть побе́ды».

Алексе́ев вски́нул° на плечо́ Же́ньку и, увлека́я за собо́й Лагу́тина, побежа́л к тера́ссе, отку́да уже́ слы́шался же́нский сме́х.

–вски́нуть: *to throw, to lift*

Биле́т на стадио́н и афи́ша

УПРАЖНЕ́НИЕ

17. *Расскажи́те о то́м, что́ вы́ прочита́ли.*

Когда́ Алексе́ев заня́лся маши́ной?

Почему́ маши́на засверка́ла на со́лнце?

Кто́ помога́л Алексе́еву? Ка́к о́н подража́л отцу́?

Куда́ пошли́ оте́ц и сы́н?

Куда́ помча́лся Же́нька по́сле ду́ша?

Кого́ позва́л Алексе́ев, подойдя́ к огра́де?

Ка́к до́лго дружи́ли Ю́рий Серге́евич Алексе́ев и Па́вел Петро́вич Лагу́тин?

  Где́ они́ рабо́тали и жи́ли? Ка́к стоя́ли и́х да́чи?

О че́м друзья́ уговори́лись?

Что́ кри́кнул Алексе́ев Лагу́тину с терра́сы?

Что́ друзья́ сказа́ли жёнам?

К кото́рому ча́су друзья́ обеша́ли верну́ться на да́чу?

Почему́ друзья́ не хоте́ли сказа́ть жёнам, что е́дут на ма́тч?

Че́м прия́тели себя́ утеша́ли?

С каки́ми ли́цами друзья́ вы́шли из маши́ны, возврати́вшись на да́чу по́сле ма́тча?

О че́м говори́л Алексе́ев, ка́к бы продолжа́я разгово́р?

Что́ уви́дели друзья́, поднима́ясь на терра́су?

Како́й разгово́р бы́л у ни́х с жёнами? Что́ жёны и́м говори́ли?

Куда́ друзья́ спусти́лись с терра́сы?

Почему́ Алексе́ев жале́л о то́м, что о́н с дру́гом е́здил на футбо́л?

Ка́к друзья́ хоте́ли успоко́ить свои́х жён?

Кто́ в э́то вре́мя к ни́м подбежа́л?

Что́ о́н и́м рассказа́л?

Что́ слы́шалось с терра́сы, когда́ Алексе́ев и Лагу́тин туда́ побежа́ли?

Рисунок Виталия Пескова

— *Вот как это делается.*

Рисунок Валерия Сударева

Рисунок Андрея Некрасова

Рисунок Владимира Шкарбана

Рисунок Андрея Некрасова

WORD STUDY

Negative Impersonals

Negative pronouns and adverbs such as **никто́, ничего́, никогда́, никуда́** have corresponding forms which are used in impersonal constructions. The first syllable of each form is **не́-: не́кого, не́чего, не́когда, не́куда.**

When a negative pronoun or adverb is used in a sentence, the negative particle must be used with the main verb.

Он ничего́ не зна́ет.	He doesn't know anything.
Он никогда́ не игра́ет в хокке́й.	He never plays hockey.

The negative particle **не** is not used in impersonal constructions.

Не́чего бы́ло де́лать.	There was nothing to do.

Since they already contain the meaning *there is,* the forms combined with **не-** cannot be used with a main verb.

Мне́ не́когда (чита́ть).	I have no time (to read).
Мне́ не́когда бы́ло (чита́ть).	I had no time (to read).
Мне́ не́когда бу́дет (чита́ть).	I won't have any time (to read).

Negative Pronouns and Adverbs	*Corresponding Forms Used In Impersonal Constructions*
Он ни с ке́м не говори́л. He didn't talk to a soul.	Не́ с кем бы́ло говори́ть. There was no one to talk to.
Он ничего́ не е́л. He ate nothing.	Не́чего бы́ло е́сть. There was nothing to eat.
Она́ ни о чём не беспоко́ится. She never worries about a thing.	Ей не́ о чем беспоко́иться. She has nothing to worry about.
Мы́ никуда́ не идём. We're not going anywhere.	На́м не́куда идти́. We have no place to go.

Words Derived from *дава́ть- -да́ть*

Unlike most verbs with only one imperfective, **дава́ть-,** *to give,* when prefixed, does not become perfective but becomes the imperfective partner of **-да́ть** with the same prefix.

задава́ть- -зада́ть to assign ⟶ зада́ние task
                                              зада́ча problem
издава́ть- -изда́ть to publish ⟶ изда́ние edition
                                               изда́тель publisher
                                               изда́тельство publishing house

отдава́ть– –отда́ть to give back
передава́ть– –переда́ть to pass, to transmit ⟶ переда́ча broadcast
продава́ть– –прода́ть to sell ⟶ продаве́ц salesman
продавщи́ца salesgirl
прода́жа sale

раздава́ть– –разда́ть to distribute
сдава́ть– –сда́ть to give up, to check, to rent ⟶ сда́ча change (money)

УПРАЖНЕНИЕ

18. *Зако́нчите сле́дующие предложе́ния, выбира́я из да́нных вы́ше слов са́мые подходя́щие.*

Интере́сно, како́е сочине́ние нам _____ на за́втра?
Эту кни́гу _____ в пе́рвый ра́з сто ле́т тому́ наза́д.
Пожа́луйста, _____ от меня́ приве́т ва́шим роди́телям.
Вы ему́ де́нег не предлага́йте, он их возьмёт, но никогда́ не _____.
А где́ же _____? Ведь я́ ва́м да́л де́сять рубле́й.

WORD STUDY

–да́ть and *есть–*

–да́ть and есть– and their derivatives are the only verbs in Russian
which have neither the ending **-у/-ю** in the first person singular nor the
conjugation vowel **-е-/-и-** in the second and third person singular.
–да́ть and verbs formed by prefixing –да́ть are perfective.
есть– is imperfective. Verbs formed by prefixing есть– are perfective.
These verbs form their imperfective from the stem **...еда́ть.**

есть– –съесть to eat ⟶ еда́ food
доеда́ть– –дое́сть to finish eating
заеда́ть– –зае́сть to eat in order to take away an unpleasant taste, to oppress
наеда́ться– –нае́сться to eat one's fill
надоеда́ть– –надое́сть to get on someone's nerves
перееда́ть– –перее́сть to overeat
съеда́ть– –съесть to eat up

УПРАЖНЕНИЕ

19. *Вста́вьте подходя́щий по смы́слу глаго́л в пра́вильной фо́рме.*

Я давно́ не (есть– –съесть) таки́х вку́сных конфе́т.
Ко́ля, неуже́ли ты (есть– –съесть) ве́сь шокола́д?
Сейча́с приду́! То́лько (доеда́ть– –дое́сть) сла́дкое.
Пожа́луйста, оста́вь меня́ в поко́е! Почему́ ты мне (надоеда́ть– –надое́сть)?
Он вдру́г полюби́л футбо́л, но э́то ему́ ско́ро (надоеда́ть– –надое́сть).

НАШ ДРУГ-СПОРТ

Игра́ в мотобо́л ▲

Футбо́льный ма́тч на Ле́нинском стадио́не ▲

Люби́мица пу́блики — Ольга Ко́рбут ▶

REFERENCE NOTES

Intensive Pronouns

In English, the pronouns formed by combining the suffix *-self* with personal pronouns are of two types:

1. intensive: He said so himself.
2. reflexive: He only thinks about himself.

In Russian, the intensive pronoun is **са́м.**[1]

Он са́м та́к и сказа́л.
Мне́ придётся э́то сде́лать самому́.
Спроси́ и́х сами́х.

The reflexive pronoun is **себя́.**

Он то́лько о себе́ и ду́мает.

In the following sentences, an intensive and a reflexive pronoun appear together.

Он са́м себе́ хозя́ин.	He is his own boss. (He himself is master to himself.)
Само́ собо́й разуме́ется.	That's obvious. (It itself is understood by means of itself.)

Себя́, which is declined like **ты́ (тебя́, тебе́, тобо́й; себя́, себе́, собо́й),** does not have a nominative form. **Себя́** is used to refer to all three persons, singular and plural.

Я то́лько о себе́ (*myself*) и ду́маю.
Вы́ то́лько о себе́ (*yourself*) и ду́маете.
Она́ то́лько о себе́ (*herself*) и ду́мает.
Они́ то́лько о себе́ (*themselves*) и ду́мают.

Перепиши́те ка́ждое предложе́ние, употребля́я слова́ в ско́бках.

Он себя́ совсе́м не жале́ет. (ты́, вы́, она́, они́)
Она́ собо́й стра́шно дово́льна. (я́, ты́, о́н, вы́, мы́)
Я себе́ э́того никогда́ не прощу́. (ты́, о́н, она́, мы́, вы́, они́)

Note:
The reflexive suffix **-ся** is a contraction of **себя́: Он мо́ется (Он мо́ет себя́),** *He's washing himself.*

A few verbs have different meanings when used with the suffix and when used with the uncontracted form.

Ка́к вы́ себя́ чу́вствуете?	How do you feel?
Чу́вствовалось, что ребёнок бо́лен.	One could feel (sense) that the child was ill.

[1]**Са́м, сама́, само́, са́ми** should be distinguished from **са́мый, са́мая, са́мое, са́мые,** which can mean *the very same* and which are also used with adjectives to form the superlative. For example: **Мы́ говори́ли с сами́м королём,** *We spoke with the king himself.* **Мы́ говори́ли с те́м же са́мым челове́ком,** *We spoke with the very same person.* **Мы́ говори́ли с са́мым интере́сным челове́ком.** *We spoke with the most interesting person.*

ШАХМАТЫ

Ша́хматы на Руси́

Когда́ и каки́м путём попа́ли ша́хматы в дре́внюю Ру́сь? Ша́хматная игра́ пришла́ к на́м из Индии, не по́зже VIII–IX веко́в. Об э́том свиде́тельствуют раско́пки°, произведённые в послевое́нные го́ды в дре́внем Но́вгороде и на Украи́не, где на́йдены отде́льные стари́нные ша́хматные фигу́ры. Об э́том же говори́т сравни́тельное изуче́ние терминоло́гии ру́сских и средневеко́вых восто́чных ша́хмат. Взя́ть хотя́ бы са́мое назва́ние игры́ — «ша́хматы». На языке́ пе́рсов, а по́зже и ара́бов, э́то сло́во, состоя́щее из дву́х корне́й «ша́х» и «ма́т», означа́ет: «власти́тель поражён°».

Не мно́го све́дений дошло́ до на́с и о после́дующем, тысячеле́тнем пути́ ша́хмат в Росси́и. По отде́льным докуме́нтам мо́жно уви́деть, что в пери́од с XIII до середи́ны XVII ве́ка ша́хматы счита́лись «бесо́вским и́грищем°».

Поздне́е све́дения об увлече́нии ру́сских ша́хматами мы́ нахо́дим в показа́ниях иностра́нцев, посеща́вших Моско́вское госуда́рство в XVI–XVII века́х. Осо́бый интере́с представля́ет сообще́ние францу́зской хро́ники о прибы́тии в 1685 году́ к Людо́вику XIV Моско́вского посо́льства: «Эти ру́сские превосхо́дно игра́ют в ша́хматы; на́ши лу́чшие игроки́ пе́ред ни́ми — шко́льники». На́до та́кже отме́тить, что во вре́мя неда́вних раско́пок, в моско́вских зда́ниях (XVI–XVII веко́в),

Рисунок О. Зимека

Будьте так любезны, выньте вторую королеву из рукава!

раско́пки *pl: excavations*   **власти́тель поражён:** *the sovereign is overthrown*   **бесо́вское и́грище:** *the devil's play*

среди́ разнообра́зных веще́й, бы́ли на́й-
дены три́ деревя́нные и две́ костяны́е° ша́хматные фигу́ры.

В нача́ле XVIII ве́ка распростране́нию° игры́ помо́г Пётр I, кото́рый`и са́м, как о том свиде́тельствуют многочи́сленные ис-то́чники°, бы́л люби́телем ша́хмат.

Во второ́й полови́не XVIII ве́ка ша́х-маты бы́ли распространены́ в Росси́и в дворя́нских и придво́рных круга́х. Сохра-ни́лись, наприме́р, све́дения об увлече́нии ша́хматами Екатери́ны II, кня́зя Потём-кина и други́х. К после́днему приезжа́л изве́стный балти́йский шахмати́ст К. Ф. Амелу́нг. По свиде́тельству совреме́нников, в кабине́те Потёмкина «стоя́ло мно́жество столо́в с ша́хматами».

— *из журна́ла «Зна́ние-си́ла»*
Статья́ И. Ли́дина

Что́ за зна́ки?

Запо́мни не́сколько усло́вных° обозначе́-ний, ча́сто встреча́ющихся в ша́хматной литера-ту́ре, они́ помо́гут тебе́ проче́сть° за́пись па́р-тии:

0—0 — коро́ткая рокиро́вка°,
0—0—0 — дли́нная рокиро́вка,
+ — ша́х,
0 — ма́т,
! — хоро́ший, си́льный хо́д,
!! — краси́вый, си́льный хо́д,
? — плохо́й, оши́бочный хо́д,
?? — Очень плохо́й хо́д, гру́бая оши́бка,
?! — риско́ванный хо́д.

костяно́й: *bone-carved*
распростране́ние: *popularization*

исто́чник: *source*
усло́вный: *conventional*

–проче́сть: *to read, to understand*
рокиро́вка: *castle, rook* (*in chess*)

Расска́зывают почто́вые ма́рки

Писа́тели и поэ́ты на сове́тских ма́рках

Поле́зно ли занима́ться филате́лией? Безусло́вно! Собира́я почто́вые ма́рки, коллекционе́ры знако́мятся с жи́знью ра́зных стран, их эконо́микой, геогра́фией, исто́рией и т. д. Одна́ко, давно́ прошло́ то вре́мя, когда́ филатели́сты увлека́лись универса́льными колле́кциями, собира́я ма́рки всего́ ми́ра. Тепе́рь э́то про́сто невозмо́жно. «Класси́ческий» при́нцип коллекциони́рования, т. е. собира́ния всех ма́рок, сохранён лишь для оте́чественных ма́рок, да ещё одно́й-дву́х люби́мых стран. Мно́гие коллекционе́ры останови́лись на темати́ческом при́нципе — на подбо́ре ма́рок по сюже́там.

В Сове́тском Сою́зе, начина́я с 1921 го́да, ма́рок вы́пущено о́коло трёх ты́сяч; сейча́с мы остано́вимся на ма́рках, посвящённых° литера-

туре и отде́льным писа́телям и поэ́там,— их свы́ше двухсо́т.

Пе́рвая така́я ма́рка была́ вы́пущена в па́мять 200-ле́тия Акаде́мии нау́к в 1925 году́. На ней изображено́ зда́ние акаде́мии в Ленингра́де и портре́т вели́кого учёного-энциклопеди́ста Михаи́ла Васи́льевича Ломоно́сова.

В 1932 году́ появи́лись две ма́рки с портре́том Макси́ма Го́рького, вы́пущенные к 40-ле́тию его литерату́рной де́ятельности°.

С э́того вре́мени ма́рки в па́мять литерату́рных годовщи́н выпуска́ются ежего́дно. Э́то — и отде́льные ма́рки и це́лые се́рии. Большинство́ явля́ются миниатю́рными ко́пиями портре́тов изве́стных худо́жников.

На не́которых ма́рках изображены́ сце́ны из жи́зни писа́теля и́ли поэ́та и стро́чки из его произведе́ний.

На ма́рках мно́го изображе́ний кла́ссиков ру́сской литерату́ры, а та́кже писа́телей и поэ́тов сове́тского пери́ода. Мо́жно встре́тить на них и изображе́ния выдаю́щихся поэ́тов и писа́телей други́х стран, наприме́р, из америка́нской литерату́ры: О. Ге́нри, Ге́нри Лонгфе́лло. А на ма́рке, посвящённой Ма́рку Тве́ну, да́же изображён до́мик, в кото́ром он роди́лся, и па́мятник То́му и Ге́ку в го́роде Ганниба́ле.

В коро́ткой статье́ невозмо́жно подро́бно° охарактеризова́ть всё бога́тство сове́тских почто́вых ма́рок на литерату́рные те́мы. Необходи́мо лишь доба́вить, что э́ти ма́рки са́ми по себе́ — произведе́ния графи́ческого иску́сства, и над ни́ми рабо́тают изве́стные сове́тские худо́жники.

«Культу́ра и жизнь»
Статья́ В. Богда́нова

—посвяти́ть: *to devote*   **де́ятельность** *f: activity*   **подро́бно:** *in detail*

ЗАНИМАТЕЛЬНАЯ МАТЕМАТИКА

Немно́го матема́тики

Почти́ во всём ми́ре по́льзуются тепе́рь еди́ной систе́мой исчисле́ния°: десяти́чной. В э́той систе́ме употребля́ется де́сять цифр: 1, 2, 3, 4, 5, 6, 7, 8, 9 и 0. С по́мощью э́тих цифр мо́жно записа́ть любо́е число́.

Напи́шем число́ 123 456 789. Оно́ явля́ется са́мым ме́ньшим из всех девятизна́чных чи́сел, кото́рые мо́жно соста́вить при по́мощи тех же девяти́ цифр (без нуля́), употребля́я ка́ждую из них то́лько по одному́ ра́зу. А са́мым больши́м девятизна́чным число́м без повторя́ющихся цифр и без нуля́ бу́дет число́ 987 654 321. В пе́рвом числе́ все ци́фры после́довательно возраста́ют, во второ́м — убыва́ют°.

Если са́мое ме́ньшее девятизна́чное число́ умно́жить° на 8 и приба́вить 9, то полу́чится са́мое большо́е девятизна́чное число́: 123 456 789 × 8 + 9 = 987 654 321.

исчисле́ние: (*mathematical) calculation*
убыва́ть-: *to diminish*
-умно́жить: *to multiply*

Если из бо́льшего числа́ вы́честь° ме́ньшее, то полу́чится ещё одно́ девятизна́чное число́, у кото́рого все ци́фры разли́чны:

987 654 321 − 123 456 789 = 864 197 532

Удиви́тельное число́

Это число́ 12 345 679. Если умно́жить его́ на 9, мы полу́чим 111 111 111.

А что бу́дет, е́сли умно́жить его́ на чи́сла, кра́тные° 9? Умно́женное на 18, оно́ да́ст 222 222 222, на 27 — 333 333 333... и так до 81, когда́ у нас полу́чится 999 999 999.

Если э́то число́ умно́жить снача́ла на любо́е однозна́чное число́, а пото́м на 9, то все ци́фры оконча́тельного результа́та бу́дут совпада́ть с ци́фрой пе́рвого мно́жителя.

Наприме́р:

$$
\begin{array}{r}
12\,345\,679 \\
\times \qquad 7 \\
\hline
86\,419\,753 \\
\times \qquad 9 \\
\hline
777\,777\,777
\end{array}
\qquad
\begin{array}{r}
12\,345\,679 \\
\times \qquad 8 \\
\hline
98\,765\,432 \\
\times \qquad 9 \\
\hline
888\,888\,888
\end{array}
$$

Прове́рьте на други́х мно́жителях.

Ста́рое и но́вое о кру́ге

Ка́ждый шко́льник тепе́рь вычисля́ет° длину́ окру́жности по диа́метру гора́здо точне́е, чем са́мый иску́сный архите́ктор дре́внего Ри́ма.

Дре́вний мир не знал пра́вильного отноше́ния длины́ окру́жности к диа́метру. Ну́жен был ге́ний Архиме́да, что́бы найти́ для π

-вы́честь: *to subtract*
кра́тный: *a multiple*
вычисля́ть-: *to calculate, to determine*

значе́ние $3\frac{1}{7}$ — найти́ без измере́ний° , одни́ми лишь рассужде́ниями° . Тепе́рь мы́ зна́ем, что Архиме́дово число́ не вполне́ то́чно выража́ет отноше́ние длины́ окру́жности к диа́метру. Теорети́чески дока́зано, что отноше́ние э́то вообще́ не мо́жет бы́ть вы́ражено како́й-либо то́чной дро́бью° . Мы́ мо́жем написа́ть его́ то́лько с те́м и́ли други́м приближе́нием — пра́вда, гора́здо точне́е, чём ну́жно для практи́ческой жи́зни. Матема́тик XVI ве́ка Лу́дольф, в Ле́йдене, вы́числил° его́ с 35 деся-ти́чными зна́ками и завеща́л° вы́резать э́то значе́ние для π на своём моги́льном па́мят-нике.

Во́т оно́:

3,14159265358979323846264338327950288...

Но для обы́чных вычисле́ний° с число́м π вполне́ доста́точно запо́мнить два зна́ка по́сле запято́й (3,14), а для бо́лее то́чных — четы́ре зна́ка (3,1416). После́дней ци́фрой берём 6, а не 5, потому́ что за 5 сле́дует 9, бо́льшая 5.

Небольши́е стихотворе́ния и́ли я́ркие фра́зы ле́гче запо́мнить, чём чи́сла, поэ́тому для запомина́ния значе́ния π приду́мывают отде́льные стихотворе́ния и́ли отде́льные фра́зы. Слова́ подбира́ют та́к, что́бы число́ бу́кв в ка́ждом сло́ве совпада́ло с соотве́т-ствующей ци́фрой числа́ π.

Есть англи́йская фра́за в 8 слов,— она́ даёт 7 зна́ков по́сле запято́й в числе́ π.

May I have a large container of coffee.
 3   1   4   1   5   9   2   6

Есть таки́е фра́зы и на неме́цком языке́ и на францу́зском.

Во́т стро́чка на ру́сском языке́:

Э́то я зна́ю и по́мню прекра́сно...
 3   1 4   1   5   9

измере́ние: *measuring, taking a measurement*
рассужде́ние: *mental step, line of reasoning*
дробь *f*: *fraction, decimal*
–вы́числить: *to calculate, to determine*
–завеща́ть: *to specify in one's will*
вычисле́ние: *calculation, computation*

К ней мо́жно ещё доба́вить:

Пи мно́гие зна́ки мне ли́шни, напра́сны.
 2   6   5   3   5   8

Или бо́лее проста́я фра́за:

«Что́ я зна́ю о круга́х?»
 3   1   4   1   6

В э́том вопро́се е́сть и отве́т:

3,1416

От 1 до 100

Расска́зывают, что когда́ девятиле́тнему Га́уссу (неме́цкому матема́тику) учи́тель пред-ложи́л найти́ су́мму все́х це́лых чи́сел от 1 до 100: $1 + 2 + 3 \ldots + 98 + 99 + 100$, — то́ ма́-ленький Га́усс са́м по́нял, каки́м спо́собом мо́жно о́чень бы́стро вы́полнить э́то сложе́ние° .

На́до скла́дывать пе́рвое число́ с после́д-ним, второ́е с предпосле́дним и т. д. Су́мма ка́ждой тако́й па́ры чи́сел равна́ 101 и она́ повторя́ется 50 ра́з.

Сле́довательно, су́мма все́х це́лых чи́сел от одного́ до ста́ бу́дет равна́ $101 \times 50 = 5050$.

Интере́сные чи́сла

2 438 195 760
3 785 942 160
4 753 869 120
5 876 391 420

В ка́ждом из ни́х есть все́ ци́фры от 0 до 9, но ка́ждая ци́фра встреча́ется то́лько по одному́ ра́зу. И ка́ждое из э́тих чи́сел де́лится на 2, 3, 4, 5, 6, 7, 8, 9, 10, 11, 12, 13, 14, 15, 16, 17, 18.

сложе́ние: *addition* (*arithmetic*)

— Миша, спокойнее, это знают даже ребята из детского сада.

РАДИО

Внима́ние! Говори́т шко́льное ра́дио!

Ме́жду моско́вскими шко́лами не ра́з проводи́лись соревнова́ния° на лу́чшую организа́цию рабо́ты шко́льного радиоузла́. Ду́маем, что лу́чше всего́ э́то сде́лали ученики́ 112-ой шко́лы. Им и предоставля́ем сло́во.

Вот програ́мма э́тих переда́ч:

ПОНЕДЕ́ЛЬНИК — Шко́льная жи́знь. Но́вости из кла́ссов; репорта́жи с собра́ний, вечеро́в; интервью́; бесе́ды о мора́льном ко́дексе и пра́вилах для уча́щихся; объявле́ния.

ВТО́РНИК — Политбесе́да. Ва́жные но́вости за неде́лю в на́шей стране́, кра́сные да́ты календаря́, но́вости большо́й полити́ческой ва́жности.

СРЕДА́ — Комсомо́льская и пионе́рская жи́знь. Расска́зы о рабо́те комсомо́льских гру́пп и пионе́рских отря́дов. Ве́сти из Клу́ба интернациона́льной дру́жбы шко́лы.

ЧЕТВЕ́РГ — Нау́ка и те́хника. Нау́ка и те́хника семиле́тки. Настоя́щее и бу́дущее хи́мии. Освое́ние ко́смоса. Из исто́рии нау́ки и те́хники. Нау́ка и те́хника за грани́цей.

ПЯ́ТНИЦА — Радиоуниверсите́т культу́ры. Радиопортре́ты выдаю́щихся писа́телей, компози́торов, учёных; расска́зы о шко́льных тала́нтах. Ве́сти из шко́льного Клу́ба ю́ных друзе́й иску́сства.

СУББО́ТА — Спорти́вные но́вости. Репорта́ж о шко́льных чемпиона́тах, обзо́р спорти́вных собы́тий° в на́шей стране́ и за рубежо́м°.

Note: This is a typical description of a Soviet student radio program. It appeared in an actual youth magazine.

соревнова́ние: *competition*

МАЙ
7
ВТОРНИК
ДЕНЬ РАДИО

собы́тие: *event, happening*
за рубежо́м: *abroad*

СПРАВКИ

ЧЕТВЕРГ, 17 ЯНВАРЯ
Первая программа. 9.45 — Для школьников. 10.15 — «Волжский исполин». 10.45 — Цв. «В мире животных». 11.45 — «Слово о музыке». 15.30 — Цв. Премьера телефильма «О

№ 13 (17551)

свадьбе, отъезде и любви». 16.00 — «Природа Подмосковья». 16.20 — «Образ жизни птиц». 16.45 — «Русская речь». 17.30 — «На приз клуба «Золотая шайба». 18.15 — Цв. «В кукольном магазине». 18.35 — «Ленинский университет миллионов». 19.05 — Поет Государственный Уральский русский народный хор. 19.50 — «Как закалялась сталь». 3-я серия. 21.00 — «Время». 21.30 — Телевизионный спектакль. В. Белов — «Плотницкие рассказы». 22.55 — Цв. «Любителям балета».

Вторая программа. 18.40 — Для школьников. 19.00 — «Москва». 19.30 — «Лети, наша песня». 20.15 — «Спокойной ночи, малыши!» 20.30 — Программа документальных телефильмов. 21.00 — «Для вас, родители». 21.30 — «Верность матери». Художественный фильм.

Четвертая программа. 19.10 — Кон-

церт, посвященный творчеству Р. Гамзатова. 21.00 — «По музеям и выставочным залам». 21.30 — «Поет народная артистка Молдавской ССР Т. Алешина».

ЧЕТВЕРГ, 17 ЯНВАРЯ
Первая программа. 8.45 — Играет баянист В. Петров. 9.15 — Стихи Ю. Палецкиса. Читает автор. 10.05 — Радио — малышам. «Загадки бабушки Насти». 10.20 — «Ровесники». 11.10 — Русские песни. 11.30 — «Рабочая радиогазета». В выпуске: «Планы партии — наши планы». Выступление Героя Социалистического Труда, мастера Донецкого металлургического завода В. Волкова: «Рабочее слово». Очерк о Герое Социалистиче-

ТВ

Телеви́зор

— У ва́с е́сть телеви́зор?

— Е́сть.

— Како́й? (Како́й ма́рки?)

— «Те́мп».

— А у на́с «Руби́н».

— Вы́ им дово́льны?

— Да́, рабо́тает непло́хо. Экра́н большо́й и изображе́ние хоро́шее.

— Каки́е програ́ммы принима́ет ва́ш теле-ви́зор?

— Всё. Осо́бенно хорошо́ четвёртую. К сожале́нию, не принима́ет цветно́й.

— Вы́ ча́сто смо́трите телеви́зор?

— Ка́ждый де́нь.

— А мы́ ра́з в два́-три́ ме́сяца.

— Что́ же та́к? (Почему́ же?)

— Я его́ не люблю́. Я лу́чше в теа́тр и́ли в кино́ хожу́. Это прия́тнее.

— А я́ люблю́ телеви́зор и́менно за то́, что в дома́шней обстано́вке, в кругу́ семьи́, мо́жно уви́деть мно́го интере́сного.

— Посмо́трим, что́ та́м сейча́с е́сть (что́ передаю́т).

— Что́ сего́дня по телеви́зору?

— Футбо́л.

— По како́й програ́мме?

— По второ́й.

— Что́ сейча́с по пе́рвой програ́мме?

— Где́ програ́мма переда́ч?

— Програ́мма переда́ч:

Но́вости.

Пого́да.

Спорти́вный дневни́к.

Худо́жественный фи́льм.

Для дете́й.

Для молодёжи.

Телеоче́рк.

Телефи́льм.

Трансля́ция из Большо́го теа́тра.

Выступле́ние профе́ссора Н.

Програ́мма Ки́евской сту́дии телеви́-дения.

«Споко́йной но́чи, малыши́!»

ского Труда, электросварщике Воро-нежского экскаваторного завода А. Чернышеве. 12.15 — «В рабочий полдень». 12.45 «Актуальные проб-лемы международной жизни». 13.00 — «По концертным залам». Обозре-ние. 14.00 — М. Стельмах — «Гуси-лебеди летят». Главы из повести. 14.30 — Музыкальная передача из Софии. 15 15 — Мелодии из оперетт Ж. Оффенбаха и Ш. Лекока. 15.50 — «Встречный план принят». 16.00 «В детском радиотеатре». 3. Воскре-сенская — «Лучшая отметка». 17.00 «Юность». 18.00 — Концерт по за-явкам советских воинов. 18.40 — «Быт — забота общая» 19.20 — Из цикла «Здоровье». «Коклюш и его профи-лактика» Беседа кандидата медицин-ских наук А. Соколовой. 19.30 — Д. Верди — «Фальстаф». Радиоспек-такль по опере 21.15 — Международ-ный дневник. 21.25 — «Мастера зару-бежной эстрады». 22.30 — Ф. Шуберт

—Соната для виолончели и фортепь-яно. 22.50 — Шахматы. Матчи пре-тендентов на звание чемпиона мира. 23.05 — Музыкально - литературная программа радиостанции «Юность».

В Москве и области 16 января ожи-дается небольшая облачность без осадков, утром по области местами туман. Температура ночью 18—20, по области 25 градусов мороза; днем 9—11, по области до 14.

В Мурманской области снег, ме-тель, минус 1—6.

В Псковской области, на западе Ле-нинградской снег, повышение темпе-ратуры до 0—5.

В республиках Советской Прибал-тики местами небольшие осадки, плюс 3 минус 2, в Литве до 5 мороза.

В Белоруссии преимущественно без осадков, 5—10 ниже нуля. В Молда-вии 3—8, на севере Украины 8—13 мороза.

В центральном районе европейской части страны сохранится малооблач-ная погода, на западе 9—14, на во-стоке и юге 12—17 градусов мороза. Без осадков будет на Средней Вол-ге минус 13—18.

На севере Ростовской области и в Нижнем Поволжье 10—15 ниже нуля. В Краснодарском, Ставропольском краях метель, небольшой снег, ми-нус 5—10.

НЕДЕЛЯ

34

ИЗВЕСТИЯ
СОВЕТОВ ДЕПУТАТОВ ТРУДЯЩИХСЯ СССР

ВОСКРЕСНОЕ ПРИЛОЖЕНИЕ

19—25
августа
1974
года

Выходит
с марта
1960 года

Цена 10 коп.

иллюстрированный
еженедельник

Бо́льше трёх ты́сяч тури́стских доро́г всесою́зных и ме́стных маршру́тов проло́жено в на́шей стране́. Шестна́дцать с полови́ной миллио́нов путеше́ственников отправля́ются в доро́гу в э́том году́.

НАВСТРЕЧУ ВЕСЕЛОМУ ВЕТРУ

Начина́ющему рыболо́ву

1. Не меня́й без конца́ места́ ло́ва. Хорошо́ изучи́ ре́ку и́ли о́зеро, узна́й дно́.

2. Име́й в виду́: ры́ба не и́щет, где́ глу́бже!

Ры́ба и́щет места́, где́ бо́льше ко́рма (ле́том са́мая «ры́бная» глубина́ 1,5—2 ме́тра).

Заме́чено, что лу́чшие места́ — у плоти́н°, мосто́в, во́зле у́стьев° небольши́х ре́к, впада́ющих в бо́лее кру́пную ре́ку.

плоти́на: *dam*
у́стье: *mouth of a stream*

И ещё запо́мни: ры́ба лю́бит тишину́.

3. Собра́вшись на рыба́лку, не одева́йся я́рко. Не де́лай ре́зких движе́ний, не стучи́, гро́мко не разгова́ривай. Вообще́ веди́ себя́ ти́хо.

4. Не расставля́й бо́льше 4—5 у́дочек одновре́менно.

5. При переме́нной пого́де хоро́шего ло́ва не жди́.

6. Тёплый ю́жный и мя́гкий за́падный ве́тер спосо́бствует уда́че. Се́верный и восто́чный — затрудня́ет ло́в.

7. Отправля́ясь на рыба́лку ле́том, ду́май о ры́бе, но не забыва́й и про комаро́в°. Одева́йся в брю́ки и ку́ртку.

кома́р: *mosquito*

ГРИБНИКУ

Мо́жет бы́ть, сбо́р грибо́в и не спо́рт, но ка́ждому тури́сту, ка́ждому люби́телю да́льних лесны́х похо́дов и велосипе́дных ре́йдов э́ти не́сколько до́брых сове́тов наверняка́ пригодя́тся.

1. Не лени́сь, ра́ньше встава́й.

2. В сухо́е° ле́то грибы́ расту́т бли́зко от дере́вьев, а в сыро́е° — пода́льше от ни́х.   **сухо́й:** *dry*
    сыро́й: *damp*

3. Лу́чшее вре́мя для сбо́ра грибо́в — у́тро.

4. Ле́гче всего́ находи́ть грибы́, когда́ идёт до́ждь.

5. В берёзах° — са́мые грибны́е места́.   **берёза:** *birch*

6. Бе́лые грибы́ расту́т се́мьями.

7. Ищи́те грибы́ к се́веру от де́рева; на восто́к и за́пад и́х ме́ньше; а на ю́жной стороне́, да ещё в сухо́е ле́то, и во́все не быва́ет.

Грибнику́ нужны́: корзи́на да терпе́ние — во́т и всё снаряже́ние°.   **снаряже́ние:** *equipment*

Грибы́ съедóбные:
Бéлые грибы́. Подоси́новики. Подберёзовики. Опёнки.

Грибы́ несъедóбные:
Лóжный опёнок. Мухомóр.

На велосипе́де

Я бужу́ на заре́°
своего́ двухколёсного дру́га.
Ма́ть кричи́т из посте́ли:
«На ле́стнице хоть не трезво́нь!»
Я свожу́ его́ вниз.
По ступе́ням он ска́чет упру́го°.
Сту́кнуть ши́ну° ладо́нью° —
и сра́зу подско́чит ладо́нь!
Я небре́жно° сажу́сь —
вы поса́дки тако́й не вида́ли!
Из воро́т выезжа́ю
навстре́чу воскре́сному дню́.
Я качу́ по асфа́льту.
Я ве́село жму́ на педа́ли.
Я бесстра́шно гоню́,
и звоню́,

     и звоню́,

        и звоню́...

        Евге́ний Евтуше́нко

заря́: *daybreak*
упру́гий: *vigorous, lively*
ши́на: *tire*
ладо́нь f: *palm of the hand*
небре́жный: *inelegant, clumsy*

Зимние ❄ Каникулы

Во́т и пришла́, наконе́ц, пора́ весёлых зи́мних кани́кул. Де́сять дне́й по́лного о́тдыха... Далеко́ забро́шены шко́льные ра́нцы° и портфе́ли. Гото́вы лы́жи; нато́чены° коньки́, поблёскивают ла́ком хокке́йные клю́шки.

Собла́знов° в э́ти дни мно́жество! Хо́чется везде́ успе́ть, вобра́ть в себя́ как мо́жно бо́льше впечатле́ний.°

Гостеприи́мно распа́хнуты для ребя́т две́ри 3948 дворцо́в и домо́в пионе́ров. Выбира́й любо́й кружо́к — театра́льный, хорово́й, танцева́льный, ю́ных космона́втов, радиолюби́телей, «уме́лые ру́ки». А ра́зве не интере́сно ста́ть чле́ном клу́ба ю́ных моряко́в — и́х в СССР откры́то о́коло 150.

Люби́тели приро́ды в дни кани́кул продо́лжат свои́ увлека́тельные о́пыты на 300 ста́нциях ю́ных натурали́стов. Около 40 ты́сяч ма́льчиков и де́вочек посеща́ют ста́нции ю́ных те́хников, где́ у́чатся под руково́дством о́пытных педаго́гов.

За оди́н де́нь, ока́зывается, мо́жно побыва́ть сра́зу в трёх сове́тских респу́бликах. Та́к, пионе́ры белору́сского села́ Кругове́ц в пе́рвый же де́нь кани́кул посети́ли свои́х друзе́й — ребя́т из дере́вни Но́вые Юркови́чи, что

Прогу́лка на саня́х в Па́рке культу́ры и о́тдыха и́мени Го́рького в Москве́

ра́нец: *book bag (for school)*
–наточи́ть: *to sharpen*
собла́зн: *temptation*
впечатле́ние: *impression*

На лыжах

расположена в Российской Федерации. А потом всё вместе отправились на Украину — к школьникам села Сеньковки, где и состоялся весёлый карнавал.

Дело в том, что эти сёла расположены на границе трёх советских республик. Пограничных столбов° здесь, конечно, нет. Но на перекрёстке дорог высится каменьобелиск, лучи которого показывают направление на Украину, Белоруссию и Россию. Ребята трёх братских колхозов давно дружат друг с другом. Они вместе устраивают лыжные походы, проводят «межреспубликанские» спортивные соревнования, фестивали песен...

В дни зимних каникул многие советские школьники получили бесплатные путёвки в пионер-

столб: *post*

ские лагеря́, дома́ о́тдыха, де́тские санато́рии, на тури́стские и спорти́вные ба́зы. Ну а те́, кто оста́лся до́ма, то́же не бу́дут скуча́ть. 142 де́тских теа́тра страны́ подгото́вили для ребя́т всех во́зрастов новогоднюю програ́мму. В конце́ртных за́лах, во дворца́х и дома́х культу́ры прохо́дят встре́чи шко́льников с геро́ями люби́мых кни́г, актёрами, писа́телями, космона́втами, компози́торами, изве́стными людьми́ страны́.

В па́рках культу́ры и о́тдыха откры́ты для ребя́т весёлые аттракцио́ны, организо́ваны ма́ссовые гуля́ния вокру́г пра́зднично укра́шенных ёлок с зате́йниками и клоуна́дой. Люби́тели о́стрых° ощуще́ний мо́гут поката́ться на знамени́той ру́сской тро́йке.

Ита́к, де́сять дней незабыва́емых зи́мних шко́льных кани́кул. Пожа́луйста, ребя́та, отдыха́йте, весели́тесь, набира́йте сил и здоро́вья для но́вой учёбы!

о́стрый: *keen, sharp*

Новогодние открытки

УПРАЖНЕНИЯ

1. *Перечитайте статью «Шахматы на Руси».*

   Расскажите о том, как шахматы попали в древнюю Русь.
   Расскажите об увлечении русских шахматами.

2. *Перечитайте статью «Рассказывают почтовые марки».*

   Почему полезно заниматься филателией?
   Расскажите о марках, посвящённых литературе.

3. *Перечитайте статьи из «Занимательной математики».*

   Расскажите о том, что вы узнали из этих статей.

4. *Перечитайте статьи под заглавиями «Радио» и «ТВ».*

   Расскажите о программе, которую составили ученики 112-ой школы.
   Письменно составьте план радиопередачи вашей школы.
   Расскажите о программах, которые вы любите смотреть по ТВ.

5. *Перечитайте статьи из газеты «Неделя».*

   Дайте советы начинающему рыболову.
   Дайте советы начинающему грибнику.

6. *Перечитайте статью «Зимние каникулы».*

   Расскажите о том, чем советские ребята занимаются во время зимних каникул.
   Напишите о том, чем вы занимались или собираетесь заниматься во время зимних каникул.

Рисунок Евгения Шабельника

— Попросили сбросить над каким-нибудь безлюдным местом.

Рисунок Б. Спельникова

Дебют.

Рисунок Всеволода Арсеньева

Рисунок Валерия Сударева

— Что такое?
— Суббота.

Рисунок Ю. Макаренко

Без слов.

Рисунок Н. Щербакова

— **Скажите, здесь проводятся соревнования летающих лыжников?**

Рисунок Владимира Тильмана

Турист в пустыне.

УЛЫБКА

Рисунок А. Скотаренко

— **Хороший гонщик, но несколько сентиментален...**

Рисунок С. Ашмарина

Конструкция для начинающих.

ПО СТРАНЕ

UNIT 11

Над картой СССР

Перед нами карта Союза Советских Социалистических Республик — самого крупного государства в мире. Площадь° СССР — 22 миллиона 400 тысяч квадратных километров. Расстояние с севера на юг — 5 тысяч километров, а с запада на восток — 10 тысяч километров.

Советский Союз омывают 12 морей. В СССР много рек. Самые длинные из них текут в Сибири. Они впадают в Северный Ледовитый океан. Самой большой рекой в Европе является Волга. Она длиннее Дуная°. В СССР много озёр. В Восточной Сибири, недалеко от города Иркутска, находится озеро Байкал, самое глубокое озеро в мире.

Европейскую и Азиатскую части СССР разделяют Уральские горы. Высокие горы идут вдоль южных границ Советского Союза: на западе Карпаты, на Крымском полуострове — Крымские горы, на границе с Азией — Кавказ, и самые высокие горы в Азиатской части СССР — Памир, Тянь-Шань и Алтай. Поднимаются горы и в Восточной Сибири за рекой Енисеем.

Климат СССР не одинаков. В Советском Союзе есть все типы климата, кроме тропического. На севере, около Северного Ледовитого океана, термометр иногда показывает минус 50 градусов. На юге, в некоторых районах° Средней Азии, в Западной Грузии° и в Крыму снега почти не бывает. А в пустыне Средней Азии в горячем песке даже можно испечь яйцо.

Богаты и разнообразны природа и животный мир Советского Союза. На Дальнем Севере у берегов Ледовитого океана почти ничего не растёт. Здесь охотятся на животных с очень ценным мехом. В густых° лесах центральных районов России и Сибири растёт много видов деревьев.

В некоторых районах лесной зоны разводят° скот°. На юге европейской части СССР и в Казахстане находится зона степи. На полях Украины и в Казахстане колхозники и работники совхозов выращивают высокие урожаи° пшеницы°, кукурузы° и других культур.

площадь *f: area (in square kilometers, etc.)*
Дунай: *the Danube*
район: *region*
Грузия: *Georgia*
густой: *dense*

разводить–: *to breed, to cultivate*
скот: *cattle*
урожай: *harvest*
пшеница: *wheat*
кукуруза: *corn*

В Средней Азии находится зона пустынь. Их покрывают пески, с которыми ведётся борьба: строятся каналы и водохранилища. Пустыни превращаются в плодородные° земли, которые дают урожаи хлопка°.

На территории СССР, например, в Грузии, есть районы с субтропическим климатом. Здесь растут лимоны, апельсины, чай, виноград. Грузинские и армянские вина хорошо известны за границей.

плодородный: *fertile*
хлопок: *cotton*

УПРАЖНЕНИЯ

1. *Расскажите о том, что вы прочитали.*

Какое государство самое крупное в мире?
Где текут самые длинные реки в СССР и куда они впадают?
Какие горы разделяют Европейскую и Азиатскую части СССР?
Какие типы климата есть в СССР?
Где в СССР почти не бывает снега?
Где находятся животные с очень ценным мехом? Где разводят скот?
Где колхозники выращивают высокие урожаи разных культур?
С чем ведётся борьба в пустынях и как?
Что растёт в субтропическом климате?

2. *Посмотрите на карту СССР.*

Назовите моря, которые омывают СССР.
Назовите главные реки центральной части СССР, Сибири и Дальнего Востока.
Назовите большие озёра.
Назовите горные хребты.

БАЙКАЛ

ПОЧЕМУ ВОДА
В БАЙКАЛЕ ПРОЗРАЧНАЯ

Советские биологи раскрыли секрет прозрачности Байкала. Они считают, что озеро обязано своей чистотой крохотному подводному рачку — эпишуре.

Эти невидимые «санитары» неутомимо фильтруют воду Байкала, пропуская ее через тончайшую сетку своих усиков. Весь поверхностный слой воды в озере (объемом более полутора тысяч кубических километров) они успевают очистить за год несколько раз.

Рыболо́вы на Байка́ле

Зна́ете ли вы,

...что 21 ма́я 1932 го́да эскадри́лья° сове́тских самолётов вы́садила на Се́верный по́люс уча́стников экспеди́ции «СП-1» и снаряже́ние° для ни́х. Это была́ но́вая нау́чная дрейфу́ющая° ста́нция, внёсшая огро́мный вкла́д° в изуче́ние центра́льной ча́сти Се́верного Ледови́того океа́на.

эскадри́лья: *squadron*

снаряже́ние: *equipment*

дрейфу́ющий: *drifting*
вкла́д: *contribution*

...что на земно́м ша́ре насчи́тывается 522 де́йствующих вулка́на, среди́ кото́рых 68 подво́дных, 322 из ни́х образу́ют та́к называ́емое тихоокеа́нское о́гненное кольцо́°. Интере́сно, что Камча́тка с её 28 де́йствующими вулка́нами и сове́тские Кури́льские острова́ с 39 вулка́нами составля́ют са́мое мо́щное звено́° э́того гро́зного кольца́.

кольцо́: *chain, ring*

звено́: *link*

...что са́мое глубо́кое о́зеро в ми́ре — Байка́л. Его́ глубина́ 1741 ме́тр. По коли́честву° воды́ Байка́л в 92 ра́за превосхо́дит Азо́вское мо́ре, в 23 ра́за — Ара́льское и ра́вен Балти́йскому мо́рю.

коли́чество: *volume, quantity*

...что Во́лга явля́ется велича́йшей реко́й Евро́пы. Её длина́ 3694 км. Бассе́йн Во́лги пита́ют о́коло 1080 ре́к, прито́ков° и озёр. Почти́ 250 куби́ческих киломе́тров воды́ прино́сит Во́лга ежего́дно в Каспи́йское мо́ре.

прито́к: *tributary*

УПРАЖНЕНИЯ

3. *Дава́йте поговори́м.*

Что́ вы́ узна́ли об экспеди́ции «СП-1»?
Что́ вы́ узна́ли о вулка́нах Камча́тки?
Что́ вы́ узна́ли о Байка́ле?
Что́ вы́ узна́ли о Во́лге?

4. *Расскажи́те о Соединённых Шта́тах.*

Назови́те океа́ны, кото́рые омыва́ют США.
Назови́те гла́вные ре́ки.
Назови́те больши́е озёра.
Назови́те гла́вные го́рные хребты́.
Расскажи́те о кли́мате.

GRAMMAR

Comparison of Adjectives
Continued

Give the English equivalent for each of the following.

Это краси́вый го́род.   Это бо́лее краси́вый го́род.   Это са́мый краси́вый го́род.
Этот го́род краси́вее.

Это бы́л краси́вейший го́род.   Это бы́л краси́вейший го́род в то́й стране́.

Point out the comparatives. Which are long-form comparatives and which are short-form?

Point out the superlatives. Which are intensive superlatives and which are superlatives of comparison?

1. You have already encountered many irregular short-form adjectives. Eight of the most essential of these have a corresponding long form that is not preceded by the indeclinable auxiliary word **бо́лее** (or **ме́нее**).

Positive	Short-Form Comparative	Long-Form Comparative
хоро́ший	лу́чше	лу́чший
плохо́й	ху́же	ху́дший
большо́й[1]	бо́льше	бо́льший[1]
ма́ленький	ме́ньше	ме́ньший
молодо́й	моло́же	мла́дший
ста́рый	ста́рше	ста́рший
высо́кий	вы́ше	вы́сший
ни́зкий	ни́же	ни́зший

Contrast:

Мы́ нашли́ бо́лее хоро́шую кварти́ру.
and
Мы́ нашли́ лу́чшую кварти́ру.

Он тепе́рь занима́ется с ме́нее си́льным интере́сом.
and
Он тепе́рь занима́ется с ме́ньшим интере́сом.

Мы́ купи́ли большу́ю[1] маши́ну.
and
А они́ купи́ли ещё бо́льшую.

---

[1]Most of the declensional forms of **большо́й**, *big,* are distinguished from those of **бо́льший,** *bigger,* only by the stress.

Здесь большая картина.
and
А там ещё бо́льшая карти́на.

С больши́м удово́льствием.
and
С бо́льшим внима́нием.

2. **Лу́чший** and **ху́дший** may function as superlatives as well as comparatives, and both may be used with **са́мый** to form a compound superlative.

Это лу́чший до́м в на́шем райо́не.
Это са́мый лу́чший до́м в на́шем райо́не.
В ху́дшем слу́чае мы́ вернёмся домо́й.
Вы́ должны́ пригото́виться к са́мому ху́дшему.

3. **Ста́рший,** *older, not younger,* is used only with reference to the age or seniority of persons. In the sense of *older* as opposed to *newer,* only **бо́лее ста́рый** is possible. The same distinction is observed in the short-form comparatives: **ста́рше** — *older, not younger,* and **старе́е** — *older, not newer.*

Это его́ ста́рший бра́т.
Это бо́лее ста́рый до́м.
Му́ж гора́здо ста́рше жены́.
Это вино́ старе́е.

4. **Вы́сший** and **ни́зший** mean *superior* and *inferior* respectively. When the more concrete meanings *taller* (*higher*) and *lower* (*shorter*) are implied, **бо́лее высо́кий** and **бо́лее ни́зкий** must be used.

вы́сшее уче́бное заведе́ние
ни́зшее уче́бное заведе́ние
бо́лее высо́кое зда́ние
бо́лее ни́зкий потоло́к

Comparison of Adjectives
Special Constructions

по-

The prefix **по-** before a short-form comparative adds the meaning *somewhat more, a bit more.* This structure is used very frequently.

Мо́жет бы́ть, вы́ бы хоте́ли побо́льше?
Лесо́в в э́той о́бласти поме́ньше, чем в други́х места́х. Ре́к, озёр и боло́т — побо́льше.

наи-

The prefix **наи-** is used with **бо́льший, ме́ньший, лу́чший, ху́дший, вы́сший** and with **бо́лее** and **ме́нее** to express the idea of a superlative. It is sometimes used with other adjectives and adverbs as well as with superlatives in **-ейший (-айший).**

Это наилу́чший спо́соб.
Это наиме́нее интере́сная кни́га.

куда́

Куда́ is used with short-form comparatives in the meaning of *much, considerably, by far.* In such contexts it is synonymous with **гора́здо.**

Ну́, э́то куда́ ле́гче.

чрезвыча́йно, весьма́

Чрезвыча́йно and **весьма́** are intensive synonyms of **о́чень.**

Чрезвыча́йно ва́жно написа́ть ему́ сейча́с же!
Вопро́с весьма́ и весьма́ не просто́й.

УПРАЖНЕНИЯ

5. *Расскажи́те об э́той ме́стности.* ⊗

   Приме́р: Это глубо́кое о́зеро.
   <u>Оно́ глу́бже други́х озёр в э́той ме́стности.</u>

   Это высо́кий хребе́т.
   Это дли́нная река́.
   Это большо́й вулка́н.
   Это краси́вый о́стров.
   Это ни́зкая гора́.

6. *Зако́нчите предложе́ния, употребля́я любо́е из да́нных ни́же слов.*

   глубо́кий   большо́й   ма́ленький   высо́кий   ни́зкий

   Приме́р: Во́лга _____ Дуна́я.
   <u>Во́лга длинне́е Дуна́я.</u>

   Озеро Байка́л _____ Ла́доги.
   Москва́, столи́ца СССР, гора́здо _____ Ирку́тска.
   Каспи́йское мо́ре немно́го _____ Чёрного мо́ря.

Карпа́ты _____ Алта́я.
Альпы _____ Карпа́т.
Днепр _____ Во́лги.
Памир _____ мно́гих други́х гор.

7. *Пи́сьменные упражне́ния.*

Приме́р: Это краси́вое о́зеро.

Краси́вее э́того о́зера нет во всей Евро́пе.

Это о́зеро — са́мое краси́вое в Евро́пе.

Это кру́пный заво́д.
Это высо́кие го́ры.
Это глубо́кое о́зеро.
Это дли́нная река́.

Приме́р: Та́ня прия́тная.

Прия́тнее её никого́ нет в кла́ссе.

Она́ прия́тнее всех.

Ви́ктор у́мный.
Ната́ша остроу́мная.
Серге́й энерги́чный.
Ве́ра ми́лая.
Оля краси́вая.

8. *Измени́те фра́зы.* ✪

Приме́р: Она́ о́чень до́брая. (же́нщина)

Это добре́йшая же́нщина.

Он о́чень у́мный. (челове́к)
Он о́чень хра́брый. (лётчик)
Она́ о́чень глубо́кая. (река́)
Она́ о́чень опа́сная. (доро́га)
Они́ о́чень высо́кие. (го́ры)
Оно́ о́чень краси́вое. (о́зеро)
Она́ о́чень высо́кая. (верши́на)
Он о́чень краси́вый. (о́стров)
Она́ о́чень живопи́сная. (ме́стность)

9. *Соста́вьте предложе́ния с ка́ждым из ни́же да́нных словосочета́ний.*

побо́льше	чрезвыча́йно ва́жно
поме́ньше	чрезвыча́йно интере́сно
куда́ ле́гче	весьма́ интере́сный
куда́ трудне́е	весьма́ тру́дный

СИБИРЬ

Замеча́тельная ча́сть Росси́и — Сиби́рь. То́, что мы́ называ́ем... «са́мое... са́мое большо́е, са́мое удиви́тельное, са́мое холо́дное, са́мое вели́кое...», всё э́то подхо́дит, когда́ ду́маешь о Сиби́ри. Страна́ зимы́ и тайги́°... загáдочный, холо́дный кра́й, разбро́сан на огро́мное расстоя́ние, и ка́жется — не́т ему́ «ни конца́ ни кра́ю».

тайга́: *taiga*

Е́сли бы в середи́не ле́та мо́жно бы́ло с высоты́ посмотре́ть на Сиби́рь, то она́ бы нам предста́вилась огро́мным ковро́м тёмной, лесно́й зе́лени, на се́вере кото́рой, со стороны́ Ледови́того океа́на, гря́зно°-зелёная полоса́ ту́ндры, на ю́ге жёлто-зелёная, переходя́щая в зо́лото, ле́нта° сиби́рских степе́й.

гря́зный: *muddy, dirty*
ле́нта: *ribbon, band*

Сере́бряные ле́нты мно́жества ре́к мелька́ют по все́й Сиби́ри. Чёрные, жёлтые и кра́сные ли́нии го́р видны́ среди́ зе́лени. Я́рко беле́ют и блестя́т на со́лнце снега́ Са́янских го́р. Са́яны о́чень высоки́; и́х верши́ны° достига́ют 2500 ме́тров и покры́ты ве́чными снега́ми. Верши́на Мунку́-Сарды́к пита́ет свои́ми снега́ми са́мую ва́жную реку́ Сиби́ри — Енисе́й.

верши́на: *summit, peak*

Могу́ч и краси́в Енисе́й. Среди́ го́рных хребто́в° и ска́л° начина́ет он сво́й пу́ть. Ле́том бесконе́чные жёлто-ора́нжевые острова́ сру́бленного ле́са плыву́т вни́з по реке́, де́лая мно́го ты́сяч киломе́тров. Весно́й ледохо́д на э́той реке́ представля́ет собо́й замеча́тельную карти́ну. Огро́мные ма́ссы льда́, це́лые ледяны́е го́ры бы́стро несу́тся по воде́, ежемину́тно ста́лкиваются°, лома́ются... Гро́хот и зво́н па́дающего и ста́лкивающегося льда́ — всё соединя́ется в оди́н ди́кий шу́м. Лёд во мно́гих места́х лежи́т до второ́й полови́ны ле́та.

хребе́т: *ridge*
скала́: *boulder*

ста́лкиваться-: *to collide*

На се́верном скло́не Примо́рского хребта́ начина́ется ещё одна́ сиби́рская река́ — Ле́на. Все́х прито́ков у Ле́ны, больши́х и ма́лых,— о́коло ты́сячи. Это са́мая живопи́сная река́ Сиби́ри.

◀ *Сиби́рские леса́ и ре́ки*

Доро́га в тайге́ ▼

Не то́лько ре́ки видне́ются среди́ зе́лени: в гора́х сверка́ют многочи́сленные озёра, и среди́ ни́х, ка́к си́ний, чу́дной красоты́, сапфи́р,— о́зеро Байка́л. Вода́ в нём необыкнове́нного си́него цве́та. 360 ре́к впада́ет в Байка́л, но то́лько Ангара́, прито́к Енисе́я, пита́ется его́ во́дами.

Очень интере́сны расте́ния° и живо́тные э́того о́зера. Из большо́го коли́чества органи́змов, находя́щихся в Байка́ле, мно́гие встреча́ются то́лько в э́том о́зере. Это ра́зные водяны́е тра́вы, ры́бы, моллю́ски и т. д. Отку́да? Ка́к попа́ли э́ти расте́ния и живо́тные в Байка́л... ещё неизве́стно.

расте́ние: *plant*

Мно́го неизве́стного и замеча́тельного е́сть в Сиби́ри — «и не переска́жешь и не перечтёшь°»... И ка́к что́-то зага́дочное и вели́кое привлека́ет она́ челове́ка.

-перече́сть: *to enumerate*

УПРАЖНЕНИЯ

10. *Расскажи́те о то́м, что́ вы́ прочита́ли.*

Что́ тако́е Сиби́рь, когда́ ду́маешь о ней?
Почему́ про Сиби́рь говоря́т, что е́й не́т «ни конца́ ни кра́ю»?
Чём предста́вилась бы на́м Сиби́рь, е́сли бы на неё посмотре́ть с высоты́?
Како́го цве́та ле́нты ре́к и ли́нии го́р мелька́ют по все́й Сиби́ри?
Что́ тако́е Сая́ны?
Где́ начина́ет сво́й пу́ть Енисе́й?
Что́ плывёт вни́з ле́том по э́той реке́?
Что́ представля́ет собо́й ледохо́д на Енисе́е?
Кака́я река́ начина́ется на се́верном скло́не Примо́рского хребта́?
Кака́я э́то река́ Ле́на и ско́лько у неё прито́ков?
Что́ мо́жно сказа́ть об о́зере Байка́л?
Кака́я река́ пита́ется во́дами Байка́ла?
Что́ вы́ зна́ете об органи́змах, находя́щихся в э́том о́зере?
Отку́да попа́ли в Байка́л э́ти расте́ния и живо́тные?
Чём Сиби́рь привлека́ет челове́ка?

11. *Согласи́тесь и расскажи́те, почему́ вы́ согла́сны.*

Приме́р: Ледохо́д на Енисе́е представля́ет собо́й замеча́тельную карти́ну.
  Да́, я́ чита́л, что ледяны́е го́ры несу́тся по воде́, ежемину́тно ста́лкиваются. Слы́шен звон па́дающего льда́...

Сиби́рь — замеча́тельная ча́сть Росси́и.
С высоты́ Сиби́рь представля́ется зелёным ковро́м.
Сая́ны о́чень высоки́.
Енисе́й могу́ч и краси́в.
Ле́на — са́мая живопи́сная река́ Сиби́ри.
Байка́л — са́мое замеча́тельное о́зеро на земно́м ша́ре.

Ста́нция Зима́

Отку́да ро́дом я?
　　　Я с не́кой°
сиби́рской ста́нции Зима́,
где́ за́пах по́роха° и сне́га
и за́пах ке́дров и зерна́°.

Како́е здесь быва́ет ле́то?
Пу́сть для други́х краёв отве́т
звучи́т не о́чень-то уж ле́стно°:
нигде́ тако́го ле́та нет!

Ну а како́й она́ быва́ет,
зима́ на ста́нции Зима́?
Здесь и пуржи́т, здесь и бура́нит,
и замета́ет° здесь дома́.

Но сти́хнет всё, и, серебри́стым
снежко́м едва́ опушена́°,
пройдёт надме́нно° с коромы́слом°,
пока́чиваясь, тишина́.

　　　　　Евге́ний Евтуше́нко

не́кий: *a certain*
по́рох: *gunpowder*
зерно́: *grain*
ле́стный: *flattering*
замета́ть–: *to sweep over*
опушённый: *trimmed*
надме́нный: *haughty*
коромы́сло: *yoke used for carrying
　buckets of water*

Се́верное сия́ние°

Мы́ е́хали в ма́ленькую дере́вню на далёком се́вере. Станови́лось темно́. Термо́метр пока́зывал −38°C.

Мы́ должны́ бы́ли бежа́ть во́зле сане́й, чтобы не отморо́зить° но́г. Соба́ки ста́ли совсе́м бе́лыми: вокру́г ни́х бы́ло большо́е о́блако° па́ра°, и они́ бы́ли похо́жи на поля́рных медве́дей.

Около 8-ми́ часо́в мы́ увиде́ли вдали́ что́-то чёрное. Мы́ о́чень обра́довались: э́то бы́л небольшо́й ле́с на берегу́ реки́. Мы́ останови́лись.

се́верное сия́ние: *northern lights, Aurora Borealis*

−отморо́зить: *to get frostbitten*
о́блако: *cloud*
па́р: *vapor, steam*

Соба́ки сейча́с же легли́ на снегу́ — они́ по́няли, что и́х рабо́та ко́нчилась.

Мои́ това́рищи на́чали гото́виться к но́чи. Сде́лали костёр. Положи́ли на сне́г мехо́вые одея́ла и спа́льные мешки́. Соба́ки получи́ли ка́ждая по ры́бе, а мы́ се́ли о́коло огня́, ста́ли пи́ть ча́й, разгова́ривать и кури́ть. Ды́м от на́ших папиро́с теря́лся в ды́ме костра́. Мы́ расска́зывали дру́г дру́гу о на́шей жи́зни, о на́ших жёнах и де́тях, о рабо́те. Пото́м мы́ влезли в спа́льные мешки́, укры́лись с голово́й тёплыми мехо́выми одея́лами и засну́ли.

Меня́ разбуди́л во́й° сиби́рской соба́ки. Я открыл глаза́ и чу́ть не кри́кнул: ве́сь ми́р каза́лся в огне́. Я́ркие кра́сные и жёлтые цвета́ покрыва́ли не́бо от восто́ка до за́пада. Это бы́ло се́верное сия́ние.

Я разбуди́л това́рищей, и мы́ ста́ли с удивле́нием смотре́ть на блестя́щие лучи́, кото́рые сия́ли на горизо́нте. На́м каза́лось, что сейча́с бу́дет гро́м, но гро́ма не́ было. И на земле́, и на не́бе бы́ло совсе́м ти́хо...

Вдру́г больша́я кра́сная волна́ залила́ всё не́бо све́том. Све́т бы́л таки́м я́рким, что да́же сне́г каза́лся кра́сным. Но пу́рпур ско́ро исче́з, и не́бо ста́ло ора́нжевым, пото́м голубы́м, зелёным, жёлтым... Мы́ не ве́рили свои́м глаза́м. Никто́ из на́с не зна́л, что се́верное сия́ние мо́жет бы́ть таки́м краси́вым...

Но к сожале́нию продолжа́лось оно́ не до́лго. Луче́й станови́лось всё ме́ньше и ме́ньше... А че́рез ча́с на тёмном не́бе не оста́лось ничего́, кро́ме звёзд. Когда́ исче́з после́дний лу́ч э́того чу́дного сия́ния, мы́ опя́ть влезли в мешки́ и засну́ли.

У́тром, когда́ я́ просну́лся, я́ уви́дел, что това́рищи уже́ вста́ли. Опя́ть горе́л костёр. Соба́ки ве́село бе́гали по́ снегу. Мы́ бы́стро вы́пили горя́чего ча́я и че́рез полчаса́ уже́ е́хали да́льше по сне́жной пусты́не.

— *По С. Ме́чу*

во́й: *howl*

УПРАЖНЕНИЯ

12. *Расскажи́те о то́м, что́ вы прочита́ли.*

Куда́ е́хали э́ти лю́ди?

Почему́ они́ должны́ бы́ли бежа́ть во́зле сане́й?

На кого́ бы́ли похо́жи соба́ки и почему́?

Почему́ всё бы́ли ра́ды, когда́ уви́дели небольшо́й ле́с?

Ка́к э́ти лю́ди гото́вились ко сну́?

О чём они́ расска́зывали дру́г дру́гу?

Что́ уви́дел а́втор, когда́ о́н просну́лся от во́я соба́ки?

Что́ все́м э́тим лю́дям каза́лось, когда́ они́ смотре́ли на се́верное сия́ние?

Каки́м ста́ло не́бо, когда́ исче́з пу́рпур кра́сной волны́?

Ка́к до́лго продолжа́лось се́верное сия́ние?

Что́ бы́ло на сле́дующее у́тро?

В КРАЮ ДЕДУШКИ МАЗАЯ

Изве́стный ру́сский писа́тель М. Пришви́н мно́го писа́л о далёких сиби́рских места́х. В свое́й кни́ге «В краю́ де́душки Маза́я» он расска́зывает о зверя́х и пти́цах, кото́рые живу́т в леса́х ру́сского Се́вера.

Берёза

Бе́лая берёза
Под мои́м окно́м
Принакры́лась сне́гом,
То́чно серебро́м.

На пуши́стых° ве́тках
Сне́жною каймо́й°
Распусти́лись° ки́сти°
Бе́лой бахромо́й°.

И стои́т берёза
В со́нной тишине́,
И горя́т снежи́нки
В золото́м огне́.

А заря́°, лени́во
Обходя́ круго́м,
Обсыпа́ет° ве́тки
Но́вым серебро́м.

Серге́й Есе́нин

пуши́стый: *fluffy*
кайма́: *border*
–распусти́ться: *to open up,*
  unfold
ки́сть *f*: *cluster*
бахрома́: *fringe*
заря́: *dawn*
обсыпа́ть–: *to sprinkle*

Птичка

Птичка летáет,
Птичка игрáет,
Птичка поёт;
Птичка летáла,
Птичка игрáла,
Птички уж нéт!

Гдé же ты́, птичка?
Гдé ты́, певичка°?
В дáльнем краю́
Гнёздышко° вьёшь° ты;
Тáм и поёшь ты́
Пéсню свою́.

В. А. Жукóвский

певичка: *тá, котóрая поёт*
гнездó: *nest*
вить–: *to weave*

Осень

Осень! Обсыпáется вéсь нáш бéдный сáд,
Листья пожелтéлые пó ветру летя́т;
Лишь вдали́ красýются, тáм, на днé доли́н°,
Кисти яркокрáсные вя́нущих ряби́н°.

Алексéй Толстóй

доли́на: *valley*
ряби́на: *mountain ash*

WORD STUDY

Verbs Ending in -чь

The small group of verbs with an infinitive ending in **-чь** belongs to the first conjugation. In the imperfective present and the perfective future, the final consonants of the stems change in a special way. There are two types of change:

Type 1	Type 2
–пе́чь, to bake	бере́чь–, to take care
я пеку́	я берегу́
ты́ печёшь	ты́ бережёшь
о́н печёт	о́н бережёт
мы́ печём	мы́ бережём
вы́ печёте	вы́ бережёте
они́ пеку́т	они́ берегу́т

In both types, the final **-л** is dropped from the masculine singular of the past and the final consonant of the first person singular of the present is used instead.

Verbs of the first type are:

Infinitive	Past Tense[2]
вле́чь–, to drag, to attract	о́н влёк, она́ влекла́, они́ влекли́
пе́чь– –испе́чь, to bake	о́н пёк, она́ пекла́, они́ пекли́
те́чь–, to flow	о́н тёк, она́ текла́, они́ текли́

Verbs of the second type are:

Infinitive	Past Tense
бере́чь–, to take care	о́н берёг, она́ берегла́, они́ берегли́
же́чь– –сже́чь, to burn	о́н жёг, она́ жгла́, они́ жгли́
ложи́ться– –ле́чь[3], to lie down	о́н лёг, она́ легла́, они́ легли́
мо́чь[4]– –смо́чь, to be able	о́н мо́г, она́ могла́, они́ могли́
стере́чь–, to watch, to guard	о́н стерёг, она́ стерегла́, они́ стерегли́
стри́чь– –постри́чь, to shear	о́н стри́г, она́ стри́гла, они́ стри́гли

---

[2] If the stress is not on the ending of the feminine form, it cannot shift to the ending of the neuter and plural. The feminine, neuter and plural forms of the past tense are stressed on the same syllable.

[3] **Ле́чь (я ля́гу, ты́ ля́жешь)** is the only nonprefixed verb with an infinitive ending in **-чь** which is perfective.

[4] **Мо́чь (я могу́, ты́ мо́жешь)** and its perfective derivatives are the only verbs of either type with recessive stress. The others, except **ле́чь**, have fixed stress on the final syllable.

I

Verbs derived by prefixation from Type 1 verbs have an imperfective stem in **-екáть.**

влечь– to drag, to attract ⟶ влечéние inclination, craving
отвлекáть– –отвлéчь to distract ⟶ отвлечённый abstract
привлекáть– –привлéчь to attract ⟶ привлекáтельный attractive
развлекáть– –развлéчь to amuse ⟶ развлечéние diversion
печь– –испéчь to bake ⟶ пéчь, пéчи stove
                                        печéнье cookies
                                        пéкарь baker
                                        пéкло hell, scorching heat
допекáть– –допéчь to bake until done
тéчь, to flow ⟶ течéние course, current
                        в течéние in the course of, during
                        текýщие собы́тия current events
                        тóк current
                        потóк stream
                        притóк tributary
втекáть– –втéчь to flow into
вытекáть– –вы́течь to flow out, to follow

II

New verbs derived by prefixation from Type 2 verbs (except **жéчь–**) form their imperfective stem by adding **-гáть** to the last vowel in the infinitive. The imperfective stem for **жéчь–** is **...жигáть.**

берéчь– to take care ⟶ Береги́сь! Watch out!
пренебрегáть– –пренебрéчь to disregard ⟶ пренебрежéние disdain
сберегáть– –сберéчь to save ⟶ сберегáтельная кáсса savings bank
жéчь– –сжéчь to burn ⟶ жгýчий, burning
                                   жгýчий вопрóс vital issue
зажигáть– –зажéчь to light
поджигáть– –поджéчь to set on fire, to incite ⟶ поджигáтель войны́ warmonger
ложи́ться– –лéчь to lie down
налегáть– –налéчь to exert oneself ⟶ Он налегáет на учёбу. He's hitting the books.
мóчь– –смóчь to be able ⟶ мóщь power
                                могýчий mighty
помогáть– –помóчь to help ⟶ пóмощь help
стерéчь– to watch, to guard
остерегáть– –остерéчь to warn
стри́чь– –постри́чь to shear
подстригáть– –подстри́чь to trim

СЮРПРИЗ

Вид Самаркáнда

Среди топонимических° задач попадаются иногда совсем неожиданные. С одной из них я встретился в Восточной Сибири, когда узнал, что в этих краях есть сёла, названия которых — Лейпциг, Берлин, Бранденбург, Париж... Странно: среди гор и лесов, куда почти никто не приезжает — и вдруг Париж!

топонимический: pertaining to place names

Не трудно представить себе Москву или Петербург где-нибудь в Соединённых Штатах или в Канаде. Ведь и в Канаду, и в Соединённые Штаты иммигрировало много русских. В том, что они дали городам, в которых стали жить, русские названия, нет ничего удивительного. Иммигранты из других стран делали то же самое. Так, в Соединённых Штатах есть несколько Берлинов, Копенгагенов, Римов.

Но здесь, за Уралом, иностранные названия удивляют. Как они могли попасть сюда? Почему незаметная деревня носит имя Парижа, а село, в котором только двадцать изб, называется Лейпцигом?

Скоро я узнал, что местные историки давно уже решили эту «тайну°». Все эти названия принесли с собой русские солдаты — солдаты Суворова и Кутузова.[5] Эти солдаты шли за° французскими войсками, за Наполеоном. Потом они возвращались героями домой и давали своей деревне или своему селу название города, который они победили.

тайна: mystery, secret
идти за + instr.: to pursue

В Средней Азии[6] меня ждал похожий сюрприз. Несколько лет тому назад я был в Самарканде.[7] Мой знакомый, корреспондент газеты, повёз меня к своим родственникам в маленькую деревню, недалеко от города, на какой-то праздник. Гости приехали со всех сторон. Среди гостей были две девушки. Несмотря на то, что их лиц почти не было видно,[8] я сразу заметил, что девушки молоды, изящны, и решил, что они, наверное, очень красивые.

— Откуда они?— спросил я своего приятеля.— Отсюда или из Самарканда?

— Нет,— весело ответил приятель,— эта девушка из Парижа, а та — из Мадрида.

— Я тебя серьёзно спрашиваю, а ты шутишь!— сказал я.

Но он не собирался шутить, он удивлённо посмотрел на меня и сказал:

— Что ты! Ты меня не понял! Ты про тот Париж подумал? Да? Так это же наши деревни, понимаешь, здесь, около Самарканда.

— Ничего не понимаю,— опять удивился я.— При чём же тут Париж или Мадрид?

И тут мне рассказали, что недалеко от Самарканда есть не только Париж и Мадрид, но и Каир, и Пекин. Названия эти появились здесь

Дорога на Самаркáнд

[5]А. В. Суворов (1729–1800) and М. Л. Кутузов (1745–1813) were Russian field marshals. Кутузов forced Napoleon to begin his famous retreat from Russia.
[6]Средняя Азия (Central Asia) is the region that extends from the Caspian Sea to China and along the southern border of the Soviet Union.
[7]Самаркáнд, a city in the Asiatic U.S.S.R., is the administrative center of the Uzbek Republic.
[8]Many Moslem women still wear a veil which covers the lower part of the face.

бо́льше, чем пя́ть веко́в тому́ наза́д, во времена́ вели́кого Тамерла́на.[9] Тамерла́н завоева́л° всю террито́рию тепе́решней Туркме́нии, Узбеки-ста́на, ча́сть Казахста́на, Афганиста́на, ча́сть Индии, Пе́рсии, Си́рии, огро́мные зе́мли до Во́лги и До́на.

В дни́ Тамерла́на Самарка́нд бы́л одни́м из са́мых краси́вых и бога́-тых городо́в ми́ра. При Тамерла́не Самарка́нд укра́сился прекра́сными дворца́ми, хра́мами и па́мятниками. И тогда́ же вокру́г го́рода вы́росли но́вые дере́вни, кото́рым Тамерла́н да́л имена́ столи́ц Испа́нии, Фра́н-ции, Кита́я и Еги́пта, то́ есть те́х стра́н, кото́рые о́н ещё не завоева́л. Ведь Тамерла́н люби́л говори́ть, что земля́ сли́шком мала́ для дву́х ца-ре́й.

–завоева́ть: *to conquer*

— «*Та́йна географи́ческих назва́ний*»
И. Серге́ев

[9]Tamerlane (1336–1405), also known as Timur the Lame, was a famous Oriental conqueror. His residence was at Samarkand.

УПРАЖНЕНИЕ

13. *Расскажи́те о то́м, что́ вы́ прочита́ли.*

С како́й топоними́ческой зада́чей встре́тился а́втор в Восто́чной Сиби́ри?

Почему́ не тру́дно предста́вить себе́ Москву́ и́ли Петербу́рг в Соединённых Шта́тах и в Кана́де?

Почему́ в Соединённых Шта́тах е́сть не́сколько Берли́нов, Ри́мов и т. д.?

Каки́е же назва́ния удивля́ют за Ура́лом?

Каку́ю та́йну реши́ли ме́стные исто́рики в Сиби́ри?

Куда́ знако́мый повёз а́втора, когда́ о́н бы́л в Самарка́нде?

Кто́ бы́л среди́ госте́й на пра́зднике?

Что́ а́втор говори́т об э́тих де́вушках?

Что́ поду́мал а́втор, когда́ услы́шал, что они́ из Пари́жа и Мадри́да?

Чтó рассказáли áвтору про дерéвни, котóрые бы́ли недалекó от Самаркáнда?

Ктó такóй Тамерлáн?

Когдá появи́лись э́ти стрáнные назвáния деревéнь?

Каки́м в дни́ Тамерлáна бы́л гóрод Самаркáнд?

Почемý Тамерлáн дáл деревня́м назвáния столи́ц Испáнии, Фрáнции и т. д.?

Чтó люби́л говори́ть Тамерлáн?

REFERENCE NOTES

1. Adjectives in *-овáтый (-евáтый)*

The adjectival suffix **-овáтый (-евáтый)**, which closely parallels the English adjectival suffix *-ish*, adds the meanings *somewhat, rather*.

голубовáтый	bluish
краснловáтый	reddish
рыжевáтый	with reddish hair
страшновáтый	somewhat terrifying
темновáтый	rather dark

2. Indefinites with *-то, -нибудь,* and *-либо*

Indefinite pronouns and adjectives are formed by adding the indeclinable particles **-то, -нибудь,** and **-либо** to the interrogatives **ктó, чтó, какóй,** and **чéй: ктó-то,** *someone,* **чтó-нибудь,** *something, anything,* **ктó-либо,** *someone, anyone,* **чéй-нибудь,** *someone's, anyone's,* **какóй-то,** *some sort of.*

Combinations with **-то** refer to a person or object that is specific but not identified.

Ктó-то взя́л мою́ кни́гу.   Someone took my book.

Combinations with **-нибудь** and **-либо** refer to a person or object that is neither specified nor identified.

Ктó-нибудь знáет, гдé моя́ кни́га?   Does anyone know where my book is?

3. The Particle *кóе-*

The particle **кóе-** (or **кóй-**) before **гдé, кáк, когдá, ктó, кудá, чтó** adds the meaning *some . . . or other:* **кóе-чтó (кóй-чтó),** *something or other,* **кóе-гдé,** *here and there.*

UNIT 12

В Грузии

Таллин

ВЫ ЕДЕТЕ НА ЭКСКУРСИЮ...

Наступила пора отпусков, каникул, пора отдыха. Почти пять миллионов человек побывают в этом году в санаториях и домах отдыха, в специальных курортных° городках для трудящихся.

Но молодых и здоровых влекут также неизвестные дали, запах свежей ухи на речном берегу, лесной костёр, живописная картина снежных гор.

С каждым годом растёт количество туристских станций. Скоро в строй вступят новые базы: в Тбилиси, Краснодаре, Севастополе, Пскове, Ереване. Строится большой туристско-альпинист-ский центр у подножья° Эльбруса, откуда на высоту 4.200 метров протянется° канатная дорога.

Для путешествующих ходят специальные поезда — из Москвы, Ленинграда, Киева, Баку, Минска, Горького и других крупных городов страны.

На берегах наших рек и морей уже существует много туристских баз отдыха. Для любителей водных путешествий разработаны специальные интересные маршруты. Желающие смогут проделать походы на лодках по Волге, Десне, Днепру.

К услугам любителей путешествий

курортный: *resort*   подножье: *foot, base (of a mountain)*   –протянуться°: *to stretch*

Около Полтавы

также предоставля́ются пешехо́дные, автомоби́льные и велосипе́дные маршру́ты. На Енисе́е, недалеко́ от Краснокя́рска, мо́жно уви́деть грандио́зное стро́ительство са́мой большо́й в ми́ре гидроэлектроста́нции. Тури́ст мо́жет осмотре́ть пу́шкинские места́ вблизи́ Пско́ва, побыва́ть в Сара́товской о́бласти на ме́сте приземле́ния пе́рвого космона́вта Ю́рия Гага́рина, осмотре́ть Самарка́нд, пройти́ пешко́м по ю́жному Сахали́ну и́ли перейти́ че́рез гла́вный Кавка́зский хребе́т.

Всего́ трудя́щимся бу́дет про́дано 465 ты́сяч путёвок — на 38 ты́сяч бо́льше, чем в про́шлом году́.

Слов нет, сде́лан заме́тный ша́г вперёд. А со вре́менем э́та ци́фра увели́чится.

И, наконе́ц, не́сколько слов об «Автосто́пе». За два́ рубля́ тури́ст получа́ет биле́ты, кото́рые даю́т ему́ пра́во прое́хать на попу́тных° маши́нах 2 ты́сячи киломе́тров. Лу́чшие шофёры, собра́вшие наибо́льшее коли́чество биле́тов, уча́ствуют в лотере́е, где мо́жно вы́играть фотоаппара́т, часы́, телеви́зор и да́же маши́ну.

— Из журна́ла «Зна́ние-си́ла»

попу́тный: *passing (of a vehicle)*

УПРАЖНЕНИЯ

1. *Расскажи́те о то́м, что вы́ прочита́ли.*

Где́ побыва́ют пя́ть миллио́нов челове́к во вре́мя отпуско́в и кани́кул?

Куда́ же влечёт пора́ о́тдыха молоды́х и здоро́вых?

Что́ растёт с ка́ждым го́дом и где́?

Что́ стро́ится у подно́жья Эльбру́са?

Каки́е поезда́ хо́дят для путеше́ствующих и из каки́х городо́в?

Что́ разрабо́тано для люби́телей во́дных путе́й?

Каки́е ещё предоставля́ются маршру́ты для люби́телей путеше́ствий?

Каки́е места́ мо́гут осмотре́ть тури́сты?

Ско́лько путёвок бу́дет про́дано трудя́щимся?

Что́ тако́е «Автосто́п» для тури́ста и для шофёра?

2. *Отве́тьте на вопро́сы.*

Где́ вы́ прово́дите о́тпуск?

Куда́ е́здят в о́тпуск ва́ши роди́тели?

Каки́е ча́сти Аме́рики осо́бенно привлека́ют тури́стов?

Каки́е места́ в США вы́ бы посове́товали осмотре́ть сове́тскому тури́сту? Расскажи́те о ни́х.

Что́ вы́ ду́маете об «Автосто́пе»?

Вы́ занима́етесь «Автосто́пом»? Когда́?

Это мо́жет пригоди́ться

Когда́ в Москве́, Ки́еве, Кишинёве, Ми́нске, Петрозаво́дске, Ри́ге, Та́ллине по́лдень,

в	Баку́, Ерева́не, Тбили́си	13 часо́в
в	Ашхаба́де	14 часо́в
в	Алма-Ате́, Душанбе́, Ташке́нте, Фру́нзе ·	15 часо́в
в	Новосиби́рске	16 часо́в
в	Ирку́тске	17 часо́в
в	Яку́тске	18 часо́в
во	Владивосто́ке	19 часо́в
на	Кури́лах	20 часо́в
на	Камча́тке	21 ча́с
на	Чуко́тке	22 часа́

В странé выпекáется о́коло стá двадцатú вúдов хлéба, бу́лок, сдóб, барáнок.

Хлéб
да сóль

«Хлéб да сóль» — тáк встречáют гостéй

Эта статья́ — о клáдах°.

Не о клáдах, зары́тых° в землé, а о клáдах на землé, о землé, котóрая самá — клáд. Такóй землёй явля́ется Повóлжье.

Мнóго здесь огорóдов°, фруктóвых° садóв. Подсóлнечник° здесь — óчень масляни́ст, лён° — кáк шёлк°, а кукуру́за... Но о ней мóжно написáть отдéльную статью́.

Глáвное богáтство Повóлжья — хлéб. С дрéвних времён э́ту чáсть страны́ называ́ли жи́тницей° Росси́и. Поля́ раски́нулись здесь на деся́тки миллиóнов гектáров.[1] У вóлжских пшени́ц — мировáя слáва.

Но вернёмся к немнóго стрáнному назвáнию нáшей статьи́. Это назвáние ухóдит к стáрому ру́сскому обы́чаю°: гостéй в Росси́и встречáли, да и тепéрь встречáют, хлéбом и сóлью.[2] На хлéбе дорогóму гóстю поднóсят и солóнку°.

Так вóт, зéмли Повóлжья не тóлько даю́т нарóду пшени́цу на огрóмный миллионотóнный хлéб, но и наполня́ют дóверху всероссúйскую гигáнтскую солóнку.

Когдá мнóго лéт назáд я учи́лся в шкóле — кáжется, в пя́том клáссе,— учи́тель геогрáфии Вениами́н Ивáнович Соколóв однáжды повéсил

клáд: *treasure*
–зары́ть: *to bury*
огорóд: *fruit-and-vegetable garden*

фруктóвый: *fruit*
подсóлнечник: *sunflower*
лён: *flax*

шёлк: *silk*
жи́тница: *breadbasket*

обы́чай: *custom*
солóнка: *saltshaker*

---

[1] **Гектáр,** abbreviated **га.,** *hectare,* a metric measure of area containing 10,000 square meters, is equivalent to 2.47 acres.

[2] The words **хлебосóльство** (a synonym for **гостеприи́мство**), **хлебосóл,** *hospitable person,* and **хлебосóльный,** *hospitable,* are linguistic reflections of this still-surviving ancient ritual of welcome.

Убо́рка пшени́цы

на́ сте́ну раскра́шенную стра́нную карти́ну. Полуразде́тые лю́ди стоя́ли босы́ми° нога́ми на льду́ и сгреба́ли° снег. Други́е лопа́тами броса́ли его́ на теле́ги°.

— Ну́-с, займёмся повторе́нием,— сказа́л Вениами́н Ива́нович. — Так кто́ же назовёт мне солёные озёра Астраха́нской губе́рнии?[3]

И мы́ закрича́ли хо́ром:

— Эльто́н! Баскунча́к!

— Отли́чно!— сказа́л Вениами́н Ива́нович.— Так во́т, здесь худо́жник и нарисова́л о́зеро Баскунча́к. Рабо́чим, кото́рые сгреба́ют со́ль с пове́рхности о́зера, о́чень жа́рко, потому́ что Эльто́н и Баскунча́к

располо́жены... Где́ же они́ располо́жены?.. Пра́вильно°, в райо́не приво́лжской полупусты́ни, кото́рый характеризу́ется кра́йне сухи́м° ле́том.

Не скажу́ то́чно, ско́лько ле́т прошло́ ме́жду э́тим уро́ком и те́м днём, когда́ я́ свои́ми глаза́ми впервы́е уви́дел Баскунча́к.

Вода́ о́зера была́ удиви́тельно споко́йной, сло́вно засты́вшей°,— ни во́лн, ни ло́док. Ли́шь вдали́ черне́ло что́-то похо́жее на по́езд, попа́вший в во́ду.

Я пошёл по шпа́лам° желе́зной доро́ги, кото́рая спуска́лась пря́мо в о́зеро.

Вода́ о́зера напомина́ла во́ду,

расто́пленную° со́лнцем на ледяно́й пове́рхности.

Я про́бовал брести́ по воде́. Но́ги сра́зу отяжеле́ли, как бу́дто я́ выта́скивал° их при ка́ждом ша́ге из гря́зи,— таки́м густы́м и тяжёлым бы́л солёный раство́р°.

Со́ль добыва́ли° маши́ны — соляны́е комба́йны. Я подня́лся к машини́сту и ста́л спра́шивать о Баскунча́ке. Пра́вда ли, что в нём нельзя́ утону́ть°?

— Есть у на́с люби́тели — ло́жатся в во́ду на́ спину, а в рука́х — газе́та,— сказа́л машини́ст.— Де́ржит и́х вода́. А пла́вать тяжело́ — сопротивле́ние большо́е...

босо́й: *bare*	**пра́вильно:** *correct, right*
сгреба́ть–: *to rake up*	**сухо́й:** *dry, arid*
теле́га: *cart, wagon*	**–засты́ть:** *to congeal*

шпа́ла: *tie (on railroad tracks)*	**раство́р:** *solution*
–растопи́ть: *to melt*	**добыва́ть–:** *to extract*
выта́скивать–: *to drag out*	**–утону́ть:** *to drown*

---

[3]**Губе́рния,** *province,* was the basic territorial division in Russia from the eighteenth century until 1929.

О ХЛЕБЕ

Среди́ всего́, что в тако́м многообра́зии цвето́в и за́пахов растёт на на́шей земле́, особняко́м° стои́т хле́бный ко́лос°. Его́ изображе́ние — в на́шем госуда́рственном гербе́° и в герба́х други́х стра́н.

Ни оди́н проду́кт не вызыва́ет в на́шей стране́ тако́го уваже́ния к себе́. И хоть нет у нас проду́кта деше́вле хле́ба, до сих пор по изве́чной привы́чке вы́бросить кусо́к хле́ба не поднима́ется рука́.

Когда́ челове́к хо́чет сказа́ть, как он го́лоден, говори́т, что ко́рки° хле́ба не́ было во рту́. И когда́ хоте́ли сказа́ть о кра́йней бе́дности, то́же говори́ли, что у челове́ка нет на кусо́к хле́ба. В Ленингра́дском музе́е храни́тся дневно́й паёк° хле́ба, кото́рый выдава́ли оста́вшимся в блоки́рованном ги́тлеровцами го́роде: чёрный кусо́чек, величино́й со спи́чечный коробо́к°. Всего́ друго́го в нём бо́льше, чем муки́°. И в други́х города́х страны́ во вре́мя второ́й мирово́й войны́ хлеб пекли́ не из чи́стой ржи́° и пшени́цы. Добавля́ли со́ю, меша́ли с карто́фелем. По́мнится, у меня́ была́ мечта́: пое́сть бе́лого хле́ба с ма́слом и сла́дким ча́ем. Как до войны́.

С разви́тием те́хники спо́собы приготовле́ния хле́ба измени́лись. Но вкус хле́ба и его́ вне́шний вид оста́лись неизме́нными.

Во мно́гих стра́нах муку́ отбе́ливают хими́ческим путём, что́бы бе́лый хлеб каза́лся ещё беле́е. У нас не де́лают э́того, и потому́ моско́вская бу́лка сохраня́ет весь свой дома́шний арома́т. Нигде́ не уви́дите вы, что́бы хлеб так аппети́тно блесте́л, как моско́вский.

особняко́м: *apart, by oneself*
хле́бный ко́лос: *ear of wheat*

герб: *emblem*
ко́рка: *crust*

паёк: *ration*
спи́чечный коробо́к: *matchbox*

мука́: *flour*
рожь *f: rye*

УПРАЖНЕНИЯ

3. *Расскажи́те о то́м, что́ вы прочита́ли.*

Како́й землёй явля́ется Пово́лжье?

Что́ растёт на э́той земле́?

Почему́ Пово́лжье называ́ют жи́тницей Росси́и?

Ка́к встреча́ли и встреча́ют ещё тепе́рь госте́й в Росси́и?

Что́ даю́т зе́мли Пово́лжья?

Каку́ю карти́ну одна́жды пове́сил учи́тель геогра́фии в пя́том кла́ссе?

Что́ тако́е Эльто́н и Баскунча́к?

Почему́ рабо́чие на карти́не бы́ли нарисо́ваны полуразде́тыми?

Что́ говори́т о воде́ о́зера Баскунча́к а́втор, когда́ о́н уви́дел э́то о́зеро свои́ми глаза́ми?

Почему́ а́втору бы́ло тру́дно брести́ по воде́?

Ка́к добыва́ли со́ль в о́зере Баскунча́к?

Почему́ нельзя́ ни утону́ть, ни пла́вать в э́том о́зере?

4. *Отве́тьте пи́сьменно.*

Опиши́те о́зеро Баскунча́к.

5. *Расскажи́те о то́м, что́ вы чита́ли.*

Что́ вы́ мо́жете рассказа́ть о хле́бном ко́лосе?

Ка́к встреча́ют на Руси́ жела́нных госте́й?

Ка́к отно́сится к хле́бу ру́сский челове́к?

На что́ у челове́ка не поднима́ется рука́?

Ка́к говоря́т о челове́ке, кото́рый го́лоден?

А когда́ говоря́т, что «у челове́ка не́т на кусо́к хле́ба»?

Что́ храни́тся в Ленингра́дском музе́е?

Из чего́ пекли́ хле́б во вре́мя второ́й мирово́й войны́?

Почему́ не измени́лся вку́с хле́ба, хотя́ измени́лись спо́собы его́ приготовле́ния?

Почему́ моско́вская бу́лка сохрани́ла ве́сь сво́й дома́шний арома́т?

GRAMMAR

Subordinate Clauses
after Verbs of Wishing and Requesting

1. Subordinate clauses which depend on verbs of wishing and demanding are introduced by **чтобы** followed by a verb which is past in form.

Я хочу, чтобы он выиграл.	I want him to win.
Я хотел, чтобы он выиграл.	I wanted him to win.
Он просит, чтобы я этого не делал.	He asks me not to do this.
Он просил, чтобы я этого не делал.	He asked me not to do this

2. Verbs of commanding, requesting, warning, persuading, and permitting may also be accompanied by a subordinate clause introduced by **чтобы** followed by a verb which is past in form.

Ему сказали, чтобы он сразу вернулся.	He was ordered to return at once.
Он попросит меня, чтобы я им помогал.	He will ask me to help them.
Меня просили, чтобы я об этом не говорил.	They asked me not to speak about this.

However, instead of a subordinate clause, these verbs may have an object which is followed by an infinitive.

Сказали ему сразу вернуться.	He was ordered to return at once.
Он попросит меня им помогать.	He will ask me to help them.
Меня просили об этом не говорить.	They asked me not to speak about this.

3. **Бояться** and other verbs of fearing may be accompanied by a subordinate clause introduced by **чтобы** followed by a verb which is past in form. The verb is preceded by **не. Как бы,** written as two words, may be used in place of **чтобы** in this construction.

Я боюсь, чтобы (как бы) она не проиграла.	I am afraid that she will lose.
Я боялся, чтобы (как бы) она не проиграла.	I was afraid that she would lose.

Subordinate clauses accompanying verbs of this kind may also be introduced by **что** followed by a future perfective verb.

Я боюсь, что она проиграет.	I am afraid that she will lose.
Я боялся, что она проиграет.	I was afraid that she would lose.

If the subordinate clause accompanying a verb of fearing is negative, only **что** and the perfective may be used.

Я боюсь, что он не придёт.	I am afraid that he won't come.
Я боялся, что он не придёт.	I was afraid that he wouldn't come.

УПРАЖНЕНИЯ

6. *Соста́вьте предложе́ния по да́нному приме́ру.* ⊗

   Приме́р: Сове́тую ему́ пое́хать в о́тпуск.
   Сове́тую ему́, что́бы о́н пое́хал в о́тпуск.

   Сове́тую и́м заня́ться «Автосто́пом».
   Я заставля́ю и́х ка́ждое у́тро тренирова́ться.
   Он не́сколько ра́з сове́товал на́м туда́ пое́хать.
   Мы́ её сто́лько ра́з проси́ли позвони́ть на́м по телефо́ну.
   Я давно́ прошу́ его́ рассказа́ть на́м о Самарка́нде.
   Я сказа́л ему́ не опа́здывать.

7. *Соста́вьте предложе́ния по да́нному приме́ру.* ⊗

   Приме́р: Ско́лько ра́з тебя́ на́до проси́ть, что́бы ты́ не крича́л!
   Ско́лько ра́з тебя́ на́до проси́ть не крича́ть!

   Он мне́ сказа́л, что́бы я́ побо́льше отдыха́л.
   Я его́ попрошу́, что́бы о́н рассказа́л на́м о Сахали́не.
   Она́ попроси́ла му́жа, что́бы о́н купи́л биле́ты в Сара́тов.
   На́до предложи́ть Ивано́вым, что́бы они́ пое́хали с на́ми в Пско́в.
   На́до и́м посове́товать, что́бы они́ не опа́здывали на по́езд.
   Я сове́тую и́м, что́бы они́ туда́ пое́хали.

8. *Соста́вьте предложе́ния по да́нному приме́ру.* ⊗

   Приме́р: Я бою́сь, что́бы о́н не опозда́л.
   Я бою́сь, что о́н опозда́ет.

   Он бои́тся, что́бы я́ не вы́играл.
   Мы́ бои́мся, что́бы о́н не уе́хал.
   Я боя́лась, что́бы она́ не оби́делась.
   Мы́ боя́лись, что́бы ты́ не уста́л.
   Она́ боя́лась, что́бы мы́ не переду́мали.
   Ты́ бои́шься, что́бы о́н не проигра́л?

9. *Соста́вьте предложе́ния по да́нному приме́ру.* ⊗

   Приме́р: Я бою́сь, что о́н отка́жется.
   Я бою́сь, что́бы о́н не отказа́лся.

   Он бои́тся, что они́ прие́дут.
   Я бою́сь, что о́н потеря́ет кошелёк.
   Та́ня бои́тся, что о́н забу́дет позвони́ть е́й.
   Я бою́сь, что ему́ зде́сь надое́ст.
   Вы́ бои́тесь, что она́ опозда́ет?
   Она́ бои́тся, что мы́ уе́дем.

Гото́вясь к одному́ кулина́рному ко́нкурсу, я до́лго лома́л го́лову, чём бы удиви́ть свои́х сопе́рников°. По́сле до́лгих размышле́ний вы́брал... пироги́. Обыкнове́нные, но настоя́щие ру́сские пироги́, вся та́йна кото́рых в начи́нке°.

Пироги́ занима́ют на ру́сском столе́ ви́дное и почётное ме́сто. Зароди́вшись в глубо́кой дре́вности, они́ сохрани́лись до на́ших дней, счастли́во избежа́в иностра́нных влия́ний°.

сопе́рник: *rival*

начи́нка: *filling*

влия́ние: *influence*

Приготовле́ние пирожко́в

Само́ сло́во пиро́г, происше́дшее от древнеру́сского сло́ва пи́р, ука́зывает на то́, что ни одно́ торжество́ не обходи́лось без э́того блю́да. Ка́ждому пра́зднику соотве́тствовал свой ви́д пирога́, что и послужи́ло причи́ной вели́кого разнообра́зия ру́сских пирого́в.

Любо́й пиро́г состои́т из четырёх элеме́нтов: муки́, заква́ски°, вме́сте образу́ющих те́сто°, начи́нки и вне́шнего ви́да.

заква́ска: *leaven*
те́сто: *dough*

Те́сто ру́сского пирога́ всегда́ ки́слое°. Для его́ приготовле́ния берётся люба́я мука́, заме́шанная° на дрожжа́х° с водо́й и́ли на ква́се, смета́не, кефи́ре. Во́т оно́, разнообра́зие ру́сского пирога́.

ки́слый: *sour, tart*
-замеси́ть: *to mix*
дро́жжи *pl:* *yeast*

Начи́нка та́кже мо́жет бы́ть са́мой разнообра́зной: в неё годя́тся любы́е о́вощи, грибы́, зерно́ (ка́ши), мя́со, ры́ба, пти́ца, ди́чь, я́йца, я́годы и фру́кты.

По фо́рме пироги́ подразделя́ются на три́ катего́рии: закры́тые (те́сто покрыва́ет начи́нку), решётчатые° (начи́нка покры́та решёткой из те́ста) и откры́тые (начи́нка откры́та). Кро́ме того́, пироги́ различа́ются по фо́рме — кру́глые, дли́нные, фигу́рные; и по цве́ту — тёмные, све́тлые, румя́ные.

решётчатый: *crisscrossed*

Есть ещё одна́ вне́шняя осо́бенность ру́сских пирого́в — они́ никогда́ не вы́глядят симметри́чными.

Ка́к вы́ ви́дите, пироги́ предоставля́ют широ́кий просто́р кулина́рному тво́рчеству. Этим они́, несомне́нно, сро́дни любо́му ру́сскому ремеслу́ и́ли «рукомеслу́».

УПРАЖНЕНИЯ

10. *Расскажи́те о то́м, что́ вы́ прочита́ли.*

К како́му ко́нкурсу гото́вился а́втор?

Что́ он вы́брал по́сле до́лгих размышле́ний?

Како́е ме́сто на ру́сском столе́ занима́ют пироги́?

От како́го сло́ва происхо́дит сло́во пиро́г?

Что́ послужи́ло причи́ной разнообра́зия ру́сских пирого́в?

Из каки́х элеме́нтов состои́т любо́й пиро́г?

Ка́к пригота́вливается те́сто для ру́сского пирога́?

А како́й мо́жет бы́ть начи́нка для ру́сского пирога́?

На каки́е три́ катего́рии подразделя́ются пироги́?

Како́й фо́рмы и како́го цве́та быва́ют ру́сские пироги́?

Кака́я вне́шняя осо́бенность ру́сских пирого́в?

Что́ предоставля́ют ру́сские пироги́ кулина́рному тво́рчеству?

11. *Сочине́ние.*

Че́м вы́ занима́етесь? Расскажи́те о ва́шем хо́би.

Како́е ва́ше люби́мое блю́до? Расскажи́те, ка́к его́ пригото́вить.

НА БЛИНЫ

Ма́сленица° — про́воды зимы́. С да́вних по́р на Руси́ в э́ту неде́лю сжига́ют° соло́менные чу́чела° — си́мволы зимы́, сооружа́ют сне́жные городки́ и устра́ивают пото́м шу́точное сраже́ния°. Залива́ют у реки́ высо́кие круты́е го́рки и на ста́рой корзи́не, доске́, оха́пке° соло́мы ка́тятся вни́з.

Ну́, а кака́я же ма́сленица без блино́в!

Ру́сские блины́ быва́ют не́скольких сорто́в: одни́ — на дрожжа́х, чи́сто гре́чневые°, други́е — пшени́чные; тре́тьи — гре́чневые пополам° с пшени́чной муко́й; четвёртые — пеку́тся на со́де, кото́рая заменя́ет дро́жжи. Припра́ва° блино́в разли́чна, но пече́ние их одина́ково. Когда́ те́сто подни́мется, его́ на́до бра́ть ло́жкой и ли́ть на ма́ленькие горя́чие сковоро́дки. В слу́чае, е́сли те́сто пе́ред пече́нием блино́в бу́дет густова́то°, на́до его́ размеша́ть° с молоко́м. Те́сто должно́ име́ть густоту́ хоро́шей смета́ны.

К блина́м подаётся сли́вочное ма́сло, смета́на, творо́г° и ме́лко изру́бленная селёдка°.

В ру́сском языке́ есть мно́го посло́виц и погово́рок о блина́х. Мы́ ча́сто вспомина́ем, наприме́р, посло́вицу: «Пе́рвый бли́н ко́мом°.» Что́ она́ означа́ет? А то́, что когда́ ты́ де́лаешь что́-то в пе́рвый ра́з, то́ оно́ не выхо́дит та́к хорошо́, ка́к во второ́й и́ли тре́тий.

ма́сленица: *Mardi Gras Week*
сжига́ть–: *to burn* (*to ashes*)
чу́чело: *scarecrow*
сраже́ние: *battle*
оха́пка: *armful, bunch*

гре́чневый: *buckwheat*
попола́м: *half . . . and half . . .*
припра́ва: *seasoning*

густова́тый: *thick*
–размеша́ть: *to stir*

творо́г: *cottage cheese*

селёдка: *herring*

ко́м: *lump, failure*

УПРАЖНЕНИЕ

12. *Расскажи́те о то́м, что́ вы́ прочита́ли.*

Что́ тако́е ма́сленица?
Что на Руси́ сжига́ют во вре́мя ма́сленицы?
Что́ ещё де́лают во вре́мя ма́сленицы?
Что́ залива́ют у реки́?
На чём ка́тятся с го́рок вни́з?
Без чего́ ма́сленица — ни ма́сленица?
Каки́е быва́ют ру́сские блины́?
Вы́ е́ли чи́сто гре́чневые блины́?
Ру́сские блины́ пеку́тся то́лько на дрожжа́х?
Когда́ те́сто мо́жно ли́ть на сковоро́дки?
На каки́е сковоро́дки на́до ли́ть те́сто?
Что́ на́до сде́лать, е́сли те́сто густова́то?
Каки́м должно́ бы́ть те́сто?
Что́ подаётся к блина́м?

РУССКИЙ КВАС

С незапа́мятных времён сла́вится знамени́тый ру́сский квас. Осо́бенно — квас «с изю́минкой». А како́й он вообще́ быва́ет? Хле́бный, ки́слый°, сла́дкий... И всегда́ — вку́сный, поле́зный всем.

Пора́ ква́са — ле́то. Тру́дно в жа́ркий день пройти́ ми́мо бочо́нка° с ква́сом. А как прия́тно по́сле до́лгого жа́ркого дня съесть ве́чером холо́дную окро́шку с лучко́м° и огу́рчиком. Этот напи́ток мо́жно пригото́вить и до́ма — из хле́ба. В магази́не же мо́жно купи́ть сухо́й квас.

Квас пьют везде́, и повсю́ду он ра́зный на вкус. Наприме́р, моско́вский хле́бный квас, кото́рый мы пьём ле́том на у́лице из огро́мной

Покупа́йте и пе́йте квас!

ки́слый: *sour, tart*   бочо́нок: *keg*   лучо́к *dim: small onion*

Стару́шка то́же хо́чет купи́ть стака́н ква́су

Квас продаю́т везде́

цисте́рны, совсе́м не похо́ж на украи́нский, дома́шний, фрукто́во-я́годный.

В Сиби́ри счита́ется, что осо́бенно вку́сен квас, пригото́вленный из байка́льской воды́. Без него́ здесь не прохо́дит ни оди́н пра́здник.

РУ́ССКИЙ ЛЁН

«Шумя́т в по́ле золоты́е коло́сья, а лён зелене́ет в просто́й оде́жде... Снача́ла храни́ла его́ земля́, пото́м со́лнце, до́ждь и тёплые ветерки́ помога́ли ему́ расти́. Ско́ро мы́ соберём его́, и о́н укра́сит серебряной ни́ткой° веретено́°». Та́к поэти́чно расска́зывают о льне́ ста́рые пе́сни на́ших наро́дов.

Но пре́жде, чем накрути́ть° ни́тку на веретено́, ну́жно вложи́ть мно́го труда́ в обрабо́тку льна́.

Лён — ру́сская культу́ра. О́коло 80% мирово́го сбо́ра льна́ происхо́дит в Сове́тском Сою́зе. От Белору́ссии на за́паде до Центра́льной Сиби́ри на восто́ке, от Арха́нгельской о́бласти на се́вере и до за́падных райо́нов Украи́ны на ю́ге протяну́лись голубы́е поля́ льна́. Наве́рное, ка́ждый из ва́с ви́дел его́ просты́е цвето́чки. И у́ж, коне́чно, ка́ждый носи́л хо́ть одну́ мя́гкую бе́лую руба́шку, сши́тую из льняно́го полотна́°. Из льна́ де́лают та́кже ска́терти, ни́тки и мно́гие, мно́гие други́е ве́щи.

Хоро́шие льняны́е тка́ни° о́чень краси́вы. Бе́лое льняно́е полотно́ не темне́ет с года́ми, а, напро́тив, стано́вится ещё бо́лее бе́лым и блестя́щим. Во́т почему́ лён называ́ют «зо́лотом тексти́ля».

ни́тка: *thread*
веретено́: *spindle*

–накрути́ть: *to wind*

полотно́: *linen*

тка́нь *f: fabric, cloth*

УПРАЖНЕНИЯ

13. *Закончите предложения.*

Квас бывает ———.
Пора кваса ———.
В жаркий день трудно пройти мимо ———.
После жаркого дня приятно вечером съесть ———.
Квас можно приготовить дома из ———.
В магазине можно приобрести ———.
Московский хлебный квас не похож на ———.
В Сибири квас готовят из ———.
Без кваса в Сибири ———.

14. *Ответьте письменно.*

Коротко расскажите о русском льне.

WORD STUDY

Masculine Past Tense without -л

Verbs which drop the final **-л** in the masculine form of the past tense retain it in the feminine, neuter, and plural.

1. Verbs of this type which have already been presented are:
a. the four determinate imperfectives, **везти, нести, лезть,** and **ползти;**
b. all verbs derived from **...мереть, ...переть,** and **...тереть;**
c. all verbs with an infinitive ending in **-чь.**

2. The following verbs also have a masculine past tense form which ends in a consonant other than -л. All of these verbs except **–ошибиться** and **–спасти** are imperfective.

грести   to rake, to row   ⟶   гребец   oarsman
   он грёб, она гребла, они гребли   гребной спорт   rowing
                                   грабли   rake
                                   гребёнка   comb

ошибиться   to be mistaken   ⟶   ошибка   error
   он ошибся, она ошиблась   ошибочный   erroneous

расти   to grow   ⟶   растение   plant
   он рос, она росла, они росли   возраст   age
                                 рост   growth, height

скрести   to scratch   ⟶   небоскрёб   skyscraper
   он скрёб, она скребла, они скребли

спасти́   to save   ⟶   спасе́ние   rescue, salvation
    о́н спа́с, она́ спасла́, они́ спасли́   спаса́тельный по́яс   life belt

трясти́   to shake   ⟶   о́н трясётся от сме́ха   he is shaking with laughter
    о́н тря́с, она́ трясла́, они́ трясли́   землетрясе́ние   earthquake

Some verbs with an infinitive in **-нуть** drop this suffix in the past tense and have a masculine form with a final consonant other than **-л.** Following is a list of verbs of this type. All the verbs listed are perfective. They retain the accent of the infinitive on all forms of the past.

дости́гнуть   to reach, to attain   ⟶   достиже́ние   achievement
    о́н дости́г, они́ дости́гли

исче́знуть   to disappear   ⟶   исчезнове́ние   disappearance
    о́н исче́з, она́ исче́зла

заглóхнуть   to stop (of sound)
    о́н заглóх, она́ заглóхла

замёрзнуть   to freeze   ⟶   тóчка замерза́ния   freezing point
    о́н замёрз, онó замёрзло

засóхнуть   to wither
    о́н засóх, она́ засóхла

отвы́кнуть   to lose the habit of
    о́н отвы́к, она́ отвы́кла

погáснуть   to go out, to be extinguished
    о́н погáс, она́ погáсла, онó погáсло

поги́бнуть   to perish   ⟶   поги́бель   ruin
    о́н поги́б, они́ поги́бли

привы́кнуть   to get used to   ⟶   привы́чка   habit
    о́н привы́к, они́ привы́кли   непривы́чный   unusual

прони́кнуть   to penetrate
    о́н прони́к, онó прони́кло

умóлкнуть   to become silent   ⟶   без у́молку   incessantly
    о́н умóлк, она́ умóлкла

The imperfective verb **па́хнуть,** *to smell of,* has two sets of past forms: (1) **о́н па́хнул, она́ па́хнула,** etc., and (2) **о́н па́х, она́ па́хла,** etc. The impersonal **па́хло** occurs frequently.

Па́хло се́ном.   You could catch the smell of hay.

Note:

If a prefix is added or dropped in any of the verbs in the Word Study of this unit, or if another prefix is substituted for the existing prefix, the conjugation remains unchanged.

    о́н попóлз   he crawled
    о́н вы́рос   he grew up

РУССКИЙ САМОВАР

Что́ за ча́й без самова́ра!

В Росси́и ча́й пью́т везде́ и в любо́е вре́мя.

Како́й же ча́й осо́бенно вку́сный? Коне́чно, ча́й из самова́ра, знамени́того, популя́рного во всём ми́ре ру́сского самова́ра. Ещё не та́к давно́ «посиде́ть за самова́ром» бы́ло в обы́чае у ру́сских люде́й. Но разви́тие те́хники привело́ в до́м электри́чество и га́з. Самова́р почти́ исче́з из на́шей жи́зни. Но оста́лась любо́вь к самова́ру — к э́тому ста́рому дру́гу. Сейча́с у на́с самова́ры сно́ва вхо́дят в мо́ду.

Когда́ и где́ бы́л сде́лан самова́р?

Мы́ ничего́ не зна́ем о челове́ке, кото́рый сде́лал пе́рвый самова́р. Скоре́е всего́°, э́то бы́л кто́-нибудь из прекра́сных ту́льских° мастеро́в. А произошло́ э́то, наве́рное, в конце́ XVIII — нача́ле XIX ве́ка.

Ту́ла и сейча́с изве́стна в на́шей стране́ ка́к «самова́рная» столи́ца. На междунаро́дных вы́ставках ту́льские самова́ры всегда́ привлека́ют внима́ние.

скоре́е всего́: *most probably*
ту́льский: *of Tula (a city south of Moscow)*

САНИ

Нет лу́чшего развлече́ния зимо́й, чем ката́нье с гор на саня́х. Са́ни за саня́ми несу́тся по за́литому со́лнцем сне́жному скло́ну, ра́достно сверка́ют глаза́, разрумя́нились щёки, слы́шен весёлый хо́хот. Це́лый день гото́вы проводи́ть ребя́та на горе́.

Ката́нье с гор — оди́н из са́мых ста́рых ви́дов зи́мнего спо́рта. Этот вид спо́рта был популя́рен в Росси́и уже́ в далёкой дре́вности. Са́ни — пе́рвая люби́мая игру́шка для зимы́, без кото́рой зима́ не похо́жа на зи́му.

Любо́й склон мо́жет служи́ть для ката́нья на саня́х, а разнови́дностей сане́й, на кото́рых ката́ются с гор, в Росси́и о́чень мно́го, потому́ что ката́нье с гор — э́то не то́лько развлече́ние, э́то оди́н из чуде́сных ви́дов зи́мнего спо́рта.

В Росси́и есть мно́го наро́дных посло́виц и погово́рок о саня́х. Вот не́которые из них:

«Бу́дут са́ни, пое́дем и са́ми»

«Каки́е са́ни, таки́е и мы са́ми»

«Лю́бишь ката́ться, люби́ и са́ночки вози́ть»

Де́тство

Во́т моя́ дере́вня;
Во́т мо́й до́м родно́й;
Во́т качу́сь я́ в са́нках
По горе́ круто́й.

Во́т сверну́лись° са́нки,
И я́ на́ бок — хло́п!
Ку́барем качу́ся°
По́д гору в сугро́б.

И друзья́-мальчи́шки
Сто́я надо мно́й,
Ве́село хохо́чут
Над мое́й бедо́й.

Всё лицо́ и ру́ки
Залепи́л мне́ сне́г...
Мне́ в сугро́бе — го́ре°,
А ребя́там сме́х!..

       И. З. Су́риков

сверну́лись: *упа́ли на́ бок*
кати́ться– ку́барем: *to roll
   head over heels*
го́ре: *беда́*

ШАТ И ДОН

О названиях рек, так же как и о названиях озёр и гор, в нашей стране есть много легенд, сказок, рассказов. Сказки и легенды эти сочинял не только народ. Тайнами географических названий интересовались и многие известные писатели.

Вот, например, коротенькая сказка, которую написал великий русский писатель Лев Николаевич Толстой о двух реках: о небольшой реке Шате и о нашей огромной реке — Доне. Название сказки — «Шат и Дон».

«У старика Ивана было два сына: Шат Иваныч и Дон Иваныч. Шат Иваныч был старший брат. Он был сильный и большой, а Дон Иваныч был небольшой и слабый. Решили братья погулять по стране и дойти до Азовского моря. Отец показал каждому дорогу и велел по ней идти. Шат Иваныч не послушался° отца и не пошёл по дороге, которую показал отец, а побежал в сторону и пропал. А Дон Иваныч послушался отца и пошёл так, как велел отец.

—послушаться: *to obey*

Дон идёт всё прямо, и чем дальше он идёт, тем шире становится.

Шат бросается° с одной стороны на другую.

бросаться–: *to rush, to dart*

Дон прошёл через всю Россию и дошёл до Азовского моря. В нём много рыбы и по нём ходят лодки и пароходы.

Шат же зашатался и прошёл совсем недалеко».

Если вы посмотрите на карту России, то, действительно, увидите небольшое озеро, из которого выходят две реки. Одна, большая и широкая, становится всё меньше — это Шат; другая, маленькая, становится всё шире и больше — это Дон.

Если спросить людей, которые живут недалеко от озера, почему у рек такие названия, то они быстро ответят:

— Шат — потому что он не идёт, а шатается из стороны в сторону. Дон — другое дело. Слышите, как звучит слово — будто колокол: дон! дон! дон!

Конечно, ответ, который дают на этот вопрос учёные-лингвисты, совсем другой. Дело в том, что десятки рек Северного Кавказа носят имена с теми же самыми окончаниями: Хазнидон, Урсдон, Ардон, Фиагдон, Гизельдон и другие. Слово «дон» по-осетински означает «река» или «вода». Вот откуда и название нашей большой русской реки.

— *«Тайна географических названий»*
И. Сергеев

УПРАЖНЕНИЯ

15. *Давайте поговорим.*

Перескажите сказку Толстого «Шат и Дон».
Расскажите легенду о названии местности.

16. *Сочинение.*

Перескажите письменно легенду о названии любого озера, горного хребта, реки, моря или города.
Расскажите письменно о названии горного хребта, реки, моря или города.

REFERENCE NOTES

Clauses with *бы... ни*

Бы... ни is the equivalent of the English suffix *-ever* added to interrogative words, for example, *whoever, whatever, whenever, however*. The verb accompanying **бы** must be past in form, even if it applies to a present or future situation.

Кто́ бы вы́ ни́ были, всё равно́ ва́м на́до плати́ть.	*Whoever* you are, you still have to pay.
Что́ бы ни случи́лось, я́ пое́ду.	*Whatever* happens, I'm going.
О чём бы о́н ни говори́л, э́то всегда́ бы́ло ску́чно.	*No matter what* he talked about, it was always boring.
До́ма лу́чше, чем где́ бы то ни́ было.	There's no place like home (it's better at home, than *wherever* it may be).
Куда́ бы о́н ни пошёл, ему́ бу́дет тру́дно.	*Wherever* he goes, he'll have a hard time.
Ка́к бы то ни́ было...	Be that as it may (*however* that may be) . . .
Во что́ бы то ни ста́ло...	Come what may, at all costs (to *whatever* it may come) . . .

Clauses with *ни* only

Indefinite clauses of this type may also be rendered without **бы;** they may be introduced by an interrogative word followed only by **ни.** In clauses without **бы** the tense of the verb may be present, past, or future.

О чём я́ ни говорю́, они́ не слу́шают.
Что́ ни случи́тся, я́ пое́ду.
Куда́ мы́ ни ходи́ли, мы́ его́ всегда́ встреча́ли.

Кра́й ты́ мо́й, роди́мый кра́й!
Ко́нский бе́г° на во́ле!
В не́бе кри́к орли́ных° ста́й°!
Во́лчий го́лос в по́ле!
Го́й° ты, ро́дина моя́!
Го́й ты, бо́р дрему́чий°!
Сви́ст полно́чный соловья́°!
Ве́тер, сте́пь да ту́чи!

А. К. Толсто́й

ко́нский бе́г: *бег коня́*

орли́ный: *eagle*
ста́я: *flock*

Го́й! *Hail!*
дрему́чий: *slumbering*
солове́й: *nightingale*

С ЧЕГО НАЧИНАЕТСЯ РОДИНА

Слова М. Матусовского

Музыка В. Баснера

С чего начина́ется Ро́дина?
С карти́нки в твоём букваре́,
С хоро́ших и ве́рных това́рищей,
Живу́щих в сосе́днем дворе́.

А мо́жет, она́ начина́ется
С той пе́сни, что пе́ла нам мать,
С того́, что в любы́х испыта́ниях
У нас никому́ не отня́ть.

С чего́ начина́ется Ро́дина?
С заве́тной скамьи́ у воро́т,
С той са́мой берёзки, что во́ поле,
Под ве́тром склоня́ясь, растёт.

А мо́жет, она́ начина́ется
С весе́нней запе́вки скворца́
И с э́той доро́ги просёлочной,
Кото́рой не ви́дно конца́.

С чего́ начина́ется Ро́дина?
С око́шек, горя́щих вдали́.
Со ста́рой отцо́вской будёновки,
Что где́-то в шкафу́ мы нашли́.

А мо́жет, она́ начина́ется
Со сту́ка ваго́нных колёс
И с кля́твы, кото́рую в ю́ности
Ты ей в своём се́рдце принёс...

НА ВОКЗАЛЕ

С этого вокзала поезда отправлялись в Среднюю Азию. Мы провожали главного инженера — Александра Локтева. Нас толкали со всех сторон, и мы медленно двигались к туннелю, через который надо было пройти, чтобы попасть на перрон. Уже остро чувствовалась весна, но, как только мы вошли в туннель, весна кончилась. Исчез запах ландышей, которыми торговали во всех углах вокзала, запах дымящихся золотистых пирожков, запах газа от машин и запах начинающегося дождя. Вместо этого пришёл запах каменного подземного мира, чемоданной кожи, пота быстро двигающихся людей.

Главного инженера провожали начальник отдела, председатель

организа́ции и я́. Гла́вный инжене́р был загоре́лый и ва́жный. Доро́гой он всё вре́мя дава́л сове́ты и указа́ния. То́н его́ был оте́чески стро́г. Я смотре́л на него́ с велича́йшим интере́сом и удивле́нием, потому́ что в пе́рвый ра́з ви́дел его́ в ро́ли нача́льника.

Когда́ подошли́ к по́езду, о́н дру́жески неторопли́во попроща́лся с провожа́вшими. Пото́м поста́вил на зе́млю чемода́н, закури́л, внима́тельно посмотре́л на меня́ и ко́ротко засмея́лся. Я знал э́ту мане́ру его́ внеза́пно смея́ться счастли́вым, но бы́стро га́снувшим сме́хом.

Бы́ло тру́дно пове́рить, что э́тот уве́ренный и ва́жный челове́к — Са́шка Ло́ктев, мо́й дру́г, мо́й однокла́ссник.

— Ты́ понима́ешь, — сказа́л о́н, — пло́хо бы́ть моло́же все́х. Осо́бенно, когда́ ты́ отвеча́ешь за люде́й. Чу́ть-чу́ть покажи́ свою́ мо́лодость, беспо́мощность — и всё: ко́нчился нача́льник.

Это о́н сказа́л споко́йно и ме́дленно, то́чь-в-то́чь, ка́к ра́ньше. Он говори́л, а я́ ду́мал о то́м, что во́т был у меня́ дру́г, жи́л ря́дом, вме́сте броди́ли по у́лицам — и вдру́г уе́хал в далёкие края́. Живёт где́-то в Сре́дней Азии, приезжа́ет ра́з в го́д. Бе́гает по конто́рам, а мне́ остаётся то́лько удивля́ться его́ вы́думкам и носи́ть за ни́м чемода́н на вокза́л.

— Ну ка́к она́, твоя́ Сре́дняя Азия? — спроси́л я́. — Действи́тельно сре́дняя?

— Не́т, — сказа́л о́н и улыбну́лся. — Для меня́ она́ не сре́дняя. Для меня́ она́ са́мая хоро́шая Азия.

— Ма́ки расцвета́ют в пусты́не?

— И ма́ки расцвета́ют в пусты́не,— сказа́л о́н.— И заво́ды расцвета́ют в пусты́не. И мно́гое ещё расцвета́ет в пусты́не.

— Ты́ поэ́т,— сказа́л я́.— Ты́ поэ́т Сре́дней Азии.

Я ду́мал, что о́н отве́тит, но о́н оста́вил э́ту фра́зу без внима́ния. Он напряжённо смотре́л на вы́ход из туннеля; отту́да вытека́ла толпа́.

Сре́дняя Азия вошла́ в Са́шкину жи́знь внеза́пно и стра́нно. В то́ вре́мя мы́ учи́лись, ка́жется, в восьмо́м кла́ссе. Геогра́фию у на́с вела́ ти́хая, сде́ржанная, но о́чень тре́бовательная преподава́тельница, Ни́на Петро́вна Фомичёва.

Невозмо́жно оста́вить преподава́тельницу геогра́фии без про́звища, когда́ та́к мно́го зву́чных и смешны́х назва́ний на широ́кой географи́ческой ка́рте. За Ни́ной Петро́вной не́ было постоя́нного про́звища: то её зва́ли «Пана́ма», то «о́стров Борне́о», но ча́ще всего́ «тётя Ли́ма», и́ли «Ли́ма Петро́вна», в че́сть столи́цы Перу́, го́рода Ли́мы.

В о́бщем, э́то бы́ло не́жное про́звище, мо́жет бы́ть, да́же сли́шком не́жное для аккура́тнейшей, зва́вшей всегда́ на́с на «Вы́», но строжа́йшей в свои́х оце́нках учи́тельницы. Она́ ста́вила «дво́йки», не волну́ясь и не не́рвничая. Она́ де́лала э́то ка́к-то печа́льно, как бу́дто хороня́ на́с. На лице́ её в э́ти мину́ты была́ гру́сть, потому́ что в жи́знь входи́ли пусты́е лю́ди, кото́рые да́же не могли́ разобра́ться в каки́х-то пяти́ частя́х све́та. А пе́ред те́м, как кого́-нибудь вы́звать, она́ до́лго ду́мала, кто и ско́лько ра́з уже́ спро́шен, просма́тривала все́ оце́нки; проверя́ла тро́йки и пятёрки. Но ка́к ни стра́нно, в её вы́зовах не́ было систе́мы, потому́ что она́ могла́ вы́звать да́же того́, кого́ спра́шивала на про́шлом уро́ке.

И пока́ страни́цы трепета́ли в её па́льцах, как паруса́ корабля́, мы́ пря́тались за спи́нами впереди́ сидя́щих и отводи́ли глаза́ от гла́з Ли́мы. Мы́ мча́лись по страни́цам, и в голове́ у на́с остава́лись не ци́фры, не назва́ния, а потеря́вшие смы́сл бу́квы.

Но существова́л челове́к, кото́рый не пря́тался. И э́то бы́л Са́шка Ло́ктев.

Са́шка приду́мал свою́ со́бственную психологи́ческую систе́му. Эта систе́ма носи́ла назва́ние «сме́лый взгля́д».

Он смотре́л на преподава́теля откры́тыми, сме́лыми глаза́ми.

Но, несмотря́ на э́то, в его́ взгля́де не́ было вы́зова, говоря́щего: мне́ не стра́шно, я́ ва́с не бою́сь, как э́то де́лали други́е. Он смотре́л на преподава́теля споко́йно, ве́жливо, но и отва́жно. И, ка́к пра́вило, его́ вызыва́ли ре́же други́х.

Но тётя Ли́ма была́ челове́ком неожи́данных реше́ний.

— Вопро́с сле́дующий,— сказа́ла она́.— Сре́дняя Азия. Приро́да и национа́льности. К доске́ подойдёт...

И тишина́. И секу́нды, когда́ челове́к вспомина́ет всю́ свою́ жи́знь.

— Ита́к, к доске́ — Ло́ктев!

Са́шка легко́ и споко́йно встаёт. Он идёт весёлой и уве́ренной похо́дкой. Подойдя́ к доске́, де́лает кла́ссу покло́н. Это азиа́тский восто́чный покло́н.

— Ну́,— говори́т Ли́ма,— мы́ ва́с слу́шаем. Вы́ гото́вы?

— Я всегда́ гото́в,— говори́т Са́шка.— Ита́к, Сре́дняя Азия. Сре́дняя Азия — кра́й жгу́чего со́лнца. Это одна́ из важне́йших приро́дных осо́бенностей Сре́дней Азии. Еди́нственная ра́дость в жа́ркие дни́ — э́то оа́зис. Оа́зисы — э́то места́, где́ е́сть вода́... Весно́й в пусты́нях Сре́дней Азии цвету́т ма́ки.

Са́шка вздохну́л и на мину́ту останови́лся.

— Они́ цвету́т в песке́, и э́то удиви́тельно краси́во. Жёлтый песо́к и кра́сные ма́ки. Та́кже Сре́дняя Азия знамени́та свое́й дре́вней культу́рой. В дре́вние времена́ та́м расцвета́ли вся́кие ремёсла. А пото́м всё ко́нчилось.

— Что́ ко́нчилось?— говори́т учи́тельница.

— Всё ко́нчилось,— упа́вшим го́лосом говори́т Са́шка.

— И отве́т ко́нчился,— говори́т Ли́ма.

— Не́т, о́н то́лько начался́,— ти́хо говори́т Са́шка. Кла́сс прити́х.

Са́шка споко́йно посмотре́л на на́с и поверну́лся к ка́рте Сре́дней Азии.

Жгу́чая бума́жная страна́ мо́лча лежа́ла пе́ред ни́м. Желте́ли её пусты́ни, голубы́м све́том сия́ло Ара́льское мо́ре. Но ка́рта ничего́ не могла́ сказа́ть: на не́й не́ было назва́ний.

— Что́ ещё вы́ на́м расска́жете?

— Ещё та́м... небога́тая расти́тельность. А живо́тный ми́р о́чень бога́тый. Та́м мно́го опа́снейших зме́й. Их изуча́ют учёные, кото́рых называ́ют герпето́логами.

Никто́ в це́лом кла́ссе не зна́л тако́го сло́ва — герпето́логи. То́лько Са́шка зна́л. Но зато́ мно́гие име́ли представле́ние о приро́дных осо́бенностях Сре́дней Азии, а Са́шка — никако́го. Впро́чем, о́н ещё боро́лся.

— Сейча́с... Я что́-то вспо́мню... Я ка́к-то забы́л...

— Ну хорошо́, посмо́трим, как вы́ зна́ете ка́рту. Покажи́те мне́ хребе́т Тала́сский Ала́-Та́у.

Са́шка энерги́чно поднима́ет ука́зку. Ука́зка дви́жется по Сре́дней Азии, а пото́м сле́по, беспо́мощно ухо́дит в жёлтые и кори́чневые азиа́тские респу́блики. Ука́зка остана́вливается... пото́м опя́ть дви́жется по ка́рте, дрожи́т в во́здухе. И затиха́ет.

В кла́ссе сме́х. Никогда́ не забу́ду я́ э́ту беспо́мощную ука́зку, и Ли́му, гру́стно принима́ющую из Са́шкиных ру́к та́бель для отме́тки.

— Ка́к вы́ гото́вились?— говори́т она́.— По уче́бнику?

— Не́т,— го́рдо отвеча́ет Са́шка.— Я прочита́л два́ рома́на о Сре́дней Азии.

И ту́т, уста́в от э́того стра́нного ученика́, Ли́ма вызыва́ет челове́ка, во вре́мя отве́та кото́рого мо́жно не теря́ть ве́ру в молодо́е поколе́ние.

— Дмитре́нко, к доске́! Сре́дняя Азия. Приро́да и национа́льности.

Я встаю́ и иду́ к доске́.

— Сре́дняя Азия — ча́сть азиа́тской террито́рии Сове́тского Сою́за, кото́рая идёт от Каспи́йского мо́ря на за́паде до сове́тско-кита́йской грани́цы на восто́ке, от госуда́рственной грани́цы на ю́ге до Ара́ло-

Ирты́шского водоразде́ла с включе́нием Балха́шского бассе́йна на се́вере...— Я говорю́, стара́ясь не пока́зывать свои́х зна́ний пе́ред Са́шкой.

А когда́ я сажу́сь на ме́сто, он смо́трит на меня́ с велича́йшим презре́нием, с тем презре́нием, кото́рое он чу́вствует к зубри́лам и пе́рвым ученика́м.

— Поздравля́ю,— говори́т он.— И всё-таки ничего́ не по́нял ты в Сре́дней Азии.

А пото́м ко́нчились уро́ки, и мы вы́шли на шко́льный дво́р. На баскетбо́льной площа́дке бе́гали и пры́гали де́вочки из сосе́дней шко́лы. Мы с Са́шкой шли мо́лча и ещё и́здали уви́дели ма́ленькую фигу́рку, кото́рая ниче́м не отлича́лась от други́х и та́к же пры́гала под баскетбо́льной корзи́ной. И то́лько мы дво́е уме́ли её отличи́ть от всех остальны́х. Мы подошли́ к площа́дке. В э́то вре́мя Ле́нка кида́ла мяч. Са́шка был совсе́м ти́хий по́сле геогра́фии, но тут он вы́ступил вперёд.

— Ра́зве та́к кида́ют?— сказа́л он.— А ну́-ка, дай!

Игра́ останови́лась. Де́вочки с уваже́нием смотре́ли, ка́к он небре́жно и краси́во ки́нул мяч. И как мяч, тро́нув корзи́нку, пролете́л ми́мо.

— Ма́стер-мази́ло,— сказа́ли де́вочки.

Ле́на молча́ла.

— В о́бщем, Сре́дняя Азия!— произнёс я.

Тогда́ он бы́стро отверну́лся, схвати́л мяч, бро́сил его́ куда́-то далеко́ и пошёл по широ́кому спорти́вному двору́.

— Сумасше́дший!— засмея́лись девчо́нки. А Ле́на ушла́ с площа́дки и взволно́ванно спроси́ла меня́:

— Что́ с ним?

Пото́м мы ходи́ли с ней по мо́крым весе́нним у́лицам и разгова́ривали о ра́зном: о баскетбо́ле, о тёте Ли́ме, о том, что Ле́на ста́нет до́ктором.

Но бо́льше всего́ мы говори́ли о нём. О том, како́й он стра́нный и сумасше́дший, о том, како́й он нетерпели́вый, ка́к он лю́бит хва́статься и стро́ить из себя́ Бог зна́ет что... Мы руга́ли его́ и не могли́ говори́ть о нём споко́йно, потому́ что о́ба бы́ли оби́жены на него́ и потому́ что люби́ли его́ о́ба...

А он вдру́г увлёкся Сре́дней Азией бо́льше, чем футбо́лом и автомаши́нами, чита́л о ней кни́ги и говори́л о том, что нет ничего́ прекра́снее на све́те, чем страна́ пусты́нь (как бу́дто бы он там был!). И мы называ́ли его́ в кла́ссе «Сре́дняя Азия».

А жи́ли мы хорошо́. Ча́сто ходи́ли втроём по го́роду про́сто та́к, разгля́дывали стоя́щие у двере́й посо́льств ва́жные, сверка́ющие иностра́нные автомоби́ли (в то вре́мя в Москве́ они́ бы́ли ре́дкостью) и сра́внивали и́х с на́шими («Побе́ду» и «Москвича́» на́чали то́лько выпуска́ть), и мы говори́ли, что те́ краси́вее, а на́ши всё-таки надёжнее. И шли да́льше, остана́вливаясь у витри́н, у афи́ш, у газе́тных кио́сков. А пото́м вдруг Са́шка ссо́рился со мно́й и́ли с Ле́нкой, и мы опя́ть обсужда́ли его́ посту́пки и говори́ли о нём. Иногда́ мне станови́лось да́же гру́стно: почему́ говори́м всё вре́мя о нём, почему́ всё вре́мя он со свои́ми «дела́ми» в це́нтре внима́ния? И я сказа́л э́то Ле́не. И Ле́на отве́тила:

— Понима́ешь, Серёжа, с тобо́й всё я́сно. Ты́ сла́вный па́рень и ве́рный това́рищ. А у Са́шки совсе́м друго́й хара́ктер. На́м на́до стара́ться его́ поня́ть.

И я́ впервы́е не захоте́л бы́ть сла́вным па́рнем и ве́рным това́рищем. Я захоте́л бы́ть таки́м же, как он, таки́м, чтобы меня́ ну́жно бы́ло поня́ть.

А пото́м пришёл деся́тый кла́сс. Мы́ всё вре́мя сиде́ли над уче́бниками. Реша́ющее значе́ние име́ли тогда́ меда́ли. Меда́ли помога́ли попа́сть в институ́т. И мы́ сиде́ли до́ ночи, чита́ли уче́бники, зубри́ли та́к, что у на́с боле́ли спи́ны, и жда́ли, когда́ разда́стся телефо́нный звоно́к дру́га, чтобы появи́лась зако́нная причи́на отвле́чься от заня́тий. Я твёрдо шёл на «золоту́ю». Са́шка же всё вре́мя крича́л, что ему́ плева́ть, что он и та́к проживёт. Да никто́ серьёзно и не смотре́л на него́ ка́к на бу́дущего медали́ста. Но со второ́й че́тверти он на́чал твори́ть буква́льно чудеса́: он получи́л пятёрки по все́м предме́там, испра́вил все́ свои́ годовы́е четвёрки и вы́шел в число́ пе́рвых. Он занима́лся самозабве́нно, он про́сто жи́л фо́рмулами, теоре́мами и зада́чами.

Мно́гие удивля́лись. Но я́ понима́л, что Са́шка хо́чет показа́ть все́м, что, хотя́ его́ и счита́ют «спосо́бным», но «неорганизо́ванным», он мо́жет получи́ть меда́ль; е́сли захо́чет, мо́жет сиде́ть ноча́ми, е́сли захо́чет, мо́жет перегна́ть пе́рвых ученико́в.

Но в его́ та́бели за девя́тый кла́сс всё же была́ одна́ тро́йка, кото́рая всё по́ртила. Тро́йка по геогра́фии. А после́дняя че́тверть конча́лась. И во́т, по реше́нию учителе́й, в ви́де исключе́ния, тро́йку позво́лили испра́вить, а то́ он мо́г потеря́ть ша́нсы на меда́ль.

В э́тот ве́чер я до́лго сиде́л в шко́ле, занима́лся с двумя́ ребя́тами. Вдру́г подхо́дит ко мне́ тётя Ли́ма и говори́т:

— Е́сли ва́ш Ло́ктев хо́чет испра́вить свою́ отме́тку, пу́сть прихо́дит за́втра по́сле пя́того уро́ка.

И я́ помча́лся к нему́. Всегда́ по вечера́м он до́ма. А сего́дня, как назло́, его́ не́т. Тётка (он жи́л у тётки: оте́ц поги́б на фро́нте, у ма́тери друга́я семья́) говори́т:

— Сказа́л, что пошёл в библиоте́ку.

Я в райо́нную библиоте́ку — его́ не́т. Я в гла́вную — та́м его́ то́же не́т. Я к ребя́там — никто́ ничего́ не зна́ет. Ну́, ду́маю, потеря́ет Са́шка меда́ль! Из-за како́й-то несча́стнейшей тро́йки... А мо́жет бы́ть, он на стадио́н пое́хал? Он ведь тако́й. На «Дина́мо» в э́тот де́нь как ра́з игра́ли «Спарта́к»—«Дина́мо». Я помча́лся на стадио́н.

Ма́тч шёл уже́ к концу́. Шумя́т трибу́ны. Голуба́я ча́ша стадио́на то́чно кипи́т, а я́ брожу́ как идио́т, жду́ конца́ ма́тча. Пото́м ви́жу — наро́д идёт... Побежа́л к метро́. Жду́ его́ у вы́хода. Ча́с жду́, его́ не́т... Ну́, ду́маю, всё, бо́льше не могу́. Хва́тит. Уста́л я́ от все́х э́тих де́л... И всё-таки, ду́маю, на́до его́ найти́. Гро́ш цена́ на́шей дру́жбе, е́сли я́ не могу́ для него́ оди́н ве́чер поже́ртвовать.

И я́ помча́лся к нему́ домо́й. За́нял пози́цию на подоко́ннике. Жду́. Прошёл ча́с, два́. Ну́, ду́маю, ничего́, у него́ ещё но́чь впереди́. За́ ночь при его́ спосо́бностях мо́жно ве́сь ку́рс пройти́. Подоко́нник холо́дный...

сидеть неудобно. Всё время кто-то смотрит на меня. То старушка какая-то испугалась, будто я грабитель; то влюблённые какие-то только устроились на другом подоконнике, заметили меня — и с места, как будто я чума; то какой-то гражданин, проходя мимо меня, сказал: «Заниматься надо, экзамены на носу, а эти сидят на подоконниках, девушек своих ждут». Хотел я ему ответить, но смолчал. Часам к двенадцати я задремал...

И вдруг (а может, мне это приснилось) я слышу: «Ну, теперь моя очередь тебя провожать...» И в ответ тихий женский, какой-то очень тихий голос: «Мы уже провожаемся целый час. Ты провожал меня три раза, я тебя — два. Может, хватит, завтра ведь не воскресенье».

Каким бы тихим не был голос, я узнал бы его даже в шуме океана.

И вот этому тихому голосу отвечает другой, который я тоже могу узнать по первому звуку: «Для меня завтра воскресенье и послезавтра воскресенье, потому что...— Наступила пауза. Он что-то выдумывал, сочинял и наконец сказал:— Потому что на душе у меня весна». Оба они захохотали. Они хохотали очень громко. Их смех катился по притихшим лестницам. Он поднимался всё выше и выше, он добрался до меня. «Ты мой азиатик,— говорила она.— Ты мой самый хороший... Ты...» И тут она затихла, точно кто-то закрыл ей рот, точно кто-то помешал её губам открыться, чтобы сказать слово.

Я был уже не маленький, я знал причину такой тишины. И я побежал вниз по лестнице, громко стуча ногами так, чтобы ступеньки скрипели и чтобы этот скрип испугал стоящих внизу. Потом с бьющимся сердцем я стоял в полутьме подъезда, там, где ещё секунду назад были они, и думал. Как же мне быть? Как же мне жить дальше?!

Я знал, что нас было трое и мы говорили о машинах, о балете, о том, что надо попасть в институт... Я помнил, что мы бродили с Лёной по улицам и говорили с ней о Сашке. Я знал только одно: она — мой друг, и он — мой друг. Я старался ни о чём другом не думать.

А теперь как же мне жить дальше? Это было просто непостижимо!

И пусть он пропадёт, этот человек, пусть он не получит медали, пусть бормочет о своей Средней Азии... Но было что-то другое, более сильное, чем это. И я выскочил из подъезда и побежал по чёрной, пустой улице.

Я видел, как они идут рядом, оба почти одного роста, как падает синий рекламный свет на их плечи и головы. И я побежал за ними.

Я бежал не для того, чтобы бить его. Я бежал, чтобы сказать ему про географию. И я догнал их. Она посмотрела на меня холодно, как будто прося ничего не говорить, не мешать. А он посмотрел спокойно, как взрослый на маленького.

— Ну что, ты вышел погулять перед ночной зубрёжкой?.. Всё занимаешься, «золотая медаль»?

— Да,— сказал я.— Да. Да.

Где теперь Лёна, я не имел понятия. Я знал только, что она вместе с Сашкой поступила в строительный институт. А Сашку я никогда не спрашивал о ней.

После окончания института, он вдруг, никому ничего не говоря, уéхал. Потóм я получил от негó телеграмму: «Привéт из Срéдней Азии». И всё. Больше ни слóва. Чтó у них с Лёнкой случилось, тáк я и не узнáл.

— Ну, так пошли в вагóн, скóро отъéзд,— сказáл я.

— Давáй,— согласился Сáшка.

Мы вошли в купé. Он постáвил кудá-то свóй чемодáн, спросил у когó-то: «Вы здéсь побýдете?»

— Не люблю сидéть в вагóне. Лýчше пойдём пива выпьем...

— Не успéем, всегó дéсять минýт остáлось.

Сáша беспокóйно посмотрéл на часы, потóм опять на выход из туннéля. Оттýда продолжáла вытекáть толпá. И Сáшка Лóктев смотрéл на эту толпý, как бýдто когó-то ждáл.

Темнолицые люди в тюбетéйках тащили в вагóны трехколёсные дéтские велосипéды, носильщики сгибáлись под тяжестью картóнных ящиков с телевизорами: пóезд уходил далекó, тудá, гдé пустыня, тудá, гдé не хватáет воды, дéтских велосипéдов, телевизоров. И перрóн чтó-то бормотáл, бросáл какие-то словá и волновáлся, потомý что на перрóне стояли провожáющие, а они всегдá волнýются. И всé бежáли, спешили, шумéли, и тóлько пóезд был неподвижен, как бýдто он стоял здéсь ужé вéчность и бýдет стоять ещё стóлько же.

И вдрýг гдé-то в концé перрóна я увидел знакóмую и вмéсте с тéм полузабытую фигýру, торопливо шéдшую к пóезду. В однóй рукé у неё был чемодáн, в другóй — небольшáя картóнка. Онá спешила, но дáже в спéшке шлá красиво. Я бы сказáл, что онá спешила спокóйно.

— Лёнка идёт,— тихо сказáл Сáшка и сощýрился. Потóм он мóлча пошёл к нéй навстрéчу. Они вмéсте подошли ко мнé и вмéсте чтó-то мнé говорили. Но я их не слышал. Мешáл гóлос диктора: «До отхóда пóезда остаётся двé минýты»; мешáли крики носильщиков, мешáли мой беспокóйные мысли. Потóм я смотрéл на вагóн, на окнó купé, в котóром вдрýг появились их счастливые лица.

«Пóезд отправляется...» — сказáл диктор. Мýзыка на вокзáле затихла. И я услышал, кáк Сáшка кричит мнé:

— До свидáния, Серёга! Спасибо тебé, дружище! Бýдь счáстлив!

Я мóлча махнýл рукóй, хóтел чтó-то сказáть, но не сказáл.

— *По Владимиру Амалинскому*

УПРАЖНЕНИЕ

Поговорим о тóм, что вы прочитáли.

Чтó Серёжа дéлал на вокзáле?

Кáк глáвный инженéр относился к провожáющим?

Почемý Серёже было трýдно повéрить, что глáвный инженéр егó одноклáссник?

Когдá Срéдняя Азия вошлá в Сáшкину жизнь?

Чтó вы мóжете рассказáть об их учительнице геогрáфии?

Чтó ребята дéлали, покá тётя Лима решáла, когó вызвать?

Чём Са́шка отлича́лся от други́х ученико́в?

Что́ Са́шка рассказа́л о Сре́дней Азии, когда́ тётя Ли́ма вы́звала его́?

Что́ рассказа́л о Сре́дней Азии Серёжа?

Что́ произошло́ на баскетбо́льной площа́дке?

О чём Серёжа говори́л с Ле́ной?

Что́ они́ де́лали, когда́ гуля́ли втроём?

Почему́ ребя́та та́к си́льно занима́лись в деся́том кла́ссе?

Почему́ Са́шка на́чал так хорошо́ занима́ться во второ́й че́тверти?

Почему́ Серёжа помча́лся к Са́шке?

Ка́к о́н его́ иска́л?

Где́ бы́л в э́то вре́мя Са́шка?

Что́ сде́лали Серёжа и Ле́на, когда́ ко́нчили шко́лу?

Опиши́те, что́ происходи́ло на перро́не пе́ред отхо́дом по́езда.

Почему́ Са́шка смотре́л на вы́ход из тунне́ля?

Почему́ Серёжа не слы́шал того́, что́ ему́ говори́ли Ле́на и Са́шка?

RUSSIAN-ENGLISH VOCABULARY

This vocabulary contains words not only from Advanced Level but also from Levels One and Two.

The number given after each English definition refers to the *unit* in which the Russian word or phrase first appears with that particular meaning. Since the unit numbers for Level One and Advanced Level are identical, it should be noted that for Advanced Level they are followed simply by *AL* (or *ALR* whenever the Optional Reading is the reference).

As for Levels One and Two, a unit number by itself after a definition refers to a Basic Dialog or a Basic Text in that unit; *BI* refers to Basic Material I, *BII* to Basic Material II; *S* refers to a Supplement, *SI* to Supplement I, *SII* to Supplement II; *N* refers to a Narrative; *G* refers to the Grammar Section as well as the Recombination Exercises. For Level Two only, *M* refers to **Мозáика,** and *RL* to the Reference List.

The reference letter *R* indicates the Reading Selection, which is a feature of all three levels and in Levels One and Two may include Word Study, Forms for Recognition, and a Dictionary Section.

Nouns, adjectives, and verbs are listed in the following forms:

Most nouns are given in the nominative singular only. Nouns generally used in the plural, such as **вóлосы,** are given in the nominative plural only. The second locative for nouns having that form is entered after the nominative singular: **бéрег, на берегý; лéс, в лесý.** Indeclinable nouns, such as **пальтó,** are indicated as such.

Adjectives, including those used as nouns, appear only in the nominative singular. Irregular short-form comparatives are also listed.

Except for **бы́ть** and some impersonal or special expressions, verbs are given only in the infinitive form. Wherever possible, they are given as aspectual pairs: **бросáть– I (–брóсить); –увúдеть II (вúдеть–).** A hyphen after the infinitive designates an imperfective verb; one before it designates a perfective. A Roman numeral, *I* or *II*, after the initial verb of a pair (or after an unpaired verb) indicates whether it belongs to the first or second conjugation. Recessive stress is indicated by the symbol * following I or II. Reflexive forms are not listed unless a verb has a meaning quite different from its non-reflexive counterpart and for that reason must always be reflexive, as **садúться–,** for example.

The following abbreviations are used: *arch* (archaic), *colloq* (colloquial), *compar* (comparative), *dat* (dative), *dim* (diminutive), *f* (feminine), *fut* (future), *imperf* (imperfective), *impers* (impersonal), *indecl* (indeclinable), *m* (masculine), *n* (neuter), *pl* (plural), *poss* (possessive), *prep* (preposition), *sg* (singular), *superl* (superlative).

A

a and, but, 2

А кáк же! Why yes! 22BI

абажýр lampshade, 19BII

абитуриéнт high-school graduate, 2AL

абсолю́тный absolute, 20R

áвгуст August, 12S

авиалúния airline, 7AL

авиатрáнспортный pertaining to air travel, 7AL

авиациóнный airplane, 8AL

авиáция aviation, 22R

авóська *colloq* shopping bag, 4AL

Австрия Austria, 23G

автóбус bus, 6S

автóбус-экспрéсс express bus, 7AL

автóбусный bus, 2ALR

автомобúль *m* car, 6S

автомобúльный automobile, 12AL

авторитéт prestige, authority, 10Al

Автостóп Operation Hitchhike, 12AL

агéнство agency, 8AL

трáнспортное агéнство travel agency, 8AL

административный administrative, 5AL

Адмиралтéйство Admiralty, 25SI

áдрес address, 10S

азербайджáнец Azerbaidjani (man), 5AL

азиáтский Asiatic, 11AL

Азия Asia, 11AL

ай

Ай да Жучка! Good Zhuchka! 26BI

академик academician, 25R

академия academy, 25R

Академия наук Academy of Sciences, 25R

акация acacia, 2ALR

аккуратно correctly, 9AL

акробат acrobat, 8N

акт act, 9AL

актёр actor, 9S

актриса actress, 9S

акцент accent, 22SII

албанский Albanian, 8AL

алгебра algebra, 1AL

аллея tree-lined lane, avenue, 4AL

Алло! Hello! (on the telephone), 4

алмаз diamond, 16R

алфавит alphabet, 22BII

альбом album, 17G

альпинистский mountain climber's, 12AL

американец American (man), 16BI

американка American (woman), 16SI

американский American, 3

анафема anathema, 6AL

английский English, 7

англичанин Englishman, 22G

англичанка Englishwoman, 22G

Англия England, 12G

анекдот joke, 7S

антенна antenna, 21R

антилопа antelope, 15

антракт a musical interlude, 5AL

апельсин orange (fruit), 2ALR, 5AL

аплодировать- I (–зааплодировать) to applaud, 6N

аплодисменты pl applause, 24BI

апломб self-assurance, 3AL

аппарат camera, 17G

аппетит appetite, 7

аппетитно appetizingly, 12AL

апрель m April, 12S

аптека pharmacy, 26SII

араб Arab (man), 26R

арабский Arabic, 6AL

арбуз watermelon, 26SI

Аргентина Argentina, 3AL

арена ring, arena, 24BI

аристократ aristocrat, 9AL

арифметика arithmetic, 16R

Арктика the Arctic, 4ALR

арктический arctic, 4ALR

армейский army, 10AL

армия army, 25R

армянский Armenian, 11AL

аромат aroma, 26R

ароматный aromatic, 12AL

артиллерийский artillery, 16R

артист artist, actor, 24BI

артистический artist's (theatre), 9AL

артистка artist, actress, 24R

архитектор architect, 10ALR

архитектура architecture, 22BI

аспирант graduate student, research assistant, 2AL

аспирантура graduate training, 3AL

ассортимент assortment, 8AL

астрономия astronomy, 20R

атлетика athletics, 10AL

аттестат certificate, 2AL

аттестат зрелости secondary-school diploma, 2AL

аттракцион attraction, 10AL

аудитория lecture hall, 1AL

Афганистан Afghanistan, 11AL

афиша poster, sign, 4AL

-ахнуть I (–ахать-) to gasp, 17R

аэровокзал air terminal, 8ALR

аэродром airport, 6S

аэропорт airport, 7AL

аэросани pl skiplane, 3AL

Б

бабушка grandmother, 7S

багаж

сдавать в багаж чемодан to check a suitcase, 6

база base, 12AL

Байкал Lake Baikal, 12AL

байкальский pertaining to Lake Baikal, 12AL

бактериолог bacteriologist, 2AL

бактериология bacteriology, 2AL

бал ball, dance, 19R

балалайка balalaika, 21R

балерина ballerina, 9R

балет ballet, 2

балетмейстер ballet master, 9AL

балетный ballet, 9AL

балкон balcony, 19SI

балтийский Baltic, 3AL

банан banana, 14R

банкетный

банкетный зал banquet hall, 19R

баночка dim small jar, 4AL

бант bow, 24BI

барабан drum, 24BI

баранка ring-shaped roll, 12AL

барельеф bas-relief (sculpture), 8AL

барин lord, 25R

барьер barrier, railing, 24R

баскетбол basketball, 4S

баскетбольный basketball, 18R

бассейн tank, pool, 14

батальон battalion, 5AL

башня tower, 22BI

бег canter, gallop, 6AL

бегать- I (бежать-) (–побежать) to run, 18R

бедненький dim poor dear, 24R

бедность f poverty, 12AL

бедный poor, 14G; poor thing, 14

бедняга m and f poor devil, poor kid, 1AL

бедствие very serious trouble, 8ALR

бежать- (бегать-) (–побежать) to run, 21R

без without, 18SI

безгранично infinitely, 5AL

безопасный safe, 6ALR, 8AL

безответственный irresponsible, 8AL

безусловно absolutely, no doubt about it, 5AL

бейсбол baseball, 12G

бейсбольный baseball, 18G

белеть- I to whiten, 11AL

белка squirrel, 21BII

Белоруссия Byelorussia, 12AL

белорусский Byelorussian, 5AL

белоснежный snow-white, 7AL

белый white, 8S

белые ночи white nights, 25SII

Бельгия Belgium, 23G

бельё linen (sheets, underclothing, etc.), 8AL

бензин gasoline, 10

берег, на берегу shore, bank, 17G

берёза birch, 6ALR

беркут golden eagle, 7

беседа conversation, discussion, 10AL

беседовать- I (–побеседовать) to chat, 21BI

бесёнок dim little demon, 2AL

бесконечный endless, infinite, 1AL

бесовский devil's, 10AL

бесплатный free of charge, 3AL

беспоко́ить- I (–побеспоко́ить) to disturb, to upset, 2AL

беспоко́йный uneasy, disturbing, 10AL

беспоко́йство disturbance, trouble, 2AL

бессозна́тельный unconscious, 3AL

библиоте́ка library, 9S

библиоте́карша librarian (woman), 9S

Би́блия Bible, 5AL

бизо́н bison, 2ALR

биле́т ticket, 5S

билья́рд billiards, 19R

бино́кль *m* binoculars, 9AL

биоло́гия biology, 8S

би́ржа stock exchange, 25BII

бискви́т sponge cake, 8AL

би́тва battle, 6ALR

бифште́кс steak, 19D

благодари́ть- II (–поблагодари́ть) to thank, 21R

благополу́чный safe, successful, 20BI

блаже́нный blessed, 8AL

бле́дный pale, 4AL

бле́ск glitter, 9AL

блесте́ть- II (–блесну́ть) to glitter, to shine, 19R

блестя́щий shiny, 12; brilliant, 30R; magnificent, 5AL

бли́же *compar of* бли́зкий, 21G

бли́жний near, 7AL

бли́зкий close, near, 2

бли́н pancake, 19R

блиста́тельный brilliant, splendid, 9AL

блоки́ровать- I (–заблоки́ровать) to blockade, 12AL

блонди́нка blonde (girl), 5AL

блонди́ночка *dim* little towhead, 5AL

блу́зка blouse, 8S

блю́до dish (course), 19R

бобы́ *pl* beans, 26SII

Бо́г God, 19BII

   Не дай Бо́г! God forbid! 19BII

   бо́г pagan god, 6AL

бога́тство richness, wealth, 5AL

бога́тый rich, 25R

богаты́рь *m* folk hero of Ancient Russian epic songs, 10AL

бо́дрый cheerful, 10AL

бое́ц warrior, 10AL

Бо́же мо́й! Good Lord! 16BI

бо́й combat, fighting, 6ALR

бо́к side, 8AL

боксёр boxer, 18R

болга́рин Bulgarian (man), 2AL

Болга́рия Bulgaria, 16BII

болга́рка Bulgarian (woman), 2AL

болга́рский Bulgarian, 22BII

по-болга́рски in Bulgarian, 5AL

бо́лее и́ли ме́нее more or less, 19SI

боле́льщик fan (person), 18BII

боле́ть- II to hurt, 21R

   боле́ть- I to be a fan (sports), 10AL

бо́ль *f* pain, 4ALR

больни́ца hospital, 20R

больно́й sick, 3S

больно́й sick man, 26R

бо́льше *compar of* большо́й *and* мно́го, 21G; any more, 17R

большинство́ majority, 16R

большо́й big, 6S

   Большо́е спаси́бо! Thank you very much! 9

   Большо́й теа́тр the Bolshoi Theater, 9

бо́мба bomb, 4AL

бо́рзый swift, 6AL

бормота́ть- I* (–пробормота́ть) to mutter, to mumble, 22R

борода́ beard, 13N

бо́рт side, 10AL

   на борту́ on board, 20BI

бортпроводни́ца stewardess, 6

бо́рщ borscht (beet soup), 17SI

борьба́ conflict, 9AL

босо́й bare, 12AL

боя́знь *f* fear, 4ALR

боя́рин in Old Russia a member of the nobility, 9AL

боя́ться- II to be afraid, 13

Брази́лия Brazil, 6AL

бра́т brother, 3S

бра́тский associated, 10AL

бра́ть- I (–взя́ть) to take, 4S

бревно́ log, 6ALR

бри́дж bridge (card game), 19G

брита́нец Englishman, Briton, 6AL

бри́ть- I (–побри́ть) to shave, 15

бро́вь *f* eyebrow, 22R

броди́ть- II* (–поброди́ть) to wander, 21R

бро́нзовый bronze, 9AL

броса́ть- I (–бро́сить) to throw, 4; to drive, 10AL

броса́ться- I (–бро́ситься) to rush, to dart, 12AL

–бро́сить II (броса́ть-) to stop, 17R; to throw, 21R

–бро́ситься II (броса́ться-) to hurtle, 4ALR

бросо́к shot, throw, 10AL

брошю́ра brochure, 2ALR

бры́зги *pl* spray, 10AL

–бры́знуть I (бры́згать-) to spurt, 15

брю́ки *pl* trousers, 8S

брюне́тка brunette (girl), 5AL

бу́дем *fut of* бы́ть we will, 10N

буди́льник alarm clock, 8

буди́ть- II* (–разбуди́ть) to wake, to rouse, 8ALR

бу́дка booth, 21R

бу́дто it seems, 19BI; like, 12AL

   бу́дто бы supposedly, 6AL

   как бу́дто as if, 1AL

бу́дут there will be, 15N

бу́дущий future, 20R

   в бу́дущем году́ next year, 22SI

бу́дьте

   Бу́дьте добры́. Be so kind. 23SI

   Бу́дьте любе́зны. Be so kind. 22SII

бу́ква letter (of alphabet), 22R

була́вка pin, 2ALR

бу́лка loaf, roll, 12AL

бу́лочка roll, 26BII

бу́лочная bakery, 26BII

бульва́р avenue, 14S

бульо́н broth, 19R

бума́га paper, 12S

   бума́ги *pl* papers, documents, 22G

бума́жный paper, 10AL

бу́рный impetuous, wild, 6ALR

бурча́ть- II (–побурча́ть) to mutter, to grumble, 3AL

бутербро́д sandwich, 5S

буты́лка bottle, 26SII

буфе́т buffet, 8AL

быва́ть- I to be (sometimes), to frequent, 11; to happen, 4ALR

быстроно́гий fleet-footed (one), 10AL

бы́стрый fast, 6S; quick, 8

бы́ть- I to be, 9S

бюро́ *indecl* office, bureau, 21BI

   бюро́ обме́на currency exchange office, 23SI

В

в (во) into, to, 2; on, 9G; in, 12; at, 13S

ваго́н car (subway or railroad), 2ALR

ва́жность *f* importance, 8ALR

ва́жный important, 24BI

ва́за vase, 19BII

ва́ленки *pl* felt boots, 12

ва́льс waltz, 13N

валю́та currency, 8AL

ва́нная bathroom, 19BI
ва́рвар barbarian, 9AL
варе́нье jam, 5S
вари́ть– II* (–свари́ть) to cook, 17BI
Варша́ва Warsaw, 16R
варя́ги pl Varangians, 6ALR
ва́та absorbent cotton, 21M
ва́ш your, 5S
Вашингто́н Washington, 12G
вбега́ть– I (–вбежа́ть) to run in, 26G
–вбежа́ть I (вбега́ть–) to run in, 26G
вблизи́ in the vicinity of, 12AL
вве́рх upward, overhead, 10AL
вдали́ in the distance, 6
вдоль along, 18G
вдру́г suddenly, 16G
ведро́ bucket, 15
веду́щий leading, principal, 9AL
ведь after all, 6
ве́жливый polite, 22R
везде́ everywhere, 11N
везёт– (–повезёт) impers to be lucky, 1AL
    мне́ везёт I am lucky, 1AL
везти́– I (вози́ть–) (–повезти́) to bring, to convey, to drive, 24BI
ве́к century, 16R
веле́ть– II (–веле́ть) to order, 25R
велика́н giant, 25BI
вели́кий great, 13
великоле́пие grandeur, 5AL
великоле́пный splendid, 5AL
вели́чественный majestic, 6AL
величина́ magnitude, 9AL
велосипе́д bicycle, 10S
велосипе́дный bicycle, 10ALR, 12AL
Ве́на Vienna, 7AL
венге́рка Hungarian (woman), 1AL
ве́нгр Hungarian (man), 1AL
Ве́нгрия Hungary, 1AL
Вене́ция Venice, 25BII
ве́ник broom, 8ALR
вера́нда porch, 18BI
верблю́д camel, 14S
верёвка rope, 17R
веретено́ spindle (weaving), 6ALR, 12AL
ве́рить– II (–пове́рить) to believe, 13R
ве́рно true, truly, 10AL
    Э́то ве́рно! That's true! 13
–верну́ть I (возвраща́ть–) to return, 10AL
–верну́ться I (возвраща́ться–) to come back, to return, 17G
вероя́тно probably, 6AL
верста́ arch A measure of distance

equal to about two-thirds of a mile or 3500 feet, 6AL
вертолёт helicopter, 7AL
вертолётный helicopter, 7AL
ве́рхний upper, top, 4AL
верху́шка top, 21BII
верши́на summit, peak, 11AL
вес weight, 20BI
весели́ться– II to have a good time, 10AL
ве́село (it is) fun, 11
весёлый cheerful, gay, 11
весе́лье merrymaking, gaiety, 24BI
весе́нний spring, 20BII
ве́сить– II to weigh, 23R
весна́ spring, 12S
весну́шки pl freckles, 2ALR
вести́– I (води́ть–) (–повести́) to take, to lead, 24BI; to conduct, 10ALR
вестибю́ль m entry (vestibule), 22R; hotel lobby, 8AL
вести́сь– I to be carried on, to be waged, 11AL
весь all, 9S
    всё everyone, 7N; all, 8
    всё everything, 5
ве́твь f branch, bough, 5AL
ве́тер wind, 11S
ветеро́к light breeze, 10AL
ве́тка branch, twig, 2ALR
ве́тхий tumble-down, 6AL
ве́чер evening, 9S; an evening entertainment, 10AL
    ве́чером in the evening, 2; tonight, 2
вече́рний evening, 23BII
ве́чный eternal, 25R
ве́щий poetic prophetic, wise, 6AL
вещь f thing, 5S
–взви́ться I (взвива́ться–) to soar, 10AL
–взволнова́ть I (волнова́ть–) to excite, to agitate, 1AL
–взгляну́ть I* (взгля́дывать–) to take a look, to glance, 6AL
–вздохну́ть I to give a deep sigh, 8ALR
вздра́гивать– I (–вздро́гнуть) to shudder, to flinch, 3AL
–вздро́гнуть I (вздра́гивать–) to flinch, 6AL
взлёт takeoff, ascent, 7AL
взлета́ть– I (–взлете́ть) to fly up, 4AL
–взмоли́ться II* to plead, to beg, 6AL
взы́скивать– I (–взыска́ть) to demand an explanation, 4AL
взро́слый adult, 24BI

–взя́ть I (бра́ть–) to take, 17BII
вид view, 23BI; kind, 26R; appearance, 10AL
ви́ден, видна́, ви́дно; –ны́ visible, 6
ви́деть– II (–уви́деть) to see, 6
ви́димый visible, apparent, 4AL
ви́дно (it is) evident, 16R
ви́лка fork, 19R
вина́ fault, 23SI
вино́ wine, 19R
винова́тый guilty, 9AL
виногра́д grapes, 26SI
висе́ть– II to hang, 25BII
витри́на store window, 26M
ви́шня cherry, 26SI
вкла́д contribution, 11AL
включа́ть– I (–включи́ть) to turn on, 18BI; to include, 5AL
–включи́ть II (включа́ть–) to turn on, 18BI
вкру́г poetic = вокру́г, 6ALR
вку́с taste, 12AL
вку́сный delicious, tasty, 17SI
вла́жный humid, 21SI
власти́тель m sovereign, master, 10ALR
вла́стный mighty, 25R
власть f power, authority, 6ALR
влеза́ть– I (–вле́зть) to climb into, 21R
–вле́зть I (влеза́ть–) to climb into, 21R
влета́ть– I (–влете́ть) to fly into, 24G
–влете́ть II (влета́ть–) to fly into, 7AL
влечь– I (–привле́чь) to attract, to draw, 12AL
влия́ние influence, 10ALR
–вложи́ть II* (вкла́дывать–) to put forth, to expend, 12AL
вме́сте together, 3
вме́сто instead of, 6ALR, 8AL
–вмеша́ться I (вме́шиваться–) to interrupt, to interfere, 10AL
вмеща́ть– I (–вмести́ть) to accommodate, to hold, 8AL
вне́ out of, outside, 8ALR
внеза́пный sudden, 6AL
–внести́ I (вноси́ть–) to bring in, to introduce, 8AL
вне́шний outside, outer, 10ALR; outer, 12AL
вне́шность f looks, appearance, 5AL
вни́з down, 19R
внизу́ downstairs, 5; below, 6
внима́ние concentration, attention, 2ALR
внима́тельно closely, attentively, 6AL

внима́ть– I (–вня́ть) to heed, 19R

вноси́ть– II* (–внести́) to carry into, 24R

вну́тренний inner, inside, 9AL

внутри́ within, inside, 5AL

внутрь inside (direction), 25BI

вну́чка granddaughter, 26BII

вня́тный distinct, 8ALR

–вобра́ть I (вбира́ть–) to absorb, 10AL

вода́ water, 11

води́тель *m* driver, 8AL

води́ть– II* (вести́–) (–повести́) to take, to lead, 24G

води́ть маши́ну to drive, 10

во́дка vodka, 17R

воднолы́жник water-skier, 10AL

во́дный water, 6ALR, 7AL

водоро́дный hydrogen, 4AL

водохрани́лище reservoir, 11AL

водяно́й water, 11AL

воева́ть– I to fight against, to be at war with, 6ALR

вое́нный military, 20BII

вое́нное де́ло military affairs, 25R

возбужда́ть– I (–возбуди́ть) to arouse, to excite, 9AL

–возвести́ I (возводи́ть–) to erect, 7AL

–возврати́ться II (возвраща́ться–) (–верну́ться) to return, 10AL

возвраща́ть– I (–верну́ть) to return, to restore, 7AL

возвраща́ться– I (–верну́ться) to return, 16BII

во́зглас loud exclamation, 20BII

возде́йствовать– I to use one's influence, 9AL

–воздержа́ться II (возде́рживаться–) to abstain, 8AL

во́здух air, 21SI

возду́шный air, 4AL

вози́ть– II* (везти́–) (–повезти́) to bring, to drive, 24G

во́зле near, beside, 3AL

возмо́жный possible, 4AL

возника́ть– I (–возни́кнуть) to arise, to spring up, 1AL

возража́ть– I (–возрази́ть) to object, 10AL

во́зраст age, 4ALR, 10AL

возраста́ть– I (–возрасти́) to increase, 10ALR

во́ин soldier, warrior, 6ALR

вой howl, 11AL

война́ war, 9

во́йско army, 25R

–войти́ I (входи́ть–) to enter, 20R

вокза́л station, terminal, 6S

вокру́г around, 20BI

волейбо́л volleyball, 4S

волейбо́льный volleyball, 18R

во́лжский pertaining to the Volga, 12AL

волна́ wave, 11S

волне́ние excitement, 19R

волни́стый billowing, 6AL

волни́тельный upsetting, 8ALR

волнова́ть– I (–взволнова́ть) to excite, 19R

волнова́ться– I (–взволнова́ться) to worry, 13

Не волну́йся! Don't worry! 13

во́лосы *pl* hair, 6ALR

воло́чь– II* to drag, to haul, 6ALR

волше́бник sorcerer, 23R

вон over there, 9

вообще́ as a matter of fact, on the whole, 10AL

вопи́ть– II (–завопи́ть) to wail, to howl, 8ALR

вопро́с question, 17R

воробе́й sparrow, 2ALR

воро́та *pl* gate, 14N; goal (scoring zone), 10AL

воротни́к collar, 8ALR

воро́чаться– I to toss and turn, to stir, 8ALR

ворча́ть– II (–поворча́ть) to grumble, to growl, 8ALR

восемна́дцать eighteen, 13S

во́семь eight, 3S

во́семьдесят eighty, 13S

воск wax, 15

–воскли́кнуть I (восклица́ть–) to exclaim, 9AL

воскресе́нье Sunday, 9S

воспита́ние education, training, 1AL

воспомина́ние *pl* memoirs, 20R; *sg* recollection, 4ALR

восто́к east, 21SII

восто́рг delight, ecstasy, 23SII

восто́рженный enthusiastic, fervent, 9AL

восточнославя́нский Eastern Slavic, 5AL

восто́чный eastern, oriental, 2AL

восьмо́й eighth, 18SI

вот there is, there are, 5; look, 13

Вот ты то́же! What do you mean? 17BII

вот так like this, in this manner, 8AL

впада́ть– I (–впа́сть) to flow (into), to fall (into), 10ALR, 11AL

впервы́е for the first time, 10AL

вперёд forward, ahead, 1AL

впереди́ ahead, in front, 1AL

впечатле́ние impression, 10AL

вплоть

вплоть до right up to, 9AL

вполне́ quite, 10ALR

впро́чем however, by the way, 3AL

впры́гивать– I (–впры́гнуть) to jump on, 10AL

впуска́ть– I (–впусти́ть) to admit, 7AL

–впусти́ть II* (впуска́ть–) to admit, 8ALR

враг enemy, 6ALR

вражду́ющий warring, hostile, 2ALR

врасплох unawares, by surprise, 1AL

–заста́ть врасплох to take unawares, 1AL

врать– I (–совра́ть) to lie, to tell a lie, 17BII

врач doctor, 20R

вре́дный harmful, 10AL

вре́мя time, 6S

во вре́мя during, 18G

вре́мя го́да season, 21BII

вре́мя от вре́мени from time to time, 25BII

всё everyone, 7N; all, 8

всё everything, 5; always, all the time, 21BI

всё же just the same, nevertheless, 5AL

всё равно́ it doesn't matter, 4AL

всевозмо́жный all sorts of, 6ALR; every kind of, 8AL

всегда́ always, 4S

всего́ total number, all together, 19BI

Всего́ (хоро́шего)! All the best! 16SII

всеми́рный world, 7AL

всео́бщий universal, general, 1AL

всероссийский all-Russian, 12AL

всерьёз with serious intention, 10AL

всесою́зный all-union, federal, 2AL

всё-таки all the same, nevertheless, 2AL

вска́кивать– I (–вскочи́ть) to jump up, 8ALR

–вски́нуть I (вски́дывать–) to throw on, to toss, 10AL

–вскипяти́ть II (кипяти́ть–) to boil, 26R

вско́ре shortly after, 10AL

-вскочи́ть II* (вска́кивать–) to jump up, 4AL

-вскри́кнуть I (вскри́кивать–) to let out a scream, 6ALR

вскрыва́ть– I (-вскры́ть) to unseal, 8ALR

вслед
глядеть вслед to gaze after, 9AL

вспомина́ть– I (-вспо́мнить) to recall, 16BII

-вспо́мнить II (вспомина́ть–) to recall, 16RL

встава́ть– I (-вста́ть) to get up, to stand up, 8

-вста́ть (встава́ть–) to get up, 13G

-встре́тить II (встреча́ть–) to meet, 16RL

встре́ча meeting, 16BII; reception, 20BII

встреча́ть– I (-встре́тить) to meet, 16BII

вступа́ть– I (-вступи́ть) to step in, to enter, 10

вступи́тельный entrance, 2AL

-вступи́ть II* (вступа́ть–) to enter, 12AL

всю́ду everywhere, 25R

вся́кий any kind of, any, every, 16R
во вся́ком слу́чае in any case, 23BI

вто́рник Tuesday, 9S

второ́й second, 18SI
во-вторы́х second(ly), in the second place, 5AL

второстепе́нный secondary, 6AL

вуз: вы́сшее уче́бное заведе́ние an institution of higher learning, 1AL

ву́зовский university, of higher educational, 1AL

вулка́н volcano, 11AL

вход entrance, 20R

входи́ть– II* (-войти́) to enter, 8
входи́ть в to be a member of, 5AL

-вцепи́ться II* (вце́пливаться–) to grasp, to seize, 8ALR

вчера́ yesterday, 9S

вчера́шний yesterday's, 22R

вы polite or pl you, 3
Вам куда́? Where do you want to go? 23BI

выбега́ть– I (-вы́бежать) to run out of, 26BI

-вы́бежать (выбега́ть–) to run out, 24R

выбира́ть– I (-вы́брать) to choose, 26SI

-вы́биться I (выбива́ться–)
-вы́биться из сил to become exhausted, 8ALR

вы́бор choice, 16R

-вы́брать I (выбира́ть–) to choose, 10S

-вы́бросить II (выбра́сывать–) to throw away, 12AL

выводи́ть– II* (-вы́вести) to lead out, 24G

вы́глядеть– II* to look, 12S; to seem, to look, 9AL

выгля́дывать– I to appear, 9AL

выгова́ривать– I (-вы́говорить) to pronounce, 22G

выгова́риваться– I to be pronounced, 22R

-вы́говорить II (выгова́ривать–) to pronounce, 22G

вы́годный rewarding, 8ALR

выдава́ть– I (-вы́дать) to give out, 24R

выдаю́щийся eminent, 23BII

-вы́делиться II (выделя́ться–) to stand out, 25R

выделя́ться– I (-вы́делиться) to stand out, 25R

-вы́держать II (выде́рживать–) to pass, 1AL

вы́держка self-control, endurance, 8ALR

-вы́дохнуться I (выдыха́ться–) to be exhausted, 10AL

выду́мывать– I (-вы́думать) to fib, to fabricate, 10AL

выезжа́ть– I (-вы́ехать) to go away (by vehicle), to leave (by vehicle), 8AL

-вы́ехать I (выезжа́ть–) to leave (by vehicle), to drive out, 24R

-вы́звать I (вызыва́ть–) to cause, to summon, 5AL

вы́зов call, summons, 8AL
по вы́зову in response to a call, 8AL

вызыва́ть– I (-вы́звать) to call forth, to summon, 12AL

-вы́играть I (выи́грывать–) to win, 18BI

выи́грывать– I (-вы́играть) to win, 18G

-вы́йти I (выходи́ть–) to go out, 21R
вы́шло ина́че it didn't turn out that way, 20R

выкара́бкиваться– I (-вы́карабкаться) to scramble out, 6AL

выключа́тель m switch, 8ALR

выключа́ть– I (-вы́ключить) to turn off, 18BI

-вы́ключить II (выключа́ть–) to turn off, 18G

-вы́купаться I (купа́ться–) to bathe, 17RL

-вы́лезть I (вылеза́ть–) to get out of, 15

вы́лет takeoff (of a plane), 8ALR

вылета́ть– I (-вы́лететь) to leave (by plane), 7AL

-вы́лететь II (вылета́ть–) to fly off, to take off, 2ALR

-вы́мочить II to soak, 12AL

-вы́мыть I (мыть–) to wash, 10AL

-вы́мыться I (мы́ться–) to wash oneself, 23R

-вы́нести I (выноси́ть–) to carry out, to take out, 4ALR

выноси́ть– II (-вы́нести) to take out, 24R

вы́нужденный forced, emergency, 4ALR

выпека́ться– I (-вы́печься) to be baked, 12AL

-вы́пить I (пить–) to drink, 17R

-вы́ползти I (выполза́ть–) to crawl out, 6ALR

-вы́прыгнуть I (выпры́гивать–) to jump out of, 15

выпуска́ть– I (-вы́пустить) to release, to issue, 2ALR

выпускни́к graduating student, 1AL

выпускно́й graduation, final, 1AL

-вы́пустить II (выпуска́ть–) to issue, to release, 10ALR

выража́ть– I (-вы́разить) to express, 5AL

выраже́ние expression, 5AL

-вы́расти I (выраста́ть–) to grow up, 2ALR; to arise, 5AL

выра́щивать– I (-вы́растить) to raise, to cultivate, 11AL

-вы́резать I (выреза́ть–) to engrave, to carve, 10ALR

-вы́рубить II (выруба́ть–) to chop down, 18R

-вы́садить II (выса́живать–) to set down, to land, 11AL

-вы́светить II (высве́чивать–) to light up, 4AL

вы́ситься– II to rise, to tower, 7AL

-вы́слушать I (выслу́шивать–) to hear to the end, 3AL

высо́кий high, 6; tall fellow, 1AL

высокоме́рный haughty, arrogant, 3AL

высота́ height, 8AL

-вы́спаться II (высыпа́ться-) to get plenty of sleep, 4AL

-вы́ставить II (выставля́ть-) to display, to exhibit, 4AL

вы́ставка exhibit, show, 10S

вы́стрел shot, 21R

выступа́ть- I (-вы́ступить) to appear, to perform, 23BII

-вы́ступить II (выступа́ть-) to appear, to perform, 9AL

выступле́ние appearance, performance, 9AL

вы́сший higher, highest, 1AL

выта́скивать- I (-вы́тащить) to haul up, to drag out, 6ALR, 12AL

-вы́тереть I (вытира́ть-) to wipe, to dry, 19BII

вытира́ть- I (-вы́тереть) to wipe, to dry, 10AL

вы́ть- I to howl, 24R

-вы́тянуть I (вытя́гивать-) to extract, to draw out, 1AL

-вы́учить II (учи́ть-) to learn, 17R

выходи́ть- II* (-вы́йти) to go out, 21R; to come out, to be issued, 22BI

вы́ход way out, exit, 8ALR

выходно́й

вы́ходной де́нь day off, 10AL

-вы́честь (вычита́ть-) to subtract, 10ALR

вычисле́ние calculation, computation, 10ALR

-вы́числить II (вычисля́ть-) to calculate, to determine, 10ALR

вычисля́ть- I (-вы́числить) to calculate, to determine, 10ALR

вы́ше *compar of* вы́со́кий, 21G

вышина́ height, 4AL

-вы́яснить II (выясня́ть-) to clarify, to find out, 8ALR

-вы́ясниться II (выясня́ться-) to become apparent, 4ALR

вью́га snowstorm, blizzard, 21BI

вяза́ть- I* (-связа́ть) to crochet, 8ALR

Г

Га́! *expletive* Ha! 24R

га́дость *f* disgusting stuff, 17R

га́з gas, 9AL

газе́та newspaper, 6S

газиро́ванная вода́ soda, 8AL

галере́я gallery, 23BI

галёрка top balcony, gallery, 24R

га́лка crow, 8ALR

га́лстук necktie, 8S

гара́ж garage, 19SII

гармони́чный harmonious, 9AL

гармо́шка accordion, 21R

гарнизо́н garrison, military base, 5AL

гаси́ть- II* (-погаси́ть) to put out, to extinguish, 9AL

га́снуть- I (-пога́снуть) to go out (of a light), 23R

гастроно́м grocery store, delicatessen, 26BII

гво́здь *m* nail, peg, 6ALR

где́ where, 2

где́-то somewhere, 16G

гекта́р hectare (10,000 square meters or 2.471 acres), 12AL

генера́л general, 5AL

генера́л-фельдма́ршал field-marshal, 25R

ге́ний genius, 5AL

географи́ческий geographical, 2AL

геогра́фия geography, 8S

геологи́ческий geological, 2AL

геоме́трия geometry, 1AL

герма́нский Germanic, 5AL

Герма́ния Germany, 9G

герои́ня heroine, 9AL

герои́ческий heroic, 20BI

геро́й hero, 16R

гиаци́нт hyacinth, 15N

ги́бкий flexible, 5AL

гига́нтский gigantic, 12AL

ги́д guide, 24G

гидроэлектри́ческий hydroelectric, 16R

гидроэлектроста́нция hydroelectric station, 12AL

ги́мн hymn, anthem, 3AL

гимна́ст gymnast, 10AL

гимна́стика gymnastics, 20D

гимнасти́ческий sports, 18R

гиппопота́м hippopotamus, 15

гита́ра guitar, 21R

ги́тлеровец Hitlerite, Nazi, 12AL

глава́ chapter, 13

гла́вный main, 9S; chief, 2AL

гла́вное the main thing, 2AL

Главпочта́мт = Гла́вный почта́мт, 8AL

глади́льная доска́ ironing board, 4AL

гладио́лус gladiolus, 15N

гла́дить- II (-погла́дить) to pat, 24R

гла́з eye, 21BI

Она́ не ве́рит свои́м глаза́м. She doesn't believe her own eyes. 23R

глубина́ depth, 9AL

глубо́кий deep, 10ALR, 11AL

глубоко́ thoroughly, deeply, 9AL

глубокоуважа́емый dear (in highly formal address), 8AL

глу́пость *f* stupidity, foolishness, 16BII

глу́пый silly, stupid, 7S

глухо́й mute, deaf, remote, 3AL

глушь *f* remote section, 17BI

гляде́ть- II (-погляде́ть) to look, 6AL

на́ ночь гля́дя = по́здно ве́чером, 4AL

гляде́ть в упо́р to look steadily, to stare, 8AL

гляде́ть всле́д to gaze after, 9AL

говори́ть- II (-сказа́ть) to speak, 6

го́д year, 8

в про́шлом году́ last year, 9N

в бу́дущем году́ next year, 23SI

годи́ться- II (-пригоди́ться) to be suitable, 10AL

годово́й annual, 1AL

годовщи́на anniversary, 20BI

го́л goal, score, 10AL

голки́пер goalkeeper, 18G

голла́ндец Dutchman, 26R

Голла́ндия Holland, 25R

голова́ head, 17R

голо́вка *dim* little head, 2ALR

голо́дный hungry, 17SI

го́лос voice, 19BII

голубо́й light blue, 8S

голу́бчик dear fellow, my dear, 6AL

го́нки *pl* race, races, 15N

гоня́ть- I to drive, to pursue, 4AL

гора́ mountain, 5

и оно́ не за гора́ми and it is already in sight, 5AL

гора́здо much, 8ALR

гора́здо ле́гче much easier, 17R

горди́ться- II to take pride in, 5AL

го́рдость *f* pride, 24BII

го́рдый proud, 10AL

горе́ть- II (-сгоре́ть) to burn, 21R

горизо́нт horizon, 11AL

го́рка hill, 12AL

го́рный mountain, 4ALR, 11AL

го́род city, 7N

городо́к small town, 12AL

городско́й city, municipal, 17BI

горожа́нин city dweller (man), 26R

го́рький bitter, 10AL

горя́чий hot, 19R; ardent, 10AL

го́спиталь *m* hospital, 16R

Го́споди! Oh Lord! 4AL

господи́н Mr., gentleman, 16BI

госпожа́ Mrs., Miss, lady, 16SI

гостеприи́мный hospitable, 10AL

гостеприи́мство hospitality, 7AL

гости́ная living room, 19SI

гости́ница hotel, 22R

гости́ть– II (–погости́ть) to visit, 22R

го́сть *m* guest, 10S

  в го́сти for a visit, 16BI

  в гостя́х on a visit, 16BI

го́стья guest (female), 6AL

госуда́рственный state, government, 24BII

госуда́рство state, government, 2AL

гото́вить– II (–пригото́вить) to prepare, to cook, 17BI

гото́виться– II (–пригото́виться) to prepare for, 20BII; to train, 4AL

гото́вый ready, 5

гра́дус degree, 21BI

гра́дусник thermometer, 21SI

граждани́н Mr., citizen (man), 7S

гражда́нка Mrs., Miss, citizen (woman), 7S

гражда́нский civil, 20SII

граммати́ческий grammatical, 22SII

грандио́зный grandiose, imposing, 12AL

грани́тный granite, 25BI

грани́ца border (of a country), 9S

Грано́ви́тая пала́та Hall of Facets, 7AL

графи́н carafe, 17R

графи́ческий graphic, 10ALR

гре́бень *m* comb, 6ALR

гре́бля rowing, 10AL

гре́к Greek (man), 5AL

греме́ть– II (–прогреме́ть) to jingle, to peal, 6AL

гре́ческий Greek, 5AL

гре́чневый buckwheat, 12AL

гре́ться– I to be heated, 4ALR

гри́б mushroom, 11S

грибни́к mushroom picker, 26R

грибно́й mushroom, 26BI

гри́м stage make-up, 9AL

гримирова́ться– I (–загримирова́ться) to put on make-up, 9AL

гри́пп influenza (flu), 5AL

гроза́ thunderstorm, 11S

гро́зный terrible, 23R

  Ива́н Гро́зный Ivan the Terrible, 23R

грозово́й of a thunderstorm, 10AL

гро́м thunder, 11S

гро́мкий loud, 8

гро́хот roar, 20R

гру́бый coarse, 25R; gross, flagrant, 1AL

грузи́нский Georgian, 11AL

Гру́зия Georgia, 11AL

гру́ппа group, 22G

гру́стный sad, 17R

гру́сть *f* sadness, 23R

гру́ша pear, 26SI

–гря́нуть I to burst forth, to thunder, 9AL

гря́зный muddy, dirty, 11AL

гря́зь *f* mud, dirt, 12AL

гуде́ть– II (–загуде́ть) to honk, to hoot, 4AL

гудо́к horn, whistle, 3AL

гуля́ние outdoor celebration, 10AL

гуля́ть– I (–погуля́ть) to walk, to stroll, 11S; to frolic, 6AL

ГУМ (Госуда́рственный универса́льный магази́н) GUM (The State Department Store), 9

гуманита́рный liberal-arts, 2AL

густова́тый somewhat thick, 12AL

густо́й dense, thick, 11AL

густота́ thickness, density, 12AL

гу́сь *m* goose, 24R

Д

да́ yes, 2

  да и and besides, 19BI

дава́й let's, 14

дава́ть– I (–да́ть) to give, 14

дава́ться– I

  Мне́ тру́дно даётся... It comes very hard to me . . . , 22SII

давле́ние pressure, 7

давно́ a long time ago, 9S; for a long time, 13N

да́вний ancient, distant (in time), 5AL

да́же even, 23R

да́й

  Не да́й Бо́г! God forbid! 19BII

далёкий distant, remote, 21G

далеко́ far away, 2

  Далеко́ не всё! Far from it! 13

да́ль *f* distance, 12AL

да́льний distant, far, 4ALR; long, 11AL

да́льше *compar of* далёкий, 6

да́мский ladies', 8AL

да́нный given, 8AL

дари́ть– II* (–подари́ть) to make a gift of something

да́ром for nothing, 13

  не да́ром it's not for nothing, 13

да́та date (calendar), 2AL

–да́ть I (дава́ть–) to give, 14

  да́ть на ча́й to give a tip, 26R

да́ча dacha, summer home, 11S

два́ two, 3S

два́дцать twenty, 9N

двена́дцатый twelfth, 18SI

две́рь *f* door, 8

дви́гать– I (–дви́нуть) to move, 21R

дви́гаться– I (–дви́нуться) to move, 8AL

движе́ние movement, traffic, 23SI

–дви́нуть I (дви́гать–) to move, 21R

дво́е the two (of us, of you, of them), 23R

дво́йка a "Poor" (grade of two), 13S

двойно́й double, 3AL

дво́р yard, 12

  на дворе́ outside, 12

дворе́ц palace, 25SI

двою́родный

  двою́родный бра́т cousin (male), 7S

  двою́родная сестра́ cousin (female), 7S

дворя́нский noble, of the gentry, 10ALR

двусло́жный of two syllables, 6AL

двухэта́жный two-storied, 19R

дебаркаде́р landing platform, 3AL

дебю́т debut, 9AL

де́вочка girl, 5S

де́вушка girl (teen-ager), 16SI

девчо́нка *colloq* girl, lass, 2AL

девяно́сто ninety, 13S

девятизна́чный of nine digits, 10ALR

девятна́дцать nineteen, 13S

девя́тый ninth, 18SI

Де́д-моро́з Santa Claus, 13N

де́душка grandfather, 7S

дежу́рная (дежу́рный) a person assigned to specific duties at a specific time and place, 8AL

  дежу́рная по этажу́ floor attendant (in a hotel), 8AL

де́йствие action, 9AL

действи́тельно indeed, 20R

действи́тельный actual, 20R

де́йствовать– I (–поде́йствовать) to be in effect, to operate, 8AL

де́йствующий active, 11AL

дека́брь *m* December, 12S

деквалифика́ция disqualification, 3AL

деклами́ровать– I (–продеклами́ровать) to declaim, to recite, 9AL

делава́рский Delaware, 2ALR

де́лать– I (–сде́лать) to do, 4

де́лать не́чего there is nothing you can do about it, 24R

делега́т delegate, 18BII

дели́ться– II* (–раздели́ться) на to be divisible by, 10ALR

де́ло affair, business, matter, 25R; job, vocation, 4ALR

Ка́к дела́? How are things? 2

В чём де́ло? What's wrong? 9AL

де́ло в том, что... the thing is that . . . , the fact is that . . . , 10AL

делово́й business, 7AL

де́льта delta, 25BII

дельфи́н dolphin, 17G

демонстра́ция demonstration, 18G

демонстри́ровать– I (–продемонстри́ровать) to show, 7AL

де́нь *m* day, 4S

де́нь рожде́ния birthday, 10S

днём during the day, 23R

де́ньги *pl* money, 5S

дере́вня village, small town, 6S

де́рево tree, 15N

деревя́нный wooden, 22BI

держа́ть– II* (–подержа́ть) to hold, to keep, 24R

держа́ться– II* to bear up, not to give in, 2AL; to conduct oneself, 4AL

–дёрнуть I (дёргать–) to tug, to pull, 2ALR

десяти́чный based on the ten digits 0 to 9, 10ALR

деся́тка (a group of) ten, 3AL

деся́тый tenth, 18SI

де́сять ten, 3S

детекти́вный detective, 23R

де́ти *pl* children, 16BI

де́тский children's, 10AL

де́тский са́д kindergarten, 10AL

де́тство childhood, 23R

деше́вле *compar of* дешёвый, 21G

дешёвый cheap, 10S

де́ятельность *f* activity, work, 10ALR

джа́з jazz, 4

диа́гноз diagnosis, 5AL

диале́кт dialect, 26R

диало́г dialog, 17G

диа́метр diameter, 10ALR

дива́н couch, 19BI

ди́кий wild, 22BII

диктова́ть– I (–продиктова́ть) to dictate, 8ALR

ди́ктор announcer, 6

дина́мика dynamics, 9AL

дипло́м diploma, 2AL

дипломати́чно diplomatically, tactfully, 2ALR

диплома́тия diplomacy, 25R

дире́ктор school principal, 8S; director, 4ALR

дирижёр conductor (of orchestra), 23R

дире́кция management, 8AL

длина́ length, 6AL

дли́нный long, 12

для for, 15N

дневни́к diary, 12N; report card, daily progress report (school), 26

дневно́й daytime, 1AL; day's, 12AL

дно́ depths, bottom, 9AL

до before, 11S; up to, as far as, 1AL

До свида́ния! Good-by! 15

до сих по́р before, up to now, 17BI

До ско́рого! See you soon! 11N

–доба́вить II (добавля́ть–) to add, 26R

добавля́ть– I (–доба́вить) to add, 26R

–добра́ться I (добира́ться–) to get (from one place to another), to reach, 6ALR

добро́

Добро́ пожа́ловать! Welcome! 20BII

до́брый good, 16SII; kind, 23SI

бу́дьте добры́ be so kind, 23SI

добыва́ть– I (–добы́ть) to extract, to obtain, 12AL

дове́рие confidence, trust, 10AL

до́верху to the top, to the brim, 12AL

дово́льно rather, 7S

дово́льный pleased, satisfied, 7N

–догада́ться I (дога́дываться–) to guess, 6ALR, 10AL

–договори́ть II (догова́ривать–) to say all, to finish saying, 1AL

–договори́ться II (догова́риваться–) to come to an agreement, 4AL

доеда́ть– I (–дое́сть) to finish eating, to eat up, 10AL

–дое́хать I (доезжа́ть–) to reach (not on foot), 24R

до́ждик *dim* light rain, 10AL

до́ждь *m* rain, 12S

–дожи́ть I (дожива́ть–) to live to the full, 1AL

–дойти́ I (доходи́ть–) to reach, to get as far as, 1AL

–доказа́ть I* (дока́зывать–) to prove, 10ALR

докла́д report, 22SI

докла́дывать– I (–доложи́ть) to submit a report, 8ALR

до́ктор doctor, 14G

докуме́нт document, 7AL

документа́льный documentary, 19R

до́лгий long, 13

до́лго for a long time, 13

долета́ть– I (–долете́ть) to fly as far as, to reach (by plane), 3AL

–долете́ть II (долета́ть–) to fly as far as, to reach (by plane), 8ALR

до́лжен must, ought to, 10

до́лжность *f* job, post, position, 2AL

занима́емая до́лжность position held, 2AL

до́ллар dollar, 13S

–доложи́ть II* (докла́дывать–) to make a report, 8ALR

бо́льше *compar of* до́лгий, 23BI

до́м house, 10S

до́ма at home, 3S

домо́й homeward, 2

дома́шний homemade, home, 12AL

до́мик *dim* house, 21R

домино́ *indecl* dominoes, 19R

доноси́ть– II* (–донести́) to carry up to, to bring as far as, 24R

доноси́ться– II* (–донести́сь) to reach, to be heard, 4AL

–дописа́ть I (допи́сывать–) to finish writing, 22G

допи́сывать– I (–дописа́ть) to finish writing, 22SI

–допусти́ть II* (допуска́ть–) to admit, 2AL

допусти́ть оши́бку to make an error, 7AL

доро́га road, 12G

по доро́ге on the way, 3

дорого́й expensive, 10S; dear, 12

доро́же *compar of* дорого́й, 21G

доро́жка path, 14S

доска́ board, 4AL

   гла́дильная доска́ ironing board, 4AL

досло́вный literal, 22SII

достава́ть- I (–доста́ть) to get, 23G

доста́точно it is enough, 10ALR

-досмотре́ть II* (досма́тривать-) to watch to the end, 10AL

-доста́ть I (достава́ть-) to get, 9

-доста́ться

   мне́ доста́лся I received, I got, 10AL

достига́ть- I (–дости́чь) to reach, to attain, 11AL

-дости́чь (достига́ть-) to reach, to attain, 7AL

-доучи́ться II* (доучиваться-) to complete one's education, 10AL

доходи́ть- I (–дойти́) to go up to, to reach (on foot), 24R

дочи́тывать- I (–дочита́ть) to finish reading, 22SI

-дочита́ть I (дочи́тывать-) to finish reading, 22G

до́чка colloq daughter, 10AL

дочу́рка little girl, little daughter, 5AL

до́чь f daughter, 16BI

драмати́ческий dramatic, 7AL

драмату́ргия collective drama, 9AL

древля́не pl ancient Slavic tribe of forest dwellers, 6ALR

древнери́мский Ancient Roman, 6AL

древнеру́сский Old Russian (pertaining to Kievan Russia), 5AL

дре́вний ancient, 23R

дре́вность f antiquity, 23R

дре́во Old Slavonic tree, 6ALR

дрейфу́ющий drifting, floating, 11AL

дрема́ть- II* (–подрема́ть) to doze, 8ALR

дрессиро́ванный trained, 24R

дробь f fraction, decimal, 10ALR

дрова́ pl firewood, 17BI

дро́жжи pl yeast, 10ALR

дро́жки pl droshky (carriage), 8AL

дру́г friend, 3AL

   дру́г дру́га each other, 24SII

   дру́г дру́гу to one another, 18BII

   дру́г с дру́гом with each other, 7

   дру́г от дру́га one from another, 4AL

друго́й another, 10S; other, 8AL

дру́жба friendship, 8ALR

дружи́ть- II* (–подружи́ть) to be friends, 10AL

дру́жный congenial, harmonious, 8AL

ду́б oak, 6ALR

дублёр back-up man, understudy, 20R

дубли́роваться- I to be duplicated, 8AL

дубо́вый oak, 6ALR

ду́мать- I (–поду́мать) to think, 4S

Дуна́й the Danube, 11AL

ду́ра fool, idiot (woman), 2ALR

ду́ть- I (–поду́ть) to blow, 4ALR

ду́х spirit, 8ALR

духо́вный

   духо́вный хо́р church choir, 9AL

ду́ш shower (bath), 10AL

душа́ heart, soul, 5AL

ду́шный close, stuffy, 21SI

ды́м smoke, 12N

дя́денька dim uncle; colloq Pop! 4ALR

дя́дя uncle, 7S; colloq Mister, Pop! 1AL

дя́тел woodpecker, 8ALR

Е

Ева́нгелие Gospel, 5AL

Евро́па Europe, 9G

европе́ец European, 25R

европе́йский European, 24BII

Еги́пет Egypt, 11AL

еги́петский Egyptian, 24R

его́ his, 5S

еда́ food, 25R

едва́

   едва́ ли hardly, 9AL

едини́ца failing grade (grade of one), 13S; the number "one," 10AL

еди́нственный one, only, single, 24BII

   еди́нственное the only thing, 4ALR

еди́нство entity, 5AL

еди́ный single, one, 10ALR

её poss her, 5S

ёж hedgehog, 8ALR

ежего́дно every year, 26R

ежедне́вно daily, 2ALR

ежемину́тно continually, every minute, 8AL

ёжик dim hedgehog, 14S

е́здить- II (е́хать-) (–пое́хать) to go (by vehicle), to ride, to drive, 18R

ёлка fir tree, Christmas tree, 13N

ёлочка dim fir tree, spruce, 16R

е́ль f fir tree, spruce, 21BII

е́сли if, 17G

   е́сли бы conditional if, 12AL

есте́ственный natural, natural-science, 2AL

е́сть there is, there are, 17G

е́сть- II (–съе́сть) to eat, 17R

е́хать- I (е́здить-) (–пое́хать) to go (by vehicle), to ride, to drive, 11

ещё still, 6S; even, 21BI

   Ещё бы! I should say so!, Certainly! 4ALR

Ж

жале́ть- I (–пожале́ть) to be sorry, 10AL

жа́лко it's too bad, 17R

   Тебе́ что́, рубля́ жа́лко? Are you afraid to spend a ruble? 4AL

жа́лоба complaint, 9AL

жа́лобный plaintive, 10AL

жа́ль it's too bad, 10S

жа́ркий hot, 12S

жа́рче compar of жа́ркий

жасми́н jasmine, 15N

жда́ть- I (–подожда́ть) to wait, 4S

же (see Grammatical Index, Level I, page 324); but, as for, whereas, 5AL

жела́ние wish, desire, 9AL

жела́нный long-wished-for, 6AL; welcome, 12AL

жела́ть- I (–пожела́ть) to wish, to desire, 8ALR, 10AL

жела́ющий one who wishes, 12AL

желе́зная доро́га railroad, 23BI

железнодоро́жный train, railway, 8AL

желе́зный iron, 18G

желе́зо iron, 22R

жёлтый yellow, 8S

жемчу́жный pearl, pearl-like, 4AL

жена́ wife, 16BI

жена́тый married (of a man), 8ALR

-жени́ться II* (жени́ться-) to get married, 1AL

жени́х fiancé, bridegroom, 3AL

же́нский feminine, woman's, 16BI

же́нщина woman, 7S

же́ст gesture, 9AL

жи́в-здоро́в alive and well, 4AL

живо́й living, alive, 1AL

живопи́сный picturesque, 7AL

жи́вопись f painting, 2AL

жи́вость f vivacity, sprightliness, 5AL

живо́тное animal, 20BI

жи́знь f life, 16R

жиле́ц resident, tenant, 19BI

жили́ще dwelling, 6ALR

жи́р

   ры́бий жи́р cod liver oil, 17BII

жира́ф giraffe, 15

жи́тница breadbasket, granary, 12AL
жить– I (–прожи́ть) to live, 4S
жонглёр juggler, 24BII
журна́л magazine, 4S
журнали́ст journalist, 25R
журнали́стика journalism, 12AL
журнали́стка journalist (woman), 25R
журна́льный journalistic, 19R

З

за behind, 15; for, 17BI; during, 21BI
  за грани́цу abroad, 9S
заба́вный funny, 24BII
–заби́ть I to drive in, to score, 10AL
забия́ка scrapper, squabbler, 5AL
–заблуди́ться II* to get lost, 24R
–заболе́ть I (заболева́ть–) to fall ill, 8ALR
забо́тливый meticulous, 6AL
–забра́ться I (забира́ться–) to get into, to climb into, 4AL
–забро́сить II (забра́сывать–) to fling, 10AL
забыва́ть– I (–забы́ть) to forget, 16R
–забы́ть I (забыва́ть–) to forget, 16RL
заведе́ние institution, 1AL
–заверши́ться II (заверша́ться–) to come to an end, 1AL
–завести́ I (заводи́ть–) to get under way, to introduce, 10AL
–завеща́ть I to specify in one's will, 10ALR
зави́сеть– II to depend, 2AL
заво́д factory, plant, 17BI
–завоева́ть I (завоёвывать–) to capture, 6ALR; to conquer, 11AL
за́втра tomorrow, 2
за́втрак breakfast, 11S
за́втракать– I (–поза́втракать) to have breakfast, 8
зага́дочный mysterious, 11AL
зага́р suntan, 17SII
загла́вие title, 2ALR
загля́дывать– I (–загляну́ть) to peep in, to look in, 8ALR
–заговори́ть II (загова́ривать–) to begin speaking, 2ALR; to start to talk, 11AL
загора́ть– I (–загоре́ть) to sunbathe, 11
–загоре́ть II (загора́ть–) to tan, 17BII

заграни́чный foreign, 10S
–загреме́ть II (греме́ть–) to burst into a roar, 9AL
задава́ть– I (–зада́ть) to ask questions, 17G
–зада́ть I (задава́ть–) to give, to assign, 6AL
зада́ча problem, 26R; assignment, 1AL
за́дний
  за́дняя ла́па hind paw, 24BI
заду́мчивый pensive, 15
заду́мываться– I (–заду́маться) to become lost in thought, 3AL
–зазвони́ть II (звони́ть–) to start ringing, 4ALR
зазна́йка a conceited person, 8ALR
за́йка stutterer, 8ALR
–заказа́ть I* (зака́зывать–) to order (something), 19R
  заказа́ть разгово́р to put a call through to, 8AL
заказно́е письмо́ registered letter, 12S
зака́зывать– I (–заказа́ть) to order (something), 19R
закалённый seasoned, veteran, 10AL
зака́нчивать– I (–зако́нчить) to finish, to complete, 24BI
заква́ска leaven(ing), 10ALR
–заки́нуть I (заки́дывать–) to cast, to throw, 6AL
–заключи́ть II (заключа́ть–) to conclude, 10AL
зако́н law, principle, 22R
–зако́нчить II (зака́нчивать–) to finish, to complete, 10AL
–закопа́ть I (зака́пывать–) to bury, 4ALR
–закрича́ть II (крича́ть–) to begin to shout, 22R
–закружи́ться II* (кружи́ться–) to turn, to swirl, to spin, 17R
закрыва́ть– I (–закры́ть) to close, 17R
закры́тый closed, 21BI
–закры́ть I (закрыва́ть–) to close, 17R
–закупи́ть II* (закупа́ть–) to purchase, 2ALR
–закуси́ть II* (заку́сывать–) to get a bite to eat, 6S
заку́ска appetizer, snack, 5S
заку́танный bundled up, 21BI
за́л hall, 19R; auditorium, 23R
залета́ть– I (–залете́ть) to fly (into), to fly (beyond), 10AL
зали́в gulf, bay, 6ALR

залива́ть– I (–зали́ть) to spread out, 12AL
–зали́ть I (залива́ть–) to flood, to spread over, 11AL
зало́жен founded, 25BI
–замени́ть II* (заменя́ть–) to replace, to substitute, 7AL
заменя́ть– I (–замени́ть) to take the place of, 12AL
–замере́ть I (замира́ть–) to remain motionless, 8ALR; to become still, 9AL
–замёрзнуть I (замерза́ть–) to frost over, to freeze, 4ALR
–замеси́ть II* (заме́шивать–) to mix, 10ALR
–заме́тить II (замеча́ть–) to notice, to observe, 16R
замеча́тельный wonderful, remarkable, 6
замеча́ть– I (–заме́тить) to notice, 30R; to observe, 5AL
–замолча́ть II (молча́ть–) to keep quiet, to become silent, 21R
за́навес curtain, 23R
–занести́ I (заноси́ть–) to raise, to lift, 10AL
занима́ть– I (–заня́ть) to occupy, 6
занима́ться– I (–заня́ться) to occupy oneself, to study, 11
заня́тие occupation, pastime, study, work, 11
за́нятость f job, 10AL
занято́й busy, 3S
зао́чный by correspondence, 2AL
за́пад west, 21BII
западноевропе́йский Western European, 5AL
за́падный western, 26R
за́пах smell, aroma, 2ALR, 9AL
–запе́ть I (запева́ть–) to start singing, 8ALR
запи́ска note, 1AL
–записа́ть I* (запи́сывать–) to write down, 18G
записна́я кни́жка notebook, 22SI
запи́сывать– I (–записа́ть) to write down, 18BII
за́пись f inscription, entry, 22R
  за́пись па́ртии (chess) move, 10ALR
–запла́кать I (пла́кать–) to begin to cry, 24R
–заплати́ть II* (плати́ть–) to pay, 8AL
заполне́ние filling out (application form, questionnaire), 2AL
запомина́ние remembering, 10ALR

-запо́мнить II (запомина́ть–) to remember, 16BI

-запрети́ть II (запреща́ть–) to prohibit, to forbid, 8ALR

запреща́ться– I to be forbidden, to be prohibited, 8ALR

запу́щенный launched, 20BI

запята́я comma, 10ALR

-зарабо́тать I (рабо́тать–) to start working, 8ALR

-зароди́ться II (зарожда́ться–) to take form, to arise, 5AL

зарубе́жный foreign, 7AL

-зары́ть I to bury, 12AL

-засверка́ть I (сверка́ть–) to begin to glisten, 10AL

заселённый settled, populated, 6ALR

-засе́сть I to sit down to, to settle down to, 10AL

заслу́женный honored, 9AL

-заслужи́ть II* (заслу́живать–) to win, to earn, 24BII

-засмея́ться I (смея́ться–) to begin to laugh, 17R

-засну́ть I (засыпа́ть–) to fall asleep, 17BI

-заста́вить II (заставля́ть–) to compel, to force, 9AL

-заста́ть I (застава́ть–) to come upon, to find, 1AL

заста́ть враспло́х to take unawares, 1AL

-застегну́ть I (застёгивать–) to fasten, 7AL

засте́нчивый shy, bashful, 5AL

-застрели́ться II* to shoot oneself, 24R

-засты́ть I (застыва́ть–) to congeal, to harden, 12AL

засыпа́ть– I (–засну́ть) to fall asleep, 17G

-засы́паться I (засыпа́ться–) to get buried under, 6ALR

зате́йник jester, 10AL

зате́м shortly after, then, 8ALR

-зате́чь I (затека́ть–) to grow numb, 9AL

У меня́ затекли́ ру́ки и но́ги. My arms and legs were numb. 9AL

зато́ but then, to make up for it, 24BI

затопля́ть– I (–затопи́ть) overflow, 25BII

затрудня́ть– I (–затрудни́ть) to hamper, 10ALR

-захвати́ть II* (захва́тывать–) to take along, 26SII

захва́тывать– I (–захвати́ть) to capture one's interest, 2ALR; to seize, to carry away, 9AL

заходи́ть– II* (–зайти́) to set (the sun), 21BII; to stop in, 25BI

-захоте́ть II* (хоте́ть–) to want, 4AL

-захохота́ть I* (хохота́ть–) to burst out laughing, 2ALR

зачем why, what for, 17BII

-зачеркну́ть I (зачёркивать–) to cross out, 22R

зачёркивать– I (–зачеркну́ть) to cross out, 22R

-зашата́ться I (шата́ться–) to stagger about, 12AL

-зашуме́ть II (шуме́ть–) to become noisy, 2ALR

защи́та protection, defense, 8AL

защи́тник defense man (sport), defender, 10AL

защища́ть– I (–защити́ть) to protect, to defend, 8AL

-заяви́ть II* (заявля́ть–) to announce, to declare, 9AL

заявле́ние application, statement, declaration, 9AL

за́яц rabbit, 21BII

за́ячий rabbit's, 8ALR

зва́ние title, rank, 9AL

зва́ть– I (–позва́ть) to call, 8S; to invite, 9S

меня́ зову́т... my name is . . . , 8

звезда́ star, 16R

звёздочка dim star, 16R

звене́ть– II to buzz, 30R; to ring, to jingle, 10AL

звено́ link, 11AL

зверь m animal, 14S

зво́н ring, bell-like sound, 10AL

звони́ть– II (–позвони́ть) to ring, 8; to call on the telephone, 13G

звоно́к bell, 8; buzzer, 15

зву́к sound, 22R

звуча́ть– II to sound, 16R

зда́ние building, 9S

зде́сь here, 2

здоро́ваться– I (–поздоро́ваться) to greet, 16G

здоро́вый well, in good health, 3S

здоро́вье health, 17R

здра́вствовать– I to be well, to prosper, 4AL

Да здра́вствует! Long live! 4AL

Здра́вствуй! Hello! (familiar), 3

Здра́вствуйте! Hello! (polite), 2

зе́бра zebra, 14S

зева́ть– I (–зевну́ть) to yawn, 2AL

-зевну́ть I (зева́ть–) to yawn, 8ALR

зелене́ть– I (–зазелене́ть) to turn green, 12AL

зелёный green, 8S

зелёный ча́й green tea, 26R

зе́лень f greenery, 15G

земля́ earth, 20BI; ground, 21BII

земляни́чный wild strawberry, 26G

земля́нка mud hut, earthen hut, 6AL

земляно́й earthen, mud, 6ALR

земно́й of the earth, terrestrial, 5AL

зе́ркало mirror, 19BI

зима́ winter, 12

зимо́й in the winter, 12

зи́мний winter, 12

Зи́мний дворе́ц Winter Palace, 25SI

злой evil, mean, wicked, 23R

злой волше́бник evil sorcerer, 23R

змея́ snake, 6ALR

зна́к sign, 24R; symbol, 10ALR

знако́мить– II (–познако́мить) to introduce, 16SII

знако́миться– II (–познако́миться) to become acquainted, 16BI

знако́мство acquaintance, friendship, 23R

знако́мый acquainted, 3; familiar, 15

знако́мый friend, acquaintance, 16BII

знамени́тый famous, 9S

зна́ние knowledge, 19R

зна́ть– I to know, 4

значе́ние meaning, significance, 19R

зна́чит so, then, it means, 16BI

зна́чить– II to mean, to signify, 16BI

зо́дчество architecture, 7AL

значо́к badge, emblem, 10AL

золото́й gold, golden, 23R

зо́на zone, 15N

зо́нтик umbrella, 5S

зоопа́рк zoo, 14

зре́лость f maturity, 2AL

зре́ние

то́чка зре́ния point of view, standpoint, 5AL

зри́тель m spectator, 18BII

зри́тельный за́л auditorium, 7AL

зря for no good reason, for nothing, 8ALR

зу́б tooth, 8ALR

зубри́ть– II (–зазубри́ть) to cram (for an exam), 1AL

зя́ть m brother-in-law, 16BI

И

и and, 3S

  и т. д. (и так да́лее) etc., 16R

иго́лка needle, 8AL

игра́ game, 10N

игра́ть– I (–сыгра́ть) to play, 4; to act, 9

  игра́ть в те́ннис to play tennis, 4S

игри́вый playful, frolicsome, 6ALR

и́грище play, game, 10ALR

игро́к player, 4

игру́шка toy, 6ALR

идеа́л ideal, 4ALR

иде́я idea, 2ALR, 9AL

идти́– I (ходи́ть–) (–пойти́) to go, to walk, 8; to take place, 23BII

  Идём! Let's go! 3

  идти́ за (+ *instrumental*) to pursue, to follow, 11AL

из (изо) from, out of, 11

  оди́н из лу́чших one of the best, 24BII

  из-за from, 16BII; because of, 18R; from behind, 26BI

  из-под from underneath, 24R; from under, 6AL

изба́ peasant's wooden house, 17BI

–избежа́ть I (избега́ть–) to avoid, to escape, 10ALR

изве́стный well-known, 15N

изве́чный age-long, time-honored, 12AL

–извини́ть II (извиня́ть–) to excuse, to pardon, 9

  Извини́те! Excuse me! 9

и́здавна since times long past, 8AL

и́здали from afar, from a distance, 20BII

изда́ние edition, 2ALR

–измени́ться II* (изменя́ться–) to change, 16BII

изменя́ть– I (–измени́ть) to change, 16RL

измере́ние measuring, 10ALR

изображе́ние symbol, representation, 6AL; picture, image, 10ALR

изобрете́ние invention, 12AL

–изруби́ть II* to chop, 12AL

изумле́ние awe, amazement, 9AL

изумлённый dumbfounded, 3AL

изуча́ть– I (–изучи́ть) to study, 7

изуче́ние study, 10ALR, 11AL

изы́сканный courtly, refined, 9AL

изю́минка *dim* raisin, 12AL

изя́щный graceful, refined, 5AL

ико́на a religious painting, 7AL

икра́ caviar, 26BII

и́ли or, 3S

иллюстра́ция illustration, 22BI

и́менно precisely, 25BI

име́ть– I to have, to possess, 2ALR

имигра́нт immigrant, 11AL

иммигри́ровать– I to immigrate, 11AL

импера́тор emperor, 25R

и́мя name, 14N

  Парк и́мени Го́рького Gorky Park, 15N

ина́че different, 12S

  вы́шло ина́че it didn't turn out that way, 20R

  не ина́че как it must mean that, 2AL

инде́ец American Indian (man), 2ALR

Индия India, 3AL

инду́стрия industry, 17BI

инжене́р engineer, 8N

инжене́рный engineering, 25R

инициати́ва initiative, 2ALR

иногда́ sometimes, 4S

иностра́нец foreigner (man), 16BI

иностра́нка foreigner (woman), 16SI

иностра́нный foreign, 15N

институ́т institute, 20R

институ́тский institute, school, 3AL

инстру́ктор instructor, 25R

инстру́кция directions, 8ALR

инструме́нт instrument, 21R; tool, piece of machinery, 4ALR

интервью́ *indecl* interview, 10AL

интере́с interest, 17R

интере́сный interesting, 7S

интересова́ть– I (–заинтересова́ть) to interest, 18R

интернациона́льный international, 10AL

иска́ть– I* (–поиска́ть) to look for, 17BII

и́скренне truly, sincerely, 9AL

иску́сный able, skillful, 10ALR

иску́ственный artificial, 20BI

иску́сство art, 24BII

испа́нец Spaniard (man), 22G

испа́нка Spaniard (woman), 22G

Испа́ния Spain, 9G

испа́нский Spanish, 7S

–испа́чкать I (па́чкать–) to dirty, to soil, 19BII

–испе́чь I (пе́чь–) to bake, 26BII

исполне́ние execution, performance, 9AL

исполни́тель *m* performer, 9AL

–испо́лнить II (исполня́ть–) to perform, to carry out, 9AL

исполня́ть– I (–испо́лнить) to carry out, to execute, 8ALR

–испо́льзовать I to make use of, to take advantage of, 6ALR

–испо́ртить II (по́ртить–) to spoil, 17SII

–испо́ртиться II (по́ртиться–) to turn bad, to spoil, 20R

испу́ганный frightened, 8ALR

–испуга́ть I (пуга́ть–) to frighten, 1AL

–испуга́ться I (пуга́ться–) to be frightened, 6AL

испыта́ние test, exam, 1AL

Истамбу́л Istanbul, 6ALR

исто́рик historian, 11AL

истори́ческий historical, 20SII; history, 2AL

исто́рия history, 8; story, 17G

исто́чник source, 10ALR

исхо́дный starting, initial, 8AL

–исче́знуть I (исчеза́ть–) to disappear, 4AL

–исче́рпать I (исче́рпывать–) to exhaust, to use up, 1AL

исчисле́ние mathematical calculation, 10ALR

ита́к and so, thus, 1AL

Ита́лия Italy, 9G

италья́нец Italian (man), 22G

италья́нка Italian (woman), 22G

италья́нский Italian, 22G

ито́говый total, 1AL

и́х their, 5S

ию́ль *m* July, 12S

ию́льский July, 17R

ию́нь *m* June, 12S

К

к (ко) to, toward, 14

  к тому́ же what's more, 16BI

каби́на cabin, cockpit, booth, 20R

кабине́т office, 19BI

Кавка́з Caucasus, 11AL

ка́ждый every, 4S; each one, 21BI

каза́ться– I it seems, 3; to seem, to show, 18R

Казахста́н Kazakhstan, 11AL

как how, 2; as, 4S; like, 15

  как мо́жно скоре́е as soon as possible, 21BI

  как-нибудь somehow, at some time or other, 2AL

как ра́з right now, precisely, just, just then, 4; it so happens, 18BII

Ка́к та́к? How come? 5

ка́к-то in some way, somehow, 4ALR

ка́к-то ра́з one day, one time, once, 4ALR

как то́лько as soon as, 17BI

како́й what, which, 3; what (a) . . ., 6S

како́й-либо any, 10ALR

како́й-нибудь some sort of, 4AL

како́й-то some kind of, 25R

како́й уго́дно any (. . .whatsoever), any (. . .you wish), 6AL

календа́рь *m* calendar, 12N

кало́ши *pl* overshoes, 24R

ка́менный stone, 25BI

ка́мень *m* stone, 6ALR

ка́мера

ка́мера хране́ния checkroom, 8AL

камерто́н tuning fork, 9AL

ками́н fireplace, 19R

Кана́да Canada, 23G

кана́дец Canadian (man), 10AL

кана́л canal, 12N

канаре́йка canary (bird), 1

кана́т rope, 24BII

кана́тный rope, cable, 12AL

кандида́т candidate, 20R

кани́кулы *pl* vacation (from school), 8S

капита́н captain, 4

капита́льный fundamental, 4AL

ка́пля drop, 5AL

капу́ста cabbage, 26SII

каранда́ш pencil, 8S

карнава́л carnival, 10AL

каре́та coach (vehicle), 8AL

ка́рий brown, hazel, 5AL

ка́рп carp (fish), 17G

Карпа́тские го́ры Carpathian Mountains, 6ALR

Карпа́ты Carpathians (mountain range), 6ALR, 11AL

ка́рта card, map, 4S

карти́на picture, 6

карто́фель *m* potatoes, 26SII

ка́сса cashier's booth, box office, 6S

каса́ться- I

что каса́ется as for, as regards, 10AL

каска́д cascade, 10AL

Каспи́йское мо́ре Caspian Sea, 7AL

касси́рша cashier (female), 9S

кастрю́ля pot, saucepan, 17SI

ката́ние sledding, 12AL

ката́ние на лы́жах skiing, 3AL

ката́ться- I (-поката́ться) to take a ride, 12; to slide, 12AL

ката́ться на конька́х to skate, 12

категори́чески absolutely, categorically, 8ALR

катего́рия category, 10ALR

като́к skating rink, 21BI

кафе́ *indecl* café, 2

ка́федра chair, professorship, department, 2AL

кафете́рий cafeteria, 26M

кача́ться- I (-покача́ться) to swing, to rock, 24BI; to sway, 2ALR

ка́чество quality, trait, 10AL

в ка́честве as, in the capacity of, 9AL

ка́ша kasha, cooked cereal, 17BI; buckwheat, 10ALR

-ка́шлянуть I (ка́шлять-) to cough, to clear one's throat, 3AL

кашта́н chestnut, 24R

квадра́тный square (kilometers, etc.), 11AL

квалифици́рованный qualified, 2ALR

кварта́л (city) block, 19SI

кварти́ра apartment, 10S

квас kvass (a fermented drink), 26SII

кероси́новый kerosene, 17BI

кефи́р kaffir (a variety of sorghum), 10ALR

кива́ть- I (-кивну́ть) to nod, 4ALR

-кивну́ть I (кива́ть-) to nod, 4ALR

ки́евский Kievan, 22BI

килогра́мм kilogram, 20BI

киломе́тр kilometer, 21R

кино́ *indecl* movie theater, movies, 2

киноаппара́т movie camera, 20BII

кинобу́дка projection booth, 19R

киносту́дия film studio, 19R

кинотеа́тр cinema, movie theater, 7AL

кинофестива́ль *m* film festival, 7AL

кинофи́льм film, motion picture, 19R

киноэкра́н movie screen, 19R

кио́ск newsstand, 6S; booth, 14; refreshment stand, 15

кипяти́ть- II (-закипяти́ть) to boil, 26R

кипято́к boiling water, 26R

кирпи́ч brick, 4ALR

сне́жный кирпи́ч chunk of snow, 4ALR

кирпи́чный brick, 7AL

ки́слый sour, 10ALR; tart, 12AL

кита́ец Chinese (man), 22G

Кита́й China, 11AL

кита́йский Chinese, 22BI

китая́нка Chinese (woman), 22G

клад treasure, 12AL

кла́няться- I (-поклони́ться) to bow, 24BI

класс class, classroom, 2; grade, 14N; finesse, 4ALR

кла́ссик classical (writer), classic (literary work), 6AL

класси́ческий classical, 10N

кла́ссный class, 1AL

класть- I (-положи́ть) to put, to place, 17G

клей glue, 24R

кле́тка cage, 14S

кле́точка check, square, 8AL

кли́мат climate, 11N

кли́ника clinic, 5AL

кло́ун clown, 8N

клоуна́да buffoonery, clowning, 10A

клуб club, 15N

клу́мба flower bed, 4AL

ключ key, 19SII

клю́шка hockey stick, 10AL

кни́га book, 6S

кни́жка book, 22SI

записна́я кни́жка pad, notebook, 22SI

кни́жный book, 17R

кно́пка (push-)button, 8ALR

кня́зь *m* prince, 6ALR

ковбо́й cowboy, 17G

ковёр rug, carpet, 19SI

ковёр на́ стену a rug to hang on the wall, 19SI

когда́ when, 2

чем когда́ бы то ни́ было than ever before, 21BI

когда́-нибудь someday, sometime, 23BI

когда́-то once, formerly, 18G

ко́декс code, 10AL

ко́жаный leather, 18BI

коза́ (nanny) goat, 8ALR

козёл (billy) goat, 8ALR

кой

Ни в ко́ем слу́чае! Under no circumstances!, Absolutely not! 8AL

колбаса́ sausage, 26BII

колесо́ wheel, 6ALR

коллекционе́р collector, 22BI

коли́чество number, 2ALR; volume, quantity, 11AL

коллекциони́рование collecting, 10ALR

колле́кция collection, 7AL

коллóквиум formal discussion, conference, 1AL

колóдец well, 17BI

кóлокол large bell, 23R

колокóльня bell tower, 23R

колокóльчик *dim* little bell, 6AL

колóнна column, 25BI

колорѝт color, coloring, 9AL

кóлос

    хлéбный кóлос ear of wheat, 12AL

Колýмб Columbus, 20SII

колхóз kolkhoz, collective farm, 6

колхóзник collective-farm worker (man), 25R

колхóзница collective-farm worker (woman), 25R

колхóзный kolkhoz, collective farm, 16R

колыбéль *f* cradle, 6ALR

кольцó chain, ring, 11AL

коля́ска carriage, 24BI

кóм lump, failure, 12AL

комáнда team, 18BI; command, 20R

командирóвка assignment, 17BI

комáндовать– I (–скомáндовать) to command, to order, 8ALR

комáр mosquito, gnat, 10ALR

комбáйн combine (machine), 12AL

комбинáт industrial complex, 4AL

комéдия comedy, 5AL

комѝссия commission, committee, 3AL

коммунистѝческий Communist, 2AL

кóмната room, 10

компáния company, 3AL

композѝтор composer, 16G

компóт compote, fruit cooked in syrup, 19R

комсомóлец Komsomol member (boy), 4AL

комсомóльский Komsomol, 10AL

комфóрт comfort, 7

комфортáбельный comfortable, 7AL

конвéрт envelope, 12S

конгрéсс congress, 7AL

кондýктор conductor, 12N

конéц end, 21R

    в концé концóв eventually, finally, 4ALR

конéчно of course, 10S

кóнкурс competition, 18G

кóнная милѝция mounted police, 18R

констрýктор designer, 20BI

констрýкция construction, 18G

консультáция consultation, 2AL

конферéнция conference, 16R

конфéта candy, 10N

концéрт concert, 7AL

концéртный concert, 8AL

кончáть– I (–кóнчить) to finish, 12

кончáться– I (–кóнчиться) to end, 13N

–кóнчить II (кончáть–) to finish, 13

–кóнчиться II (кончáться–) to be over, to end, 1AL

кóнь *m* horse, (*poetic*) steed, 6ALR

конькѝ *pl* skates, 12

конья́к cognac, 19D

копéйка kopeck, 7S

кóпия copy, 10ALR

корá bark (of a tree), 6ALR

корáблик *dim* small ship, 6AL

корáбль *m* ship, 7

корабéльный ship, 25R

    корабéльное ремеслó shipbuilding trade, 25R

кóрень *m* root, 5AL

корзѝна basket, 5

коридóр corridor, 1AL

корѝченевый brown, 8

кóрка crust, 12AL

кóрм food (for fish, game, etc.), 10ALR

кормѝть– II* (–накормѝть) to feed, 15

корóбка box, 4ALR

коробóк

    спѝчечный коробóк matchbox, 12AL

корóбочка *dim* small container, 4AL

корóтенький *dim* short, 25BII

корóткий short, brief, 11N

корóче *compar of* корóткий, 21G

кóрпус corps, division, building, 2AL

корреспондéнт newsman, correspondent, 20BII

корсáр corsair, pirate, 9AL

косѝчка *dim* small braid, 2ALR

космéтический cosmetic, 8AL

космѝческий space, 7

космодрóм cosmodrome, 20R

космонáвт cosmonaut, 7

кóсмос outer space, 20BI

костёр campfire, 11

костю́м suit, 8S; costume, 26R

кóсть *f* bone, 6ALR

костяной bone, made from bone, 10ALR

кóт cat (male), 24R

котлéта cutlet, meat patty, 26SII

котóрый who, which, what, that, 16BI

кóфе *m indecl* coffee, 17G

кошелёк change purse, wallet, 5S

кóшечка *dim* cat, kitten (female), 8ALR

кóшка cat (female), 14S

крáб crab, 17G

крáй territory, country, 4ALR; sideline, edge, 10AL

крáйне extremely, 12AL

крáйний extreme, 12AL

    по крáйней мéре at least, 14S

красáвица a beauty, a beautiful girl or woman, 5AL

красѝвый pretty, beautiful, 8S

крáсный red, 8S

    крáсные дáты red-letter days, special days, 10AL

красотá beauty, loveliness, 9AL

крáткость *f* conciseness, 5AL

крáтный a multiple, 10ALR

кредѝт credit, charge account, 8AL

крéм cream, lotion, 17SII

кремлёвский Kremlin, 7AL

крéмль *m* ancient Russian fortress, 22BI

    Крéмль the Kremlin, 9

крéпенький *dim* sturdy, strong, 5AL

крéпкий strong, sturdy, 4AL

крепостнóй fortress, 6ALR

крéпость *f* fortress, 18R; solidity, strength, 5AL

крéсло armchair, 10S

кривля́ться– I (–покривля́ться) to fake, 9AL

крик cry, shout, 2ALR

–крѝкнуть I (кричáть–) to shout, 24R

кристáлл crystal, 17BII

крѝтик critic, 9AL

кричáть– II (–крѝкнуть) to shout, 6; to squawk, to cry loudly, 2ALR

кровáтка *dim* small bed, 8ALR

кровáть *f* bed, 19SI

крокодѝл crocodile, 15

крóме besides, 24R; except, 1AL

крýг circle, 10AL

круглосýточный around-the-clock, day-and-night, 7AL

крýглый round, 2ALR

кружѝться– II to swirl, to spin, 21BII

кружóк small circle, 7AL; (activities) club, 10AL

крупá grits, 17R

крупнéйший largest, 7AL

крýпный large, important, 7AL

крутóй steep-sided, 6AL

крылáтый with wings, 8ALR

крыле́чко small porch, 12N
крыло́ wing, 4ALR
Крым the Crimea, 11S
кры́мский Crimean, 8AL
кры́ша roof, 12
кста́ти incidentally, 17G
кто́ who, 2
   кто́-нибудь someone, anyone, 11AL
   кто́-то someone, 4AL
ку́бик dice, cube, 7AL
куби́ческий cubic, 11AL
кувши́н pitcher, 26BI
куда́ where, 2
   куда́-нибудь anywhere, somewhere, 25R
   куда́-то somewhere, anywhere, 25R
куде́сник *poetic* wizard, sorcerer, 6ALR
ку́зов body (automobile), 7AL
ку́кла puppet, doll, 7AL
кукуру́за corn, maize, 11AL
кулина́рный cooking, culinary, 10ALR
кули́са wing (theater), 9AL
культу́ра culture, 12; crop, 11AL
куми́р idol, 10AL
купа́льник = купа́льный костю́м, 10AL
купа́льный костю́м bathing suit, 17SII
купа́ться– I (–вы́купаться) to go swimming, 11
-купи́ть II* (покупа́ть–) to buy, 6S
кура́нты *pl* chimes, 23
кури́ть– II* (–покури́ть) to smoke, 6
куро́ртный resort, 12AL
ку́рс course, 2AL
   студе́нт пе́рвого (второ́го) ку́рса first- (second-)year student, 2AL
ку́ртка jacket, 5S
кусо́к piece, 14
кусо́чек *dim* small piece, 24R
ку́ст bush, 26BI
ку́хня kitchen, cuisine, 19BI

Л

лабора́нт laboratory assistant, 4AL
лаборато́рия laboratory, 1AL
ла́вка store, 26SII
ла́герь *m* camp, 11
Ла́дно! Fine! All right! 3
ла́й barking, 26BI
ла́йнер airliner, 7AL

ла́к varnish, 24R
ла́мпа lamp, 17BI
ла́па paw, 24BI
ла́пка *dim* little paw, 8ALR
ла́поть *m* a kind of footgear, 6ALR
ларёк stall, booth, 4AL
ла́сковый affectionate, tender, 6AL
лати́нский Latin, 5AL
   лати́нский алфави́т Roman alphabet, 22BII
лауреа́т laureate, 9AI
ла́ять– I (–зала́ять) to bark, 21R
лебеди́ный swan, 23SII
ле́бедь *m* swan, 23R
ле́в lion, 8ALR
ле́вый left, 8AL
леге́нда legend, 16R
лёгкий easy, 9S; simple, 7AL
   лёгок на поми́не we were just speaking of . . . , 3AL
ле́гче *compar of* лёгкий, 17R
лёд ice, 21BII
Ледови́тый океа́н Arctic Ocean, 21R
ледохо́д drifting of ice, movement of the ice, 11AL
ледяно́й icy, 11AL
лежа́ть– II (–полежа́ть) to lie, 8
ле́зть– I (ла́зить–) (–поле́зть) to climb, 4ALR
лека́рство medicine, 26SII
ле́ксика vocabulary, 5AL
ле́кция lecture, 8S
лён flax, 12AL
лени́вый lazy, 7S
ленингра́дский Leningrad, 8N
ле́нинский Lenin's, pertaining to Lenin, 2AL
   Ле́нинские го́ры Lenin Hills (outskirts of Moscow), 2AL
лени́ться– II* to be lazy, 10ALR
ле́нта ribbon, band, 4ALR, 11AL
лентя́й lazy person, 1AL
ле́с, в лесу́ woods, forest, 17R
лесно́й forest, 21BII
ле́стница stairs, staircase, 15
лета́ years
   мне́ шестна́дцать ле́т I am sixteen years old, 10
   мои́х ле́т my age, 20R
лета́ть– I (лете́ть–) (–полете́ть) to fly, 20R
лета́ющий flying, 15
лете́ть– II (лета́ть–) (–полете́ть) to fly, 6

ле́тие
   200-ле́тие two-hundredth anniversary, bicentennial, 10ALR
ле́тний summer, 8S
   Ле́тний са́д Summer Garden, 25SI
лётный
   лётная шко́ла aviation school, 20R
ле́то summer, 9S
   ле́том in the summer, 11S
лётчик pilot, 20R
-ле́чь I (ложи́ться–) to lie down, 21BII
либре́тто libretto, 9AL
ли́лия lily, 16R
лимо́н lemon, 26R
лимона́д lemonade, 5
лингви́ст linguist, 22R
ли́ния track, 4ALR; line, 7AL
лири́ческий poetic, lyrical, 9AL
лиса́ fox, 21BII
лиси́чка chanterelle (edible mushroom), 26R
ли́стик leaf, 26R
литерату́ра literature, 8S
литерату́рный literary, 2ALR, 5AL
ли́тр liter, 26SII
ли́ть– I to pour, 17R
ли́ться– I to stream, 2ALR
ли́фт elevator, 19SI
ли́хо at a mad clip, dashingly, 12AL
лицо́ face, 12
ли́чный personal, private, 25BI
-лиши́ться II (лиша́ться–)
   лиши́ться чу́вства to faint, 8ALR
ли́шний extra, 5; unnecessary, 10ALR
ли́шь merely, only, 10AL
ло́б brow, forehead, 24SII
ло́в catching (fish, wildfowl, etc.), angling, 10ALR
лови́ть– II* (–пойма́ть) to catch, 17BII
   лови́ть ры́бу to fish, 17BII
ло́гика logic, 3AL
ло́дка boat, 5S
ло́жа box (theater), 9AL
ло́жечка *dim* teaspoon, 19R
ложи́ться– II (–ле́чь) to lie down, 21BII
ло́жка spoon, 17R
   ча́йная ло́жка teaspoon, 19R
лома́ть– I (–слома́ть) to break, 21R
Ло́ндон London, 3AL
лопа́та shovel, 23R
лорне́т lorgnette, 9AL
лотере́я lottery, 12AL

лото́ *indecl* lotto (game), 19R

ло́шадь *f* horse, 18R

лу́г, на лугу́ meadow, 17G

луна́ moon, 20SI

луч beam, 2ALR; ray, 4AL; point, 10AL

лучи́стый radiant, 10AL

лучо́к *dim* small onion, 12AL

лу́чше *compar of* хоро́ший, 6N

лу́чший best, 18BI

лы́жи *pl* skis, 12

    ходи́ть на лы́жах to ski, 12

лы́жник skier, 10AL

лы́жный skiing, ski, 10AL

льго́та privilege, advantage, 3AL

льняно́й flaxen, linen, 12AL

любе́зный kind, 22SII

    бу́дьте любе́зны be so kind, 22SII

люби́мец favorite, 24BI

люби́мый favorite, 8S

люби́тель *m* fan (sport), 18R; devotee, 12AL

люби́ть– II* (–полюби́ть) to like, to love, 7S

любо́вь *f* love, 12AL

любо́й any, any . . . whatsoever, 6AL

любопы́тный curious, 6AL

любопы́тство curiosity, 21BII

любопы́тствовать– I

    (–полюбопы́тствовать) to be curious, 3AL

лю́ди *pl* people, 7S

лю́стра chandelier, 8AL

лягу́шка frog, 6AL

М

мавзоле́й mausoleum, tomb, 7AL

магази́н store, 2

магистра́ль *f* main line (railway), 7AL

магнитофо́н tape recorder, 1AL

ма́й May, 12S

ма́йка sport shirt, T-shirt, 18BII

ма́лый little, small, 9AL

ма́ленький small, 6S

мали́на raspberries, 26BI

ма́ло little, not much, 7S

ма́льчик boy, 5S

мальчи́шка *m* boy, 2AL

ма́ма mother, 3S

ма́мочка *dim* mama, mom, 3AL

мане́ра manner, style, 25R

мане́вр maneuver, 25R

маникю́рный manicurist's, 8AL

ма́рка brand, make, 10; postage stamp, 12S

ма́рт March, 12S

марты́шка monkey, 14

ма́рш march, 6N; flight of stairs, 4AL

ма́ршал marshal, 5AL

маршру́т flight course, 4ALR; course, route, 7AL

маскирова́ть– I (–замаскирова́ть) to conceal, to hide, 3AL

ма́сленица Mardi Gras Week, 12AL

ма́сло butter, 21G

масляни́стый oily, 12AL

ма́сса mass, a great amount, 26BI

ма́ссовый mass, popular, 3AL

ма́стер master, 22G; master craftsman, 12AL

мат mate (in chess), 10ALR

матема́тик mathematician, 10ALR

матема́тика mathematics, 8S

математи́ческий mathematical, mathematics, 2AL

материа́л material, stuff, 4AL

матра́с mattress, 17BI

матро́с sailor, 25R

матч game, 4

мать *f* mother, 3S

маха́ть– I* (–махну́ть) to wave, 24SII

–махну́ть I (маха́ть–) to wave, 4ALR

маши́на car, 6S; truck, 15; plane, 4ALR

машини́ст machine operator, 12AL

мгнове́ние instant, moment, 1AL

мгнове́нный instantaneous, sudden, 1AL

ме́бель *f* furniture, 10S

мёд honey, 4AL

медве́дица she-bear, 24BI

медве́дь *m* bear, 14S

медвежа́тина bear meat, 3AL

медвежо́нок bear cub, 24BI

медици́на medicine (profession), 25R

медици́нский medical, 20R

ме́дленный slow, 6S

«Ме́дный вса́дник» "The Bronze Horseman," 25BII

медпо́мощь *f* medical aid, 8AL

медуправле́ние medical commission, 3AL

ме́жду among, between, 2ALR, 5AL

междунаро́дный international, 20SII

межреспублика́нский interrepublic, 10AL

мел chalk, 8AL

меланхоли́чный melancholy, 9AL

ме́лочь *f* trifle, small article, 4AL; change (coins), 8AL

мелька́ть– I (–мелькну́ть) to flash, 18R

ме́нее less, 19SI

    бо́лее и́ли ме́нее more or less, 19SI

ме́ньше *compar of* ма́ло, 10, *and* ма́ленький, 21G

ме́ньший less, 5AL

меню́ *n indecl* menu, 19R

меня́ть– I (–поменя́ть) to change, 22R

ме́ра

    по кра́йней ме́ре at least, 14S

мёрзнуть– I (–замёрзнуть) to feel cold, to freeze, 4AL

меридиа́н meridian, 5AL

ме́стный local, regional, 10ALR; native, 11AL

ме́сто place, 5S; space, 10

    не к ме́сту out of place, 3AL

местожи́тельство place of residence, 2AL

местонахожде́ние location, 2AL

ме́сяц month, 11S

мета́лл metal, 19R

металли́ческий metal, metallic, 10AL

мете́ль *f* snowstorm, 21R

метеорологи́ческий meteorological, 21R

ме́ткий deadly accurate, 10AL

ме́тод method, 1AL

метр meter (= 39.37 inches), 4ALR, 7AL

метро́ *indecl* subway, 15

метрополите́н = метро́, 8

мех fur, 6ALR, 11AL

меха́ник mechanic, 21R

меха́ника mechanics, 20R; engineering, 2AL

мехово́й fur, 12

мечта́ daydream, 23R

мечта́ть– I (–помечта́ть) to daydream, 21BI

меша́ть– I (–помеша́ть) to bother, to interfere, 23SII; to mix, 12AL

мешо́к bag, 5

    спа́льный мешо́к sleeping bag, 5

милиционе́р policeman, 9

мили́ция police, 18R

    ко́нная мили́ция mounted police, 18R

миллио́и million, 24R

миллионото́нный weighing a million tons, 12AL

ми́лый nice, sweet, dear, 7S

ми́мика mimicry, 9AL

ми́мо past, by, 4ALR, 6AL

минера́льный

    минера́льная вода́ mineral water, 7AL

миниатю́рный miniature, 10ALR

ми́нус minus, 3S

мину́та minute, 6

мину́тка *dim* minute, 16BII

мину́тный minute (time), 7AL

мину́точку one moment, just a moment, 8AL

мир peace, 9; world, 20BI

мирово́й world, 20SII

ми́стер mister, 22R

младе́нец infant, baby, 2AL

мла́дший undergraduate, junior, younger, 3AL

мне́ние opinion, 5AL

мно́гие many, several, 16R

мно́го a lot, much, 7S

мно́гое much, many, 25R

многообра́зие variety, diversity, 12AL

многосло́жный polysyllabic, 6AL

многочи́сленный numerous, 6ALR, 11AL

многоэта́жный multistoried, 2ALR

мно́жество lots of, 21R

мно́житель *m* multiplier, 10ALR

моги́льный sepulchral, of the grave, 6ALR

    моги́льный па́мятник tombstone, 10ALR

могу́чий mighty, powerful, 20BII

мо́да fashion, 16R

моде́ль *f* model, 19G

мо́дный fashionable, 16R

мо́жно one may, it is possible, 10S

мой my, 2

мо́кнуть– I (–промо́кнуть) to soak, 15

мо́лвить– II (–промо́лвить) to say, to speak, 6AL

моллю́ск mollusk, 11AL

мо́лния lightning, 11S

молодёжный youth, 20G

молодёжь *f collective* youth, young people, 19R

молоде́ц fine fellow, 11

молодчи́на *m & f* = **молоде́ц**, 4AL

молодо́й young, 7S

моло́же *compar of* **молодо́й**, 21G

молоко́ milk, 17R

моло́чная dairy store, 26SII

моло́чник milkman, 24R

мо́лча without a word, silently, 10AL

молчали́вый quiet, silent, 12AL

молча́ть– II (–промолча́ть) to keep silent, 6

моме́нт moment, 2AL

мона́рх monarch, 25R

моне́та coin, 10AL

моноло́г monolog, 2ALR

мора́льный moral, ethical, 10AL

мо́ре sea, 11B

морепла́ватель *m* seafarer, 25R

морж walrus, 14S

морко́вь *f* carrots, 26SII

моро́женое ice cream, 14

моро́з frost, 12

мороси́ть– II to drizzle, 21SI

морско́й sea, naval, 25R

    морска́я трава́ seaweed, 6AL

моря́к sailor, seaman, 10AL

Москва́ Moscow, 9

    Москва́-река́ the Moscow River, 15N

москви́ч Muscovite, (also name of car when capitalized), 10

москворе́цкий pertaining to the Moscow River, 7AL

моско́вский Moscow, 23BII

мост, на мосту́ bridge, 23BI

мостова́я pavement, 15

мото́р motor, 10

мото́рный motor, 26G

мотоци́кл motorcycle, 10S

мох, во мху́ moss, 26BI

мочь– I* (–смочь) to be able, 9

    мо́жет maybe, 17BII

    мо́жет быть maybe, 10S

мо́щный powerful, 5AL

мра́мор marble, 7AL

мра́чный gloomy, 3AL

муж husband, 16BI

му́жественность *f* manliness, 10AL

му́жество courage, 8ALR, 10AL

мужско́й masculine, man's, 16BI

мужчи́на man, 16SI

музе́й museum, 9S

му́зыка music, 8

музыка́льный music, 28R

мука́ flour, 10ALR, 12AL

мунди́р uniform, 9AL

му́сор rubbish, trash, 9AL

му́чить– II (–заму́чить) to torment, 9AL

МХАТ (Моско́вский Худо́жественный академи́ческий теа́тр) Moscow Art Theater, 23BI

мча́ться– II (–помча́ться) to whiz by, to speed along, 15

мы we, 3

мы́льница soap dish, 4AL

мысль *f* thought, 10AL

мыть– I (–вы́мыть) to wash, 23R

мя́гкий soft, 21BII

мясна́я butcher shop, 26SII

мя́со meat, 24R

мя́уканье meowing, 8ALR

мяч ball, 4

Н

на to, into, 2; in, 12

    на по́днятых паруса́х under full sail, 6AL

    на ходу́ on the run, 8AL

на́бережная waterfront, embankment, 25BI

набира́ть– I (–набра́ть) to gather, to recruit, 3AL

наблюда́ть– I to observe, to see, 5AL

–набра́ть I (набира́ть–)

    непра́вильно набра́ть но́мер to dial the wrong number, 8AL

наве́рно probably, 17R

наве́рное surely, 12S

наверняка́ certainly, 10ALR

навига́ция navigation, 20R

наводне́ние flood, 25BII

навсегда́ forever, 4AL

навстре́чу to meet, toward, 4AL

нагиба́ться– I (–нагну́ться) to stoop, to bend over, 25BI

награ́да reward, 6ALR

–нагрузи́ть II* (нагружа́ть–) to load, 4ALR

над (надо) above, 15

надева́ть– I (–наде́ть) to put on, to wear, 8

надёжный safe, reliable, 8AL

–наде́ть I (надева́ть–) to put on, to wear, 16G

наде́яться– I (–понаде́яться) to hope, 17G

на́до it is necessary, 6S

надо́лго for a long time, 23BI

на́дпись *f* inscription, 22BI

нае́здница horseback rider (woman), 24BII

наза́д back, backward, 8AL

    два дня́ тому́ наза́д two days ago, 13S

назва́ние name, 16R

–назва́ть I (называ́ть–) to call, to name, 16R

назначе́ние appointment, 4ALR

назна́ченный fixed, 7

называ́ть– I (–назва́ть) to call, to name, 16G

так называ́емый so-called, 2AL

называ́ться– I (–назва́ться) to be named, to be called, 9S

наибо́лее most, 7AL

наизу́сть by heart, from memory, 2ALR, 6AL

наименова́ние designation, 2AL

–найти́ I (находи́ть) to find, 19G

–наказа́ть I* (нака́зывать–) to hand out punishment, 8ALR

нака́зывать– I (–наказа́ть) to punish, 6ALR

–наклони́ться II* (наклоня́ться–) to bend, 2ALR

наконе́ц at last, 6

–накрути́ть II* (накру́чивать–) to wind, to twist, 12AL

накрыва́ть– I (–накры́ть) to cover, 17G

накрыва́ть на сто́л to set a table, 17G

–накры́ть I (накрыва́ть–) to cover, 17SI

накры́ть на сто́л to set a table, 17SI

–нала́дить II (нала́живать–) to restore, to adjust, 8ALR

нале́во on the left, 25SI

налегке́ light (with very little baggage), 7AL

–нали́ть I (налива́ть–) to pour, 17R

налива́ть– I (–нали́ть) to pour, 26R

нама́занный smeared, painted, 24SII

–нама́зать I (нама́зывать–) to smear, to spread, 24R

наме́рен to be one's intention, 8ALR

наме́рение intention, 2ALR

–наня́ть I (нанима́ть–) to rent, to hire, 8AL

наоборо́т wrong side out, on the contrary, 4AL; on the other hand, 5AL

напева́ть– I (–напе́ть) to hum, to sing softly, 4AL

–напеча́тать I (печа́тать–) to print, 6AL

–написа́ть I* (писа́ть–) to write, 13; to paint, 7AL

напи́ток beverage, 26R

–наплева́ть I (плева́ть–) to spit on, 4AL

наполня́ть– I (–напо́лнить) to fill up, 18BII

напомина́ть– I (–напо́мнить) to remind, to resemble, 5AL

–напра́виться II (направля́ться–) to head toward, 10AL

направле́ние direction, 8AL

напра́во to the right, 23R

напра́сный futile, useless, 8ALR

наприме́р for example, 13

напро́тив on the contrary, 4ALR, 12AL

напряжённость f intensity, tension, 9AL

–нарабо́таться I to work very hard, 10AL

–наре́зать I (нареза́ть–) to slice, to cut, 17SI

–нарисова́ть I (рисова́ть–) to draw, 19RL

наро́д people, 22R

наро́дный folk, 11; people's, national, 9AL

–наруби́ть II* (руби́ть–) to chop, 17G

наруше́ние violation, 8AL

нарци́сс narcissus, 15N

–наряди́ть II* (наряжа́ть–) to dress up, 4AL

наря́дный festive, dressed up, 21BII

населённый populated, inhabited, 8AL

наско́лько as much as, as far as, 8ALR

насле́дник successor, heir, 10AL

насле́дство inheritance, 24R

насме́шливый mocking, 3AL

наставле́ние instruction, admonition, 3AL

–наста́ть I (настава́ть–) to come, 5AL

насто́йчивость f persistence, 10AL

насто́лько so much, 8ALR; so, 9AL

настоя́щий real, genuine, 18R; present, 10AL

настрое́ние mood, 7

наступа́ть– I (–наступи́ть) to set in, 20R

–наступи́ть II* (наступа́ть–) to set in, 20R

насчёт about, concerning, 10S

насчи́тываться– I (–насчита́ться) to number, 11AL

–наточи́ть II* (точи́ть–) to sharpen, 10AL

натурали́ст naturalist, 10AL

натя́гивать– I (–натяну́ть) to pull on, 8AL

–натяну́ть I* (натя́гивать–) to pull on, to stretch, 8AL

нау́ка science, 25R

Акаде́мия нау́к Academy of Sciences, 25R

–научи́ться II* (учи́ться–) to learn, 22BII

нау́чный scientific, 26R

нау́шники pl earphones, 8ALR

находи́ть– II* (–найти́) to find, 19BII

находи́ться– II* to be located, 20BI

нахо́дка find, 26BI

–наце́лить II (наце́ливать–) to aim, 20BII

национа́льность f nationality, 2AL

национа́льный national, 26R

на́ция nation, 22BI

нача́льник head, chief, 3AL

нача́ло start, beginning, 16G

–нача́ть I (начина́ть–) to begin, 13G

–нача́ться I (начина́ться–) to begin, 12

начина́ть– I (–нача́ть) to begin, 4

начи́нка filling, stuffing, 10ALR

наш our, 3S

не not, 2

небольшо́й small, 12N; short, 10ALR

невероя́тный incredible, 21R

невесёлый mirthless, sad, 3AL

неве́ста fiancée, bride, 3AL

невку́сный not tasty, 17R

не́вод large fishing net, seine, 6AL

невозмо́жно (it is) impossible, 6ALR

невозмо́жный impossible, 9AL

невы́годный unprofitable, 4AL

неда́вний recent, late, 10ALR

неда́вно recently, 9; not long ago, 13

недалеко́ not far, 2

неда́ром no wonder, not for nothing, 25BII

неде́ля week, 9S

недове́рчивый distrustful, 28R

недово́льный displeased, 8ALR

недоу́чка a poorly educated person, 2AL

не́жный tender, loving, 2ALR

не́жность f delicacy, tenderness, 5AL

незабыва́емый unforgettable, 10AL

незави́симый independent, 3AL

незаме́тный inconspicuous, 4ALR; insignificant, 11AL

незаме́тно для себя́ without being aware of it, 10AL

незапа́мятный immemorial, beyond memory, 12AL

незауря́дный outstanding, 10AL

нездоро́вый ill, sick, 26R

незнако́мец stranger (man), 24R

незнако́мый strange, unfamiliar, 24R

неизве́стный unknown, 4AL

неизве́стно no one knows, 4AL

неизме́нный unchanged, invariable, 12AL

неинтере́сный uninteresting, 7G

не́который some, certain, 22R

нела́дный wrong, amiss, 4ALR

нельзя́ one cannot, one may not, 10S

нема́ло quite a lot, a great deal, 12AL

неме́дленно right away, 9AL

не́мец German (man), 22G

неме́цкий German, 7S

не́мка German (woman), 22G

немно́го a little, some, 17G; not many, 20R

ненатура́льный unnatural, 10AL

не́нец Nenets (member of an Arctic tribe), 4ALR

не́нецкий of the Nentsi, 4ALR

необходи́мый necessary, 2AL

необыкнове́нный extraordinary, unusual, 11AL

необы́чный unusual, 3AL

неожи́данный sudden, 8ALR; unexpected, 10AL

неплохо́й not bad, 2

непонима́ющий misunderstanding, not understanding, 2ALR

непоня́тный unintelligible, incomprehensible, 5AL

непохо́жий dissimilar, 9AL

непра́вильный incorrect, 22R; wrong, 8AL

неприя́тность *f* unpleasantness, 22R

неприя́тный unpleasant, 17R

непроница́емый inscrutable, impenetrable, 10AL

непросто́й fancy, extraordinary, 6AL

непроходи́мый impassable, 6ALR

не́рвничать– I (–поне́рвничать) to be nervous, 9AL

нере́дко not infrequently, 26R

несимпати́чный not likable, 7G

не́сколько several, 10

несмотря́ на in spite of, 17BI

несогла́сие difference of opinion, disagreement, 6ALR

несомне́нно undoubtedly, 10ALR

несравне́нно incomparably, 5AL

несравни́мо incomparably, 9AL

нести́– I (носи́ть–) (–понести́) to take, to carry, 24BI

нести́сь– I to rush, 4ALR

не́т no, 2; not, 3S

нетерпе́ние impatience, 18BII

неуве́ренный uncertain, unconfident, 10AL

неуже́ли Can it really be true? 26SI

не́чего

   де́лать не́чего there's nothing you can do about it, 24R

   наде́яться не́чего it's no use hoping, 2AL

нея́ркий pale, soft, 4AL

ни neither, nor, not even, 23R

   ни за что́ не not for anything, 9AL

   Ни пу́ха, ни пера́! Good luck! 13

нигде́ nowhere, in no place, 12AL

ни́же *compar of* ни́зкий lower, 21BI

ника́к in no way, 1AL

никако́й no, none whatsoever, not any, 4AL

никогда́ never, 4S

никоти́н nicotine, 10AL

никто́ no one, nobody, 17R

никуда́ nowhere, 16BII

ни́тка thread, 12AL

ничего́ nothing, 10S; not at all bad, 4AL

   Ничего́. All right. 2; It doesn't matter. 10N

   ничего́ подо́бного nothing of the sort, 6AL

   ничего́ себе́ not bad, 4AL

ничто́ nothing, 12AL

но but, 3

   но не ту́т-то бы́ло but it didn't turn out that way, 19BII

нове́йший newest, modern, 17BI

но́венький *dim* new, 24R

нового́дний New Year's, 19R

новосё́л new tenant, 19BI

новосе́лье housewarming, 19SI

но́вости *pl* news, 4S

но́вость *f* novelty, something new, 1AL

но́вый new, 3

нога́ foot, leg, 19BII

но́ж knife, 17R

но́жик

   перочи́нный но́жик penknife, 18BI

но́жка stem of mushroom, 26R

но́ль *m* zero, 21BI

но́мер number, 9; act, 24BI; hotel room, 8AL

нора́ hole, lair, 21BII

Норве́гия Norway, 25R

норма́льный normal, 7

но́с nose, 24SII

носи́льщик porter, 6S

носи́ть– II* (нести́–) (–понести́) to take, to carry, 24G; to wear, 12AL

носо́к sock, 24SII

ночно́й night, 4ALR

но́чь *f* night, 16SII

   на́ ночь гля́дя = по́здно ве́чером, 4AL

ноя́брь *m* November, 12S

нра́виться– II (–понра́виться) to like, to please, 14S

   Мне́ нра́вится э́тот шокола́д. I like this chocolate. 14S

ну well, but, 5

   Ну ка́к? Well, how's it going? 5

нужда́ться– to require, to need, 2AL

ну́жный needed, necessary, 5

ну́ль *m* = но́ль, 21BI

ны́нешний present, current, 10AL

ныря́ть– I (–нырну́ть) to dive, 17BII

Нью-Йо́рк New York, 2ALR

O

о (об, обо) about, 12S

   о то́м, ка́к about how, 16G

   о то́м, что what, about what, 18G

о́ба *m and n* both, 18BII

-обви́ться I (обвива́ться–) to wind oneself around, 6ALR

о́бе *f* both, 18BII

обе́д dinner, lunch, 11

обе́дать– I (–пообе́дать) to have dinner, to have lunch, 11S

обели́ск obelisk, 10AL

обеща́ть–I (–пообеща́ть) to promise, 14

обзо́р review, survey, 10AL

оби́дчивый easily offended, touchy, 5AL

обижа́ть– I (–оби́деть) to hurt (someone's) feelings, 8ALR

о́блако cloud, 4ALR, 11AL

о́бласть *f* province, 6ALR; field, sphere, 9AL

облё́т flight (around), 20BI

-облете́ть II (облета́ть–) to fly around, 11AL

обме́н exchange, 8AL

   обме́н валю́ты currency exchange, 8AL

-обожда́ть I (жда́ть–) to wait a minute, *colloq* to hold on, 2AL

обознача́ть– I (–обозна́чить) to stand for, to represent, 5AL

обозначе́ние term, designation, 10ALR

-обойти́ I (обходи́ть–) to walk around (something), 26BI

-обомле́ть I to be struck dumb, 9AL

оборо́т orbit, 20BI

обрабо́тка cultivation, processing, 12AL

-обра́доваться I (ра́доваться–) to rejoice, to be happy, 17R

Я ему́ обра́довался. I was pleased to see him. 17R

о́браз image, likeness, 9AL

образова́ние education, 2AL

образо́ванный educated, 2ALR

-образова́ть I (образо́вывать–) to form, 25BII

обра́зчик specimen, model, 5AL

-обрати́ть II (обраща́ть–) to turn, to direct, 2AL

обрати́ть внима́ние to pay attention, 2AL

обра́тно back (direction), 21R

обраща́ть– I (–обрати́ть) to turn, to direct, 1AL

обраща́ться– I (–обрати́ться) to address, 1AL

обслу́живание service, maintenance, 8AL

обслу́живать– I (–обслужи́ть) to serve, to supply, 7AL

обстано́вка situation, 8ALR

обува́ть– I (–обу́ть) to put on one's footgear, 10AL

о́бувь f shoes, footwear, 8AL

обуча́ться– I (–обучи́ться) to receive an education, to be educated, 2AL

обуче́ние training, education, 2AL

обходи́ть– II* (–обойти́) to go around, to circle, 25BI

обходи́ться– II* (–обойти́сь) to do, to manage, 10ALR

общежи́тие dormitory, 3AL

обще́ние contact, association, 5AL

общеславя́нский common to the Slavs, 5AL

обществове́дение social science, 1AL

о́бщий shared, common, 19BI; general, 2AL

объединённый united, 22BI

Объединённые на́ции United Nations, 22BI

-объедини́ть II (объединя́ть–) to unite, to combine, 5AL

объявле́ние announcement, 10AL

объявля́ться– I to be announced, 8ALR

объясне́ние explanation, 5AL

-объясни́ть II (объясня́ть–) to show, 2ALR; to explain, 3AL

обыкнове́нно usually, 13S

обыкнове́нный ordinary, usual, 8ALR

обы́чай custom, habit, 12AL

обы́чный usual, 17BI; ordinary, 22R

обяза́тельно without fail, 24BII; of necessity, 5AL

обяза́тельный necessary, compulsory, 5AL

о́вощи pl vegetables, 26BII

-огляде́ться I* (огля́дываться–) to look around, 8ALR

огля́дываться– I (–огляде́ться) to turn to look, 2ALR

о́гненный fiery, of fire, 11AL

Ого́! Oho!, 1AL

огонёк small light, 8AL

ого́нь m fire, 21M; light, 4AL

огоро́д fruit and vegetable garden, 12AL

огорче́ние grief, distress, 10AL

-огорчи́ться II (огорча́ться–) to get upset, 4AL

огу́рчик dim cucumber, 12AL

огра́да fence, railing, 15

огро́мный enormous, 6

огуре́ц cucumber, 26BII

солёный огуре́ц pickle, 26BII

одева́ть– I (–оде́ть) to dress, 21SI

оде́жда clothing, 16R

оде́тый dressed, 24SII

-оде́ть I (одева́ть–) to dress, 21SI

одея́ло blanket, 5

оди́н, одна́, одно́, одни́ one, 3S

одно́... друго́е it is one thing . . . but it is another, 16R

оди́н из one of, 22BI

одина́ковый the same, identical, 5AL

оди́ннадцатый eleventh, 18SI

оди́ннадцать eleven, 13S

одна́жды once (upon a time), 22R

одна́ко however, for one thing, 24R

одне́ = одни́, 6AL

одновреме́нно simultaneously, 3AL

однозву́чный monotonous(-sounding), 6AL

однозна́чный of one digit, 10ALR

однообра́зие monotony, 4AL

однообра́зный monotonous, 4AL

односло́жный of one syllable, 6AL

оживлённый enthusiastic, animated, 18BII

ожида́ть– I to expect, 1AL

-ожи́ть I (ожива́ть–) to come to life, 9AL

озабо́ченный anxious, preoccupied, 10AL

о́зеро lake, 6

ознакомле́ние acquaintance, familiarization, 3AL

означа́ть– I (–озна́чить) to mean, to stand for, 10AL

Ой! Oh! 2AL

-оказа́ть I* (ока́зывать–) to show, 10AL

-оказа́ться I* (ока́зываться–) to turn out to be, to prove to be, 4ALR, 8AL

ока́зываться– I (–оказа́ться) to turn out to be, 19BII

ока́нчиваться– I (–око́нчиться) to end with, to terminate in, 6AL

океа́н ocean, 21R

окла́д rate of pay, 3AL

окно́ window, 6

о́коло near, 11; about, 10AL

оконча́ние ending, conclusion, 16BI

оконча́тельный final, 10ALR

-око́нчить II (ока́нчивать–) to finish, to graduate from, 4AL

око́шко dim small window, 8AL

-окружи́ть II* (окружа́ть–) to surround, 6ALR; to encircle, 9AL

окру́жность f circumference, 10ALR

октя́брь m October, 12S

оле́ний deer, 4ALR

оле́нь m deer, 21BII

олимпиа́да Olympics, 20SII

омыва́ть– I (–омы́ть) to wash, 11AL

о́н he, 2; it, 5

она́ she, 2; it, 5

они́ they, 5S

оно́ it, 5

опозда́ние delay, 1AL

опа́здывать– I (–опозда́ть) to be late, 6S

опа́ска

с опа́ской with some apprehension, 10AL

опа́сность f danger, 25BI

опа́сный dangerous, 4ALR

опёнок honey agaric (edible mushroom), 26R

о́пера opera, 9R

опера́ция operation, 4ALR

о́перный opera, 16R

-описа́ть I* (опи́сывать–) to describe, 22G

опи́сывать– I (–описа́ть) to describe, 22SI

опла́чиваться– I (–оплати́ться) to be paid (for), 8AL

-опозда́ть I (опа́здывать-) to be late, 9N

-опра́виться II (оправля́ться-) to recover, 2ALR

определённость *f* definiteness, certainty, 1AL

определённый definite, 2AL

определя́ть- I (-определи́ть) to define, to determine, 6ALR

-опроки́нуть I (опроки́дывать-) to overturn, 19BII

опуска́ться- I (-опусти́ться) to come down, 23R

-опусти́ться II* (опуска́ться-) to come down, 23R

о́пыт experience, 10AL

о́пытный experienced, 8ALR

опя́ть again, 4S

ора́нжевый orange, 24SII

организа́ция organization, 18BII

органи́зм organism, 11AL

организо́ванный organized, 19R

орёл eagle, ace, 3AL

оригина́л original, 2ALR

оригина́льный original, 1AL

орке́стр orchestra, 8N

ору́жие *collective* weapons, arms, 8AL

-освети́ть II (освеща́ть-) to illuminate, 9AL

освеща́ться- I (-освети́ться) to be lighted, 8AL

-освободи́ть II (освобожда́ть-) to free, 4ALR

освобожда́ться- I (-освободи́ться) to free oneself, 10AL

освое́ние conquest, mastery, 10AL

-осво́ить II (осва́ивать-) to assimilate, to absorb, 5AL

-осво́иться II (осва́иваться-) to familiarize oneself with, 8ALR

о́сень *f* autumn, 12S

о́сенью in the fall, 12S

осети́нский Ossetian, 12AL

осма́тривать- I (-осмотре́ть) to go sightseeing in, 9; to look around, 19R

осмо́тр inspection, look, 19R

-осмотре́ть II* (осма́тривать-) to look around, 19R

основа́ние reason, ground, 5AL

осно́ванный founded, 23BII

основа́тель *m* founder, 25G

-основа́ть I (осно́вывать-) to found, 25R

основно́й principal, 2ALR; basic, fundamental, 5AL

в основно́м mainly, 2AL

осо́бенность *f* special quality, peculiarity, 10ALR

осо́бенный special, peculiar, 22BII

особняко́м apart, by oneself, 12AL

остава́ться- I (-оста́ться) to remain, to stay, 20R

-оста́вить II (оставля́ть-) to leave, 24R

оставля́ть- I (-оста́вить) to leave, 24R

остально́й remaining, the rest, 3AL

остана́вливать- I (-останови́ть) to stop (someone or something), 21R

-останови́ть II* (остана́вливать-) to stop (someone or something), 21R

остано́вка stop, 9

-оста́ться I (остава́ться-) to remain, to stay, 18G

осторо́жный careful, 19BII; cautious, 8ALR

о́стров island, 25BI

остроу́мный witty, sharp, 7S

о́стрый keen, sharp, 10AL

осуществля́ться- I (-осуществи́ться) to be made, to be carried out, 7AL

от from, 11

-отбежа́ть I (отбега́ть-) to run (a short distance away), 24R

отбе́ливать- I (-отбели́ть) to whiten, 12AL

отбива́ться- I (-отби́ться) to fight off, to beat off, 10AL

-отбро́сить II (отбра́сывать-) to hurl back, 4AL

отва́га valor, bravery, 8AL

отве́рстие opening, hole, 6ALR

отве́т answer, response, 10ALR

-отве́тить II (отвеча́ть-) to answer, 13G

отвеча́ть- I (-отве́тить) to answer, 4S; to recite, 13

отводи́ть- II* (-отвести́) to lead away, to lead aside, 24R

отвози́ть- II* (-отвезти́) to bring, to drive, 24R; to transport out, to carry away, 4ALR

отвора́чиваться- I (-отверну́ться) to turn aside, to avert one's eyes, 3AL

-отда́ть I (отдава́ть-) to give back, to give, 8ALR

отде́л branch, department, 20R

отделе́ние department, branch, school, 4AL

отде́льный isolated, separate, 5AL; special, 10ALR

о́тдых rest, 12

-отдохну́ть I (отдыха́ть-) to rest, 17G

отдыха́ть- I (-отдохну́ть) to rest, 6S

оте́ль *m* hotel, 16R

оте́ц father, 3

оте́чественный of the fatherland, 20SII

Вели́кая Оте́чественная война́ World War II, 20SII

отка́зываться- I (-отказа́ться) to refuse, 8ALR, 9AL

откли́каться- I (-откли́кнуться) to reply, to answer, 9AL

открыва́ть- I (-откры́ть) to open, 12N; to unfold, 25BI

откры́тие opening, discovery, 19R

откры́тка post card, 12

откры́тый open, 15; discovered, 25R

-откры́ть I (открыва́ть-) to open, 17R; to discover, 20SII

-откры́ться I (открыва́ться-) to be open, 2ALR

отку́да from where, 16BII

о́ткуп ransom, 6AL

-откупи́ться II* (откупа́ться-) to pay a ransom, 6AL

отлёт takeoff, flight departure, 4ALR

отлета́ть- I (-отлете́ть) to take off, to fly away, 24R

отлича́ть- I (-отличи́ть) to distinguish, 4AL

отли́чие excellence, distinction, 2AL

-отличи́ть II (отлича́ть-) to differ from, 5AL

отли́чник honor student, 13

отли́чный excellent, 7

-отмени́ть II* (отменя́ть-) to cancel, to abolish, 9AL

отменённый canceled, 20R

отменя́ть- I (-отмени́ть) to cancel, 9AL

отмеря́ть- I (-отме́рить) to measure off, 8AL

-отме́тить II (отмеча́ть-) to mark, to note, 4ALR; to take note of, 9AL

отме́тка grade, mark, 13

-отморо́зить II (отмора́живать-) to get frostbitten, 11AL

-отнести́сь I (относи́ться-) to treat, to concern, 26R

отнима́ть- I (-отня́ть) to take away, 8ALR

-отойти́ I (отходи́ть-) to leave (a place), to depart, 26BII

относи́тельно concerning, in regard to, 5AL

относи́ться– II* to be related to, 5AL; to apply to, 12AL

отноше́ние attitude, regard, 10AL; relationship, 10ALR

–отпра́вить II (отправля́ть–) to dispatch, to send out, 8ALR

–отпра́виться II (отправля́ться–) to set out for, 6AL

отправля́ться– I (–отпра́виться) to leave, to set out for, 7AL

о́тпуск vacation, 11S

в отпуску́ on vacation, 11S

–отпусти́ть II* (отпуска́ть–) to let go, to release, 6AL

отраже́ние reflection, 4AL

отрыва́ть– I (–оторва́ть) to tear away, to divert, 9AL

отря́д detachment, 20R

отры́вок excerpt, 2ALR

–отсе́ять I (отсе́ивать–) to screen, to eliminate, 2AL

–отстегну́ть I (отстёгивать–) to unfasten, 8ALR

отступа́ть– I (–отступи́ть) to move out, 4ALR

отсу́тствие absence, 6ALR

отсю́да from here, 9

–оттени́ть II (оттеня́ть–) to shade, to set off, 9AL

оттома́нка ottoman, 4AL

отту́да from there, 21R

отходи́ть– II* (–отойти́) to walk away, 24R

отце́пленный uncoupled (of railroad cars), 8AL

отча́сти partly, 2ALR

о́тчество patronymic, 16BI

отъе́зд departure, 17BII

–отыска́ть I* (оты́скивать–) to find, 15

–отяжеле́ть I (тяжеле́ть–) to become heavy, 12AL

офице́р officer, 20R

официа́льный official, 22BI

официа́нт waiter, 19R

официа́нтка waitress, 19D

–охарактеризова́ть I to describe, 10ALR

оха́пка bunch, armful, 12AL

охо́та hunting, 21SII

охо́титься– II to hunt, 21SII

охо́тник hunter, 21SII

охо́тно willingly, 9AL

оце́нка estimate, grade, 1AL

очаро́ванный enchanted, 9AL

о́чень very, 2; really, a lot, 8S

о́чередь *f* line, 9N; turn, 13

очки́ *pl* glasses, 5S

тёмные очки́ sunglasses, 17SII

со́лнечные очки́ sunglasses, 17G

–очути́ться II* to find oneself, 24R

оше́йник collar, 8ALR

ошиба́ться– I (–ошиби́ться) to be wrong, 18BI

–ошиби́ться II (ошиба́ться–) to be wrong, 18RL

оши́бка mistake, 22SI

оши́бочный wrong, 10ALR

ощуще́ние sensation, feeling, 10AL

П

павильо́н pavilion, 15N

па́дать– I (–упа́сть) to fall, 12S

паёк ration, 12AL

пала́тка tent, 5

пали́ть– II to fire, to shoot, 6AL

па́луба deck, 3AL

па́льма palm tree, 11N

пальто́ *indecl* coat, 5S

па́мятник monument, 25SII

па́мятный memorable, 10AL

па́мять *f* memory, remembrance, 6AL

па́ника panic, 8ALR

панора́ма panorama, 10AL

панте́ра panther, 2ALR

па́па father, 3

папиро́са cigarette, 14S

па́р vapor, steam, 11AL

пара́д parade, 2

пара́дный

пара́дная две́рь front door, 19BII

пара́дный хо́д front door, 19RL

парашю́т parachute, 8ALR

парашю́тный parachute, 10AL

па́рень *m* fellow, lad, 16SI

пари́ *n indecl* bet, 18BI

Пари́ж Paris, 15G

пари́к wig, 24SII

парикма́хер hairdresser, barber, 9AL

парикма́херская hair stylist, barbershop, 8AL

па́рк park, 2

парово́з locomotive, 4AL

парохо́д steamship, 6S

парохо́дство steamship line, 3AL

па́рта desk (in classroom), 1AL

парте́р stalls (theater), 9AL

па́ртия party (political), 2AL; game, part (in musical composition), 9AL

па́русный sail, 17BII

парфюме́рия perfume shop, 8AL

па́спорт passport, 7AL

пассажи́р passenger, 6

пассажи́рка *fem of* пассажи́р, 8ALR

пассажи́рский passenger, 7AL

патофизиологи́ческий pathophysiologic, 3AL

па́уза pause, 2AL

па́хнуть– I to smell, to have an odor or fragrance, 24R

певе́ц singer (man), 23BII

певи́ца singer (woman), 23BII

педаго́г teacher, 10AL

пейза́ж landscape, 25BII

пельме́ни *pl* pelmeni, 19R

пе́ние singing, 8S

пе́пельница ashtray, 19BII

первома́йский May Day, 20SII

пе́рвый first, 6

пе́рвое вре́мя at first, in the beginning, 22BII

пе́рвым де́лом the first thing, 19BI

–переби́ть I (перебива́ть–) to interrupt, 10AL

–перевести́ I (переводи́ть–) to translate, 22SII

перево́д translation, 22SII

переводи́ть– II* (–перевести́) to translate, 22BI; to take across, 24R

перево́дчик translator, 22BI

перево́дчица translator (woman), 22G

перевози́ть– II* (–перевезти́) to take across, to transport, 24R

–перегляну́ться I (перегля́дываться–) to exchange glances, 10AL

пе́ред (пе́редо) in front of, 15; before, 17BII

пе́ред тем, как before, 17BI

передава́ть– I (–переда́ть) to broadcast, 7; to give, to transmit, 17G

–переда́ть I (передава́ть–) to give, to transmit, 16G

Переда́й приве́т... Give my regards . . . 16SII

переда́ча broadcast, 18BI

–переде́лать I (переде́лывать–) to change over, to alter, 22R

переде́лывать– I (–переде́лать) to change over, to alter, 22R

пере́дний front, 7AL

пере́днее стекло́ windshield, 7AL

пере́дник pinafore, 8

–передохну́ть I to take a short rest, 8ALR

переéздный traveling, 24G

переезжáть- I (–переéхать) to cross (not on foot), 24R; to move to a new residence, 19BI

–переéхать I (переезжáть–) to cross (not on foot), 24R; to move to a new residence, 19BI

пережива́ть- I (–пережи́ть) to suffer, to endure, 10AL

–перейти́ I (переходи́ть–) to transfer, to go over to, to cross, 10AL

–перекрести́ться II* (крести́ться–) to cross oneself, 24R

перекрёсток intersection, 8AL

–перекры́ть I (перекрыва́ть–) to block, 10AL

–перекуси́ть II* (перекýсывать–) to have a snack, to grab a bit, 8AL

перелёт (long-distance) flight, 4ALR, 7AL

перелета́ть I (–перелете́ть) to fly across, 24R

переме́нный variable, changeable, 10ALR

переми́рие truce, 6ALR

–перенести́ I (переноси́ть–) to transfer, to carry over, 4ALR; to transfer, 9AL

переноси́ть- II* (–перенести́) to carry across, 24R

–переоде́ться I (переодева́ться–) to change one's clothes, to disguise oneself, 4AL

–переписа́ть I* (перепи́сывать–) to copy, to rewrite, 22G

перепи́сывать- I (–переписа́ть) to copy, to rewrite, 22SI

перепо́лненный overfilled, 26R

–перепры́гнуть I (перепры́гивать–) to jump over, 24R

переры́в interruption, break, 10AL

переса́дка change (from one plane, train, etc. to another), transfer, 7AL

–пересе́сть I (переса́живаться–) to change one's seat, 8ALR

–пересказа́ть I* (переска́зывать–) to retell, 11AL

перестава́ть- I (–переста́ть) to stop (doing something), 21R

–переста́вить II (переставля́ть–) to rearrange, 4ALR

перестра́ивать- I (–перестро́ить) to rebuild, 7AL

–переста́ть I (перестава́ть–) to stop (doing something), 21R

–пересчита́ть I (пересчи́тывать–) to count again, 8ALR

переучивать- I (–переучи́ть) to teach over again, to relearn, 2AL

–переучи́ть II* (переучивать–) to teach over again, to relearn, 2ALR

переходи́ть- II* (–перейти́) to cross over (on foot), 24R; to change, 11AL

–перече́сть I to enumerate, 11AL

–перечи́слить II (перечисля́ть–) to enumerate, 6ALR

–перечита́ть I (перечи́тывать–) to reread, 22G

перечи́тывать- I (–перечита́ть) to reread, 22SI

перио́д period (time), 10ALR

перо́

Ни пу́ха, ни пера́! Good luck!, 13

перочи́нный но́жик penknife, 18BI

перро́н platform, 8AL

пéрс Persian (man), 10ALR

Пéрсия Persia, 11AL

персона́л personnel, 2ALR

перча́тка glove, 5S

пёс dog, 21R

пéсенка *dim* song, 24R

пéсик *dim* dog, 24R

песнь *f arch* song, 6AL

пéсня song, 11

песо́к sand, 11S

пёстрый multicolored, 19BII

петербу́ргский Petersburg, 25BI

петропа́вловский Peter and Paul, 25BI

пéть- I (–спéть) to sing, 4S

печа́льный sad, dismal, 2AL

печа́ть *f* press, newspapers, 10AL

печене́ги Pechenegs, 6ALR

печéние baking, 12AL

печéнье cookies, 5S

пéчка stove, 12N

пéчься- I (–испéчься) to be baked, 12AL

пешехо́дный pedestrian's, walking, hiking, 12AL

пешко́м on foot, 113

пиани́ст pianist, 19R

пи́во beer, 19R

пиджа́к jacket, 8S

пижа́ма pajamas, 20R

пикни́к picnic, 17G

пила́ saw, 4ALR

пило́т pilot, 20BI

пингви́н penguin, 20R

пинг-по́нг ping-pong, 18G

пио́н peony, 4AL

пионéр Pioneer, 4ALR

пионéры *pl* Pioneers (a Soviet youth organization), 13G

пионéрский Pioneer, 10AL

пи́р feast, banquet, 10ALR

пирами́да pyramid, 24R

пирова́ть- I to feast, 25R

пиро́г pie, 26BII

пиро́жное pastry, 8AL

пирожо́к pirozhok, 5

писа́тель *m* writer, 9S

писа́ть- I* (–написа́ть) to write, 4S

пи́сьменный written, 13

пи́сьменный стол desk, 19BI

письмо́ letter, 4S

заказно́е письмо́ registered letter, 12S

пита́ть- I (–напита́ть) to feed, 11AL

пита́ться- I (–напита́ться) to nourish, to eat, 3AL

пи́ть- I (–вы́пить) to drink, 15

питьё drinking, beverage, 26R

пла́вание sailing, swimming, 3AL

уходи́ть в пла́вание to put to sea, 3AL

пла́вать- I (плы́ть-) (–поплы́ть) to swim, 11; to sail, 25G

плака́т sign, poster, placard, 20BII

пла́кать- I (–запла́кать) to cry, 24R

пла́н plan, 17BI

планта́ция plantation, 26R

пла́стика plasticity, 9AL

пласти́нка record, disk, 4S

плато́к handkerchief, 8ALR

платфо́рма platform, 8AL

пла́тье dress, 8

пла́щ raincoat, 5S

плева́ть- I (–плю́нуть) to spit, 4AL

мнé плева́ть I couldn't care less, 4AL

плéмя *n* tribe, 5AL

плёнка film, 17SII

плечо́ shoulder, 22R

плита́ stove, kitchen range, 17SI

плове́ц swimmer, 10AL

плодоро́дный fertile, fruitful, 11AL

плоти́на dam, 10ALR

пло́тник carpenter, 25R

плохо́й bad, 2

площа́дка court, ground, field, 18R

пло́щадь *f* square, 9; area (in square kilometers, etc.), 11AL

плы́ть- I (пла́вать-) (–поплы́ть) to swim, to sail, 25G

плю́с plus, 3S

пляж beach, 11S

по around, along, 14G

  по кра́йней ме́ре at least, 14S; at the very least, 24BI

  по ту́ сто́рону on the other side, 25BI

  по са́мые глаза́ up to their very eyes, 21BI

  по всём мередиа́нам земно́го ша́ра in all quarters of the globe, 5AL

побе́г flight, escape, 3AL

–побе́гать I (бе́гать–) to run for a while, 10AL

побе́да victory, 15

–победи́ть II (побежда́ть–) to defeat, to be victorious, 10AL

победоно́сный triumphant, victorious, 2AL

–побежа́ть I (бежа́ть– бе́гать–) to run, to start to run, 21R

побежда́ть– I (–победи́ть) to win, to be victorious, 8AL

–поблагодари́ть II (благодари́ть–) to thank, 21R

поблёскивать– I to shine, 10AL

–поброди́ть II* (броди́ть–) to wander for a while, 9AL

–побыва́ть I (быва́ть–) to drop in, to visit, 7AL

по́вар chef, cook, 8AL

по-ва́шему your way, 22R

поведе́ние conduct, behavior, 1AL

–повезёт (везёт–) *imperf with dat* to be lucky, 1AL

  нам повезло́ we were lucky, 3AL

–повезти́ I (везти́–) to bring (by vehicle), to drive, 11AL

–пове́рить II (ве́рить–) to believe, 23R

–поверну́ться I (повора́чиваться–) to turn, 2ALR

пове́рх above, over, 4AL

пове́рхность *f* surface, 12AL

–повеселе́ть I to cheer up, 10AL

–пове́сить II (ве́шать–) to hang (up), 12AL

–повзросле́ть I (взросле́ть–) to become an adult, 10AL

по́вод

  по э́тому по́воду apropos of this, as regards this, 6AL

Пово́лжье the Volga region, 12AL

повсю́ду everywhere, 12AL

повторе́ние repetition, 2AL

–повтори́ть II (повторя́ть–) to repeat, 10AL

–повтори́ться II (повторя́ться–) to recur, to be repeated, 8AL

повторя́ть– I (–повтори́ть) to repeat, 7AL

–пога́снуть I (га́снуть–) to go out (light, fire), 23R

–поги́бнуть I (погиба́ть–) to be killed, to perish, 10AL

–поговори́ть II (говори́ть–) to talk for a while, 2ALR, 4AL

погово́рка proverb, saying, 2AL

пого́да weather, 11S

Погоди́! Wait a minute!, 5AL

–погости́ть II (гости́ть–) to visit, 23BI

пограни́чный frontier, boundary, 10AL

–погре́ться I (гре́ться–) to warm oneself, 21BI

–погуля́ть I (гуля́ть–) to go for a walk, 21BI

под (подо) under, 15

  под дождём in the rain, 15G

  под му́зыку in time with music, 24R

  под гро́мкие аплодисме́нты amidst loud applause, 24BI

подава́ться– I to be served, 12AL

–подари́ть II* (дари́ть–) to make a gift of something, 10S

пода́рок gift, present, 10S

–подбежа́ть I (подбега́ть–) to run up to, 24R

подберёзовик brown-cap boletus (an edible mushroom), 26R

подбира́ть– I (–подобра́ть) to choose, to pick up, 10AL

подбо́р selection, collecting, 10ALR

подбо́рка a small but choice collection, 2ALR

–подвезти́ I (подвози́ть–) to give a lift, 1AL

–подвести́ I (подводи́ть–) to bring up to, to lead up to, 6ALR

по́двиг achievement, feat, exploit, 20BI

подвла́стный subjected (to), subordinate (to), 9AL

подводи́ть– II* (–подвести́) to bring, to take, to lead (someone) up to, 24R

подво́дный underwater, 11AL

  подво́дная ло́дка submarine, 21R

подвози́ть– II* (–подвезти́) to give a lift, 1AL

–подгото́вить II (подготи́вливать–) to prepare, 10AL

подгото́вка preparation, 20R

–подгоня́ть– I (–подогна́ть) to press on, to drive on, 6AL

подде́рживать– I (–поддержа́ть) to support, to maintain, 8AL

–поджа́рить II (поджа́ривать–) to roast, to broil, to fry, 2ALR

подзе́мный underground, 8AL

подле́ц rascal, 17R

подми́гивать– I (–подмигну́ть) to wink (at), 9AL

поднима́ться– I (–подня́ться) to go up, 19R

подно́жье foot, base (of a mountain), 12AL

подно́с tray, 8AL

подноси́ть– II* (–поднести́) to bring, to present, 12AL

–подня́ть I* (поднима́ть–) to raise, to lift, 22R

–подня́ться I (поднима́ться–) to go up, 19R; to rise, 12AL

подо́бный similar, 1AL

  ничего́ подо́бного nothing of the sort, 1AL

–подожда́ть I (ждать–) to wait, 9AL

–подойти́ I (подходи́ть–) to come up (to), 3AL

–подписа́ть II* (подпи́сывать–) to sign, 22G

подпи́сывать– I (–подписа́ть) to sign, 22SI

подража́ние imitation, 5AL

подража́ть– I to imitate, 5AL

подразделя́ться– I to be subdivided, 10ALR

подраста́ть– I (–подрасти́) to grow up, 6ALR

подро́бно in detail, 10ALR

подру́га friend (girl), 2

–подружи́ться II* to make friends, to become friends, 2ALR

подса́живаться– I (–подсе́сть) to sit down next to, 4ALR

–подсказа́ть I* (подска́зывать–) to suggest, 8ALR

подсо́лнечник sunflower, 12AL

–подста́вить II (подставля́ть–) to encounter, to fall in the way of, 8AL

–поду́мать I (ду́мать–) to think, 17R

поду́шка pillow, 24BI

подходи́ть– II* (–подойти́) to approach, to come near, to fit, 24R

подходя́щий suitable, 4AL

–подчеркну́ть I (подчёркивать–) to underline, to emphasize, 2AL подъе́зд entrance (accessible to persons getting in and out of vehicles), 8AL

подъём lift-off, 20R

подыма́ть– = поднима́ть–, 1AL

по-европе́йски as the Europeans do, 25R

по́езд train, 12N

пое́здка trip, journey, 2ALR

–пое́сть II (есть–) to eat, 26R

–пое́хать I (е́хать– е́здить–) to go, to ride, to drive, 23BI

пожа́луй perhaps, very likely, 3AL; I think, 10AL

пожа́луйста please, 2

–пожале́ть I (жале́ть–) to be sorry, to regret, 10AL

–пожа́ловаться I (жа́ловаться–) to complain, 7AL

–пожа́ть I (пожима́ть–)
    пожа́ть ру́ку to shake hands, 18BII
    пожа́ть плеча́ми to shrug one's shoulders, 22R

–пожела́ть I (жела́ть–) to wish, to desire, 6AL

пожило́й elderly, 3AL

пожима́ть– I (–пожа́ть)
    пожима́ть ру́ку to shake hands, 18BII
    пожима́ть плеча́ми to shrug one's shoulders, 22R

–позабы́ть I to forget about, 10AL

позади́ behind, 10AL

–поза́втракать I (за́втракать–) to have breakfast, 13G

позавчера́ the day before yesterday, 23RL

–позва́ть I (зва́ть–) to call, to invite, 13G

–позво́лить II (позволя́ть–) to allow, to permit, 6AL
    Позво́льте! Just a minute! 6AL

–позвони́ть II (звони́ть–) to telephone, 6S

по́здно (it is) late, 17G

–поздоро́ваться I (здоро́ваться–) to say hello, to greet, 16BI

–поздра́вить II (поздравля́ть–) to congratulate, 21R

поздравле́ние greetings, 22BI

поздравля́ть– I (–поздра́вить) to congratulate, 21R

по́зже *compar of* по́здно, 14

позлащённый *arch* gilded, 6ALR

–познако́мить II (знако́мить–) to introduce, 16SII

–познако́миться II (знако́миться–) to become acquainted, 16BI

пои́грывать– I (–поигра́ть) to play briefly, 4AL

по́иски *pl* search, 8AL
    при по́исках in searching for, 8AL

по-испа́нски in Spanish, 7S

–пойма́ть I (лови́ть–) to catch, 17G

–пойти́ I (идти́– ходи́ть–) to go, to walk, 14

пока́ for the time being, 12; so far, 15R; while, as, 4ALR; until, 10AL
    Пока́! So long! 7

показа́ние testimony, report, 10ALR

–показа́ть I* (пока́зывать–) to show, 17BII

пока́зывать– I (–показа́ть) to show, 17G

–поката́ться I (ката́ться–) to take a ride, 10S
    поката́ться на са́нках to go tobogganing, 12R

пока́чивать– I (–покача́ть) to swing, to sway, to rock, 3AL

–поки́нуть I (покида́ть–) to abandon, to desert, 8ALR; to give up, 10AL

–поколеба́ться I (колеба́ться–) to hesitate, to think twice about, 5AL

–поко́нчить II (конча́ть–) to finish with, to be through with, 4AL

покрыва́ть– I (–покры́ть) to cover, 6ALR, 11AL

покры́тый covered, 21BII

–покры́ть I (покрыва́ть–) to cover with, 24R

покупа́тель *m* buyer, purchaser, 2ALR

покупа́ть– I (–купи́ть) to buy, 10

поку́пка purchase, buying, 10

пол, на полу́ floor, 24R; sex, 2AL

по-лати́ни in Latin, 6AL

–пола́ять I (ла́ять–) to let out a few barks, 8ALR

по́лдень *m* noon, 12AL

по́ле field, 4

поле́зный useful, 26R; healthful, 12AL

полёт plane trip, flight, 6

–полете́ть II* (лете́ть– лета́ть–) to fly, 20R

политбесе́да political discussion, 10AL

полити́ческий political, 10A

по́лк, в полку́ regiment, 24R

по́лка shelf, 12S; berth, 4AL

по́лный full, 5; complete, 7

полови́на half, 18BI

по́ловцы Polovtsy, 6ALR

–положи́ть II* (кла́сть–) to put, 12S

полоса́ band, strip, 11AL

полоса́тый striped, 6AL
    вёрсты полоса́тые striped verst posts, 6AL

поло́ска strip, band, 7AL
    ша́хматная поло́ска checkered band, 7AL

полоте́нце towel, 5S

полотно́ linen, 12AL

полпирожка́ half a pirozhok, 24R

полстака́на half a glass, 15

полукру́глый semicircular, 9AL

полуо́стров peninsula, 25R

полупусты́ня semidesert, 12AL

полуразде́тый half-undressed, 12AL

полуста́нок small railway station, 8AL

получа́ть– I (–получи́ть) to receive, to obtain, 12AL

получа́ться– I (–получи́ться) to turn out (of events), 6AL

–получи́ть II* (получа́ть–) to get, 10S

–получи́ться II* (получа́ться–) to turn out (of events), 10AL

полчаса́ half hour, 24R

по́льзоваться– I to make use of, 8AL

по́лька polka, 13N; Pole (woman), 22G

по́льский Polish, 22BII

По́льша Poland, 16BII

–полюбова́ться I (любова́ться–) to feast one's eyes on, 10AL

поля́к Pole (man), 22G

поля́на clearing, glade, 26BI; meadow, 12AL

поля́не *pl* ancient Slavic tribe that lived on the plains, 6ALR

поля́рный polar, arctic, 4ALR, 11AL

–помаха́ть I* (пома́хивать–) to wave (a few times), 8ALR

–помеша́ть I (меша́ть–) to bother, to interfere, 23RL

помеща́ться– I to be located, 8AL

помеще́ние quarters, room, 10AL

помидо́р tomato, 26BII

по́мнить– II (–запо́мнить) to remember, 16G

помога́ть– I (–помо́чь) to help, 14S

по-мо́ему if you ask me, in my opinion, 17G

–помолча́ть II (молча́ть–) to be silent for a while, 10AL

–помо́чь I* (помога́ть–) to help, 17G

по́мощь *f* help, 21R

–помча́ться II (мча́ться–) to whiz off, to speed along, 15

понеде́льник Monday, 9S

по-неме́цки in German, 7S

–понести́ I (нести́– носи́ть–) to carry, to take, 8ALR

понима́ние comprehension, 19R

понима́ть– I (–поня́ть) to understand, 4S

–понра́виться II (нра́виться–) to please, to like, 17G

поня́тие idea, concept, 5AL

–поня́ть I (понима́ть–) to understand, 17RII

–пообе́дать I (обе́дать–) to have dinner, to have lunch, 13G

попада́ть– I (–попа́сть) to get, to find oneself, to fall into, 24BI

–попа́сть I (попада́ть–) to get to, 9

попола́м half . . . and half . . . , 12AL

пополня́ть– I (–попо́лнить) to enrich, to enlarge, 5AL

–поплы́ть I (плыть– пла́вать–) to swim, to sail, 25G

по-по́льски in Polish, 5AL

поправля́ть– I (–попра́вить) to fix, to correct, 24BI

–попро́бовать I (про́бовать–) to try (out), 17SI

–попроси́ть II* (проси́ть–) to ask, to request, 13G

–попроси́ться II*(проси́ться–) to apply for, 3AL

–попроща́ться I (проща́ться–) to say good-by to, 16SI

популя́рность f popularity, 10AL

популя́рный popular, 15N

попу́тный passing (of a vehicle), 12AL

–попыта́ться I (пыта́ться–) to attempt, to endeavor, 2AL

пора́ time (to), 8

на пе́рвых пора́х at first, 3AL

с тех пор since then, 3AL

до сих пор up to now, 3AL

–порабо́тать I (рабо́тать–) to do some work, 3AL

поража́ть– I (–порази́ть) to strike, 2ALR

пораже́ние defeat, 12AL

–порази́ть II* (поража́ть–) to strike, 2ALR; to defeat, to vanish, 10ALR

поро́г threshold, 21BII

поро́да species, breed, 6ALR

порт, в порту́ port, 11S

по́ртить– II (–испо́ртить) to spoil, 20RL

по́ртиться– II (–испо́ртиться) to turn bad, 20R

портре́т picture, portrait, 20BII

портфе́ль m briefcase, 8ALR

по-ру́сски in Russian, 4S

поря́док order, 7

в поря́дке in order, all right, 7

поря́дочный considerable, decent, 4AL

поря́дочно quite a bit, 4AL

–посади́ть II* (сажа́ть–) to land, to set down, 8ALR

поса́дка landing (of plane), 20BI; boarding (of plane, etc.), 8ALR

по-сво́ему in one's own way, 1AL

–посвяти́ть II (посвяща́ть–) to devote, to dedicate, 10ALR

–посели́ться II* (поселя́ться–) to settle, to make one's home, 5AL

посёлок settlement, 6ALR; village, 8AL

посети́тель m visitor, 2ALR

–посети́ть II (посеща́ть–) to visit, 8AL

посеща́ть– I (–посети́ть) to visit, 2ALR

–посиде́ть II (сиде́ть–) to sit awhile, 12AL

–посла́ть I (посыла́ть–) to send, 12S

по́сле after, 11

послевое́нный postwar, 10ALR

после́дний last, 7S; very latest, 2ALR

после́днее вре́мя lately, 7S

после́довательный consecutive, 10ALR

после́дующий following, next, 10ALR

послеза́втра day after tomorrow, 23BI

посло́вица proverb, saying, 6ALR

–послужи́ть II* (служи́ть–) to serve (as), 10ALR

–послу́шать I (слу́шать–) to listen, 2ALR

–послу́шаться I (слу́шаться–) to obey, to heed, 12AL

послу́шно obediently, 8ALR

–послы́шаться II (слы́шаться–) to be heard, 20BII

–посмотре́ть II* (смотре́ть–) to look (at), 10S

–посове́товать I (сове́товать–) to advise, 22R

посо́л ambassador, envoy, 23R

посо́льство embassy, mission, 23SI

–поспа́ть II (спать–) to nap, to doze, 8AL

–поспеши́ть II (спеши́ть–) to hurry, 3AL

поспе́шно hastily, hurriedly, 8ALR

–поспо́рить II (спо́рить–) to argue, to quarrel, 18RL

посреди́не (посереди́не) in the middle of, 4ALR

–поссо́риться II (ссо́риться–) to quarrel, 19G

–поста́вить II (ста́вить–) to place, to put, 13; to stage, 9AL

поста́вить отме́тку to give a grade, 13

–постара́ться I (стара́ться–) to try, 21R

посте́ль f bed, 15

посторо́нний outsider, 8ALR

Посторо́нним вход запрещён.
Unauthorized persons not admitted. 8ALR

постоя́нный permanent, constant, steady, 2AL

–постоя́ть II (стоя́ть–) to stand (a short while), 3AL

постро́енный built, 25R

–постро́ить II (стро́ить–) to build, 19SI

постро́йка building, construction, 4AL

поступа́ть– I (–поступи́ть) to step, to enter, 1AL

–поступи́ть II* (поступа́ть–) to step, to enter, 1AL

поступле́ние enrollment, 2AL

посу́да plates and dishes, dishware, 6ALR

–посчита́ть I (счита́ть–) to count, to consider, 6AL

посы́лка parcel, 8ALR

–потанцева́ть I (танцева́ть–) to dance (a while), 4AL

потенциа́льный potential, 2ALR

–потеря́ть I (теря́ть–) to lose, 26BII

–поте́чь I (течь–) to drip, to leak, 4AL

потихо́ньку stealthily, 9AL

потоло́к ceiling, 24R

пото́м then, 9

потому́ for that reason, 17BI

–потороли́ться II* (торопи́ться–) to hurry, 8ALR

–потрясти́ I to stir deeply (the emotions), to shake, 9AL

–потяну́ться I* (потя́гиваться–) to stretch one's limbs, 8AL

–поу́жинать I (у́жинать–) to have supper, 13G

по-францу́зски in French, 7S

–похва́стать I (хва́стать–) to brag, 1AL

похо́д trip, hike, 5; campaign (military), 6ALR

похо́дка gait, walk, 5AL

похо́жий similar, like, 22BII

ни на что́ не похо́же unique, unlike anything else, 4ALR

–похороше́ть I (хороше́ть–) to become prettier, 19BI

–похуде́ть I (худе́ть–) to grow thin, 4ALR

–поцелова́ть I (целова́ть–) to kiss, 24R

по́чвенный soil, 2AL

почему́ why, 3

почему́-то to some reason, 5AL

–почини́ть II* (чини́ть–) to fix, to repair, to mend, 25R

по́чта post office, 2; mail, 15

почтальо́н mailman, 15

почта́мт post office, 8AL

Гла́вный почта́мт General Post Office, 8AL

почти́ almost, nearly, 16G

почто́вый postage, 12S

–почу́вствовать I (чу́вствовать–) to feel, 20R

Пошли́! Let's go! 3

–пошути́ть II* (шути́ть–) to joke, 1AL

поэ́ма poem, 25BII

поэ́т poet, 9S

поэти́чный poetic, 12AL

поэ́тому therefore, 25R

–появи́ться II* (появля́ться–) to appear, 16R

появля́ться– I (–появи́ться) to appear, 4AL

по́яс waist, belt, 9AL

пра́в he is right, 17BI

права́ pl driver's license, 10

пра́вда truth, it's true, 13N

пра́вило rule, regulation, 2AL

пра́вильно correct, right, 12AL

пра́вильный correct, 10ALR

пра́вить– II to drive, 11N

пра́во right, privilege, 12AL

правописа́ние spelling, orthography, 22SII

правосторо́нний right-hand, 8AL

пра́вый right, 8AL

пра́здничный festive, 9AL

пра́здник celebration, holiday, 13N

практи́ческий practical, everyday, 10ALR

пра́чечная laundry, 8AL

превосходи́ть– II* to surpass, to excel, 5AL

превосхо́дный magnificent, superb, 10ALR

–преврати́ть II (превраща́ть–) to transform, to convert, 23R

превраща́ть– I (–преврати́ть) to transform, to convert, 23R

превраще́ние transformation, 1AL

превращённый transformed, 25R

предвари́тельно beforehand, 9AL

предви́деть– II to foresee, 4AL

предлага́ть– I (–предложи́ть) to suggest, to offer, 23R

предложе́ние sentence, 22SII; proposal, suggestion, 8ALR

–предложи́ть II* (предлага́ть–) to propose, to suggest, to offer, 23R

предме́т subject (in school), 8S; article, artifact, 6ALR

предо́брый extremely kind, 5AL

пре́док ancestor, 5AL

предоставля́ть– I (–предоста́вить) to allow, 10AL

Им и предоставля́ем сло́во. We'll let them speak for themselves. 10AL

предоставля́ться– I to be provided, to be offered, 12AL

предполага́ть– I (–предположи́ть) to propose, to suppose, 3AL

предпосле́дний next-to-last, 10ALR

предприя́тие enterprise, 2AL

предска́зывать– I (–предсказа́ть) to predict, 21BI

представи́тель m representative, 2AL

–предста́вить II (представля́ть–) to perform, 17BII

предста́вить себе́ to imagine, 17BII

представле́ние presentation, show, 24BI

представля́ть– I (–предста́вить) to act out, to represent, 4ALR

представля́ть себе́ to visualize, to imagine, 4ALR

представля́ть собо́й to be, to represent, 5AL

предчу́вствие premonition, foreboding, 8ALR

пре́жде before, 7AL

президе́нт president, 20G

презре́ние contempt, scorn, 8ALR

преиму́щество advantage, preference, 2AL

прекра́сный fine, 7; beautiful, 9S

–прекрати́ться II* (прекраща́ться–) to come to an end, to end, 9AL

прекраща́ться– I (–прекрати́ться) to end, to be discontinued, 7AL

пре́лесть f charm, fascination, 4AL

пре́мия prize, award, 9AL

премье́ра première, 9AL

пренебрега́ть– I (–пренебре́чь) to neglect, to ignore, 10AL

преподава́тель m teacher, instructor, 1AL

преподава́ть– I to teach, 8

пре́рия prairie, 2ALR

претенцио́зный pretentious, 16R

при by, 17BI; in the time of, 23R; connected with, 24BII

–приба́вить II (прибавля́ть–) to add, 2ALR; to accelerate, to increase, 10AL

–прибежа́ть (прибега́ть–) to run to, 24R

–приби́ть I (прибива́ть–) to fasten, to nail, 10AL

приближе́ние approximation, 10ALR

прибли́женные pl retinue, 25BI

прибо́р instrument, 8AL

прибыва́ть– I (–прибы́ть) to arrive, 7AL

прибы́тие arrival, 10AL

–привезти́ I (привози́ть–) to drive, to take, 3AL

приве́т regard(s), greeting(s), 4

–привести́ I (приводи́ть–) to bring, to take, to lead, 20BI

приве́тствовать– I to greet, 8

привлека́ть– I (–привле́чь) to attract, 21R

–привле́чь I (привлека́ть–) to attract, 21R

приводи́ть– II* (–привести́) to lead, to take, to bring, 20BI

привози́ть– II* (–привезти́) to bring, to convey, to drive, 24R

приво́лжский in the region of the Volga, 12AL

привыка́ть– I (–привы́кнуть) to get accustomed to, to get used to, 19G

–привы́кнуть I (привыка́ть–) to get accustomed to, to get used to, 19BII

привы́чка habit, usual behavior, 25R

привы́чный customary, accustomed, 10AL

–привяза́ть I* (привя́зывать–) to tie, to fasten, 4ALR

–пригласи́ть II (приглаша́ть–) to invite, 17G

приглаша́ть– I (–пригласи́ть) to invite, 17G

приглашён invited, 16BI

приглаше́ние invitation, 19R

–пригоди́ться II* (годи́ться–) to be useful, to be of help, 5AL

–приготóвить II (приготовля́ть–) to prepare, to cook, 20RL

приготовле́ние preparation, 26R

приде́рживаться– I to hold on to, 9AL

придвóрный of the royal court, 10ALR

–приду́мать I (приду́мывать–) to think up, 26R

приду́мывать– I (–приду́мать) to think up, 26R

приезжа́ть– I (–прие́хать) to come (by vehicle), 1AL

прие́м admission, 2AL; receiving (radio), 8ALR

–прие́хать I (приезжа́ть–) to come, to arrive (not on foot), 24R

–прижа́ться I (прижима́ться–) to nestle up, to snuggle up, 8ALR

приз prize, 11

приземле́ние landing (of a plane), 8ALR, 12AL

приземле́нье = приземле́ние, 8ALR

–приземли́ться II (приземля́ться–) to land (in a plane), 18BII

приземля́ться– I (–приземли́ться) to land (in a plane), 18RL

–призна́ться I (признава́ться–) to confess, to admit, 2ALR, 10AL

–прийти́ I (приходи́ть–) to come, to arrive (on foot), 19RL

–прийти́сь
　мне пришлóсь I had to, 9AL
　не пришлóсь was/were unable, 10AL

приклéивать– I (–приклéить) to stick on, to paste on, 9AL

приключе́ние adventure, 2ALR

приключе́нческий adventure, 2ALR

–прикри́кнуть I (прикри́кивать–) to shout, to raise one's voice, 3AL

–прикуси́ть II* (прику́сывать–) to bite, 2ALR

прилета́ть– I (–прилете́ть) to fly in, to arrive by air, 18G

–прилете́ть II (прилета́ть–) to arrive by air, to fly in, 18BII

–приле́чь I to lie down for a short while, 4AL

приложе́ние supplement, appendix, 2AL

применя́ть– I (–примени́ть) to apply, to adapt, to use, 2AL

приме́р
　на приме́ре with an example, 2ALR

приме́рно approximately, about, 7AL

примеча́ние note, 8AL

примóрский coastal, maritime, 11AL

принадлежа́ть– II to belong, 5AL

–принести́ I (приноси́ть–) to bring, to carry, 17BII

принима́ть– I (–приня́ть) to take, to accept, 22SII; to pick up, 10ALR

приноси́ть II* (–принести́) to bring, to carry, 24R

принц prince, 23R

принце́сса princess, 23R

при́нцип principle, 10AL

–приня́ть I* (принима́ть–) to take, to accept, 22SII
　Я при́нял вас за ру́сского. I took you for a Russian. 22SII

–приободри́ть II (приободря́ть–) to give encouragement, to raise (someone's) spirits, 6ALR

–приоткры́ть I (приоткрыва́ть–) to open slightly, to half-open, 8ALR

припе́в refrain, 8AL

припра́ва seasoning, flavoring, 12AL

приро́да nature, 10AL

приса́живаться– I (–присе́сть) to take a seat, 2AL

–присла́ть I (присыла́ть–) to send, 22BI

прислу́шиваться– I (–прислу́шаться) to listen intently, 8ALR, 9AL

–присни́ться II (сни́ться–) to dream, 2AL
　Мне сейча́с такóе присни́лось! What a dream I just had! 8ALR

–присоедини́ть II (присоединя́ть–) to join, 4AL

при́стань *f* dock, pier, 3AL

–приста́ть I (пристава́ть–) to put into port, to drop anchor, 6AL

–пристегну́ться I (пристёгиваться–) to fasten, 8ALR

–присуди́ть II* (присужда́ть–) to award, 9AL

притóк tributary, 11AL

приуча́ть– I (–приучи́ть) to train, to discipline, 1AL

–приучи́ть II* (приуча́ть–) to train, to discipline, 1AL

прихóд arrival, 9AL

Приходи́! Come on over! 4

приходи́ть– II* (–прийти́) to come, to arrive (on foot), 17R

приходи́ться– II (–прийти́сь–) to have to, 25BI

причёсывать– I (–причеса́ть) to comb someone's hair, 6ALR

причи́на reason, cause, 6AL

–причини́ть II (причиня́ть–) to cause, 22R

причиня́ть– I (–причини́ть) to cause, 22R

прия́тель *m* friend, 2

прия́тный pleasant, 12S

про about, concerning, 4ALR, 10AL

–пробежа́ть I (пробега́ть–) to rush through, 10AL

пробира́ться– I (–пробра́ться) to steal one's way, to make one's way, 6AL

прóбовать– I (–попрóбовать) to try (out), 17G

–пробормота́ть I (бормота́ть–) to mumble, to mutter, 22R

–пробы́ть I to stay, to remain (a while), 16BII

–провали́ть II* (прова́ливать–) to fail, 2AL

–провали́ться II* (прова́ливаться–) to fail, 1AL; to fall through, to vanish, 2ALR

–прове́рить II (проверя́ть–) to verify, to check, 8ALR

проверя́ть– I (–прове́рить) to check, 6

–провести́ I (проводи́ть–) to spend, 4ALR, 10AL

прови́зия food, groceries, 5

проводи́ть– I (–провести́) to lead through, to lead past, 24R; to conduct, 10AL; to spend, 12AL

прóводы *pl* sendoff, 3AL

провожа́ть– I (–проводи́ть) to see off, 3AL

-провозгласи́ть II (провозглаша́ть–) to proclaim, 2ALR

-прогла́дить II (прогла́живать–) to iron, 4AL

-проговори́ть II to say, to pronounce, 9AL

-проголода́ться I to get hungry, 7AL

-проголосова́ть I (голосова́ть–) to vote, 8ALR

програ́мма program, 8S

прогу́л truancy, absence (without good reason), 3AL

прогу́лка walk, 22R

-прогуля́ться I (прогу́ливаться–) to take a walk, 10AL

продава́ть– I (–прода́ть) to sell, 6S

продаве́ц salesman, 9S

продавщи́ца saleswoman, 9S

прода́жа sale, 8AL

-прода́ть I (продава́ть–) to sell, 17G

-проде́лать I (проде́лывать–) to do, to perform, 12AL

продма́г (проду́ктовый магази́н) food store, 8AL

продолжа́ть– I (–продо́лжить) to continue, 7

продолже́ние continuation, 19BII

продолжи́тельность f duration, length, 8ALR

проду́кт food item, product, 12AL
   проду́кты pl groceries, 21R

прое́здом in passing, 23BI

-прое́хать I (проезжа́ть–) to ride through, to pass through, 8AL

прожёктор searchlight, projector, 4AL

прожива́ющий hotel guest, 8AL

про́за prose, 2ALR, 5AL

-прозва́ть I (прозыва́ть–) to nickname, to call, 8ALR

-прозвуча́ть II (звуча́ть–) to sound, 10AL

-проигра́ть I (проигрывать–) to lose (in a game), 18BI

проигрыватель m record player, 5S

проигрывать– I (–проигра́ть) to lose (in a game), 18G

произведе́ние work, production, 2ALR, 6AL

-произвести́ I (производи́ть–) to carry out, to make, to produce, 10ALR

-произнести́ I (произноси́ть–) to pronounce, 22RL; to deliver (a speech, address, etc.), 2ALR

произноси́ть– II* (–произнести́) to pronounce, 22SII

произноше́ние pronunciation, 22SII

происходи́ть– II* (–произойти́) to derive (from), 5AL

-произойти́ I (происходи́ть–) to come about, to descend, 5AL

происхожде́ние origin, descent, 5AL

происше́ствие incident, accident, 8ALR

-пройти́ I (проходи́ть–) to pass by, 24R; to take (courses), 28AL

прокля́тие curse, 6AL

-пролета́ть I (–пролете́ть) to fly past or through, 4AL

-проложи́ть II* (прокла́дывать–) to build (especially of roads), 10ALR

-промо́лвить II (мо́лвить–) arch to say, to utter, 6ALR

-промолча́ть II (молча́ть–) to hold one's peace, to keep silent, 2ALR

про́мысел craft, industry, 6ALR

-пронести́сь I (проноси́ться–) to sweep past, to rush by, 4ALR

пропада́ть– I (–пропа́сть) to disappear, to be lost, 17BII

-пропа́сть I (пропада́ть–) to be lost, 8ALR; to disappear, 12AL

пропи́ска passport registration, 2AL

пропита́ние arch one's daily bread, subsistence, 6ALR

пропуска́ть– I (–пропусти́ть) to miss, to let go by, 18G

-пропусти́ть II* (пропуска́ть–) to miss, to let go by, 18BI

-просиде́ть II (проси́живать–) to sit through, 24R

проси́ть– II* (–попроси́ть) to ask, to request, 6S; to beg, 2AL

-прослу́шать I (прослу́шивать–) to listen to completely, 18BII

-прослы́ть I (слы́ть–) to have the reputation of, 8ALR

-просмотре́ть II* (просма́тривать–) to look through/over, 1AL

-просну́ться I (просыпа́ться–) to wake up, 17G

проспе́кт prospect, avenue, 20BII

про́стенький dim rather modest, very simple, 4AL

-прости́ть II (проща́ть–) to forgive, 17BI; to pardon, 8ALR
   Прости́те! Pardon me! 8ALR

-прости́ться II (проща́ться–) to say good-by, 4ALR

просто́й simple, 9

просто́р freedom, space, 6AL

-просу́нуть I (просо́вывать–) to thrust, to shove, 8AL

-просуществова́ть I (существова́ть–) to exist, 20BI

просыпа́ться– I (–просну́ться) to wake up, 17BI

про́тив against, 8ALR

проти́вный unpleasant, offensive, 8ALR

противополо́жный opposite, 10AL

противоре́чить– II to be at variance with, to contradict, 9AL

протя́гивать– I (–протяну́ть) to hand, to offer, 4ALR

протяжённость f extent, length, 7AL

-протяну́ться I* (протя́гиваться–) to stretch, to extend, 12AL

профессиона́льный professional, 4AL

профе́ссия profession, 2AL

профе́ссор professor, 1AL

профила́ктика cleaning, 12AL

прохлади́тельные напи́тки pl soft drinks, 8AL

прохла́дный chilly, cool, 21SI

проходи́ть– II* (–пройти́) to go (to be like), 24BI; to go through, to walk past, 24R; to take (courses), 2AL; to take place, 10AL

прохо́жий passer-by, 9AL

-проче́сть I (чита́ть–) to read, to follow, 10ALR

-прочита́ть I (чита́ть–) to read, to finish reading, 13

проше́дший past, 1AL

про́шлый last, past, 13S
   в про́шлом году́ last year, 9N

проща́ть– I (–прости́ть)
   Проща́й! Farewell!, Good-by! 6AL

проща́ться– I (–попроща́ться) to say good-by, 16G

про́ще = бо́лее просто́й compar of просто́й, 5AL

пруд pond, 4AL

пры́гать– I (–пры́гнуть) to jump, 14

-пры́гнуть I (пры́гать–) to jump, 21R

прыжо́к jump, leap, dive, 10AL

пря́жа yarn, thread, 6AL

прямо́й straight, 18G

пря́ник honey cake, 24BI

пря́сть– I to spin, 6AL

пря́тать– I (–спря́тать) to hide, 24R

психо́лог psychologist, 2ALR

психоло́гия psychology, 16R

пти́ца fowl, bird, 8AL

пти́чка dim little bird, 2ALR

пу́блика public, audience, 18G

пуга́ть– I (–испуга́ть) to frighten, 1AL

пу́ля bullet, 4ALR, 6AL

пу́нкт point, center, 7AL

пурга́ blizzard, 4ALR

пу́рпур purple, 11AL

пуска́ть- I (-пусти́ть) to let, to admit, 21BI

пусто́й empty, 17G

пусты́нный deserted, 9AL

пусты́ня desert, bare expanse, 21R

пусть let, 2ALR, 10AL

Пусть бу́дет. Let it be. 22R

пустяки́ pl nonsense, nothing at all, 6AL

путёвка official travel arrangements, 4AL; official travel facilities, 10AL

путеводи́тель m guidebook, 7AL

путеше́ственник traveler, 7AL

путеше́ственница traveler (female), 2ALR

путеше́ствие travel, trip, journey, 19R

путеше́ствовать- I to travel, 16BII

пу́тник traveler, 8AL

путь way, track, path, journey, 20BI

пух

Ни пу́ха, ни пера́! Good luck! 13

пу́шка cannon, 18R

пу́шкинский Pushkin's, 12AL

пчела́ bee, 6ALR

пшени́ца wheat, 11AL

пшени́чный wheat, 12AL

пы́льный dust-covered, dusty, 9AL

пыта́ться- I (-попыта́ться) to try, to endeavor, 2AL

пье́са stage play, 23

пья́ный drunk, intoxicated, 9AL

пятёрка an "Excellent" (a grade of five), 13S

пятёрочник honor student, one who usually receives a grade of five, 2AL

пя́тка heel, 8AL

пятна́дцать fifteen, 13S

пя́тница Friday, 9S

пя́тый fifth, 14N

пять five, 3S

пятьдеся́т fifty, 13S

Р

рабо́та job, work, 7S

рабо́тать- I to work, 7S

рабо́тник worker, 25R

рабо́чий worker, 19R

рабо́чий день working day, 15G

равни́на flat country, plain, 6ALR

равноду́шный indifferent, 9AL

ра́вный equal, even, 4AL

всё равно́ it doesn't matter, 4AL

рад happy, 12

ра́ди for the sake of, 8ALR

ра́ди пу́щей ва́жности out of vanity, for appearance's sake, 8ALR

ра́дио indecl radio, 4

радиолюби́тель m amateur radio operator, ham, 10AL

радиопереда́ча radio broadcast, 7

радиопортре́т radio portrait, 10AL

радиоприёмник radio set, 5S

радиоста́нция radio station, 21R

радиоу́зел broadcasting centre, 10AL

радиоуниверсите́т university of the air, 10AL

ради́ст radio operator, 8AL

ра́довать- I (-обра́довать) to gladden, to delight, 19R

ра́доваться- I (-обра́доваться) to be happy, 19BI

ра́достный joyful, glad, 19R

ра́дость f joy, 19BI

раз

в друго́й раз some other time, 10S

в пе́рвый раз for the first time, 23BI

как раз right now, just then, 4

ка́к-то раз one day, once, 4ALR

не раз more than once, 10AI

не́сколько раз several times, 24BII

оди́н раз once, 17R

раз, два, три one, two, three, 13N

раз не хотя́т... since they don't want . . . , 23R

три ра́за three times, 16R

разбива́ть- I (-разби́ть) to break in pieces, to shatter, 19RL

-разби́ть I (разбива́ть-) to break in pieces, to shatter, 19BII

разбо́йник bandit, brigand, 8AL

-разброса́ть I (разбра́сывать-) to spread, to scatter, 11AL

-разбуди́ть II* (буди́ть-) to awaken, 4AL

ра́зве really, do you mean to say, 22BI

-разве́шать I (разве́шивать-) to hang, 9AL

разви́тие development, 5AL

развлече́ние recreation, 15N

разводи́ть- II* (-развести́) to breed, to cultivate, 11AL

разгля́дывать- I (-разгляде́ть) to examine, to look over, 8ALR

разгова́ривать- I to talk, 6

разгово́р conversation, 7

разгружа́ть- I (-разгрузи́ть) to unload, 4AL

разгу́лье удало́е dashing revelry, 6AL

раздава́ться- I (-разда́ться) to resound, to be heard, 18BII

-разда́ться I (раздава́ться-) to resound, to be heard, 18G

-раздели́ть II* (разделя́ть-) to divide, 25R

разделя́ть- I (-раздели́ть) to divide, 25R; to separate, 8AL

-разде́ться I (раздева́ться-) to undress, 8ALR, 9AL

различа́ться- I to differ, to vary, 10ALR

разли́чный different, 2ALR

-разложи́ть II* (раскла́дывать-) to lay out, 9AL

-размеша́ть I (разме́шивать-) to stir, 12AL

ра́зница difference, 5AL

разнови́дность f variety, 12AL

разнообра́зие variety, 10ALR

разнообра́зный varied, 19R

разнорабо́чий jack-of-all-trades, 10AL

разноцве́тный multicolored, 14

ра́зный different, various, 16BI

-разойти́сь I (расходи́ться-) to separate, to diverge, 5AL

-разрабо́тать I (разраба́тывать-) to work out, to devise, 12AL

-разреши́ть II (разреша́ть-) to permit, 2AL

-разрумя́ниться II to turn rosy red, 12AL

-разрыда́ться I to burst into sobs, 3AL

разря́д category, rating, 2AL

разу́чиваться- I (-разучи́ться) to forget what one has learned, 2AL

-разучи́ться II* (разу́чиваться-) to forget what one has learned, 2AL

райо́н vicinity, 4ALR; region, 11AL

раке́та rocket, 20R

раку́шка seashell, 17BII

ра́неный injured, wounded, 4ALR

ра́нец book bag (for school), 10AL

ра́нний early, 2ALR

ра́но early, 14N

ра́ньше compar of ра́но at one time, previously, 10N

-раски́нуться I (раски́дываться-) to spread over, to stretch out, 12AL

раско́пки pl excavation, 10ALR

-раскры́ть I (раскрыва́ть-) to open wide, to expose, 4AL

-раскра́сить II (раскра́шивать–) to color, to paint, 12AL

-распакова́ть I (распако́вывать–) to unpack, 4AL

распева́ться– I (–распе́ться) to warm up one's voice, 9AL

расписа́ние schedule, program, 1AL

-расписа́ться I (распи́сываться–) to sign one's name, 8AL

распи́сываться– I (–расписа́ться) to sign one's name, 8ALR

-распахну́ть I (распа́хивать–) to open wide, to fling open, 10AL

располо́женный set, laid out, 25BII; situated, 1AL

-расположи́ть II* to set, to lay out, 25R

распределе́ние assignment, distribution, 3AL

распределя́ть– I (–распредели́ть) to assign, to set out, 3AL

распро́данный sold out, 23SII

распростране́ние popularization, spread, 10ALR

распространённый popular, wide-spread, 10ALR

-распроща́ться I (–распрости́ться) to bid someone a final farewell, 6ALR

-рассерди́ться II* (серди́ться–) to become angry, 23RL

-рассе́чь I (рассека́ть–) to cut deeply, 10AL

рассе́янный absent-minded, 8AL

расска́з story, 7S

-рассказа́ть I* (расска́зывать–) to tell, to narrate, 17BII

расска́зик dim anecdote, tale, 6AL

расска́зывать– I (–рассказа́ть) to tell, to narrate, 6

-рассмея́ться I to burst out laughing, 3AL

-рассова́ть I (рассо́вывать–) to shove about, 8AL

расставля́ть– I (–расста́вить) to set out, to place, 10ALR

-расста́ться I (расстава́ться–) to part, to separate, 6ALR

расстоя́ние distance, 8AL

расстро́енный upset, agitated, 9AL

рассужде́ние mental step, line of reasoning, 10ALR

рассыпа́ть– I (–рассы́пать) to strew, to scatter, 4AL

раство́р solution, 12AL

растека́ться– I (–расте́чься) to be spread about, 9AL

расте́ние plant, 11AL

расте́рянный perplexed, 22R

-растеря́ться I (теря́ться–) to become distraught, 8ALR; to be taken aback, 9AL

расти́– I (–вы́расти) to grow, 11N

-растопи́ть II* (раста́пливать–) to melt, to thaw, 12AL

-растрепа́ть I (трепа́ть–) to tousle, to rumple up, 9AL

-растро́гать I to move, to touch deeply, 1AL

расхо́д expense, 19R

расхо́довать– I (–израсхо́довать) to use up, 10

расширя́ться– I (–расши́риться) to expand, to grow wider, 7AL

рациона́льный sensible, rational, 3AL

реаги́ровать– I to respond, 3AL; to react, 10AL

реакти́вный самолёт jet plane, 6

ребёнок child, 16SI

ребя́та pl kids, 5

ребяти́шки pl little kids, small children, 5AL

револю́ция revolution, 16R

регуля́рный regular, 7AL

реда́кция editorial office, editorial staff, 4AL

ре́дкий rare, 2ALR; rare, infrequent, 6AL

ре́дко seldom, 4S

ре́дкость f rarity, 5AL

режиссёр director, 9N

ре́зать– I (–наре́зать) to cut, 17G

рези́новые кало́ши pl rubber galoshes, 24R

ре́зкий strong, sharp, abrupt, 10AL

результа́т result, 25R

в результа́те as a result, 25R

рейс cruise; trip, 3AL; flight, 10ALR

река́ river, 6S

рекла́ма advertisement, 1AL

рекомендова́ть– I to recommend, 4ALR

ре́ктор head of a university, 2AL

реме́нь m strap, belt, 4AL

ремесло́ trade, 25R

ремо́нт repair(s), 8AL

-реорганизова́ть I (реорганизо́вывать–) to reorganize, 25R

репорта́ж reports, reporting, 10AL

репортёр reporter, 18BII

репроду́ктор receiver (radio), loud-speaker, 8ALR

респу́блика republic, 26M

рестора́н restaurant, 17G

рети́вый flashing, ardent, 6ALR

ре́чка dim small river, 8ALR

речно́й river, 3AL

ре́чь f speech, 9AL

реша́ть– I (–реши́ть) to decide, to solve, 17G

реша́ющий decisive, 20R

реше́ние decision, 19R

реше́нье = реше́ние, 8ALR

решётка crisscross, interlacing, 10ALR

решётчатый crisscrossed, interlaced, 10ALR

реши́тельный firm, resolute, 2ALR; decisive, 3AL

-реши́ть II (реша́ть–) to decide, 10

-реши́ться II (реша́ться–) to be determined, 2ALR

ри́жский pertaining to Riga, 9AL

Рим Rome, 9AL

-рискну́ть I (рискова́ть–) to take the risk, 8ALR

риско́ванный risky, 8AL

рискова́ть– I (–рискну́ть) to run the risk, 8ALR

рисова́ние drawing, 8S

рисова́ть– I (–нарисова́ть) to draw, 19R

ро́бкий timid, shy, 2AL

ро́вно exactly, sharp (time), 6AL

рог horn (of an animal), 8ALR

ро́дина native country (motherland), 13G

роди́тели pl parents, 3S

-роди́ться II* (роди́ться–) to be born, 20SI

ро́дственник relative, 7S

родство́ relationship, 5AL

рожде́ние

день рожде́ния birthday, 10S

рожь f rye, 12AL

ро́за rose, 15N

рокиро́вка castle, rook (in chess), 10ALR

роль f part, role, 9S

рома́н novel, 9S

рома́нс romance (musical composition), 2ALR

рома́нский Romance (descending from Ancient Rome), 5AL

романти́ческий romantic, 9AL

Росси́йская Федера́ция Russian Federation (of Republics), 10AL

Росси́я Russia, 6ALR

росстра́льная коло́нна rostral column, 25BI .

ро́ст height, stature, 25BI

ро́т, во рту́ mouth, 24SII

ро́ща grove, 26R

роя́ль *m* grand piano, 19R

руба́шка shirt, 8S

рубе́ж
　за рубежо́м abroad, 10AL

Руби́н a certain make of TV set (*literally,* a ruby), 10ALR

руби́ть– II* (–наруби́ть) to chop, 17BI

ру́бль *m* ruble, 7S

ружьё gun, rifle, 21R

рука́ hand, arm, 18BII

рука́в sleeve, 8AL

руководи́тель *m* instructor, supervisor, 1AL

руково́дство direction, guidance, 10AL

рукомесло́ handicraft, 10ALR

рукомо́йник washstand, 10AL

румы́н Rumanian (man), 2AL

Румы́ния Rumania, 2AL

румы́нка Rumanian (woman), 2AL

румя́ный rosy, ruddy, 5AL

ру́сская Russian (woman), 22G

ру́сский Russian, 7S

ру́сский Russian (man), 22BII

Русь *f* old name for Russia, 5AL

ру́чка pen, 8S; lever, handle, 8ALR

ручно́й hand, 7AL

ры́ба fish, 11S

рыба́к fisherman, 6AL

рыба́лка fishing, angling, 10ALR

рыба́чить– II to fish, 6AL

ры́бий жи́р cod-liver oil, 17R

ры́бка *dim* little fish, 7AL

ры́бный fishing, 10ALR

рыболо́в fisherman, 25G

ры́жий red, auburn, 24SII

ры́жик saffron milk-cap (an edible mushroom), 26R

ры́нок market, marketplace, 24BI

рыча́ть– II (–зарыча́ть) to growl, to snarl, 8ALR

рюкза́к knapsack, 5

рю́мка wineglass, 19R

ря́д (with 2, 3, 4, ряда́) row, 23SII; range, series, 5AL
　станови́ться в ряды́ to line up, to stand in rows, 8

ря́дом с alongside, next to, 16R

С

с (со) with, 14N; from, 18R

са́д, в саду́ garden, 11S; park, 15

сади́ться– II* (–се́сть) to sit down, 8; to enter or board a vehicle, 4AL

сажа́ть– I (–посади́ть) to set down, to land, 8ALR

са́лить– II to tag (in a child's game), 8AL

сало́н salon, 7AL

са́м itself, oneself, 17BI

самова́р samovar, 17R

самова́рный samovar, 12AL

самова́рчик a miniature samover, 12AL

самоде́ятельность *f* amateur talent activities, 10AL

самодово́льный smug, 8ALR

самолёт airplane, 6

самолю́бие self-respect, pride, 10AL

са́мый the very, the most, 15N
　то́ же са́мое the same thing, 16R

санато́рий health resort, 10AL

са́ни *pl* sleigh, 24R; sled, 12AL

са́нки *pl* sleigh, 12

сантиме́тр centimeter, 25BI

сапфи́р sapphire, 11AL

са́хар sugar, 14

са́харный sugar, 2ALR

сбега́ть– I (–сбежа́ть) to run down, 4AL

сберка́сса (сберега́тельная ка́сса) savings bank, safety deposit, 8AL

сближа́ть– I to bring together, 12AL

сбор harvest, gathering, 26R

сбо́ры *pl* preparations for a trip, 4AL

сбо́рная all-star team, 10AL

сбо́рник collection, 22SI

–сбри́ть I (сбрива́ть–) to shave off, 25R

сбыва́ться– I (–сбы́ться) to come true, 23R

–сбы́ться I (сбыва́ться–) to come true, 23R

сва́дьба wedding, 9AL

–свари́ть II* (вари́ть–) to cook, 17SI

све́дения *pl* information, 2AL

све́жий fresh, 21SI

свёкла beet(s), 15

сверка́ть– I (–сверкну́ть) to sparkle, to glitter, 8AL

–свести́ I (своди́ть–)
　свести́ с ума́ to drive to distraction, 9AL

све́т light, 17BI; world, 4AL

света́ть– I to become day, 21BII

свети́ть– II* to shine, 21G

свети́ться– II* to burn, to glow, 4ALR

све́тленький *dim* fair-complexioned, 5AL

све́тлый light, 10S; bright, sunny, 19G

светово́й light, luminous, 3AL

светофо́р traffic light, 8AL

свида́ние meeting
　До свида́ния! Good-by! 15

свиде́тельство testimony, evidence, 10ALR

свиде́тельствовать– I (–засвиде́тельствовать) to give evidence, 10ALR

свинья́ pig, 8ALR

свисто́к whistle, 18BII

сви́тер sweater, 5S

свобо́да freedom, 16R

свобо́дный free, 3S; fluent, 22BII

сво́д arch, vault, 8AL

своди́ть– II* to tear one's eyes away, to take away, 8ALR

сво́дка пого́ды weather report, 21SI

своеобра́зие individual style, distinctive style, 8AL

сво́й one's own, 16R

свы́ше over, more than, 2AL

свя́занный tied, 21R

свя́зывать– I (–связа́ть) to connect, to link, 7AL

свя́зь *f* contact, connection, 8ALR
　отделе́ние свя́зи branch post office, 8AL

свято́й sacred, holy, 8AL

сгреба́ть– I (–сгрести́) to rake up, 12AL

сдава́ть– I (–сда́ть)
　сдава́ть в бага́ж чемода́н check a suitcase (in), 6

–сда́ть I (сдава́ть–) to hand in, to send, 8AL
　сда́ть экза́мен to pass an exam, 1AL

сда́ча change (money), 26SII

–сдви́нуть I (сдвига́ть–) to move, 19BII

–сде́лать I (де́лать–) to do, 13G

сдо́ба fancy bread, 12AL

сеа́нс show, performance, 7AL

себе́ myself, oneself, 17BI
　так себе́ so-so, 2

себя́ oneself, 7
　чу́вствовать себя́ to feel, 7

Севасто́поль *m* Sevastopol, 11N

сéвер north, 21SII
сéверный northern, 26R
Сéверный пóлюс North Pole, 20R
северокитáйский North Chinese, 26R
сегóдня today, 2
седина́ gray hair, 6AL
седóй gray-haired, gray, 6AL
седьмóй seventh, 18SI
сезóн season, 10AL
сейчáс now, 13
секретáрь *m* secretary, 9AL
секу́нда second, 20R
селёдка herring, 12AL
сéлезень *m* drake, 8AL
селó village, 6
семéйный family, 10AL
семéйство family, 19BI
сéмечки *pl* sunflower seeds, 18BI
семилéтка seven-year school,
  elementary school, 10AL
семинáр seminar, 1AL
семнáдцать seventeen, 13S
сéмь seven, 3S
сéмьдесят seventy, 13S
семья́ family, 16BI
сентиментáльный sentimental,
  2ALR
сентя́брь *m* September, 12S
сердéчность *f* cordiality, sincere
  warmth, 3AL
сердéчный heartfelt, 6AL
  сердéчная тоска́ heartfelt longing,
  6AL
серди́тый angry, 19BII
серди́ться-II* (–рассерди́ться) to be
  angry, to get angry, 18R
сéрдце heart, 6ALR
серебри́стый silvery, 10AL
серéбряный silver, 15
середи́на middle, 26R
сéрия series, 22BI
сéрый gray, 24R
серьёзный serious, 22SII
серя́тина dullness, tedium, 4AL
сéссия session, examination period,
  2AL
сестра́ sister, 3
–сéсть I (сади́ться–) to sit down,
  20R
сéть *f* network, 7AL
сéтка baggage rack, net, 7AL
сиби́рский Siberian, 11AL
сжига́ть– I (–сжéчь) to burn (to
  ashes), 12AL
Сиби́рь *f* Siberia, 17G

сига́ра cigar, 24R
сидéть– II* (–посидéть) to sit, 6S
си́ла strength, 4AL
  изо всéх си́л with all one's might,
  4AL
си́льный powerful, strong, 10
си́мвол symbol, 12AL
симметри́чный symmetrical, 10ALR
симпати́чный likable, congenial, 7S
симфони́ческий symphonic, 8N
симфóния symphony, 16G
си́ний dark blue, 8S
сирéнь *f* lilacs, 15
Си́рия Syria, 11AL
систéма system, 10ALR
ситрó *indecl* soda pop, 15
сия́ть– I to beam, to shine, 21R
–сказáть I (говори́ть–) to speak, to
  say, 13G
скáзка tale, 22BI
скала́ cliff, 11S; boulder, rock, 11AL
скáльп scalp, 2ALR
скамéйка bench, 4AL
Скандина́вия Scandinavia, 6ALR
скандина́вский Scandinavian, 25D
скáтерть *f* tablecloth, 19R
сквéр square, 23R
сквóзь through, into, 2ALR, 6AL
склáдывать– I (–сложи́ть) to add
  (arithmetic), 10ALR
склáдываться– I (–сложи́ться) to
  be formed, to take shape, 6ALR
склóн slope, 7AL
сковорода́ frying pan, 8AL
сковорóдка small frying pan, 12AL
скóльзкий slippery, 21SI
скóлько how much, how many, 3S
  Скóлько лéт, скóлько зи́м! How
  long it's been since we've seen each
  other! 16BII
  Скóлько с меня́? How much do I
  owe you? 23SI
сконфу́женный confused,
  disconcerted, 9AL
скорбéть– II to grieve, to mourn, 9AL
скорéе rather, 5AL
  скорéе всегó most probably, 12AL
скоростнóй high-speed, 7AL
скóрый soon, fast, 11N; express, 6AL
скрежетáть– I* (–заскрежетáть) to
  screech, 18R
скри́п scratching, creak, 2ALR
скри́пка violin, 10AL
скрывáться– I (–скры́ться) to
  disappear, to hide, 8ALR

–скры́ться I (скрывáться–) to hide,
  9AL
ску́ка boredom, 17R
скучáть– I to be bored, 21BI
ску́чный boring, dull, 7S
слáбый weak, 10S
слáва glory, 24BII
слáвиться– II (–прослáвиться) to be
  praised, 12AL
слáвный glorious, renowned, 6AL
славяни́зм an expression deriving from
  a Slavic language, 5AL
славя́нский Slavic, 22BII
слáдкий sweet, 26BI
слалóм slalom, 10AL
слéва on the left, 6S
слéд track, footprint, 21BII
слéдовательно therefore, 10ALR
слéдовать– I (–послéдовать) to
  follow, to come after, 10ALR
слéдующий next, 24R; following, 2AL
слеза́ tear, 3AL
сли́ва plum, 26SI
сли́вки cream, 26SII
сли́вочное мáсло sweet butter, 12AL
сли́вочное морóженое vanilla ice
  cream, 26SII
сли́шком too, too much, too many, 21R
словáрь *m* dictionary, 8S
словáцкий Slovak, 5AL
слóвно like (*prep*), 10AL
слóво word, 10S
  «Слóво о полку́ Игореве» "The
  Lay of Igor's Campaign," 5AL
слóг syllable, 6AL
сложéние addition (arithmetic), 10ALR
–сложи́ться II* (склáдываться–) to
  take shape, to be formed, 5AL
слóй layer, stratum, 5AL
–сломáть I (ломáть–) to break, 21R
–сломи́ть II* to break, to crack, 10AL
слóн elephant, 14
слоня́ться– I to wander aimlessly, to
  loiter, 1AL
слуга́ servant, 6ALR
служи́ть– II* to serve, to provide
  service to, 7AL
слу́чай incident, 23BI; case, instance,
  6AL
  во вся́ком слу́чае in any case, 23BI
случáйность *f* accident, chance, 5AL
случáйный accidental, casual,
  incidental, 22BI
случáться– I (–случи́ться) to
  happen, 16R

-случи́ться I (случа́ться-) to happen, 16R

слу́шать- I (–послу́шать) to listen, 4

слу́шаться- I (–послу́шаться) to obey, to heed, 6ALR

слы́хивать- (*not used in present tense*) to hear, 6AL

слы́шать- II (–услы́шать) to hear, 6

слы́шный heard, audible, 19R

сме́лый bold, daring, 2ALR, 10AL

смельча́к daredevil, 8AL

сменя́ть- I (–смени́ть) to replace, to change, 26R

сменя́ться- I (–смени́ться) to yield, 10AL

смерть *f* death, 6ALR

смета́на sour cream, 10ALR

смех laughter, laugh, 3AL

смешне́е *compar of* смешно́й, 16R

смешно́й funny, 7S

смея́ться- I (–засмея́ться) to laugh, 17R

смо́кинг dinner jacket, 9AL

смотре́ть- II* (–посмотре́ть) to look, to watch, 4

–смочь I* (мочь-) to be able to, 17BI

–смути́ть II (смуща́ть-) to confuse, to trouble, 1AL

сму́тный vaguely, 9AL

смуща́ть- I (–смути́ть) to confuse, to trouble, 1AL

смысл meaning, sense, 4AL

–смять I (мять-) to crumple, to wrinkle, 4AL

снаряже́ние equipment, gear, 10ALR

снача́ла at first, 20R

снег, на снегу́ snow, 12

идёт снег it's snowing, 12

снегоочисти́тель *m* snowplow, 12

снежки́ *pl* snowballs, 12

сне́жный snow, 21R

снима́ть- I (–снять) to take off, to remove, 19R; to photograph, 17BII

сни́мок picture, photo, 17BII

снисходи́тельный patronizing, condescending, 2ALR

сни́ться- II (–присни́ться) to dream, 23R

сно́ва once more, again, 2ALR, 9AL

–снять I* (снима́ть-) to take off, to remove, 19G; to photograph, 17G

соба́ка dog, 14S

соба́чий dog's, 21BI

собáчий хо́лод beastly cold, 21BI

соба́чка *dim* little dog, 24SII

собира́ние collecting, gathering, 10AL

собира́ть- I (–собра́ть) to gather, to pick, 11S; to collect, 22I

собира́ться- I (–собра́ться) to plant to go, 9S; to plan, 10

собла́зн temptation, 10AL

соблюда́ть- I (–соблюсти́) to observe, to keep, 8ALR

собо́р cathedral, 20BI

собо́рный cathedral, 7AL

собра́ние meeting, 9S

–собра́ть I (собира́ть-) to gather, 12AL

со́бственный special, own, personal, 4AL

собы́тие event, happening, 10AL

соверше́нно quite, 5AL

соверше́нно одина́ково just as equally, 5AL

–соверши́ть II (соверша́ть-) to complete, to accomplish, 20BI

со́вестно

Как тебе́ не со́вестно! You should be ashamed of yourself! 8ALR

сове́т advice, 21R

сове́товать- I (–посове́товать) to advise, 22R

сове́тский Soviet, 3S

совеща́ние meeting, conference, 10AL

совме́стный joint, combined, 2AL

совме́стное обуче́ние coeducation, 2AL

совпада́ть- (–совпа́сть) to coincide, 10ALR

совпаде́ние coincidence, 5AL

–совра́ть I (врать-) to lie, 17G

совреме́нник contemporary, 10ALR

совреме́нный modern, contemporary, 2ALR

совсе́м completely, 7

совсе́м не та́к пло́хо not all that bad, 19BII

совхо́з state farm, 11AL

–согласи́ться II* (соглаша́ться-) to agree, 4ALR

согла́сный

бы́ть согла́сным to agree, 3S

соглаша́ться- I (–согласи́ться) to agree, 2ALR

соглаше́ние agreement, 7AL

со́да baking soda, 12AL

Соединённые Шта́ты *pl* the United States, 9S

соединя́ть- I (–соедини́ть) to unite, to connect, 25R

сожале́ние regret, 16R

к сожале́нию unfortunately, 16R

сожале́ть- I to regret, 10AL

–созда́ть I (создава́ть-) to create, to establish, 9AL

–созна́ться I (сознава́ться-) to confess, 10AL

–сойти́ I (сходи́ть-) to go down, to get off, 4AL

сойти́ с ума́ to go crazy, 4AL

сок juice, 17G

со́кол falcon, 7

солда́т soldier, 24R

солёный salty, salted, 26BII

со́лнечный

со́лнечные очки́ dark glasses, 17G

со́лнце sun, 12N

соло́ма straw, 12AL

соло́менный straw, 17BI

соло́нка saltshaker, 12AL

соль *f* salt, 26R

соляно́й salt, 12AL

сомнева́ться- I to have one's doubts, 19BII

сомне́ние doubt, 19R

сон dream, sleep, 19BI

сон наяву́ waking dream, 9AL

сообща́ть- I (–сообщи́ть) to report, 7

сообще́ние service, communication, report, 7AL

сооружа́ть- I (–сооруди́ть) to build, 12AL

сооруже́ние structure, 7AL

соотве́тствовать- I to correspond, to belong, 5AL

сопе́рник rival, competitor, 10ALR

сопротивле́ние opposition, resistance, 10AL

соревнова́ние competition, rivalry, 10AL

со́рок forty, 13S

сорт sort, kind, 8AL

сосе́д neighbor (man), 6B

сосе́дка neighbor (woman), 17RI

сосе́дний neighboring, 25R

сосна́ pine, 26BI

соста́в composition, 26R

–соста́вить II (составля́ть-) to compose, to make up, 1AL

–соста́риться II (ста́риться-) to grow old, 1AL

состоя́ние condition, 4ALR

состоя́ть– **II** to consist of, to be, 2ALR; to be made up of, 5AL

–состоя́ться **II** to take place, 9AL

состяза́ние match, competition, 18BI

сот

   не́сколько со́т several hundred, 25BII

со́тня (a group of) a hundred, 3AL

со́ус gravy, sauce, 26R

софи́йский of St. Sophia, 22BI

сохранённый reserved, 10ALR

–сохрани́ться **II** (сохраня́ться–) to be preserved, 6ALR, 7AL

сохра́нность *f* protection, 25BI

сохраня́ть– **I** (–сохрани́ть) to retain, to preserve, 5AL

социалисти́ческий socialist, 2ALR

сочине́ние composition, 1AL

сочиня́ть– **I** (–сочини́ть) to compose, 12AL

сочу́вствовать– **I** (–посочу́вствовать) to sympathize with, to feel sympathy for, 9AL

сою́з union, 9S

со́я soybean, 12AL

спа́льный мешо́к sleeping bag, 5

спа́льня bedroom, 19SI

спа́ржа asparagus, 14R

спаси́бо thanks, 2

спать– **II*** (–поспа́ть) to sleep, 14N

спекта́кль *m* performance, 23BII

спе́лый ripe, 26BI

сперва́ first of all, 10AL

–спеть **I** (петь–) to sing, 24R

специализи́рованный specialized, 8AL

специали́ст specialist, authority, 2ALR

специа́льный special, 15N

спеши́ть– **II** (–поспеши́ть) to hurry, 6

спина́ back, 24R

спи́сок list, 4AL

спи́чечный коробо́к matchbox, 12AL

спи́чка match, 5S

спозара́нок very early in the morning, at the crack of dawn, 8AL

споко́йный calm, peaceful, quiet, 16SII

   Споко́йной но́чи. Good night. 16SII

споко́йствие calm, composure, 8ALR

спо́рить– **II** (–поспо́рить) to argue, to quarrel, 18BI

спо́рт sport(s), 12

спорти́вный sports, 4S

спортсме́н sportsman, 18R

спо́соб way, means, 22R; method, 10ALR

спосо́бствовать– **I** (–поспосо́бствовать) to favor, to be conducive to, 10ALR

спра́ва on the right, 6

спра́вочник directory, reference book, 22R

спра́вочный

   спра́вочное бюро́ information bureau, 8AL

спра́шивать– **I** (–спроси́ть) to ask, to inquire, 4S

–спроси́ть **II*** (спра́шивать–) to ask, to inquire, 13G

–спря́тать **I** (пря́тать–) to hide, 24R

спу́ск descent, 7AL

спуска́ться– **I** (–спусти́ться) to go down, 19R

–спусти́ться **II*** (спуска́ться–) to go down, 15

спу́тник companion, satellite, 21BI

спу́тница companion (female), 8ALR

спя́чка hibernation, 8ALR

спя́щий sleeping, 9AL

сравне́ние comparison, 6AL

сра́внивать– **I** (–сравни́ть) to compare, 5AL

сравни́тельный comparative, 10ALR

–сравни́ть **II** (сра́внивать–) to compare, 9

сраже́ние battle, 12AL

сра́зу immediately, at once, 16R

среда́ Wednesday, 9S

среди́ among, 24R

средневеко́вый medieval, 10ALR

сре́дний

   в сре́днем on the average, 2ALR

сродни́ related, akin, 10ALR

сро́к

   до сро́ка before one's time, prematurely, 6AL

   До сро́ка да́л мне седину́! Made me gray before my time! 6AL

сро́чный urgent, 4ALR

–сруби́ть **II*** (руби́ть–) to cut down, to fell, 11AL

срыва́ть– **I** (–сорва́ть) to tear off, 8ALR

ссо́риться– **II** (–поссо́риться) to quarrel, 19BI

ста́вить– **II** (–поста́вить) to put, 13

   ста́вить отме́тки to give grades, 13

стадио́н stadium, 2

ста́ж length of service, work experience, 2AL

стака́н glass, 17R

ста́лкиваться– **I** (–столкну́ться) to collide, 11AL

станови́ться– **II*** (–стать) to become, to get, to stand, 17G

ста́нция station, 16R

стара́тельный painstaking, diligent, 6AL

стара́ться– **I** (–постара́ться) to try, 21R

ста́ренький *dim* little old, 24R

ста́рец *arch* = стари́к

ста́рче *vocative case*, 6AL

стари́к old man, 26R

старина́ the old days, 8AL

   в старину́ in olden days, 6ALR

стари́нный ancient, 22BI; very old, 2ALR

старода́вний = дре́вний, 6ALR

старода́вность *f* = дре́вность, 6ALR

ста́рость *f* old age, 6AL

ста́рт start, launch, 20R

ста́ртовый starting, 20R

старуха old woman, 6AL

ста́рше *compar of* ста́рый, 20SI

ста́рший older, senior, upper, advanced, 2AL

ста́рый old, 7S

ста́туя statue, 23R

–стать **I** (станови́ться–) to become, to get, to stand, 16R; to begin, 17R

   во что́ бы то́ ни ста́ло no matter what might happen, at any cost, 4ALR; no matter what, by all means, 8AL

статья́ article, 9S

стекло́ glass, 19R

стекля́нный glass, 19BII

стена́ wall, 19SI

сте́пь *f* steppe, 4AL

стиль *m* style, 16BI

сти́льный stylish, 4AL

сти́рка laundry, 8AL

стихи́ *pl* poetry, 2ALR; verses, 5AL

стихотворе́ние poem, 7S

сто́ one hundred, 13S

сто́имость *f* cost, 8AL

сто́ить– **II** to cost, 13S; to be worth, 6AL

сто́л table, 12S

столб post, pillar, 10AL

столетие century, 7AL

столик *dim* small table, 19R

столб column, 12N

    столбом in a column, 12N

столица capital (of a country), 20BI

столовая dining room, cafeteria, 19SI

столь so many, 9AL

столько so much, so many, 4ALR

столяр carpenter, 24R

стоп stop, 20R

сторож guard, 15

сторона side, 20BII; direction, 1AL

стоянка taxi stand, 8AL

стоять– II (–постоять) to stand, 6; to stop, 12N

страна country, 9S

страница page, 13

странный strange, 16R

страх fear, 20R

страшный terrible, 3AL

стрелка arrow, hand (of a clock), 23R

стремя *n* stirrup, 6ALR

стриженный closely cropped, short-haired, 2ALR

строгий strict, severe, 20R; austere, 25BI

строительство construction, 6ALR; structure, 12AL

строить– II (–построить) to build, 18G

строй system, network, 12AL

стройный well-built, slender, 3AL

строчка line (of poetry), 17R

студент student (man), 7N

студентка student (woman), 8S

стук knock, knocking, 2AL

стул chair, 19BI

ступать– I (–ступить) to move, to step, 6AL

–ступить II* (ступать–) to step, to set foot, 6ALR

стучать– II (–стукнуть) to knock, 4AL

стыдно (it is) shameful, 2ALR

стюардесса stewardess, 7AL

–стянуть I* (стягивать–) to tighten, to bind, 4AL

суббота Saturday, 9S

субтропический subtropical, 11AL

сувенир souvenir, 8AL

сугроб snowdrift, 4ALR

судно ship, vessel, 3AL

суеверие superstition, 10AL

суеверный superstitious, 8ALR

сумерки *pl* dusk, twilight, 2ALR, 3AL

сумка pocketbook, 5S; book bag, 8; pouch, 8ALR

сундук box (freight), 4ALR; trunk, chest, 5AL

судья *m* referee, 18BII

сумма sum, 10ALR

суп soup, 17G

суровый severe, stern, 10AL

сутки *pl* twenty-four hours, 7AL

сухой dry, 10ALR; dry, arid, 12AL

существенный substantial, considerable, 5AL

существовать– I (–просуществовать) to exist, 5AL

–сфотографировать I (фотографировать–) to photograph, 17G

–схватить II* (схватывать–) to grab, to seize, 8ALR

сходить– II* (–сойти) to go down, to get off, 25BII

сходный similar, 5AL

сходство likeness, similarity, 5AL

сцена stage; scene, 19R

счастливец lucky one, 19R

счастливый fortunate, happy, lucky, 18R

счастье happiness, good luck, 1AL

–счесть I to interpret as, to take for, 5AL

счёт score, 18BII

считалка a rhyme used in a child's game, 8AL

считать– I (–посчитать) to consider, to count, 18R

США (Соединённые Штаты Америки) U.S.A., 20SI

–сшить I (шить–) to sew, to make, 4AL

съезд convention, congress, conference, 7AL

    Дворец съездов Convention Palace, 7AL

–съесть II* (есть–) to eat, 17R

–сыграть I (играть–) to play, 19R

сын son, 16BI

сынок *dim* son, sonny, 1AL

сыр cheese, 24R

сырой damp, 10ALR

сюда over here, 12S

сюжет subject, theme, 2ALR

сюрприз surprise, 9N

T

табак tobacco, 24G

табачный tobacco shop (*noun*), tobacco (*adj*), 8AL

табличка street sign, signboard, 8AL

таинственный mysterious, 23R

тайга taiga, 11AL

тайна mystery, secret, 6ALR

так so much, so, 13

    так как since, inasmuch as, 4AL

    так называемый so-called, 21BI

    так себе so-so, 2

такой such, 7

    такой же the same, 5AL

такса dachshund, 14N

такси *n indecl* taxi, 6S

талант talent, 24R

талантливый talented, 24BI

там there, 2

танец dance, 11

танк tank (military), 18R

танцевать– I (–потанцевать) to dance, 9S

танцевальный dancing, 10AL

танцовщик dancer (man), 23BII

тарелка plate, 17RI

татарин a Tatar (man), 5AL

татарский Tatar, 5AL

тащить– II* (таскать–)(–потащить) to drag, to pull, 4AL

твёрдый hard (not soft), firm, 17R

твой your, 5S

творение creation, work, 5AL

творог cottage cheese, 12AL

творческий artistic, creative, 9AL

творчество creativeness, creativity, 10ALR

театр theater, 9

театральный theater, 24G

текст text, 6AL

текстиль *m* woven fabrics, textiles, 12AL

телевидение television, 10AL

телевизор television, television set, 4

телега cart, wagon, 6ALR, 12AL

телеграмма telegram, 12S

телеграф telegraph office, telegraph, 8AL

телеграфировать– I (–протелеграфировать) to send a telegram, to telegraph, 8ALR телефо́н telephone, 6S

по телефо́ну on the telephone, 4

телефо́н-автома́т telephone booth, 9S

телефони́ровать– I (–протелефони́ровать) to telephone, 19R

те́ло body, 4ALR, 8AL

те́ма theme, 16R; theme, topic, 1AL

темати́ческий subject, thematic, 10ALR

темне́ть– I (–потемне́ть) to get dark, 21BII

тёмно-кори́чневый dark brown, 26R

темнота́ darkness, 4ALR

тёмный dark, 10

тёмные очки́ sunglasses, 17SII

Те́мп a certain make of TV set, 10ALR

температу́ра temperature, 7

те́ннис tennis, 4S

те́ннисный tennis, 18D

теорети́чески in theory, 10ALR

тео́рия theory, 20R

тепе́решний present-day, 11AL

тепе́рь now, 3S

теплоцентра́ль m central-heating plant, 4AL

тёплый warm, 12

терапи́я therapy, 3AL

тере́ть– I (–натере́ть) to polish, to rub, 10AL

те́рмин term, 1AL

терминоло́гия terminology, 10ALR

термо́метр thermometer, 21BI

терпе́ние patience, 22R

терпе́ть– II* (–потерпе́ть) to undergo, to suffer, 8ALR

терра́са terrace, 10AL

террито́рия territory, land, 11AL

теря́ть– I (–потеря́ть) to lose, 26BII

тесни́ть– II (–потесни́ть) to crowd, to press, 10AL

те́сный cramped, 25R; close, 5AL

те́сто dough, 10ALR

тетра́дка notebook, 8

тётка aunt, 24R

тётя *colloq* aunt, 7S

те́хник technician, 20BI

те́хника technology, 12AL

те́хникум technical school, 1AL

техни́ческий technical, technician's, 10AL

тече́ние passage, course, 5AL

течь– I (–поте́чь) to flow, 6AL

тибе́тец Tibetan, 26R

тигр tiger, 21G

ти́кать– I to tick, 8ALR

ти́на mud, muck, 6AL

тип type, 11AL

типи́чный typical, 24BI

типогра́фия printing plant, 2ALR

тира́ж printing, edition, 2ALR

ти́тул title, 25R

ти́хий quiet, 15

тихо́нько softly, gently, 9AL

тихоокеа́нский pertaining to the Pacific Ocean, 11AL

тишина́ silence, quiet, 2ALR

ткань *f* fabric, cloth, 12AL

то then, 18BI; (*particle*) just, precisely, 2AL

Тебе́-то что? But what difference is that to you? 2AL

то есть (т.е) that is (i.e.), 4AL

това́рищ comrade, 7

тогда́ then, 9

то́же also, 2

толка́ть– I (–толкну́ть) to shove, to push, 9AL

толпа́ crowd, 19R

то́лстый thick, 26R

то́лько just, only, 4

то́лько что just, 12S

тому́ наза́д ago, 13S

том volume, 2ALR

то́мик little book, little volume, 6AL

то́нна ton, 23R

топи́ть– II* (–протопи́ть) to heat, 12N

то́поль *m* poplar (tree), 6ALR

топоно́мический pertaining to place names, toponymical, 11AL

топо́р ax, 4ALR

торго́вля trade, commerce, 6ALR

торго́вый trade, commercial, 6ALR

торже́ственность *f* festiveness, solemnity, 9AL

торже́ственный festive, gala, 20BII

торжество́ celebration, festival, 10ALR

то́рмоз brake, 18R

тормози́ть– II (–затормози́ть) to put on the brake, 8AL

торопи́ть– II* (–поторопи́ть) to hurry, 8ALR

торча́ть– II to break out, to jut out, 4ALR

то́-сё this and that, 10AL

тоска́ longing, 6AL

серде́чная тоска́ heartfelt longing, 6AL

тот that, the other, 16BII

к тому́ же furthermore, 16BI

ме́сяц тому́ наза́д a month ago, 13S

о том, ка́к about how, 16G

о том, что what, about what, 18G

то́ же са́мое the same thing, 16R

тот же the same, 22R

то́чка point, 31; stop (in telegram), 8ALR

то́чка зре́ния point of view, 5AL

то́чный exact, 18BII

трава́ grass, 6AL

морска́я трава́ seaweed, 6AL

траге́дия tragedy, 5AL

траги́ческий tragic, 9AL

традицио́нный traditional, 7AL

тради́ция tradition, 4AL

тракто́вка interpretation, treatment, 9AL

трамва́й trolley, 15

трампли́н springboard, trampoline, 10AL

транзи́т transit, 7AL

транзи́том in transit, 7AL

тра́нспорт transportation, transport, 5AL

тра́нспортный travel, transportation, 8AL

транссиби́рский Trans-Siberian, 7AL

трап ramp, 8ALR

трапе́ция trapeze, 24BI

тре́бовать– I (–потре́бовать) to require, to demand, 4ALR

трево́га terror, alarm, 3AL

трель *f* trill, 1AL

тре́нер trainer, 24BI; coach, 10AL

тренирова́ть– I to train, 19R

тренирова́ться– I (–натренирова́ться) to practice, 18R

трениро́вка training, 19R

тре́тий third, 14N

в-тре́тьих third(ly), in the third place, 5AL

трёхэта́жный three-storied, 19R; three-story, 8AL

треща́ть– II to crackle, to snap, 4AL

трибу́на stand (for spectators), 18BII

тригономе́трия trigonometry, 1AL

три́дцать thirty, 13S

трина́дцать thirteen, 13S

триу́мф triumph, 9AL

тро́гать– I (–тро́нуть) to touch, 19BII

тро́йка a "Satisfactory" (grade of three), 13; carriage or sleigh drawn by three horses running side by side, 6AL троллейбус trolley bus, 23R

трон throne, 25R

тронный зал throne room, 7AL

–тронуть I (трогать–) to touch, 19RL

–тронуться I (трогаться–) to start moving, 3AL

тропический tropical, 2ALR, 11AL

тростник cane, reed, 2ALR

тротуар sidewalk, 23R

трубка receiver (telephone), 8ALR

труд effort, labor, 8ALR; difficulty, 10AL

трудности pl difficulty, 6AL

трудный hard, difficult, 7

трудовой working, labor(ing), 2ALR

трудящийся worker, 12AL

труппа troupe, 9AL

трус coward, 8ALR

трусоватый faint-hearted, cowardly, 8ALR

тряпка rag, 10AL

трясти– I to shake, 7AL

   Трясло невероятно. It was incredibly rough. 7AL

туда there, 6S

тульский of Tula (a city south of Moscow), 12AL

туман fog, mist, 4ALR, 6AL

туннель m tunnel, 23R

тундра tundra, 21R

турист tourist, 11N

туристка tourist (woman), 25R

туристский touring, tourist, 10ALR; tourist, 12AL

туркмен Turkmen (man), 5AL

Туркмения Turkmenistan, Turkmen S.S.R., 11AL

турок Turk (man), 5AL

тут here, 2

   Не тут то было! It hasn't turned out that way! 19BII

туфли pl shoes, 24SII

туча dark cloud, storm cloud, 4AL

тушить– II* (–потушить) to extinguish, to put out, 8ALR

ты you, 3

тысяча thousand, 4ALR

тысячелетний thousand-year, 10ALR

тьма darkness, 1AL

тюлень m seal (animal), 14

тюркский Turkic, 5AL

тяжёлый heavy, 24G; grim, 4ALR; difficult, laborious, 12AL

У

у by, at, 5

убегать– I (–убежать) to run off, 8ALR; to flee, to run away, 9AL

–убежать I (убегать–) to run away, 24R

убивать– I (–убить) to kill, 21R

убирать– I (–убрать) to remove, to tidy up, 2AL

–убить I (убивать–) to kill, 21R

уборная toilet, 19SI; dressing room, 9AL

уборщица cleaning woman, 2AL

убрать постель to make a bed, 15

убывать– I (–убыть) to diminish, 10ALR

уважаемый honored, respected, 7AL

уважение respect, esteem, 12AL

увеличиваться– I (–увеличиться) to rise, to increase, 8AL

–увеличиться II (увеличиваться–) to increase, to rise, 12AL

уверенность f confidence, certainty, 2AL

уверенный sure, 3S; certain, self-assured, 22R

уверять– I (–уверить) to assure, to try to convince, 1AL

–увидать II to see, 8AL

–увидеть II (видеть–) to see, 13G

увлекательный fascinating, absorbing, 10AL

увлекать– I (–увлечь) to carry along, to captivate, to enthrall, 10AL

увлечение passion, enthusiasm, 10AL

–увлечь I (увлекать–) to fascinate, to enthrall, 10AL

уводить– II* (–увести) to lead away, 24R

увозить– II* (–увезти) to drive away, to take away (in a vehicle), 24R

–угадать I (угадывать–) to guess correctly, 8ALR

–уговорить II (уговаривать–) to persuade, to convince, 4AL

угол, в углу corner, 23R

–угостить II (угощать–) to entertain, to treat, 3AL

угощать– I (–угостить) to treat, to regale, 7AL

удаваться– I (–удаться) to be successful, 9AL

удалой

   разгулье удалое daring revelry, 6AL

удар blow, assault, 28R; kick, stroke, 10AL

–ударить II (ударять–) to hit, to strike, 24R

–удаться II (удаваться–) to turn out well, to prove successful, 8ALR

   И вам это удастся? Can you pull it off? 8ALR

удача success, good luck, 8ALR

–держать II* (удерживать–) to retain, 10AL

удивительный surprising, 22R; wonderful, 5AL

–удивить II (удивлять–) to surprise, 21R

удивление surprise, 23R

удивлённый astonished, 2ALR; amazed, surprised, 3AL

удивлять– I (–удивить) to surprise, 21R

удить– II* to fish for, 11S

удобный comfortable, convenient, 19BI

удовольствие pleasure, 4AL; amusement, 10AL

–удостоить II (удостаивать–) to award, 9AL

удочка fishing rod, 17S

–удрать I (удирать–) to dash off, to hurry off, 9AL

уезжать– I (–уехать) to leave, 26G

–уехать I (уезжать–) to go off (by vehicle), to ride away, 9AL

уж really, indeed, 19BII

ужаленный (snake-)bitten, 6ALR

ужас horror, terror, 4AL

ужасный awful, 21SI

уже already, 4

ужин supper, 11S

ужинать– I (–поужинать) to have supper, 11S

узбек an Uzbek (man), 5AL

Узбекистан Uzbekistan, Uzbek S.S.R., 11AL

узел bundle, parcel, 8AL

узкий narrow, 25BII

узнавать– I (–узнать) to recognize, 19BII; to find out, 22RL

–узнать I (узнавать–) to find out, 16R; to recognize, 22RL

узник prisoner, 6AL

–уйти I (уходить–) to go away, to leave, 21R

указатель m direction sign, 8AL

–указать I (указывать–) to indicate, to point to, 2AL

ука́зывать– I (–указа́ть) to indicate, to point to, 8ALR

ука́чивать– I (–укача́ть) to make one sick (from motion of a vehicle), 8ALR

укла́дывать– I (–уложи́ть) to pack, to stow, 4AL

Украи́на Ukraine, 23BI

украи́нец Ukrainian (man), 5AL

украи́нский Ukrainian, 5AL

по–украи́нски in Ukrainian, 5AL

–укра́сить II (украша́ть–) to decorate, to adorn, 12AL

–укра́ситься II (украша́ться–) to be adorned, 11AL

украша́ть– I (–укра́сить) to adorn, to make beautiful, 4AL

укра́шенный decorated, 8

–укрепи́ть II (укрепля́ть–) to fasten down, to make secure, 4ALR

укрепля́ть– I (–укрепи́ть) to build up, to strengthen, 10AL

укрыва́ть– I (–укры́ть) to cover, to cover over, 24BI

–укры́ться II (укрыва́ться–) to cover oneself, to wrap oneself, 11AL

уку́с bite, sting, 6ALR

у́лей beehive, 6ALR

улета́ть– I (–улете́ть) to fly away, 24G

–улете́ть II (улета́ть–) to leave (by plane), to fly away, 8ALR

у́лица street, 8

–уложи́ть II* (укла́дывать–) to pack, to stow, 4ALR

улыба́ться– I (–улыбну́ться) to smile, 19BI

улы́бка smile, 19BII

–улыбну́ться I (улыба́ться–) to smile, 19G

ум mind, intelligence, 1AL

уме́лый skillful, able, 10AL

–умере́ть I (умира́ть–) to die, 21R

уме́ть– I (–суме́ть) to know how to, 4S

умира́ть– I (–умере́ть) to die, 21R

–умно́жить II (умножа́ть–) to multiply, 10ALR

у́мный intelligent, 7S

умоля́ть– I (–умоли́ть) to beg, to implore, 3AL

–унести́ I (уноси́ть–) to carry away, 4ALR

универма́г (универса́льный магази́н) department store, 8AL

универса́льный general, universal, 10ALR

университе́т university, 2

уничто́женный crushed, devastated, 2ALR

уноси́ть– II* (–унести́) to carry away, 24R

–упакова́ть I (упако́вывать–) to pack up, 4ALR

–упа́сть I (па́дать–) to fall, to falter, 8ALR

упо́р

глядеть в упо́р to look steadily, to stare, 8AL

–употреби́ть II (употребля́ть–) to use, to employ, 1AL

управдо́м building superintendent, 19SII

управле́ние management, direction, 3AL

медуправле́ние health supervision, medical commission, 3AL

управля́ть– I to pilot, to steer, 8ALR

упражне́ние exercise, 8

упря́мый obstinate, stubborn, 10AL

ура́! hurrah! 20R

ура́льский Ural, 7AL

урожа́й harvest, yield, 11AL

уро́к class, lesson, 2

–усе́сться I (уса́живаться–) to settle into, 8ALR

уси́лие effort, 8ALR

усло́вие condition, circumstance, term, 3AL

усло́вный conventional, 10ALR

услу́га service, assistance, 2ALR; accommodation, 7AL

–услы́шать II (слы́шать–) to hear, 16R

усмеха́ться– I (–усмехну́ться) to smile ironically, to grin, 10AL

успева́ть– I (–успе́ть) to have time to, 23RL

–успе́ть I (успева́ть–) to have time to, 17G

успе́х success, 24R

успе́шный successful, 20BI

успока́ивать– I (–успоко́ить) to calm, 23R

–успоко́ить II (успока́ивать–) to calm, 23R

–успоко́иться II (успока́иваться–) to quiet down, 2ALR

устава́ть– I (–уста́ть) to get tired, 23G

–уста́вить II (уставля́ть–) to cover with, to set with, 9AL

уста́лость f tiredness, fatique, 23R

уста́лый tired, 7AL

–уста́ть I (устава́ть–) to get tired, 15

усто́йчивость f durability, stability, 4AL

устра́ивать– I (–устро́ить) to arrange, to set up, 19R

у́стный oral, 13

устро́енный arranged, 25R

–устро́ить II (устра́ивать–) to arrange, to set up, 19R

–устро́иться II (устра́иваться–) to settle in, 19SI

уступа́ть– I (–уступи́ть) to yield, to give way, 8ALR

у́стье mouth (of a stream), 10ALR

утвержда́ть– I (–утверди́ть) to assert, to maintain, 1AL

у́тка duck, 21BII

утоми́тельный exhausting, 4ALR; tiresome, 6AL

–утону́ть I* (тону́ть–) to drown, 12AL

у́тренний morning, 23BII

у́тро morning, 9S

у́тром in the morning, 11

утю́г iron (for pressing), 4AL

утю́жка pressing, ironing, 8AL

уха́ fish soup, 17SI

у́хо ear, 4ALR

уходи́ть– II* (–уйти́) to go away, to leave, 21R

уча́ствовать– I to participate in, to take part in, 18R

уча́стие part, participation, 4AL

уча́стник participant, member, 11AL

уча́сток neighborhood, section, 10AL

уча́щийся student, 10AL

учёба studies, training, 2AL

уче́бник textbook, 8

уче́бный school, 8; educational, school, 1AL

уче́ние teaching, 19R; learning, teaching, 1AL

учени́к student (boy), 8

учени́ца student (girl), 8

учёный scientist, scholar, 19R

учи́лище academy, 9AL

учи́тель m teacher, 3S

учи́тельница teacher, 3S

учи́тельская faculty room, 1AL

учи́ть– II* (–вы́учить) to memorize, to learn, to study, 17R

учи́ть– II* (–научи́ть) to teach, 10N

учи́ться– II* to study, 8S

ущелье gorge, deep ravine, 4ALR

ую́тный cozy, comfortable, snug, 19R

Ф

фа́брика factory, 25R
фа́кт fact, 6AL
факульте́т school, faculty, 2AL
фами́лия last name, 16BI
февра́ль *m* February, 12S
фейрве́рк fireworks, 21R
фе́рма farm, 26R
фестива́ль *m* festival, 19R
фигу́ра figure, 3AL
фигу́рный figure, figured (design), 10AL
фи́зика physics, 8S
физиоло́гия physiology, 3AL
физи́ческий physical, 20R; physics, 1AL
физкульту́ра physical education, 8S
физкульту́рный physical education, 18BII
филатели́ст stamp collector, 10ALR
филатели́я stamp collecting, 10ALR
филологи́ческий philological, 1AL
филосо́фия philosophy, 2AL
филосо́вский philosophical, 2AL
фи́льм movie, 3
фина́л finale, 35
Финля́ндия Finland, 25D
фи́нский Finnish, 6ALR
фла́г flag, 18G
фло́т fleet, navy, 25R
фойе́ *indecl* foyer, lounge, 19R
фо́н background, 4ALR
   на э́том фо́не against this background, 4ALR
фона́рь *m* fleshlight, lantern, 21R; lamp, street light, 4AL
фо́рма uniform, 8; shape, form, 5AL
фортепья́но piano, 2ALR
фотографи́ровать– I (–сфотографи́ровать) to photograph, 19R
фотогра́фия photograph, picture, 17G
фотоаппара́т camera, 5
фотокружо́к photography club, 10AL
фотолаборато́рия photo lab, 8AL
фра́за sentence, phrase, 5AL
фра́к tail coat, 9AL
Фра́нция France, 9G
францу́женка Frenchwoman, 22G
францу́з Frenchman, 22G
францу́зский French, 7S
фро́нт (battle)front, 10AL
фру́кт fruit, 14N
фрукто́вый fruit, 12AL
фу́нт pound, 26BII

фура́жка cap (with a peak), service cap, 8ALR
футбо́л soccer, 4S
футболи́ст soccer player, 10AL
футбо́льный soccer, 4
футля́р enclosure, 25BI

Х

хавро́нья sow (female pig), 8ALR
хала́т laboratory smock, dressing gown, 3AL
хара́ктер character, 22G
   хара́ктеры *pl* characteristics, 5AL
характеризова́ть– I (–охарактеризова́ть) to characterize, to define, 5AL
ха́та peasant cottage, 6AL
хвата́ть– I to seize, to grab, 8ALR
   Этого ещё не хвата́ло! That's a bit too much! That's the last straw! 8ALR
хворости́нка a long switch, a long dry branch, 6ALR
хвост tail, 8ALR
хво́стик *dim* tail, 8AL
хелло́ hello, 3AL
хими́ческий chemical, chemistry, 2AL
химчи́стка dry cleaner, 8AL
хи́мия chemistry, 8S
хлеб bread, 5B
   хле́бное де́рево breadfruit tree, 2ALR
   хле́бный ко́лос ear of wheat, 12AL
хло́пок cotton, 11AL
хло́пья *pl* snowflakes, 24R
хму́рый gloomy, sullen, 9AL
хо́д move, 10ALR
   на ходу́ on the run, 8AL
   пара́дный хо́д front door, 19RL
   чёрный хо́д back door, 19SII
ходи́ть– II* (идти́–) (–пойти́) to go, to walk, 18R
   ходи́ть на лы́жах to ski, 12
хоза́ры *pl* Khazars, 6ALR
хозя́ин host (master of the house), 16BI
хозя́йка hostess, landlady, 16SI
хокке́ист hockey player, 10AL
хокке́й hockey, 15N
хокке́йный hockey, 10AL
хо́лм small hill, hillock, 7AL
хо́лод cold, 21BI
холоди́льник icebox, refrigerator, 4AL

холо́дный cold, 12S
хо́р choir, 9AL
   духо́вный хо́р church choir, 9AL
хорео́граф choreographer, 9AL
хореографи́ческий choreographic, 9AL
хорово́й choral, 10AL
хорони́ть– II* (–похорони́ть) to bury, 4ALR
хоро́шенький *dim* nice, pretty, 2ALR; 5AL
хоро́ший good, nice, 4
хоте́ть– II* (–захоте́ть) to want, 9
хоте́ться– I (–захоте́ться)
   им хо́чется they want, 18R
хо́ть if only, at least, 20BII; even though, 12AL
хотя́ although, 8ALR; even though, 10AL
   хотя́ бы if only, 10ALR
хо́хот loud laughter, 3AL
хохота́ть– I* (–захохота́ть) to laugh loudly, 3AL
храбре́ц brave man, daredevil, 8ALR
хра́брый brave, 8ALR
хра́м cathedral, temple, 7AL
хране́ние
   ка́мера хране́ния checkroom, 8AL
храни́ть– II (–сохрани́ть) to care for, to preserve, 12AL
храни́ться– II to be kept, to be preserved, 12AL
хра́п snore, 8ALR
храпе́ть– II (–захрапе́ть) to snore, 8ALR
хребе́т range (of mountains), 4ALR; ridge, 11AL
хро́ника chronicle, 8ALR
хруста́льный crystal, 19BII
худо́жественный art, artistic, 7AL
худо́жник artist, 6AL
   худо́жник сло́ва writer, 6AL
ху́дший *superl of* плохо́й, 8ALR
ху́же *compar of* плохо́й, 9S

Ц

–цара́пнуть I (цара́пать–) to scrape, to scratch, 4ALR
ца́рство kingdom, 6AL
ца́рствование reign, 25R
ца́рь *m* tsar, 23R
   ца́рь-ко́локол Tsar bell, 23R
   ца́рь-пу́шка Tsar cannon, 23R
цвести́– I (–зацвести́) to bloom, 15

цве́т color, 10
   цве́т лица́ complexion, 5AL
цветно́й colored, 17SII
цвето́чек *dim* flower, 12AL
цвето́к flower, 16R
целова́ть- I (-поцелова́ть) to kiss, 24R
це́лый whole, 13
цена́ cost, price, 8AL
цени́ться- II* to have value, to count, 2AL
це́нность *f* value, 2ALR
це́нный valuable, precious, 7AL
це́нт cent, 13S
це́нтр center, 15N
центра́льный central, 26R
церемо́ния ceremony, 26R
церковнославя́нский Church Slavonic, 5AL
церко́вный relating to the church, 5AL
це́рковь *f* church, 22BI
цини́чный cynical, 2ALR
ци́рк circus, 2
цирково́й circus, 24BII
цисте́рна tank, cistern, 12AL
ци́фра figure, number, 2ALR; numeral, 6AL

Ч

ча-ча-ча́ cha-cha, 13N
чаевы́е *pl* tip, 26R
чаепи́тие tea drinking, 26R
ча́йнка tea leaf, 26R
ча́й tea, 5S
   на ча́й tip, 26R
ча́йная tea room, 26R
ча́йник teapot, teakettle, 17R
ча́йничек *dim* teakettle, 26R
ча́йный tea, 19R
   ча́йная ло́жка teaspoon, 19R
ча́с hour, 13S; one o'clock, 13S
   в кото́ром часу́ (at) what time, 13S
   Кото́рый ча́с? What time is it? 13S
часа́ми for hours, 18R
часово́й sentry (*noun*), 2ALR; hour (*adj*), 7AL
части́ца bit, fraction, 9AL
ча́сто often, 4S
ча́стый frequent, rapid, 3AL
ча́сть *f* part, 25BI
   по на́шей ча́сти in our field, 4AL

часы́ *pl* clock, watch, 13S
   часы́-кура́нты clock with chimes, 23R
ча́шка cup, 19R
ча́ще *compar of* ча́сто, 16R
   ча́ще всего́ most frequently, 16
че́й whose, 5S
челове́к man, person, human being, 7S
челове́ческий man's, human, 4AL
челове́чий human, 6AL
чем than, 17R
   чем... те́м... the more . . . the better . . ., 21BII
чемода́н suitcase, 6
чемпио́н champion, 5AL
чемпиона́т championship, 10AL
че́рез through, across, after, in, 18R
че́реп skull, 6ALR
-черне́ть I (-почерне́ть) to look black, to blacken, 12AL
черни́ка blueberries, 26SI
черни́ла *pl* ink, 2ALR
чёрный black, 8
   чёрно-бе́лый black and white, 17SII
   чёрный хо́д back door, 19SII
чёрт devil, 3AL
   куда́ к чертя́м the devil knows where, 3AL
черта́ trait, feature, 5AL
черче́ние drafting, meachanical drawing, 1AL
Че́стное сло́во! Word of honor! 10S
че́сть *f* honor, 16R
   в че́сть in honor of, 16R
четве́рг Thursday, 9S
четвёрка a "Good" (a grade of four), 13S
четвёртый fourth, 14N
че́тверть *f* a quarter, one-fourth, 18BI
четы́ре four, 3S
четы́рнадцать fourteen, 13S
че́х Czech (man), 2AL
Чехослова́кия Czechoslovakia, 2AL
че́шка Czech (woman), 2AL
че́шский Czech, 5AL
   по-че́шски in Czech, 5AL
Чика́го Chicago, 23G
чини́ть- II* (-почини́ть) to fix, to repair, to mend, 25R
число́ date, day of month, number, 20SI
чи́стый clean, 12; pure, clear, 22R
чи́стить- II (-почи́стить) to clean, 23R

чи́ще *compar of* чи́стый, 21BII
чле́н member, 2AL
чо́порный prim, stiff, 3AL
чрезвыча́йный emergency, extraordinary, 8ALR
   Чрезвыча́йное происше́ствие! Emergency! 8ALR
чте́ние reading, 19R
что́ what, 4; that, 9
   что за what, 16BII
   что́-нибудь something, anything, 17R
   Что с ни́м? What's the matter with him? 17R
   что тако́е what, what's the matter, 26BI
   что́-то something, 15
чтобы (чтоб) in order to, 25BI; that, 4AL
чу́вство feeling, sense, 23R
чу́вствовать- I (-почу́вствовать) to feel, 20R
   чу́вствовать себя́ to feel, 7
чуде́сный marvelous, lovely, wonderful, 21SI
чу́дный wonderful, marvelous, 11AL
чу́до wonder, miracle, 9AL
чужо́й someone else's, 8ALR
чу́м hut of Far Northern tribes, tent of skins or bark, 3AL
чу́ть slightly, barely, 2AL
   чу́ть не almost, 2AL
   чу́ть-чу́ть a bit, 2AL
чу́чело scarecrow, effigy, 12AL

Ш

ша́г pace, step, 4ALR; 10AL
ша́йба hockey puck, 10AL
шалу́н little rascal, playful fellow, 5AL
ша́пка cap, 12
ша́р balloon, 14
   земно́й ша́р globe, earth, 5AL
ша́рик *dim* balloon, 4AL
шата́ться- I (-зашата́ться) to stagger, 9AL
ша́х check (in chess), 10ALR
шахмати́ст chess player, 10ALR
ша́хматный chess, 15N
ша́хматы *pl* chess, 4S
ша́шки checkers, 15G
шашлы́к shashlik, shish kebab, 19R
шашлычо́к *dim* shashlik, 3AL
швейца́р doorman, 22R
Шве́ция Sweden, 25R

шевели́ться– II* (–пошевели́ться) to stir, to budge, 8ALR

шекспи́ровский Shakespearean, 9AL

шёлк silk. 12AL

–шепну́ть I (шепта́ть–) to whisper, 2ALR

шёпот whispering, whisper, 4AL

шепта́ть– I* (–шепну́ть) to whisper, 3AL

шесто́й sixth, 18SI

шестна́дцать sixteen, 10

ше́сть six, 3S

шестьдеся́т sixty, 13S

ше́я neck, 8ALR

широ́кий wide, 19R

шка́ф

кни́жный шка́ф bookcase, 2ALR

шко́ла school, 2

шко́льник schoolboy, 1AL

шко́льница schoolgirl, 1AL

шко́льный school, 1AL

шля́пка *dim* hat, mushroom cap, 26BI

шокола́д chocolate, 14S

шокола́дный chocolate, 26G

шоссе́ highway, 10AL

шотла́ндец Scotsman, 10AL

шофёр chauffeur, driver, 11N

шля́па hat, 23SII

шпа́ла tie (on railroad track), 12AL

шпиль *m* spire, steeple, 25SI

шпина́т spinach, 14R

шра́м scar, 10AL

шта́т state, 9S

Соединённые Шта́ты the United States, 9S

штормово́й gale-like, stormy, 3AL

штурва́л steering controls, 8ALR

шу́ба fur coat, 12

шу́м noise, 15

шуме́ть– II to make noise, 18R

шу́мный noisy, 17G

шути́ть– II* (–пошути́ть) to make a joke, 1AL

шу́тка joke, prank, 2ALR, 4AL

шу́тки ра́ди for the sake of a joke, 6AL

шутни́к joker, 24BII

шу́точный make-believe, mock, 12AL

Щ

щади́ть– II (–пощади́ть) to spare, to have mercy on, 10AL

щека́ cheek, 24SII

–щёлкнуть I (щёлкать–) to crack, to smack, 10AL

щелку́нчик nutcracker, 23SII

щёлкать– I (–щёлкнуть) to crack, 18BI

щи *pl* cabbage soup, 17BI

щи́т shield, 8AL

щито́к a little shield, a small plaque, 8AL

щу́риться– II (–прищу́риться) to squint, to screw up one's eyes, 3AL

Э

эгои́ст egoist, 10AL

экза́мен exam, 8S

экземпля́р copy, specimen, 2ALR

экипа́ж crew (of a plane or ship), 7AL

эконо́мика economy, 10ALR

экономи́ческий economics, 2AL; economical, 4AL

экра́н screen, 19R

экскурсио́нный excursion, 7AL

экспеди́ция expedition, 4ALR, 11AL

экспериме́нт experiment, 2AL

экспре́сс express, 7AL

автобус-экспре́сс express bus, 7AL

электрифика́ция electrification, 16R

электри́ческий electric, 12AL

электри́чество electricity, 21R

электродина́мика electrodynamics, 2ALR

электромото́р electromotor, 20R

электроте́хника electrical engineering, 2AL

элеме́нт element, ingredient, 10ALR

эмоциона́льный emotional, 9AL

энергети́ческий (electric)power, 2ALR

энерги́чный energetic, 7S

эне́ргия energy, 20R

энтузиа́зм enthusiasm, 10AL

энциклопеди́ст encyclopedist, scholar, 10ALR

э́ра era, 26R

эрмита́ж Hermitage, 25SI

эскадри́лья air squadron, 11AL

эскимо́ *indecl* eskimo pie, 14

эта́ж floor, story, 19SI

эта́п stage, 20BI

э́то this is, 2

э́тот this, that, 7S

эфи́р ether, upper atmosphere, 8ALR

эффе́кт effect, 10AL

эшело́н echelon, 4AL

Ю

ю́бка skirt, 8S

юг south, 21SII

Югосла́вия Yugoslavia, 16BII

ю́жный southern, 26R

ю́мор humor, 3AL

ЮНЕСКО UNESCO (United Nations Educational, Scientific, and Cultural Organization), 2ALR

ю́ность *f* early youth, 4ALR

ю́ноша youth, young person, 9AL

ю́ный young, youthful, 10AL

юриди́ческий juridical, (pertaining to) law, 2AL

Я

я́ I, 3

я́блоко apple, 26SI

–яви́ться II* (явля́ться–) to appear, to come in, 10AL

явля́ться– I (–яви́ться) to be, to appear, 5AL

я́года berry, 26BI

я́годный berry, 12AL

язы́к language, 7; tongue, 2ALR

языкове́д linguist, 22R

языково́й linguistic, 5AL

языкозна́ние linguistics, 5AL

яи́чко *dim* small egg, 6ALR

яйцо́ egg, 26SII

Яку́тия Yakutia (Yakutsk Autonomous Soviet Republic), 3AL

ямщи́к coachman, driver (of a coach or carriage), 6AL

янва́рь *m* January, 12

япо́нец Japanese (man), 26R

Япо́ния Japan, 26R

япо́нский Japanese, 26R

я́ркий bright, vivid, 24BI

я́рмарка country fair, 24BI

я́рус tier (theater), 9AL

я́сный clear, lucid, 21BII; bright, 12AL

Я́сная Поля́на Bright Meadow (from name of country estate of writer Lev Tolstoi), 12AL

я́хта yacht, 25G

GRAMMATICAL INDEX

This index consists of two sections: English and Russian. A page number, or a series of page numbers, referring to a grammatical entry from Level One or Level Two is followed by a Roman numeral in parentheses (I) or (II). However, entries for Advanced Level are referred to by page numbers only.

ABBREVIATIONS

acc	*accusative*	fem	*feminine*	nom	*nominative*
act	*active*	*fn*	*footnote*	num	*numeral*
adj	*adjective*	fut	*future*	part	*participle*
adv	*adverb*	gen	*genitive*	pass	*passive*
anim	*animate*	imperat	*imperative*	perf	*perfective*
colloq	*colloquial*	imperf	*imperfect*	pers	*personal*
compar	*comparative*	impers	*impersonal*	pl	*plural*
conj	*conjugation*	inanim	*inanimate*	poss	*possessive*
cons	*consonant*	indef	*indefinite*	pred	*predicate*
dat	*dative*	indet	*indeterminate*	prep	*preposition*
decl	*declension*	indir	*indirect*	pres	*present*
demonstr	*demonstrative*	instr	*instrumental*	pron	*pronoun*
deriv	*derivative*	interrog	*interrogative*	reg	*regular*
det	*determinate*	irreg	*irregular*	rel	*relative*
dimin	*diminutive*	loc	*locative*	sg	*singular*
dir	*direct*	masc	*masculine*	superl	*superlative*
expr	*expression*	neg	*negative*	syn	*synonym*
f, ff	*and following*	neut	*neuter*	vs	*versus*

ENGLISH

accusative: as dir object, 120*f* (I); in time exprs: with preps, 9, 233*f*; without preps, 157 (I); with preps in exprs not of time, 154 (I), 74, 140, 272*f* (II), 8*f*, 51; see also Adjs, Nouns, Preps, Prons

address: familiar vs formal, 29 (I), 24*fn*; forms of, 66 (II), 182*fn*

adjectives
agreement: with nouns, 102, 127 (I); with nouns preceded by nums, 222

anim vs inanim in acc, 127*f*, 130*f*, 198*f* (I), 156*f*, 159 (II)

compar, see Compars

decl: acc pl, 199 (I), sg 127*f* (I); adjs with cardinal nums, 222; dat, 271 (I); gen pl, 199 (I), sg, 177 (I); hard vs soft endings, 102 (I), 156 (II); instr, 290*f* (I); loc, 223*f* (I); nom, 102 (I); stems ending in **к, г, х, ж, ч, ш, щ,** 102 (I), 157*f* (II); **третий,** 159 (II)

demonstr adjs, see Demonstrs

dimins, see Dimins

gender, see Gender

indef adjs with particles **-то, -нибудь, -либо,** 377

long-form adjs: 102, 127*f* (I), 156*ff* (II); vs short-form, 101 (I)

parts, see Parts

poss adjs, see Poss

pred adjs: 33, 101 (I), 160, 206 (II)

short-form adjs: 33 (I), 160 (II); vs long-form, 101 (I)

stress, see Stress

superls, see Superls

word recognition: adj↔noun, 74, 108*f*, 134, 243*f* (II), 109; adj↔verb, 134, 164 (II), 373, 395*f*; adjs derived from anim nouns, 159 (II); suffix **-оватый (-еватый),** 377

adverbs: gerunds, 76*f*, 101*f*, 135*ff*; in compar constructions, 359*f*; neg advs in impers constructions, 326; neut short-form adj used as adv, 160 (II)

alphabet: 3*ff* (I)

aspects
aspectual derivs, 236*ff* (II); aspectual pairs, 97*ff*, 102*ff*, 125*f*, 132, 169*f*, 236*ff*, 261*f* (II)

formation of perfs from prefixes, 97*ff*, 102, 170, 236*f*, 238, 262*f*, 265 (II); formation of perf from different verb stem, 103*f* (II)

imperat forms, 354*ff* (II)

imperf vs perf, 240*f*, 261*f* (I), 27

inserting of **-ыва-/-ива-** in prefixed imperfs, 238 (II)

-овать in pres imperf↔**-y-** in fut perf, 165 (II)

perf ending **-éчь**↔imperf ending **-екáть**, 373; perf ending **-чь**↔imperf ending **-гáть**, 373

capitalization: nations vs nationalities, 33*fn*

cognates: English↔Russian, 81 (II)

comparatives
 long-form: irreg↔irreg short-form, 358*f*; reg, 246 (II), 358*f*
 short-form: irreg, 207 (II); irreg↔irreg long-form, 358*f*; reg, 206*f* (II), 358; stress in reg, 207 (II); with prefix **по-**, 359; with gen of compar, 213 (II); with **чем** + nom, 214*f* (II)
 structures with: **всё**, 224 (II); **горáздо**, 223 (II); **как мóжно**, 224 (II); **кудá**, 360; **чем... тем...**, 224 (II)
 "than": expressed by: gen of compar and without **чем**, 213 (II); by **чем** + nom, 214*f*, 246 (II); by **чем** in compars where gen cannot be used, 216 (II)
 see also Superls

compound phrases: with **с** + instr, 303

compound words: 165 (II), 167

conditional: see Subjunctive

conjugation patterns: see Verbs

consonant changes: in imperf pres and perf fut, 104*ff* (II); of final cons in verb stems, 53*f*, 85 (I), 616*f*; see also Verbs

dates: 180*ff* (II)

dative: basic uses of, 264 (I); see also Adjs, Impers Exprs, Nouns, Preps, Prons

declension: of irreg neut nouns in **-мя**, 69 (II), 146*f*; of masc and neut nouns with irreg pl, 85*f*; of masc nouns with nom pl ending in **-á**, 169; pl of fem nouns with nom sg in **-я** after a cons, 169; pl of masc nouns in **-ин** and **-йн**, 245 (II), 146*f*; see also Adjs, Demonstrs, Nouns, Nums, Poss, Prons

demonstratives: тóт, full decl, 79 (II); vs **э́тот**, 78 (II); **э́тот,** acc pl, 198 (I); acc sg, 131 (I); dat, 269 (I); full decl, 79 (II); gen pl, 198 (I); gen sg, 176 (I); instr, 290 (I); vs pron **э́то**, 109 (I); vs **тóт**, 78 (II)

determinate imperfectives: see Verbs: Verbs of Motion

diminutives: of adjs, 303 (II), 110; of first names, 72*fn* (II); of nouns, 303 (II)

direct discourse: see Indir Discourse

enclitic: see Particles

gender
 adjs: long-form, 101*f*, 127*f* (I), 156*ff* (II); poss, 69*f*, 72 (I); pred, 33, 101 (I), 160, 206 (II); short-form, 33, 66 (I)
 cardinal nums **одúн (однá, однó), двá (двé)**, 247*f* (I), 34
 nouns: all genders, 66 (I); masc anim nouns ending in **-а (-я)**, 66, 126 (I); neut nouns ending in **-мя**, 68*f* (II)
 pers prons, 32 (I)

genitive
 basic uses: in neg exprs, 172 (I); indicating possession or ownership, 170*f* (I); with exprs of quantity, 183*f* (I)
 idiomatic gen of adjs after **чтó** and **ничегó**, 27
 partitive (second) gen, 310 (II); with collective nums, 245
 see also Preps

gerunds: as advs, 76*f*, 101*f*, 135*ff*; past, 76, 135*ff*, 166; pres, 76*f*, 101*f*, 166

imperative
 colloquial, with past of **пойтú** and **поéхать**, 110
 inclusive: "let us," 168; with **давáй** and **давáйте**, 168
 neg with imperf, 358 (II)
 second pers sg and pl forms, 354*ff* (II)
 third pers, with **пускáй** and **пýсть**, 168*f*

imperfectives: see Aspects, Imperat, Verbs

impersonal expressions: with dat, 264 (I), 27; with **жáлко, жáль**, 111; with **мóжно, нельзя́**, 168 (I), with neg prons and advs, 326

indeterminate imperfectives: see Verbs: Verbs of Motion

indirect discourse: vs dir discourse, 284, 293; indir question vs dir question, 293; **ли** in indir questions, 294

infinitive: see Verbs

instrumental: basic uses, with or without preps, 283*f* (I); in compound phrases with **с**, 303; pred instr, 81 (II); see also Adjs, Nouns, Preps, Prons

locative: basic uses, 217*f*, 220 (I); second loc, 180, 310 (II); with months, 229 (I); see also Adjs, Nouns, Preps, Prons

motion vs location: домóй vs **дóма**, 27, 220 (I); **кудá** vs **гдé**, 27, 220 (I); **сюдá** vs **здéсь**, 220 (I); **тудá** vs **тáм**, 81, 220 (I)

names
 capitalization: nations vs nationalities, 33*fn*
 first names: decl, 69*f* (II); dimin forms, 72*fn* (II)
 nationalities: adj vs noun, 243*f* (II)
 patronymics: decl, 69*f* (II)
 surnames: decl, 144 (I), 74*f* (II); masc and fem forms, 99 (I); masc endings: **-ов, -ев, -ин, -ский, -ой**, 75 (II)

negative expressions: double neg, 168 (I); neg advs in impers constructions, 326; neg imperat with imperf, 358 (II); neg prons in impers constructions, 326; with gen, 172 (I)

nicknames: dimins of first names, 72*fn* (II)

nominative: basic use, 120 (I); pred nom with dates, 181 (II); see also Adjs, Nouns, Prons

nouns
 acc: pl anim and inanim, 196 (I); sg fem, 120*f* (I), 125 (I); sg fem in **-ь**, 126 (I); sg masc anim, 125 (I); sg masc in **-а (-я)**, 126 (I); sg masc inanim and neut, 120*f* (I)
 adjs as nouns, 74 (II), 109
 dat: pl, 264*f* (I); sg, 264 (I); sg fem in **-ь**, 265 (I)
 decl, see Decl
 dimins: 303 (II), 110
 gender, see Gender
 gen: of nouns with pl forms only, 182 (I); pl, 179*ff* (I); pl fem, 274 (I); sg, 272 (I)
 indeclinable nouns: 90 (I)

instr: contracted pl, 67 (II); fem in **-ь**, 285 (I); masc in **-й**, 285 (I); pl and sg, 284 (I)

loc: second loc, 180, 310 (II); pl, 217*f* (I); sg, 216*ff* (I)

nom: masc pl in **-á (-я́)**, 282 (I), 234*f* (II), 274; pl, 88*f* (I); sg, 120*f* (I)

stress, see Stress

word recognition: derivs of: **éсть- (-едáть-)**, 327; **пéть- (-певáть-)**, 299; **свéт**, 300; **цвéт**, 301; **стáвить- (-ставля́ть-)**, 299; verbs ending in **-чь**, 373*f*, 395; the root **-уч- (-ук-)**, 42*f*; noun:↔adj, 74, 108*f*, 243*f* (II), 109;↔prefixed verb of motion, 240;↔verb, 134, 163*f* (II); suffixes: **-ание, -ение**, 163 (II); **-ец, -ик**, 331 (II); **-ин**, 245 (II); **-ист, -истка, -ка, -ник, -ница**, 331 (II); **-ость, -ство**, 275 (II); **-тель, -тельница**, 330 (II); **-ция**, 249 (II); **-чик, -чица, -щик, -щица**, 331 (II)

numerals

cardinal: 26, 238 (I), 177*f* (II); agreement with nouns, 247*f* (I), 34*ff*, with adjs and nouns, 222; decl, 35*f*

collective: **двóе, трóе, чéтверо**, 245

ordinal: 123 (II); in telling time, 126*ff* (II); with dates, 180*ff* (II); **трéтий**, decl and spelling, 159 (II)

participles: used as adjs, 76*f*, 101*f*, 135*f*, 164*ff*; as nouns, 109; past active, 76, 135*f*, 166; past pass, 331 (II), 76, 164*ff*; pres active, 76, 101, 109, 166; pres pass, 76, 102, 166

particles: -то, 110*f*, 377; **кое-**, 377; **-либо** and **-нибудь**, 377

patronymics: see Names

perfectives: see Aspects, Verbs

plural: irreg pl of nouns, 85*f*; see also Adjs, Decls, Gender, Imperat, Nouns, Nums, Parts, Poss, Prons, Verbs

possessives: 69*f*, 72 (I); acc pl, 198*f* (I), acc sg, 130*f* (I); dat sg, 269 (I); gen pl, 198 (I), gen sg, 176 (I); instr sg, 290 (I); interrog **чéй**, 159 (I); omission of poss, 27 (I); poss adjs **егó, еë, и́х**, 74 (I); reflexive **свóй**, 85 (II)

prefixes: in compound words: **не-, пол-(полу-), без- (бес-), разно-, еже-**, 167; verbal: **в-**, 302 (II); **вз- (вс-), воз- (вос-)**, 143; **вы́-**, 302 (II), 22*f*, **вы́** stressed in perfs, 114 (II), 22*f*; **до-**, 303 (II), 22*f*; **на-**, 143; **от-**, 302 (II), 84; **пере-**, 303 (II); **под-**, 302 (II), 84*f*; **при-**, 302 (II); **про-**, 303 (II); **раз- (рас-)**, 22*f*; **наи-** in superls, 360; **по-** in short-form compars, 359; **пре-** with adjs and advs, 147

prepositional case: as name for loc, 217 (I)

prepositions

particular uses: "in" and "on": with dates, 181*f* (II); indicating direction to and from: 272*f* (II); indicating location at: 272*f* (II); "on": special uses, 51; "while at": expressed by instr, 205 (II)

with acc: **в**, 154 (I), 272 (II), 51; aa, 74, 140 (II); **на**, 154 (I), 272*f* (II), 51; **по**, 8*f*; **под**, 140 (II); in time exprs: **в**, 157 (I), 128 (II); **за** and **на**, 233; **по**, 8*f*, 396; **под**, 233; **чéрез**, 51, 233

with dat: **к**, 264 (I), 272 (II); **по**, 264 (I), 272 (II), 8*f*; in time exprs: **к**, 234

with gen: **до**, 202 (I), 233; **из**, 272 (II); **из-за**, 74, 141 (II); **óколо**, 202 (I), **от**, 202 (I), 272 (II), 51; **пóсле**, 202 (I); **с**,

272*f* (II); **у**, 171*f* (I), 272 (II); in time exprs: **без**, 126, 129 (II); **от... до**, 9, 234; **с**, 9, 234; **с... до**, 234

with instr: **за**, 283, 287 (I), 74, 140, 205 (II); **над, пéред** and **под**, 283, 287 (I), 140 (II); **с (со)**, 283*f*, 288*fn* (I), 303 with loc: **в** and **на**, 220 (I), 272 (II); **о (об)**, 218 (I); **при**, 50*f*; in time exprs: **в**, 229 (I), 129, 181 (II); **по**, 8, 10

with second loc: **в** and **на**, 180 (II)

"at": location, 272 (II); time, 128*f* (II)

"during": expressed by instr, 205 (II)

see also Acc, Dat, Gen, Instr, Loc

pronouns: in gen with short-form compar, 213 (II); in neg impers constructions: **нéкого, нéчего**, etc., 326; indef: with particles **-то, -нибудь, -либо**, 377; intensive: **сáм**, 329; interrog: **ктó, чтó**, 227 (I); pers: 32 (I); acc, 134, 227*f* (I); dat, 267 (I); instr, 288 (I); **н-** before vowel in third person, 288 (I); omission of pron, 46 (I); reflexive: **себя́**, 96 (II), 329; relative: **котóрый**, 309 (II)

singular: see Adjs, Decls, Gender, Imperat, Nouns, Nums, Parts, Poss, Prons, Verbs

spelling rules: а after **ж, ч, ш, щ**, 89 (I); cons changes in verbs, 53*f*, 85 (I), 372; **и** after **к, г, х, ж, ч, ш**, 89, 102, 178 (I) and after **щ**, 89, 102, 128 (I), 160*fn* (I); **-ова-** to **-у-** in pres imperf and fut perf, 165 (II); unstressed **е** after **ж, ч, ш, щ**, 102, 128, 177 (I) and after **щ**, 164*fn* (I)

stems: masc nouns with disappearing stem vowel: **мешóк (мешки́)**, etc., 90 (I); verbs with two stems: **брáть (беру́)**, etc., 51 (I); special supplementary stems for prefixed imperf verbs, 189

stress

adjs: **бóльший** vs **большóй**, 358*fn*; long-form, 102 (I), 157*f*, 160 (II); short-form, 160 (II)

nouns: 90 (I)

pres act parts: 101, 109

pres gerunds: 101

verbs: ending in **-нуть** (past tense), 396; ending in **-чь**, 372*fn*; 1st conj, 51, 53*f* (I); 2nd conj, 84 (I)

past pass parts: 165

subjunctive: after verbs of wishing, requesting, commanding, and fearing, 387; **бы**, 192*f* (II); **бы... ни**, 401; **ни** without **бы**, 401

subordinate clauses: after verbs of wishing, requesting, commanding, and fearing, 387; indef clauses: with **бы... ни**, 401; with **ни** only, 401; **покá... не**, 233; purpose clauses with **чтóбы**, 313; see also Subjunctive

suffixes: reflexive **-ся**, 329; see Adjs, Nouns, Superls

superlatives: 247 (II); **лýчший, хýдший**, 359; with prefix **наи-**, 360; with prefix **пре-**, 147; with suffix **-ейший (-айший)**, 303; intensive superl, 303, 358

surnames: see Names

time expressions: гóд and **лéт**, 250 (I); dates, 180*ff* (II); with preps, 233*f*; see also Acc, Loc, Preps

time telling: 126*ff*, 132*f*, 269*fn* (II)

verbs

aspects: see Aspects

auxiliary verbs: **бы́ть** in imperf fut, 190 (II)

conj patterns: addition of **л** to stems ending in **б, в, м, п**, 118 (I)

cons changes: 53*f*, 85 (I), 104*ff* (II); 1st conj, 46, 50*f*, 53, 54*f* (I); 2nd conj, 83*ff* (II); verbs ending in **-овать**, 165 (II); verbs ending in **-чь**, 372*ff*; verbs of motion, 188*fn*

gerunds, see Advs, Gerunds

imperative, see Imperat

infinitive: ending **-нуть**, 396; ending **-ти**, 51 (I), 395*f*; ending **-ть**, 46 (I); ending **-чь**, 372*f*

irreg verbs: **бежа́ть–**, (pres), 218 (II); **–да́ть** (pres and past), 261 (I); **есть–** (pres and past), 115 (II); **хоте́ть–** (pres), 146 (I), (past), 151 (I)

participles, see Participles

reflexive verbs: 118 (I); vs verbs without suffix **-ся**, 329

tense: formation of pres, 46, 50*f* (I), formation of past from infin, 150*f* (I); fut of **бы́ть**, 188, 190*f* (II); fut imperf, 190*f* (II), fut perf, 190*f* (II); in clauses with **ни** only, 401; in indir discourse, 284; in indir questions, 293; masc past without final **-л**, 372*f*; 395*f*; past after **что́бы**, 313; past in **бы... ин...** clauses, 401; past of: **бы́ть**, 149 (I), **идти́**, 151 (I), **мо́чь**, 151 (I), **па́хнуть**, 396, **попа́сть**, 151 (I); pres of: **мо́чь**, 147 (I), **писа́ть**, 53 (I), **хоте́ть**, 146 (I)

verbal prefixes, see Prefixes, Verbs of Motion (below)

verbs of motion: **бежа́ть**, 218 (II); definition of det and indet, 134*f* (II); det↔prefixed perf, 188*f*; det and indet forms, 193, 218, 262*ff*; 297*ff*, 301*ff*, 319*ff*, 349*ff* (II); indet↔perf, 188*f*, 192 perf↔corresponding imperf, 188*f*

word recognition: derivs of **дава́ть–, –да́ть**, 326*f*, of **есть–**, 327, of **пе́ть–**, 299; derivs of verbs ending in **-нуть**, 396 **-ти**, 395*f*, **-чь**, 373*f*; prefixed derivs of **–ста́вить, –ставля́ть–**, 299; prefixed derivs of **–ста́ть, –става́ть–**, 299; the root **-уч- (-ук-)**, 42*f*; verb↔adj, 164 (II); verb↔noun, 163*f* (II); verb↔prefixed verb, 238, 301*ff* (II)

weights and measures: верста́, 152*fn*; **килогра́мм** 177*fn* (II); **ли́тр**, 177*fn*, 351*fn* (II); **сантиме́тр**, 317*fn* (II)

RUSSIAN

а: vs **и**, 43 (I)

бежа́ть–: irreg verb, 218 (II)

бо́лее: with compars, 246 (II)

бо́льше: compar of **большо́й** and **мно́го**, 207 (II)

бо́льший: vs **большо́й**, 358*fn*

бы: with subjunctive (or conditional), 192*f* (II)

бы... ни...: with interrog words in indef clauses, 401

бы́ть–: fut auxiliary, 190*f* (II)

везти́–: with dat in impers exprs, 27

весьма́: intensive syn of **о́чень**, 360

–вообрази́ть: syn of **–предста́вить**, 146

вре́мя: 68*f* (I)

всё...: with compars, 224 (II)

–вспо́мнить: vs **–напо́мнить**, 146

вся́кий: 169

вы́сший: vs **бо́лее высо́кий**, 359

выходи́ть–/–вы́йти за́муж: vs **жени́ться–/–жени́ться**, 74

где́: vs **куда́**, 27, 220 (I)

го́д and **ле́т:** 250 (I); with dates, 181*f* (II)

гора́здо: with compars, 223 (II)

господи́н: 245 (II); vs **граждани́н**, 66 (II)

госпожа́: vs **гражда́нка**, 66 (II)

го́сть *m*: pl with prep **в**, 65 (II)

граждани́н: vs **господи́н**, 66 (II)

гражда́нка: vs **госпожа́**, 66 (II)

грани́ца: with preps **за** + **из-за**, 74 (II)

–да́ть: irreg verb, 327

де́вочка: vs **де́вушка**, 66 (II)

держа́ться–: with gen, 245

де́ти: vs **ребёнок**, 67 (II)

для того́: before **что́бы**, 313

до: "until", 233; with gen in time exprs, 234

до́лжен: 168 (I)

до́ма: vs **домо́й**, 27, 220 (I)

до́чь *f*: 151 (II)

его́: vs **сво́й**, 85 (II)

е́здить–: vs **ходи́ть–**, 201*f*

-ейший (-айший): superl suffix, 303

е́сли: vs **есть ли**, 294

есть: impers form, 168 (I); with **ли** in indir questions, 294

есть–: irreg verb, 327

е́хать–: vs **идти́–**, 193 (I), 201*f*

жа́лко: with gen or acc, 111

жа́ль: with gen or acc, 111

жда́ть–: with acc, 86; with gen, 130 (II), 86

же: particle, 63 (I)

жена́т: vs **за́мужем**, 74

–жени́ться: meaning in perf pl, 74

жени́ться–/–жени́ться: vs **выходи́ть–/–вы́йти за́муж**, 74

за: with acc, 74, 140 (II); with acc in time exprs, 233; with instr, 74, 140, 205 (II)

забега́ть–: vs **–забе́гать**, 192

за́мужем: vs **жена́т**, 74

зате́м: before **что́бы**, 313

заходи́ть–: vs **–заходи́ть**, 192

здесь: vs **сюда́**, 220 (I)
знако́мый: adj↔noun, 74 (II)

идти́–: vs **е́хать–**, 193 (I), 201*f*
и́мя: 68*f* (II)

к: with dat in time exprs, 234
ка́к бы: as substitute for **что́бы**, 387
как мо́жно...: with compars, 224 (II)
како́й уго́дно: syn of **вся́кий**, 169
килогра́мм: 177*fn* (II)
киломе́тр: 177*fn* (II)
ко́е–: particle in indef exprs, 377
кото́рый: rel pron, 309 (II)
куда́: syn of **гора́здо**, 360; vs **гдé**, 227, 220 (I); with short-form compars, 360

ли: in indir questions, 294; with **éсть**, 294
–либо: particle with indef prons and adjs, 377
ли́тр: 177*fn*, 351*fn* (II)
лу́чший: compar adj, 358; superl adj, 359
любо́й: syn of **вся́кий**, 169
лю́ди: vs **челове́к**, 67 (II)

ма́ло: 207 (II)
ма́ть *f*: 151 (II)
ме́нее: with compars, 246 (II)
ме́ньше: compar of **ма́ленький** and **ма́ло**, 207 (II)
ме́ньший: long-form compar, 358
мла́дший: long-form compar, 358
мно́го: 207 (II)
мо́жно: 168 (I)
мы́ с тобо́й: compound phrases, 303

на: with acc in time exprs, 233
называ́ть– (–назва́ть): with instr, 81 (II)
–напо́мнить: vs **–вспо́мнить**, 146
нé было: 168 (I); with gen, 172 (I)
нéкогда: in neg impers exprs, 326
нéкого: in neg impers exprs, 326
нéкуда: in neg impers exprs, 326
нельзя́: 168 (I)
нéчего: in neg impers exprs, 326
ни...: with or without **бы** in indef clauses, 401
–нибудь: particle with indef prons and adjs, 377
ни́зший: vs **бо́лее ни́зкий**, 359
нра́виться–: 274 (I)

обраща́ть–/–обрати́ть внима́ние на: with acc, 169

–па́хнуть: in impers exprs, 396; two sets of past forms, 396
пéть–: vs **пи́ть–**, 299
–повезти́: with dat in impers exprs, 27
подража́ть–: with dat, 147
–пожени́ться: colloquial usage, 74

пока́... не...: "until", 233
похо́жий на: with acc, 146
–предста́вить: syn of **–вообрази́ть**, 146
проси́ть–: vs **спра́шивать–**, 81 (I)

ра́д: with dat, 149 (II)
ребёнок: vs **дéти**, 67 (II)

сади́ться– (–сéсть): meanings, 110
сáм: intensive pron, 329; vs **сáмый**, 329*fn*
сáмый: with superls, 247 (II), 303; vs **сáм**, 329*fn*
сантиме́тр: 317*fn* (II)
свéт: vs **цвéт**, 300*f*
сво́й: vs **егó**, 85 (II)
себя́: reflexive pron, 96 (II), 329
семья́ *f*: vs **фами́лия**, 66 (II)
–сéсть (сади́ться–): meanings, 110
сполза́ть–: vs **–спо́лзать**, 192
ста́вить–: verb derivs, 299
станови́ться– (–стáть): with instr, 81 (II)
ста́рший: vs **бо́лее ста́рый**, 359
–стáть: verb derivs, 299
сходи́ть– (–сойти́): vs **–сходи́ть**, 192

тáм: vs **туда́**, 81, 220 (I)
–то: 110*f* with indef prons and adjs, 377
тóт: decl, 79 (II); vs **э́тот**, 78*f* (II)
трéтий: decl, 159 (II)
туда́: vs **тáм**, 81, 220 (I)

фами́лия: vs **семья́**, 66 (II)

ходи́ть–: vs **éздить–**, 201*f*
ху́дший: compar adj, 358; superl adj, 359

цвéт: vs **свéт**, 300*f*; vs **цвето́к**, 301
цвето́к: vs **цвéт**, 301

чáс: 239 (I), 126 (II); vs **оди́н чáс**, 127 (II); **часа́ми**, 137 (II)
чего́: colloq use, 111
чéй, чья́, чьё, чьи́: 69*f* (I), 159 (II)
челове́к: after **ско́лько, не́сколько** and nums, 67 (II); vs **лю́ди**, 67 (II)
чем: with compars, 214*f* (II), 246 (II)
чéм... тéм...: with compars, 224 (II)
чрезвыча́йно: intensive syn of **о́чень**, 360
что́бы: after verbs of wishing, requesting, commanding, and fearing, 387; in purpose clauses, 313
чу́вствовать– себя́: vs **чу́вствоваться**, 329

э́то: pron, 180 (I); vs demonstr **э́тот**, 108*f* (I)
э́тот: decl, 79 (II); demonstr adj/pron, 107*f* (I); vs **тóт**, 78*f* (II); vs pron **э́то**, 108*f* (I)

PICTURE ACKNOWLEDGMENTS

Many heads have been taken from or adapted from heads in Soviet publications (pp. 3, 13, 24 both, 41, 44, 52*t*, 59, 67, 78, 82, 87, 112, 125, 138–39, 140, 148, 156, 158, 160, 163, 181, 187, 214, 220, 223, 232, 241, 246–47, 275, 287, 288, 290, 291*t* and *b*, 296–98, 302, 304, 315, 319, 328, 335, 336, 337, 340, 344, 349, 353, 356, 362, 374, 379, 385, 389, 391, 392, 394, 397, 398, 404). Nearly all decorative initials are also from Soviet publications. Pictures not credited below were provided by the writer.

УЧАЩИЕСЯ: p. xvi, all line conversions from: *tl,* art by Петр Караченцов in *Спутник; tr,* photo in *Soviet Life; b,* photo in *Советский Союз;* 1, all line conversions from photos in *Soviet Life.*

UNIT 1: p. 2, Novosti from Sovfoto; 6, from Soviet calendar; 7, line conversion from photo in *Soviet Life;* 10, 11*t,* from Soviet calendars; 12, photo, Syndication International from Photo Trends; schedule, from *Мужчинам до 16 лет;* 15, from *Аврора* in *Спутник;* 17, Tass from Sovfoto; 20, line conversion from photo in *Soviet Life;* 21, Charbonnier from Photo Researchers; 22, from Soviet calendar; 24, cartoon, from *Крокодил* in *Спутник;* 25, from drawing by Иван Яковлевич Билибин.

UNIT 2: p. 28, Novosti Press Agency; 30, Tass from Sovfoto; 32, Martine Franck from Woodfin Camp & Associates; 33, Ellen Levine; 38, line conversion from photo in *Soviet Life;* 44–45, cartoons from *Крокодил;* 46, Novosti Press Agency; 48, Novosti from Sovfoto.

OPTIONAL READING: p. 52, *l,* design by Михаил Ефремович Новиков from *Искусство оформления книги; r,* Bulgarska Fotografia from Eastfoto; 53, *tl,* Tass from Sovfoto; *bl,* Tass from UPI Europix; *tc,* line conversion from design by Юрий Алексеевич Васнецов; *bc,* line conversion from design by Николай Федорович Лапшин; both *tc* and *bc,* from *Искусство оформления книги; r,* Magnum; 54, *l,* from *Огонёк; r,* Soviet library slip; 55, *tl,* from *Смена* in *Спутник; tr,* from *Soviet Life;* 56–57, *t,* Soviet magazines, Harbrace photo; *b,* from *Спутник;* 58, Annan Photo Features; 60, 61*b,* 62 *and* 63, design by Л. А. Юдин from *Искусство силуэта.*

РАСПРЕДЕЛЕНИЕ: line conversions from photos in: p. 64, *tl, Советская Россия 1917–1967; tr, Soviet Life; b, Советский Союз;* 65, *tl, Советская Россия 1917–1967; tr, Soviet Life; b, Спутник.*

UNIT 3: p. 66, 68, Howard Sochurek from Woodfin Camp & Associates; 72–73, line conversion from photo in *Soviet Life;* 75, from *Советская женщина;* 78, Tass from Sovfoto; 80, Paolo Koch from Rapho-Guillumette; 81, from *Спутник;* 82, *tl,* Sovfoto; *bl,* Martine Franck from Woodfin Camp & Associates; *r,* 83*t,* Tass from Sovfoto; *b,* Martin Franck from Woodfin Camp & Associates; 86, from *Земля и люди;* 87, line conversion from photo in *Soviet Life;* 87–89, text, *and* 88, line conversion from art by Ю. Коровин, all from «Кем быть» in *Детям* by В. Маяковский; 90, *l,* Novosti from Sovfoto; *b,* Tass from Sovfoto; 91, *l,* Howard Sochurek from Woodfin Camp & Associates; *r,* Stan Wayman from Photo Researchers.

UNIT 4: p. 92, *t,* Tass from Sovfoto; 94, Novosti from Sovfoto; 97, line conversion from art in *Советская женщина;* 98, Martine Franck from Viva; 99, Novosti Press Agency; 103, R. J. Fleming from Black Star; 104, Tass from Sovfoto; 105, Jerry Cooke; 106, John Launois from Black Star; 108, R. J. Fleming from Black Star; 111, line conversion from photo in *Soviet Life.*

OPTIONAL READING: p. 112, initial art from *Русская народная роспись по дереву;* 113, line conversion from photo in *Советская Россия 1917–1967;* 114, Novosti from Sovfoto; 115, Sovfoto; 117, 118, Tass from Sovfoto; 120, from *Земля и люди.*

ЯЗЫК И ЛЕГЕНДЫ: p. 122, all line conversions from photos in: *l, tr, Soviet Life; br, Советский Союз;* 123, all line conversions from: *tl,* art in *Русские народные сказки, в иллюстрациях Палехского*

художника Александра Куркина; tr, photo in *Soviet Life; b,* art in *Soviet Life.*

UNIT 5: p. 124, Tass from Sovfoto; 126, Novosti Press Agency; 128, *tl, tr,* illustrations by Владимир Андреевич Фаворский for «Слово о полку Игореве»; 128, *bl,* detail of illustration by И. И. Фомин for «Слово о полку Игореве»; 128, *br,* line conversion of illustration of Князь Игорь by Иван Яковлевич Билибин; 131, Inge Morath from Magnum; 133, illustration by Владимир Андреевич Фаворский for «Слово о полку Игореве»; 134, 135, illustrations by Владимир Андреевич Фаворский for «Борис Годунов» by А. С. Пушкин; 136, New York Public Library; 138, *tr,* Vance Henry from Taurus Photos; *b,* Emil Schulthess from Black Star; 139, *t,* Bernard Silberstein from Rapho-Guillumette; *b,* Inge Morath from Magnum; 142, detail of illustration by Иван Яковлевич Билибин; 143, illustration by Владимир Андреевич Фаворский for «Слово о полку Игореве»; 144, art, from *Sputnik;* 145, Inge Morath from Magnum; 146–47, all, from *Суздаль — Suzdal,* Intourist publication.

UNIT 6: p. 148–49, art, from *Советский Союз;* 150, from *Русские народные сказки, в иллюстрациях Палехского художника Александра Куркина;* 151, alphabets from *Искусство книги;* 153, Paolo Koch from Rapho-Guillumette; 155, line conversion from illustration by Владимир Андреевич Фаворский; 156, *tr,* self-portrait, from *Soviet Life; c,* from *А. С. Пушкин: Избранные произведения; br,* from *Sputnik; bl,* 157, *tl,* illustrations by Н. В. Ильин for a book of lyric poetry by А. С. Пушкин from *Искусство силуэта; bl,* Inge Morath from Magnum; *r,* from *Soviet Life;* 158, art and head, from *Русские народные сказки, в иллюстрациях Палехского художника Александра Куркина;* 159, Кот учёный, illustration by Иван Яковлевич Билибин for the fairy tale by А. С. Пушкин; 160, art, from *Русские народные сказки, в иллюстрациях Палехского художника Александра Куркина;* 161, illustration by Иван Яковлевич Билибин for «Сказка о рыбаке и рыбке» by А. С. Пушкин; 162, 163, art, by Иван Яковлевич Билибин for *Tales about Tsar Saltan,* from the P. M. Fekula Collection, New York, Harbrace photo; 164, 165, details from book cover by Иван Яковлевич Билибин for «Сказка о царе Салтане — Сказка о рыбаке и рыбке» by А. С. Пушкин; 166, 167, art from *Moscow Kremlin in Antiquity and Now,* from the P. M. Fekula Collection, New York, Harbrace photo; 168, illustration by Владимир Андреевич Фаворский for «Слово о полку Игореве»; 169, illustration by Владимир Андреевич Фаворский for «Борис Годунов» by А. С. Пушкин.

OPTIONAL READING: p. 170, art, illustration by Иван Яковлевич Билибин; 170, 171, initial art, from *Русская народная роспись по дереву;* 171, art, by Судейкин, from the P. M. Fekula Collection, New York, Harbrace photo; 173, by Иван Яковлевич Билибин, from the P. M. Fekula Collection, New York, Harbrace photo; 174, initial art, from *Soviet Life; r,* Novosti Press Agency; 175, *t,* Vance Henry from Taurus Photos; *b,* Eric Lessing from Magnum; 176, Tass from Sovfoto; 177, Eric Lessing from Magnum.

ТУРИСТОМ В МОСКВЕ: p. 178, line conversions from art or photos in *tl, Спутник; tr, Sputnik; b, Soviet Life;* 179, *t,* Renato Perez from Pictorial Parade; others, line conversions from photos in: *bl, Soviet Life; br, Moscow: Architecture and Monuments.*

UNIT 7: p. 180, Camera Press from Pictorial Parade; 182, *t,* from advertisement in Soviet Chamber of Commerce brochure; 182, *b,* 184, *tr,* from Aeroflot brochures; 184, *tl, c, b,* Aeroflot ticket, baggage claim, boarding pass, Harbrace photo; 186, Aeroflot, Harbrace photo; 187, from Aeroflot advertisements; 189, from *Soviet Life;* 191, Christa Armstrong from Rapho-Guillumette; 193, from *Московский Кремль: история архитектуры;* 194, George Krivobok; 195, from *Moscow Kremlin in Antiquity and Now,* from the P. M. Fekula Collection, New York, Harbrace photo; 196, Martine Franck from Woodfin Camp & Associates; 197, Gordon Beck from Nancy Palmer; 199, Jean Mainbourg from Rapho-Guillumette; 200, Eastfoto; 201, from *Смена* in *Sputnik;* 203, Harbrace art adapted from *Русский язык для всех.*

UNIT 8: p. 204, Novosti from Sovfoto; 205, art, from advertisement in Soviet Chamber of Commerce brochure; 207, cards of Soviet hotels, Harbrace photo; 209, Jerry Cooke; 210, announcement of Soviet telephone company; 211, *l,* (billboard advertisement) Howard Sochurek from Woodfin Camp & Associates; 211, *r,* form of Soviet telephone company; 212, *l,* Paolo Koch from Rapho-Guillumette; 212, *r,* 213, *r,* tickets from the Soviet Union; 213, *t,* Tass from Sovfoto; 214, *tl,* from taxi advertisement in *Театральная Москва; tr,* tickets from the Soviet Union; 215, from advertisement in Soviet Chamber of Commerce brochure; 216, *b,* Paolo Koch from Rapho-Guillumette; 216, *t,* 217, *b,* obverse and reverse of a ticket from the Soviet Union; 217, *t,* Tass from Sovfoto; 219, line conversion from photo in *Родина;* 220, art, from advertisement in *Русский язык за рубежом;* ticket, from Soviet Union; 221, *tl,* from *Sputnik; cl,* from *Soviet Life; cr,* from *Советский Союз; b,* from *Смена,* 222, ticket from the Soviet Union; 223, 224, Tass from Sovfoto; 225, advertisement in *Театральная Москва;* 226, Tass from Sovfoto; 227, Paolo Koch from Rapho-Guillumette; 228, advertisement in *Театральная Москва;* 229, cover of an Intourist menu; 232, art, from advertisement in a Soviet Chamber of Commerce brochure; 235, Soviet paper money; 236, *l,* Martine Franck from Woodfin Camp & Associates; *r,* Tass from Sovfoto; 237, *l,* Christa Armstrong from Rapho-Guillumette; *b,* Martine Franck from Woodfin Camp & Associates; 238, advertisement in *Театральная Москва;* 239, from the Soviet Union, Harbrace photo; 241, from *Правила дорожного движения;* 242, *t,* from a book in the P. M. Fekula Collection, New York, Harbrace photo; *bl, br,* line conversions from photos in *Венгерские новости;* 243, top 3, line conversions from art in *Soviet Life; b,* from *Культура и жизнь;* 244, Harbrace art, adapted from a game in *Неделя.*

OPTIONAL READING: pp. 246–71, art and special type by Владимир Медведев from *Трусохвостик,* Сергей Михалков (Москва: Издательство «Советская Россия», 1970).

ЧЕМ ТЫ УВЛЕКАЕШЬСЯ?: all line conversions from photos in: p. 272, *tl, Soviet Life; tr, Спутник; bl, Спорт; br, Советская Россия 1917–1967;* 273, *tl, Советский Союз; tc, Sputnik; tr, Спутник; bl, Sputnik; br, Soviet Life.*

UNIT 9: p. 274, Tass from Sovfoto; 275, initial art, from *Soviet Life;* 276, Charbonnier from Photo Researchers; 278, from *Boris Godunov,* from P. M. Fekula Collection, New York, Harbrace photo; 279, 280, *l,* Culver Pictures; *r,* costume design by Иван Яковлевич Билибин for the opera «Борис Годунов»; 281, art by Nicola Benois from NYPL Picture Collection; 282, from *Театральная Москва;* 286, line conversion from a page in *Спутник;* 287, Novosti from Sovfoto; 288, *t,* tickets from the Soviet Union; *b,* line conversion from photo in *Sputnik;* 289, *t,* from a Soviet theatre program; *b,* Inge Morath from Magnum; 290, line conversion from Soviet picture postcard; 291, Tass from Sovfoto; 295, from the cover of Bolshoi Theatre program; 296, *t,* advertisement in *Вечерняя Москва; c,* Vance Henry from Taurus photos; *b,* from *Кино неделя Ленинграда;* 297, *t,* cover of a Soviet circus program; *tr,* Tass from Sovfoto; 297, *br,* 298, *t, cl, cr,* from covers of Soviet theatre

programs; 298, *b,* Inge Morath from Magnum; 300, from *Sputnik;* 302, *t,* from *Чехословакия; c,* from *Soviet Life; b,* from *Спутник.*

UNIT 10: pp. 304–307, Tass from Sovfoto; 309, cover of a Soviet soccer program; 310, advertisement from *Театральная Москва;* 311–13, from a Soviet calendar; 314, advertisement from *Вечерняя москва;* 315, Howard Sochurek from Woodfin Camp & Associates; 317, line conversion from photo in *Soviet Life;* 318, 320, Gordon Beck from Nancy Palmer; 323, *l,* sports event ticket from the Soviet Union; *r,* advertisement in Soviet newspaper; 324, *t, br,* from *Sputnik;* 325, *tl, r, bl,* from *Soviet Life;* 328, *t,* Tass from Sovfoto; *bl,* Tass from UPI, *br,* Jerry Cooke.

OPTIONAL READING: p. 330, *tl* (logo), from *Культура и жизнь; tr,* Novosti Press Agency; *br,* from *Чехословакия;* 331, Novosti from Sovfoto; 332, Logo, from *Венгерские новости;* stamps, courtesy of Sviatoslav Liapunov; 333, line conversion from cover design for *Занимательная математика;* 335, *tl, bl,* from *Смена; tr,* from *Советский Союз; br,* from *Soviet Life;* 336, *t,* from Soviet calendar; 336–37, *b,* from *Известия;* 337, *t,* from *Спутник;* 338, *t,* masthead, from *Неделя; tc,* line conversion from photo in *Soviet Life; bc,* head from *Неделя; b,* Tass from Sovfoto; 339, Novosti Press Agency; 340, Sovfoto; 341, line conversions from art in Soviet textbook; 342–43, line conversions from photo in *Советская Россия 1917–1967;* 344–47, head and snowflakes, from *Спутник;* 344, 345, Marc Riboud from Magnum; 346–47, New Year's cards; 348, *tl,* from *Крокодил; bl,* from *Sputnik; tr, Советский Союз; cr,* from *Soviet Life; br, Спутник;* 349, *tl, cl,* from *Огонёк; tr, br, Советский Союз.*

ПО СТРАНЕ: line conversions from photos in: p. 350, *tl, Советская женщина; tr, Soviet Life; bl, Советская Россия 1917–1967; br*–351 *bl, Soviet Life; tl, Польша; tr, Советская Россия 1917–1967; br, Советский Союз.*

UNIT 11: p. 352, *t,* Howard Sochurek from Woodfin Camp & Associates; *b,* Martine Franck from Woodfin Camp & Associates; 354, Tass from Sovfoto; 355, *tl,* Harbrace art adapted from *Спутник;* 357, Tass from Sovfoto; 359, from *Земля и люди;* 361, from an Aeroflot brochure; 362, Tass from Sovfoto; 363, Jerry Cooke; 365, line conversion from photo in *Sputnik;* 366, Tass from Sovfoto; 368–69, head and illustrations by Г. Никольский, for *В краю дедушки Мазая,* by М. Пришвин; 370, line conversion from photo in *Soviet Life;* 371, line conversion from photo in *Венгерские новости;* 374, Wide World; 375, map, from "Taskent," a Soviet travel brochure; 376, *Искусство книги 5.*

UNIT 12: p. 378, *t,* Martine Franck from Woodfin Camp & Associates; *b,* Tass from Sovfoto; 379, Inge Morath from Magnum; 380, S. H. Hedin from Carl Östman; 382, both, 383, Tass from Sovfoto; 384, Jan Lukas from Rapho-Guillumette; 385, Soviet bread wrapper; 386, from *Soviet Life;* 389, Howard Sochurek from Woodfin Camp & Associates; 392, from an advertisement in *Спутник;* 393, both, Paolo Koch from Rapho-Guillumette; 394, from an advertisement in *Спутник;* 397, *l,* Tass from Sovfoto; *b,* both, line conversions from photos in *Sputnik;* 398, Paolo Koch from Rapho-Guillumette; 399, from *Огонёк;* 400, art for «Звёзды над морем»; 402, Tass from Sovfoto.

OPTIONAL READING: pp. 404–05, Tass from Sovfoto.